D1681209
9789681639006

OCTAVIO PAZ

OBRAS COMPLETAS

EDICIÓN
DEL AUTOR

letras mexicanas

OBRAS COMPLETAS DE OCTAVIO PAZ

1
La casa de la presencia
Poesía e historia

2
Excursiones / Incursiones
Dominio extranjero

3
Fundación y disidencia
Dominio hispánico

4
Generaciones y semblanzas
Dominio mexicano

5
Sor Juana Inés de la Cruz
o las trampas de la fe

6
Los privilegios de la vista I
Arte moderno universal

7
Los privilegios de la vista II
Arte de México

8
El peregrino en su patria
Historia y política de México

9
Ideas y costumbres I
La letra y el cetro

10
Ideas y costumbres II
Usos y símbolos

11
Obra poética I

12
Obra poética II

13
Miscelánea I
Primeros escritos

14
Miscelánea II
Entrevistas y últimos escritos

Nota del editor

Esta edición de las *Obras completas* de Octavio Paz retoma la iniciada por Círculo de Lectores (Barcelona) y todavía en curso de publicación. El Fondo de Cultura Económica agradece a Círculo de Lectores las facilidades brindadas para reproducir esta suma de la obra del poeta mexicano, ganador en 1990 del premio Nobel de literatura.

En alguna ocasión Octavio Paz escribió sobre su convicción de que «los grandes libros –quiero decir: los libros necesarios– son aquellos que logran responder a las preguntas que, oscuramente y sin formularlas del todo, se hace el resto de los hombres».

El Fondo de Cultura Económica reafirma estas palabras de Octavio Paz al publicar una obra que recoge el fruto de una larga y diversa experiencia vital y de sus variados intereses en las culturas de Europa, Asia y América. Para el lector mexicano, y, asimismo para el latinoamericano, esta edición contiene un atractivo más pues incluye las reflexiones de Octavio Paz sobre la historia de nuestros pueblos y sobre las artes y las letras hispánicas. Se trata, en fin, de una edición que reúne la poesía y la prosa, el arte verbal, y el pensamiento de una figura capital de la literatura de nuestro siglo.

FONDO DE CULTURA ECONÓMICA
Ciudad de México, 1993

OCTAVIO PAZ

Generaciones y semblanzas

Dominio mexicano

EDICIÓN
DEL AUTOR

Círculo de Lectores

Fondo de Cultura Económica

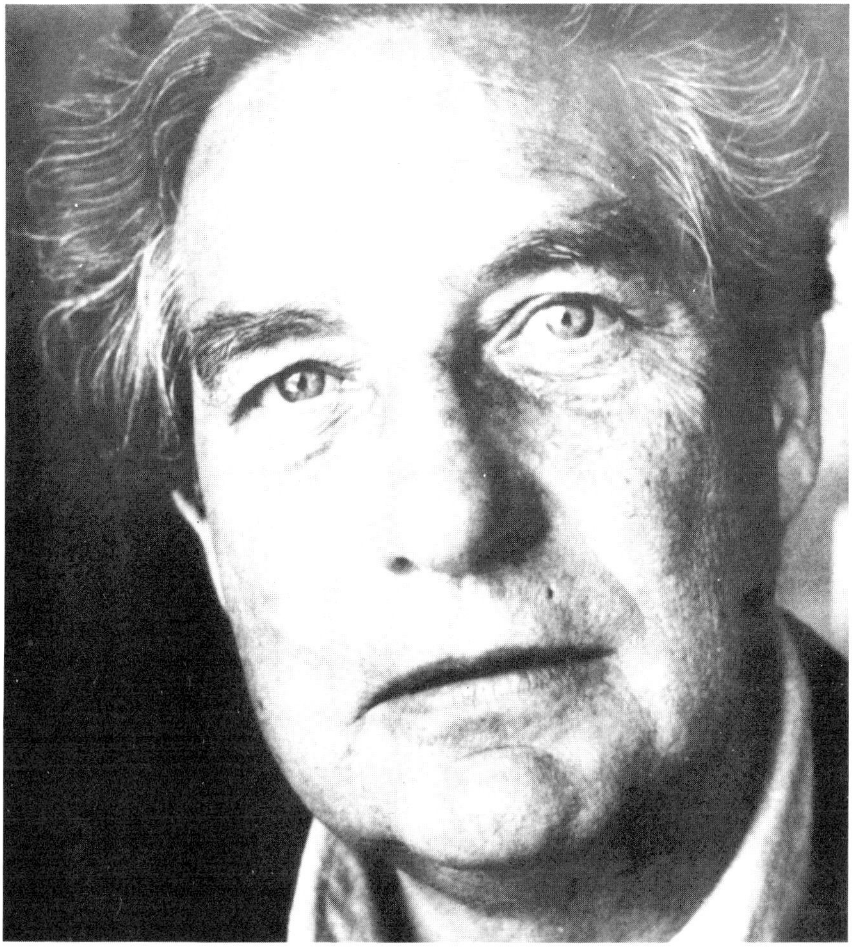

Primera edición (Círculo de Lectores, Barcelona), 1991
Segunda edición (FCE, México), 1994

Crédito de las fotografías:
Rogelio Cuéllar (entre pp. 110-111, primera de las dos).
Juan Guzmán (entre pp. 228-229).
Lola Álvarez Bravo (entre pp. 244-245 y 268-269).
Archivo personal del autor (Paz, fronstispicio).

© 1991, Círculo de Lectores, Barcelona, por lo que respecta a las características de la presente edición.
ISBN 84-226-3496-1

D.R. © 1994, FONDO DE CULTURA ECONÓMICA, S.A. DE C.V.
Carretera Picacho-Ajusco, 227; 14200 México, D.F.

ISBN 968-16-3908-1 (Obra Completa)
ISBN 968-16-3900-6 (Tomo 4)

Impreso en México

Prólogo

Tránsito y permanencia

Se dice y repite que las obras literarias son la expresión de la sociedad y la época en que fueron compuestas. Habría que matizar esta sumaria afirmación señalando que la literatura expresa a la sociedad no sólo cuando pasivamente la refleja sino sobre todo cuando la contradice o la transciende, la escarnece o la transfigura. Casi todas las obras literarias se han hecho frente, contra o de espaldas a la sociedad. Lo último es particularmente cierto en el caso de la literatura mexicana. La mayoría de nuestros poemas, novelas, piezas de teatro, cuentos y ensayos se escribieron en medio de la indiferencia pública; durante mucho tiempo hemos sido un país con autores pero sin lectores. Cierto, entre nosotros no es imposible que un escritor alcance la notoriedad y que, incluso, se convierta en oráculo popular o en consejero de príncipes. Fama engañosa: el agraciado tendrá muchos admiradores pero pocos lectores. Los pueblos hispánicos no son aficionados a la lectura y los mexicanos, lejos de ser una excepción, son una contundente afirmación de la regla. La escasez de lectores no debe imputarse al analfabetismo y a la pobreza del pueblo sino a la ignorancia y a la indolencia generales. En nuestros países no se ha exaltado nunca ni al trabajo manual ni al intelectual.

Otra circunstancia desfavorable al ejercicio de la literatura: con la decadencia de España y de sus antiguas colonias vino el desprecio por lo propio. Hasta hace apenas treinta o cuarenta años se veía con desdén a las obras escritas por mexicanos. Un liberal inteligente, Ignacio Ramírez, dijo alguna vez que «la poesía de la pobre sor Juana no es mejor que los casimires que producen nuestras fábricas de textiles». Ramírez decía esto hace un siglo pero en 1930 las cosas no habían cambiado demasiado: yo recuerdo qué difícil era encontrar en las vitrinas de las librerías de la ciudad obras de autores mexicanos. Los libreros preferían mostrar las novedades que venían de Madrid. Todo comenzó a cambiar hacia 1950. No atribuyo el cambio a los avances de la educación popular: saber leer no significa amar a los libros ni tener la costumbre de la lectura. El cambio se debe a la aparición de una nueva conciencia social: la Revolución mexicana nos reveló a nuestro país y nos enseñó a amar sus creaciones. Poco a poco los mexicanos se reconcilian con ellos mismos, aunque todavía hay zonas obscuras en su alma.

Mi caso no se ajusta a la descripción anterior: desde niño leí libros de autores mexicanos. En mi familia nuestros escritores no sólo eran vistos con respeto y con simpatía sino que se exaltaba, a veces de modo inmoderado, a los del siglo XIX, especialmente a los del bando liberal. La razón de esta anomalía es muy simple: mi abuelo, Ireneo Paz, era escritor y desde su juventud se había alistado en las filas del liberalismo. Fue periodista, dirigió un diario y escribió novelas, poemas y cientos de artículos; amaba a los libros y había logrado reunir una biblioteca de cierta importancia. Entre los objetos que me causaban admiración en aquella biblioteca se encontraban unos atriles giratorios que sostenían una infinidad de tarjetas con los retratos de los escritores admirados por Ireneo Paz. Predominaban los franceses aunque había de otras naciones y lenguas: Hugo, Balzac, Madame de Staël, Georges Sand, Dumas, Zola, Byron, Dickens, Tolstói, Anatole France, D'Annunzio y no recuerdo cuantos más. Había un nicho especial para los españoles, de Pérez Galdós y Emilia Pardo Bazán a don Emilio Castelar, patriarca de los liberales mexicanos. Otro nicho estaba dedicado a los héroes republicanos, como Lincoln, Gambetta y Garibaldi, y a los prohombres revolucionarios: Mirabeau, Camilo Desmoulins, Danton y otros. No podían faltar, claro, ni Oliverio Cromwell ni Bonaparte. Entre todas estas notabilidades de fuera aparecían con naturalidad muchos mexicanos y algunos hispanoamericanos, como Sarmiento, Bello, Zorrilla de San Martín y Jorge Isaacs. La colección de tarjetas recordaba a los retratos de familia. En cierto modo era verdad: en mi casa los veíamos como parientes lejanos y figuras tutelares. Eran nuestros penates.

Algunos de esos retratos estaban firmados, la mayoría por mexicanos y unos pocos por extranjeros, como el del peruano Ricardo Palma, muy admirado por mi abuelo y con el que sostuvo alguna correspondencia. Había muchos libros dedicados, casi todos de autores que hoy casi nadie recuerda, aunque otros son pequeñas curiosidades bibliográficas. Todavía guardo la primera edición de los *Poemas rústicos* de Othón y la de *Los de abajo* de Azuela. Uno de los libros que más me atraía no estaba en la biblioteca: el álbum de Amalia Paz. Mi madre y otros familiares se referían a él con una sonrisilla, no sé si de burla o de envidia. Amalia era mi tía, una solterona muy alta y muy flaca, siempre leyendo novelas francesas del siglo pasado o perdida en soliloquios inaudibles, a ratos susurrantes y otros exaltados como río crecido.

¿Con quién hablaba, a quién increpaba, con quién reía y a quién, un minuto después, rogaba? Como todos los viejos, tenía la cabeza llena de fantasmas. Era inteligente y delirante, solícita y perversa. Obediente a su signo, el melancólico Saturno, saltaba del entusiasmo al abatimiento. En la vejez la soledad es un peso insoportable y quizá por esto ella buscaba mi compañía: yo era el más chico de la casa y el único que escuchaba embelesado sus historias. Me fascinaba y me aterraba. A ella le debo mi afición a los cuentos fantásticos. También mi primera noticia de la poesía mexicana.

Tal vez había sido atractiva, a juzgar por un retrato suyo colgado en una salita y por los poemas y dedicatorias de su álbum, uno de esos libros de las señoritas burguesas de fin de siglo. Lo guardaba en su recámara, en un *secreter*. Una de mis primas descubrió el escondite y una tarde, mientras Amalia regaba las plantas de la terraza, una de sus distracciones favoritas, nos deslizamos a hurtadillas en su habitación, sacamos el álbum y lo hojeamos, asombrados y burlones. Era un libro de pastas doradas con adornos florales (¿lirios, crisantemos?). Contenía algunos dibujos y acuarelas, un retrato suyo a lápiz y muchos poemas y composiciones en prosa. Caligrafía finisecular, jardín de letras de rasgos esbeltos como tallos sinuosos rematados por flores raras. Estética y literatura de un romanticismo dulzón y tardío pero ya con leves anuncios del modernismo. Al principio, mi prima y yo nos reímos; de pronto nos quedamos serios: los autores de aquellos madrigales y sonetos estaban muertos. Nos estremecimos, devolvimos el álbum en su sitio y nos alejamos. La sombra de la muerte nos había rozado. Años después, ya en la universidad, descubrí que varios de los poetas que estudiaba figuraban en el libro de Amalia. Recordé una escritura pequeña, nerviosa y rápida, una firma y una fecha: Manuel Gutiérrez Nájera, agosto 25 de 1888.

En el bachillerato estudié, sin pena ni gloria, literatura española, hispanoamericana y mexicana. Entre mis maestros recuerdo con gratitud al poeta Carlos Pellicer. He olvidado lo que me dijo acerca de Díaz Mirón y de Lugones, no los relatos de sus viajes y excursiones en Florencia y en Chichen-Itzá, ante las cataratas del Iguazú y bajo la luna del Bósforo. A veces nos leía sus poemas con una voz de ultratumba que me sobrecogía. Fueron los primeros poemas modernos que oí. Subrayo que los oí como lo que eran realmente: poemas modernos, a pesar de la manera anticuada con que su autor los recitaba. A Pellicer no le interesaban mucho las ideas pero a nosotros sí. En aquella época se hablaba sin cesar de la «mexicanidad»; nuestros críticos se desvelaban por encontrar las características que distinguían a la poesía mexicana de la de España y los otros países hispanoamericanos. El nacionalismo literario había comenzado sesenta años antes en *El Renacimiento*, la revista de Altamirano, pero después del triunfo de la Revolución mexicana la idea se convirtió en dogma y el dogma en consigna: había que ser mexicano, aunque nadie sabía a ciencia cierta en que consistía esa misteriosa mexicanidad.

Entre los incrédulos se encontraba el grupo de escritores que en esos años publicaba la revista *Contemporáneos.* Sus adversarios, que eran la mayoría y todos malas lenguas, los perseguían y los escarnecían. Aunque la antipatía que despertaban los escritores de *Contemporáneos* entre sus colegas era general, los motivos que la inspiraban eran muy diversos: ideológicos, estéticos, morales. Pero cualesquiera que fuesen aquellos motivos, a todos los unía el mismo padecimiento: el odio. Eran una banda vociferante, borracha de bilis, amarga ambrosía de los resentidos. En vano los acusados, que eran inteligentes, respondían con ingenio: el tumulto de los envidiosos ahogaba sus voces. Los otros blandían la bandera mexicana y se proclamaban defensores de la Revolución, traicionada por una cofradía de reaccionarios y de maricas cosmopolitas. La disputa se transformó, unos años más tarde, al amparo de un cambio político, en una cacería. Por lo pronto era sólo un sórdido asalto verbal; por primera vez fui testigo de la bajeza del vulgo literario. Desde entonces he visto, oído y leído mucho: la raza de los maldicientes, acunada por la madrastra Ideología, se ha multiplicado. Hoy pulula en las salas de redacción y en las universidades, roe las obras y babea las reputaciones. Pero vuelvo a mi cuento.

Ya he contado como conocí a los poetas de *Contemporáneos,* cuando era estudiante, y mi primer encuentro con Jorge Cuesta[1]. Lo que no he dicho es que una noche de marzo o abril de 1935, en un bar de la calle Madero, tuve la rara fortuna de oírlo *contar,* como si fuese una novela o una película de episodios, uno de sus ensayos más penetrantes: *El clasicismo mexicano.* Sus oyentes éramos una muchacha amiga suya y yo. Ella abrió apenas la boca durante la noche, de modo que a mi me

---

1. Véase en este volumen: *Contemporáneos*, p. 69.

tocó arriesgar algunas tímidas preguntas y unas pocas, débiles objeciones. Fue muy de Jorge Cuesta esto de exponer a su amante y a un jovenzuelo, al filo de la media noche, entre un *dry-martini* y otro, una ardua teoría estética. Dos o tres días después de esta conversación, me envió un ejemplar de la revista en donde aparecía el ensayo; al leerlo, el deslumbramiento inicial se transformó en algo más hondo y más duradero: una reflexión que todavía no termina. Desde aquellos días mis ideas sobre la literatura han cambiado pero, sin la conversación de aquella noche, tal vez yo no habría comenzado a pensar sobre estos temas. Tampoco habría logrado hacerlo con un poco de rigor e independencia.

La idea de Cuesta era clara y simple: desde su origen la poesía mexicana había mostrado cierta predilección por las formas universales y clásicas frente a las seducciones de lo particular, lo sentimental y lo que se llama el color local. Cuesta veía a la historia de nuestra literatura como un episodio de la oposición tradicional entre lo clásico y lo romántico, lo universal y lo particular. Pensaba que nuestro academismo, más que un clasicismo exangüe, había sido un romanticismo disfrazado; tenía la misma opinión del modernismo y entre los poetas de esa escuela salvaba únicamente a González Martínez. Aunque no era insensible ante sus poderes magnéticos, veía en el romanticismo, más que a la revelación de la mitad oculta del hombre, un desfallecimiento de las formas y una claudicación del entendimiento. Julien Benda habría aprobado estas opiniones. Jorge Cuesta pertenecía a la familia de espíritus que prefieren la idea a la revelación, la claridad a los oráculos de la obscuridad. Sin embargo, las obscuridades lo fascinaban y acabaron por poseerlo y destruirlo.

No es difícil, ahora, hacer la crítica de las ideas de Jorge Cuesta. En primer término, la oposición entre lo clásico y lo romántico no abarca la historia entera de nuestra poesía. Sólo forzando los términos se puede llamar «clásico» a López Velarde. ¿Sor Juana es clásica y Nervo es romántico? Hay muchas cosas, quiero decir: muchos poetas y poemas, que no caben en la oposición entre clásicos y románticos. Cuesta pensaba, con razón, que nuestra literatura es parte de la literatura de Occidente y de ahí que subrayase la oposición entre clasicismo y romanticismo. Le parecía central y sin ella le resultaba inexplicable la historia de la literatura europea y americana. Pero cerró los ojos ante otras oposiciones no menos significativas y quizá más pertinentes. ¿Qué hacer con el manierismo, el barroco, el simbolismo, el naturalismo? ¿Y el arte románico y el gótico? ¿El clasicismo es uno o hay varios? Por último, la modernidad ha descubierto otras tradiciones –otros clasicismos y otros romanticismos– en las literaturas de China y Japón, los árabes, la India, Persia. Cuando Cuesta escribía su ensayo, el arte europeo había sufrido ya la seducción del arte negro y Pound exploraba la poesía china y japonesa. En México Tablaba nos había revelado el haikú y Tamayo comenzaba a pensar en las formas de la escultura prehispánica.

Sin embargo, hay dos ideas de Cuesta que me siguen pareciendo válidas: la primera se refiere al origen de la poesía mexicana, la segunda a la naturaleza ilusoria del concepto de mexicanidad. Nuestra poesía es una poesía trasplantada y nace en un momento universal de España; en el siglo XVI los escritores españoles descubren en Italia al arte del Renacimiento, lo asimilan y lo recrean con talento inmenso y, algunos, con genio. Los primeros poetas novohispanos fueron discípulos de ese gran movimiento y escribieron en un lenguaje y unas formas universales. Cuesta los llama, con cierta inexactitud, clásicos; en realidad fueron manieristas e italianizantes, como sus modelos españoles. En el siglo XVII las formas renacentistas se complican; en el XVIII, fatigadas, ceden el sitio a la estética neoclásica, asaltada después por la ola romántica; y así sucesivamente hasta llegar a nuestros días. Estos cambios han sido universales y constituyen lo que se llama la historia de la literatura de Occidente. Una literatura que, a medida que cambiaba, se extendía más y más. Primero fue europea en un sentido geográfico limitado; después abarcó a Rusia y a las tres Américas (la inglesa, la española y la portuguesa); ahora al mundo entero.

Los poetas mexicanos, desde el siglo XVI, con mayor o menor fortuna, han experimentado todas esas transformaciones. A veces han intentado, sin gran éxito, rechazarlas; otras las han aceptado con demasiada docilidad; otras, en fin, han logrado crear con esos estilos universales obras que no podían ser sino suyas. La explicación no está en una peregrina predisposición de los mexicanos hacia lo universal sino en dos circunstancias complementarias. La primera: los estilos y las formas artísticas son transmigrantes y saltan todas las fronteras; son verdaderas epidemias, sólo que no matan sino que vivifican. La segunda: la literatura mexicana es parte de la literatura de Occidente. Comenzó siendo una mera extensión de la española; ya no lo es. Tampoco es una poesía excéntrica; dejó de serlo en este siglo, como las otras literaturas hispanoamericanas. Aquí debo agregar algo que Cuesta y sus contemporáneos no podían prever: desde hace medio siglo no hay centros literarios ni artísticos. Hay, sí, mercados poderosos pero esos mercados necesitan, para subsistir, las obras de los artistas y los escritores de la periferia.

Cuesta nunca explicó la causa de la supuesta inclinación de los mexicanos por las formas clásicas. Tal vez pensaba que América era la proyección del universalismo europeo. Si fue así, tenía razón, sólo que en este caso hay que aceptar que ese universalismo abarca muchas negaciones y excepciones del clasicismo, como el nacionalismo y el romanticismo. Unos años antes, Pedro Henríquez Ureña aventuró una hipótesis de orden psicológico. Por la mesura, el amor a las proporciones clásicas, la moral reflexiva y la ironía, el teatro del criollo Juan Ruiz de Alarcón es una negación del teatro del arrebatado Lope y un antecedente del francés. Pues bien, estos rasgos alarconianos son en realidad una característica del naciente espíritu mexicano. Tampoco Henríquez Ureña explicaba el porqué de esta predisposición, aunque insinuaba que era una reacción frente a España y sus grandes y categóricas afirmaciones. Alfonso Reyes compartía la opinión de su amigo, pero ni uno ni otro la formularon con la claridad deseable. Más tarde, en su libro sobre Alarcón, el crítico Antonio Castro Leal recogió la hipótesis, la amplió y la convirtió en una teoría estética de lo mexicano. Me limitaré a una observación rápida: ni los españoles han sido, en su historia y en sus obras, tan exagerados y categóricos como decían Henríquez Ureña y Castro Leal, ni los mexicanos se han distinguido por la moderación en sus actos y en sus creaciones. La exageración categórica estaba más bien en las ideas de Henríquez Ureña y de Castro Leal. Por su parte, Xavier Villaurrutia decidió subrayar ciertas notas que le parecían definir a la poesía mexicana: la mesura, el amor por los matices, el tono melancólico y crepuscular, la ironía. De nuevo: Villaurrutia cerraba los ojos ante la violencia solar y nocturna, el humor (lo contrario de la ironía), la pasión, la sensualidad, la crueldad y, en fin, la rica y no pocas veces absurda fantasía de la vida y el arte de México.

Me falta mencionar la tentativa nacionalista más interesante y más rica: el criollismo de Ramón López Velarde. No fue una aventura solitaria sino una tendencia compartida por otros poetas; tampoco fue memorable por las ideas sino por las notables intuiciones poéticas y los poemas que dejó. Por sus intenciones y sus asuntos, la poesía de López

Velarde es deliberadamente mexicanista o, más exactamente, criollista: su México es el del centro-norte del país, católico, tradicionalista y apenas tocado por la influencia india. Lo mismo puede decirse de su vocabulario y sus giros, sus metáforas y sus visiones, su manejo casi siempre afortunado del lenguaje hablado y su capacidad para transformar una situación vulgar en una verdad dramática –virtud del relámpago poético. López Velarde fue un poeta original y un verdadero creador pero no sacó al mundo de la nada: aplicó con felicidad, hasta hacerlos suyos enteramente, unos procedimientos y una estética que venían de fuera. El prosaísmo, la ironía, la búsqueda de la rima rara no por exquisita sino por ser coloquial, la provincia, las primas y las monjas, el erotismo de burdel y sacristía, el pecado y la inocencia, el notario y el gendarme, la solterona y su piano: motivos, formas, lenguaje y situaciones de una poesía que nace en las postrimerías del simbolismo francés y que fue, simultáneamente, su última expresión y su réplica irónica.

La tendencia poética que ilustra López Velarde se originó en la provincia francesa y belga. Pronto se extendió, como es sabido, a la lengua inglesa y marcó a dos poetas esenciales de nuestro siglo: Pound y Eliot. Pero allá el trasplante se hizo sobre todo a través de Laforgue y tuvo características y resultados distintos a los de España, Italia e Hispanoamérica. Aquí la influencia de otros dos poetas, Francis Jammes y Georges Rodenbach, fue no menos determinante que la de Laforgue. En España fecundó a dos poetas hoy olvidados con cierta injusticia: Fernando Fortún y Andrés González Blanco. La lección de ambos –la de sus traducciones y la de sus poemas– fue recogida y transformada por López Velarde. Así, al criollismo del mexicano hay que añadir el de los sudamericanos, el «provincialismo» de los españoles y la notable y significativa coincidencia con los «crepusculares» italianos. Sobre estos últimos nuestra crítica no ha dicho nada; sin embargo, el parecido es innegable. Es claro que López Velarde no los conoció; ahora mismo pocos entre nosotros han leído a Gozzano o a Corazzini. ¿Qué importa? No señalo una improbable influencia: muestro un paralelismo estético. Los «crepusculares» fueron poetas que compartieron con los españoles y los hispanoamericanos de ese momento las mismas influencias francesas y las mismas preocupaciones. El prosaísmo, la ironía, el provincialismo católico y erótico son un capítulo de la poesía de comienzos de siglo en los países latinos.

El ejemplo del criollismo de López Velarde no desmiente, como se ha visto, la idea que he tratado de exponer acerca del carácter de la poesía mexicana. Subrayo que es un carácter que comparte con las de España e Hispanoamérica. ¿Por qué entonces he consagrado este libro únicamente a la literatura mexicana? Por motivos de espacio: he escrito mucho sobre los autores de mi país. Al escribir sobre ellos no me propuse trazar una teoría o siquiera esbozar una historia de la literatura mexicana; estos ensayos y notas son las huellas y los ecos de mis afinidades y mis diferencias, entusiasmos y curiosidades. Aclaro, además, que he usado un término inexacto: carácter. No se trata de un conjunto de rasgos distintivos sino de una pluralidad de atributos y propiedades inestables y que cambian sin cesar. No es una psicología ni una esencia cultural o racial: es una historia, un proceso. La literatura mexicana, como las otras, vive y sobrevive gracias a sucesivas negaciones e invenciones. Es una tradición pero una tradición en perpetua crisis; para perdurar, necesita saltar, inventarse y ser siempre otra de la que fue. La de hoy, como la maravilla del poema de Góngora, no se parece ni siquiera a su sombra. La literatura es tránsito y, asimismo, voluntad de permanencia: cada obra valiosa es, a un tiempo, un alto y un punto de partida.

En el proceso literario intervienen tres circunstancias. Una es el lugar y el momento: la sociedad en donde se escribe la obra y para la que, en general, se escribe; otra es la aparición de un nuevo estilo o tendencia, casi siempre llegado de fuera y que transtorna a la tradición imperante, la contradice y pretende cambiarla; la última, la decisiva, es la acción de un escritor o de un grupo de escritores que recoge la nueva tendencia, la hace suya y crea con ella y a través de ella unas obras distintas y únicas. La literatura nace de la intersección de estos tres factores: Los dos primeros son dados y pertenecen al curso natural de la historia; el tercero representa lo inesperado, el genio o el ingenio personal, aquello que transforma la repetición en invención y la sucesión en obra aislada y perdurable. Es el elemento creador de la historia: funda las tradiciones, las derriba, las resucita y, en suma, es un perpetuo recomienzo. Las obras que de veras cuentan, hayan sido escritas hace siglos o apenas ayer, son siempre de hoy. Homero acaba de contarnos el entierro de Héctor.

Las dos terceras partes de *Generaciones y semblanzas* tienen por tema a la poesía y a los poetas de México. No necesito justificar esta preferencia: corresponde a una pasión profunda que se confunde con mi vida misma. Además, la tradición poética mexicana no sólo es muy variada y rica en obras excelsas sino que es tan antigua como nuestro país. Incluso es anterior a su nacimiento: algunos de los poemas más hermosos del continente americano son mayas y nahuas, para no hablar de los breves y puros cantos de los otomíes. No obstante, a pesar de la admiración que siento por la poesía prehispánica, quise limitarme al idioma español en su encarnación mexicana, del siglo XVI a la época contemporánea. Nuestra tradición poética tiene cerca de cinco siglos de existencia continua.

Muchos de estos ensayos, artículos y notas pertenecen al periodismo literario y fueron comentarios a una actualidad sin cesar cambiante. Escritos para saludar la aparición de un libro, exaltar a un compañero, insinuar una reserva, declarar una admiración o un desacuerdo, explorar una obra o descifrar un enigma poético, estos textos han sido ejercicios de entusiasmo. Procuré, sí, tener los ojos abiertos; no sé si lo logré siempre. Al releer estas páginas, me conmueve su fervor y me apiado ante sus extravíos; también me ruborizo frente a los juicios perentorios, las manías, las injusticias y las lagunas. Hoy no podría, por ejemplo, repetir algunas frases desdeñosas acerca de Gutiérrez Nájera y Amado Nervo, que son, con Díaz Mirón y Othón, los fundadores de la poesía moderna mexicana.

En el campo de los géneros narrativos las omisiones son aún más numerosas. También son más explicables: no me propuse emprender un estudio de conjunto sobre la novela y el cuento en México. Tampoco sobre el teatro. Preferí limitarme a la poesía porque el que mucho abarca poco aprieta. Lo siento pues entre los fundadores de la literatura mexicana moderna, al lado de Reyes y López Velarde, se encuentran tres maestros del arte de la narración: José Vasconcelos, Mariano Azuela y Martín Luis Guzmán. Aunque en *El laberinto de la soledad* me ocupo de *El gesticulador*, me hubiera gustado incluir en este libro al menos unas páginas sobre el teatro de Rodolfo Usigli. En cambio, aunque no de manera continua ni sistemática, sí me he ocupado de los que vinieron después. He escrito sobre ellos con frecuencia, a veces movido por el entusiasmo y otras para trazar un signo de amistad y reconocimiento. Casi siempre mis comentarios han sido rápidos apuntes al margen de la actualidad. No se me ocultan los huecos: son muchos y, algunos, enormes. Diré, en mi abono, que estamos ante un paisaje en movimiento. Por ejemplo, lo que escribí sobre Carlos Fuentes hace años resulta ahora insuficiente; su obra ha crecido y, sin dejar de ser ella misma, ya es otra. Además, la aparición de nuevos autores modifica sin cesar el panorama. Entre los cambios de los últimos años señalo una novedad considerable: las novelas de Fernando del Paso. Por último, el paisaje no se altera únicamente por las apariciones sino por las desapariciones: es difícil olvidar la muerte, en plena madurez, de Jorge Ibargüengoitia.

El cuento, un género en el que se han distinguido siempre los mexicanos, desde Micrós y Gutiérrez Nájera, también ha cambiado. Entre las metamorfosis más sorprendentes destaco las invenciones de un talento sutil, Alejandro Rossi, que suscita en sus relatos, con humor y economía, perspectivas inquietantes y transparencias insidiosas. Entre la narración y el teatro, el monólogo y el diálogo, hay pasadizos secretos que explora Julieta Campos, guiada por la memoria y sus crueles espejos. Sobre el tablado, la palabra es acto y es representación, gesto y gesta. En las obras de un joven autor, Hugo Hiriart, al que debemos también una curiosa novela, el lenguaje entra en acción, el dicho se vuelve hecho... Ya en el momento de enviar este libro a la imprenta, otra sorpresa: las invenciones de un joven narrador, Alberto Ruy-Sánchez. No invención de un lenguaje sino un lenguaje inventor de atmósferas y climas insólitos. Estos nombres no agotan, naturalmente, un panorama muy variado; los he citado porque, alejados del realismo costumbrista y didáctico, representan tentativas valerosamente solitarias.

Las revistas y los suplementos literarios han sido, a un tiempo, los canales de transmisión de la nueva literatura y los centros de discusión y crítica. Sería injusto no mencionar, así sea de paso, a algunos de los escritores que han sido agentes de los distintos movimientos y tendencias que han inspirado y conformado a las letras mexicanas contemporáneas. Agentes en el doble sentido de obrar por cuenta propia y en nombre de otros. En mis comienzos literarios, hace ya medio siglo, Octavio G. Barreda animó nuestras letras. Su acción fue esforzada e inteligente; editó dos revistas *Letras de México* y *El Hijo Pródigo*, ambas esenciales en su momento. Más tarde, Fernando Benítez, historiador, cronista y autor de varios libros notables sobre los indios de México, ha sido durante muchos años un centro de atracción de los nuevos escritores; los ha estimulado en sus inicios y los ha defendido en su madurez. Otro centro de atracción y repulsión ha sido Carlos Monsiváis. Ejerce la crítica como una higiene moral y también como un combate; por fortuna, a veces él mismo se convierte en un campo de batalla: entonces pelean en su interior sus ideas y sus prejuicios, la fidelidad a su partido y su amor a la literatura. Enfrente, un solitario: José de la Colina. En sus empresas literarias no ha defendido ideología alguna; tampoco ha sido promotor de sectas y cofradías. Lo mismo en materia literaria que política, ha sido más bien un libertario. En una prosa viva y esbelta, José de la Colina ha escrito animadas crónicas, comentarios literarios y políticos (unas y otros valerosos), excelente crítica cinematográfica y un memorable libro de cuentos que no tiene más defecto que haber sido el único.

Estamos ante un proceso, es decir, siguiendo el diccionario, ante la serie de las fases sucesivas de un fenómeno. Cuando buscaba un título que abarcase el asunto plural, movedizo y proteico de estas páginas, se le ocurrió a mi amigo, el joven escritor Adolfo Castañón, sugerir que usase el del libro famoso de Pérez de Guzmán: *Generaciones y semblanzas*. Acepté agradecido. Generaciones: proceso y procesión de autores y libros; semblanzas: bosquejos, esbozos, apuntes.

OCTAVIO PAZ
México, a 15 de abril de 1991

Advertencia

Generaciones y semblanzas reúne textos de Octavio Paz que, en su mayoría, han sido publicados con anterioridad. No obstante, al preparar la presente edición, el autor los ha revisado y ha introducido leves cambios de diversa índole. Nuestra edición parte de la de Fondo de Cultura Económica, preparada por el propio Octavio Paz y Luis Mario Schneider, publicada en 1987.

Al final de cada uno de los ensayos que integran este volumen, el lector encontrará la información concerniente a la procedencia de los textos. Tras la fecha en que se escribió se da la referencia del libro donde ha sido recogido o editado por primera vez, y, excepcionalmente, de la revista, en los casos en que aún no ha sido publicado en un libro. En caso de inéditos, así se hace constar. Los libros de procedencia son los siguientes: *Corriente alterna, Cuadrivio, Hombres en su siglo, In/mediaciones, Poesía en movimiento, México 1915-1966, Las peras del olmo, Puertas al campo, El signo y el garabato, Sombras de obras* y *Xavier Villaurrutia en persona y en obra.*

La verdat e çertidumbre del origin e nascimiento de los linajes de Castilla, non se pueden bien saber sino cuanto quedo en la memoria de los antiguos, ca en Castilla ouo siempre e ay poca diligencia de las antiguedades, lo cual es grant daño.

FERNÁN PÉREZ DE GUZMÁN

SEIS VISTAS DE
LA POESÍA MEXICANA

Introducción a la historia de la poesía mexicana

España, palabra roja y amarilla, negra y morada, es palabra romántica. Devorada por los extremos, cartaginesa y romana, visigoda y musulmana, medieval y renacentista, casi ninguna de las nociones que sirven para señalar las etapas de la historia europea se ajusta completamente a su desarrollo. En realidad, no es posible hablar de una «evolución» española: la historia de España es una sucesión de bruscos saltos y caídas, danza a veces, otras letargo. Así, no es extraño que se haya negado la existencia del Renacimiento español. En efecto, precisamente cuando la revolución renacentista emigra de Italia e inaugura el mundo moderno, España se cierra al exterior y se recoge en sí misma. Mas no lo hace sin antes darse plenamente a ese mismo espíritu que luego negaría con fervor tan apasionado como su entrega. Ese momento de seducción, en el que España recibe la literatura, el arte y la filosofía renacentistas, es también el del Descubrimiento de América. Apenas el español pisa tierras americanas, trasplanta el arte y la poesía del Renacimiento. Ellos constituyen nuestra más antigua y legítima tradición. Los americanos de habla española nacimos en un momento universal de España. De allí que Jorge Cuesta sostenga que el rasgo más notable de nuestra tradición es el «desarraigo». Y es verdad: la España que nos descubre no es la medieval sino la renacentista; y la poesía que los primeros poetas mexicanos reconocen como suya es la misma que en España se miraba como descastada y extranjera: la italiana. La heterodoxia frente a la tradición castiza española es nuestra única tradición.

Al otro día de la Conquista los criollos imitan a los poetas españoles más desprendidos de su suelo, hijos no sólo de España sino de su tiempo. Si Menéndez y Pelayo afirma que la «primitiva poesía de América puede considerarse como una rama o continuación de la escuela sevillana», ¿no podría extremarse su dicho afirmando que ésta, a su vez, no es sino un brazo del tronco italiano? Situados en la periferia del orbe hispánico, frente a un mundo de ruinas sin nombre y ante un paisaje también por bautizar, los primeros poetas novohispanos aspiran a suprimir su posición marginal y su lejanía gracias a una forma universal que los haga contemporáneos, ya que no coterráneos, de sus maestros peninsulares y de sus modelos italianos. Lo que nos queda de sus obras está muy lejos de las vacilaciones y violencias de un lenguaje que se hace y que, al hacerse, crea una literatura y modela un espíritu. Dueños de una forma transparente, se mueven sin esfuerzo en un universo de imágenes ya hechas. Francisco de Terrazas, el primer poeta apreciable del siglo XVI, no representa un alba sino un mediodía.

Si algo distingue a la poesía novohispana de la española, es la ausencia o la escasez de elementos medievales. Las raíces de nuestra poesía son universales, como sus ideales. Nacida en la madurez del idioma, sus fuentes son las mismas del Renacimiento español. Hija de Garcilaso, Herrera y Góngora, no ha conocido los balbuceos heroicos, la inocencia popular, el realismo y el mito. A diferencia de todas las literaturas modernas, no ha ido de lo regional a lo nacional y de éste a lo universal, sino a la inversa. La infancia de nuestra poesía coincide con el mediodía de la española, a la que pertenece por el idioma y de la que durante siglos no difiere sino por la constante inclinación que la lleva a preferir lo universal a lo castizo, lo intelectual a lo racial[1].

La forma abstracta y límpida de los primeros poetas novohispanos no toleraba la intrusión de la realidad americana. Pero el barroco abre las puertas al paisaje, a la flora y la fauna y aun al indio mismo. En casi todos los poetas barrocos se advierte una consciente utilización del mundo nativo. Mas esos elementos sólo tienden a acentuar, por su mismo exotismo, los valores de extrañeza que exigía el arte de la época. El barroco no podía desdeñar los efectos estéticos que ofrecían casi en bruto todos esos materiales. «El vestido de plumas mexicano» de Góngora fue utilizado por muchos. Los poetas del siglo XVIII a semejanza de los románticos, descubren la naturaleza americana a través de sus modelos europeos. Las alusiones al mundo nativo son el fruto de una doctrina estética y no la consecuencia de una intuición personal.

En la obra de Bernardo de Balbuena se ha visto el nacimiento de una poesía de la naturaleza americana. Mas este docto y abundante poeta no expresa tanto el esplendor del nuevo paisaje como se recrea en el juego de su fantasía. Entre el mundo y sus ojos se interpone la estética

---

1. Esta idea no es enteramente aplicable a la poesía popular mexicana, que sí desarrolla y modifica formas tradicionales españolas.

de su tiempo. Sus largos poemas no poseen esqueleto porque no los sostiene la verdadera imaginación poética, que es siempre creadora de mitos; pero su inagotable fantasear, su amor a la palabra plena y resonante y el mismo rico exceso de su verbosidad tienen algo muy americano, que justifica la opinión de Pedro Henríquez Ureña: «Balbuena representa la porción de América en el momento central de la espléndida poesía barroca... Su barroquismo no es complicación de imágenes, como en los andaluces, sino profusión de adorno, con estructura clara del concepto y de la imagen, como en los altares barrocos de las iglesias de México». La originalidad de Balbuena hay que buscarla en la historia de los estilos y no en la naturaleza sin historia. Él mismo nos ha dejado una excelente definición de su arte:

> Si la escultura y el pincel consuelan
> con sus primores los curiosos ojos
> y en contrahacer el mundo se desvelan...

El arte barroco es imitación de la naturaleza, pero esa imitación es, asimismo, una recreación que subraya y exagera su imagen. Para Balbuena la poesía es un juego suntuoso y arrebatado, rico y elocuente. Arte de epígonos, la poesía colonial tiende a exagerar sus modelos. Y en ese extremar la nota no es difícil advertir un deseo de singularidad.

La exageración de lo español no era sino una de las formas en que se expresaba nuestra desconfianza ante el arte hispánico, él mismo excesivo y rotundo. La otra era la reserva, encarnada por don Juan Ruiz de Alarcón. Este gran dramaturgo –y mediano poeta lírico– opone al teatro lopesco y a su deslumbrante facilidad una obra en la que no es gratuito ver un eco de Plauto y Terencio. Frente a Lope y Tirso, el poeta mexicano dibuja un teatro de caracteres más que de situaciones, un mundo de razón y equilibrio. Y sobre todo, un mundo de probabilidades razonables, por oposición al de razones imposibles de sus adversarios. La reserva de Alarcón subraya así el verdadero sentido de las exageraciones de poetas como Bernardo de Balbuena. La naciente literatura mexicana se afirma ya como freno a lo español, ya como su exceso. Y en ambos casos, como la desconfianza de un espíritu que aún no se atreve a ser él mismo, oscilante entre dos extremos.

La religión era el centro de la sociedad y el verdadero alimento espiritual de sus componentes. Una religión a la defensiva, sentada sobre sus dogmas, porque el esplendor del catolicismo en América coincide con su decadencia en Europa. La vida religiosa de la Colonia carece de ímpetu místico y de audacia teológica. Pero si es difícil encontrar figuras comparables a San Juan de la Cruz o fray Luis de León, abundan escritores religiosos de mérito. Entre todos destaca fray Miguel de Guevara, autor de algunos sonetos sagrados entre los que aparece el famoso: «No me mueve, mi Dios, para quererte...». Como ocurre con varias de las obras maestras del idioma español, es imposible afirmar con certeza si ese soneto es realmente de Guevara. Para Alfonso Méndez Plancarte la atribución es más que probable[1]. Por lo demás, otros sonetos de Guevara, agrega este entendido crítico, «resisten la cercanía de esta composición, especialmente el que empieza: *Poner al Hijo en cruz, abierto el seno...*, que recuerda al más profundo de los sonetos sagrados de Góngora, venciéndolo en emoción y aun en valentía».

No siempre la curiosidad que despierta el pasado indio debe verse como simple sed de exotismo. Durante el siglo XVII muchos espíritus se preguntaron cómo el orden colonial podía asimilar al mundo indígena. La historia antigua, los mitos, las danzas, los objetos y hasta la religiosidad misma de los indios constituían un universo hermético, implacablemente cerrado; y sin embargo, las creencias antiguas se mezclaban a las modernas y los restos de las culturas indígenas planteaban preguntas sin respuesta. La Virgen de Guadalupe también era Tonantzin, la llegada de los españoles se confundía con el regreso de Quetzalcóatl, el antiguo ritual indígena mostraba turbadoras coincidencias con el católico. Si en el paganismo mediterráneo no habían faltado signos anunciadores de Cristo, ¿cómo no encontrarlos en la historia antigua de México? La Conquista deja de ser un acto unilateral de la voluntad española y se transforma en un acontecimiento esperado por los indios y profetizado por sus mitos y sus escrituras. Gracias a estas interpretaciones, las antiguas religiones se enlazan sobrenaturalmente con la católica. El arte barroco aprovecha esta situación, mezcla lo indio y lo español e intenta por primera vez asimilar las culturas indígenas. La Virgen de Guadalupe, en la que no es difícil adivinar los rasgos de una antigua diosa de la fertilidad, constelación de muchas nociones y fuerzas psíquicas, es el punto de encuentro entre los dos mundos, el centro de la religiosidad mexicana. Su

---

1. La crítica moderna tiende a desecharla.

imagen, al mismo tiempo que encarna la reconciliación de las dos mitades adversarias, expresa la originalidad de la naciente nacionalidad. México, por obra de la Virgen, se reclama heredero de dos tradiciones. Casi todos los poetas dedican poemas a su alabanza. Una extraña variedad del barroco –que no será excesivo llamar «guadalupano»– se convierte en el estilo por excelencia de la Nueva España.

Entre los poemas dedicados a la Virgen sobresale el que le consagra Luis de Sandoval Zapata. Cada uno de los catorce versos de ese soneto –«alada eternidad del viento»– contiene una imagen memorable. Zapata representa mejor que nadie el apogeo del arte barroco y es cabal encarnación del *ingenio* de la época, linaje que no carece de analogía con el *wit* de los poetas metafísicos ingleses. Apenas si conocemos su obra, durante siglos sepultada y negada por una crítica tan incomprensiva del barroco como perezosa. Los restos que han alcanzado nuestros ojos lo muestran como un talento sutil y grave, brillante y conceptuoso, personal heredero de la doble lección de Góngora y Quevedo. De cada uno de sus poemas pueden desprenderse versos perfectos, no en el sentido unánime de la corrección, sino tersos o centelleantes, grávidos o alados y siempre fatales. Su gusto por la imagen insólita tanto como su amor por la geometría de los conceptos lo lleva a construir delicadas cárceles de música para aves intelectuales. Y así, no sólo es posible extraer de los pocos poemas que nos quedan fragmentos extraños y resplandecientes, sino dos o tres sonetos íntegros y todavía vivos, torres aisladas entre las ruinas de su obra.

Sor Juana Inés de la Cruz no solamente es la figura más alta de la poesía colonial hispanoamericana sino que es también uno de los espíritus más ricos y profundos de nuestras letras. Asediada por críticos, biógrafos y apologistas, nada de lo que desde el siglo XVII se ha dicho sobre su persona es más penetrante y certero que lo que ella misma nos cuenta en su *Respuesta a sor Filotea de la Cruz*. Esta carta es la historia de su vocación intelectual, la defensa –y la burla– de su amor al saber, la narración de sus trabajos y sus triunfos, la crítica de su poesía y de sus críticos. En esas páginas sor Juana se revela como un intelectual, esto es, como un ser para quien la vida es un ejercicio del entendimiento. Todo lo quiere comprender. Allí donde un espíritu religioso hallaría pruebas de la presencia de Dios, ella encuentra ocasión de hipótesis y preguntas. El mundo se le aparece más como un enigma que como un sitio de salvación. Figura de plenitud, la monja mexicana es también imagen de una sociedad próxima a escindirse. Religiosa por vocación intelectual –y asimismo, acaso, para escapar de una sociedad que la condenaba como hija ilegítima–, prefiere la tiranía del claustro a la del mundo. En su convento sostiene, durante años, un difícil equilibrio y un diario combate entre sus deberes religiosos y su curiosidad intelectual. Vencida, calla. Su silencio es el del intelectual, no el del místico.

La obra poética de sor Juana es numerosa, variada y desigual. Sus innumerables poemas de encargo son testimonio de su gracioso desenfado al mismo tiempo que de su descuido. Pero buena parte de su obra se salva de esos defectos, no únicamente por la admirable y retórica construcción que la sostiene, sino por la verdad de lo que expresa. Aunque dice que sólo escribió con gusto «un papelillo que llaman el *Sueño*», sus sonetos, liras y endechas son obras de un gran poeta del amor terrestre. El soneto se transforma en una forma natural para esta mujer aguda, apasionada e irónica. En su luminosa dialéctica de imágenes, antítesis y correspondencias, se consume y se salva, se hurta y se entrega. Menos ardiente que Louise Labé, menos directa también, la mexicana es más honda y suelta, más osada en su reserva, más dueña de sí en su extravío. La inteligencia no le sirve para refrenar su pasión sino para ahondarla y, así, hacer más libre y querida su fatalidad. En sus mejores momentos la poesía de sor Juana es algo más que confesión sentimental o ejercicio afortunado de la retórica barroca. Inclusive cuando deliberadamente se trata de un juego –como en el turbador retrato de la condesa de Paredes–, la sensualidad y el amor al cuerpo animan las alusiones eruditas y los juegos de palabras, que se convierten en un laberinto de cristal y de fuego.

Primero sueño es la composición más ambiciosa de sor Juana. A pesar de que fue escrita como una confesada imitación de las *Soledades*, sus diferencias profundas son mayores que sus semejanzas externas: sor Juana quiere penetrar la realidad, no transmutarla en resplandeciente superficie, según sucede con Góngora. La visión que nos entrega *Primero sueño* es la del sueño de la noche universal, en la que el hombre y el cosmos sueñan y son soñados: sueño del conocimiento, sueño del ser. Nada más alejado de la noche amorosa de los místicos que esta noche intelectual de ojos y relojes desvelados. El Góngora de las *Soledades*, dice Alfonso Reyes, ve al hombre como «un bulto inerte en medio del paisaje nocturno»; sor Juana se acerca «al durmiente como un vampiro, entra en él y en su pesadilla, busca una síntesis entre la vigilia, el duermevela y el sueño». La substancia del poema no tiene antecedentes en la poesía de la lengua y sólo en fechas recientes ha encontrado un heredero en José Gorostiza. *Primero sueño* es el poema de la inteligencia, de sus ambiciones y de su derrota. Poesía intelectual: poesía del desengaño. Sor Juana cierra el sueño dorado del virreinato.

A pesar de que el barroco se prolonga hasta la mitad de la centuria, el siglo XVIII es una época de prosa. Nace el periodismo; prosperan la crítica y la erudición; ciencia, historia y filosofía crecen a expensas de las artes creadoras. Ni el estilo dorado del siglo anterior ni las nuevas tendencias neoclásicas producen figuras de importancia. Los poetas más notables de la época escriben en latín. Mientras tanto las ideas de la Ilustración despiertan un mundo somnoliento. La revolución de la Independencia se anuncia. La esterilidad artística del neoclasicismo contrasta con el hervor intelectual de los mejores espíritus. Al finalizar el siglo aparece un poeta apreciable, Manuel de Navarrete, delicado discípulo de Meléndez Valdés. En sus poemas el neoclasicismo y sus pastores se tiñen de una vaga bruma sentimental, anuncio del romanticismo.

El siglo XIX es un período de luchas intestinas y de guerras exteriores. La nación sufre dos invasiones extranjeras y una larga guerra civil, que termina con la victoria del Partido Liberal. La *intelligentsia* mexicana participa en la política y en la batalla. Defender el país y, en cierto sentido, hacerlo, inventarlo casi, es tarea que desvela a Ignacio Ramírez, Guillermo Prieto, Ignacio Manuel Altamirano y a muchos otros. En ese clima exaltado se inicia la influencia romántica. Los poetas escriben. Escriben sin cesar, pero sobre todo combaten, también sin descanso. La admiración que nos producen sus vidas ardientes y dramáticas –Acuña se suicida a los 24 años, Flores muere ciego y pobre– no impide que nos demos cuenta de sus debilidades y de sus insuficiencias. Ninguno de ellos –con la excepción, quizá, de Flores, que sí tuvo visión poética aunque careció de originalidad expresiva– tiene conciencia de lo que significaba realmente el romanticismo. Así, lo prolongan en sus aspectos más superficiales y se entregan a una literatura elocuente y sentimental, falsa en su sinceridad epidérmica y pobre en su mismo énfasis. La irracionalidad del mundo, el diálogo entre éste y el hombre, los plenos poderes que confieren el sueño y el amor, la nostalgia de una unidad perdida, el valor profético de la palabra y, en fin, el ejercicio de la poesía como aprehensión amorosa de la realidad, universo de escondidas correspondencias que el romanticismo redescubre, son preocupaciones y evidencias extranjeras a casi todos esos poetas. Se mueven en la esfera de los sentimientos y se complacen en contarnos sus amores y entusiasmos, pero apenas si rozan la zona de lo sagrado, propia a todo genuino arte romántico. La grandeza de estos escritores reside en sus vidas y en su defensa de la libertad.

Es notable la persistencia de la poesía neoclásica en esta atmósfera de cambio y revuelta. Versificadores correctos casi siempre, los académicos preservan el lenguaje de las caídas románticas. Ninguno es un verdadero poeta, pero José Joaquín Pesado y Joaquín Arcadio Pagaza logran una discreta recreación del paisaje mexicano. Su influencia y su lección serán aprovechadas por Manuel José Othón. El hermoso estoicismo de Ignacio Ramírez –quizá el espíritu más representativo de la época– se expresa con dignidad en unos desdeñosos tercetos. Altamirano, maestro de una generación más joven, intenta conciliar las tendencias contrarias e inicia un tímido nacionalismo literario, que no produce descendencia inmediata de mérito.

Manuel José Othón se presenta como heredero de la corriente académica. Ningún propósito de novedad anima su obra. Si huye del romanticismo, tampoco muestra complacencia ante la retórica «modernista», que vio triunfar al final de su vida. Los poetas académicos, y él mismo, creyeron que esta actitud lo adscribía a su bando. Y así es, pues gran parte de la obra de Othón no se distingue por sus propósitos e intenciones de la de Pagaza, poeta al que lo unían no sólo comunes aficiones sino parecida actitud estética. Mas los sonetos del *Idilio salvaje, A una estepa del Nazas* y algún otro representan algo más que esa «poesía de la naturaleza» en que se complacía, petrificándose, la escuela académica. El desierto del Norte, «enjuta cuenta de un océano muerto», y su cielo alto y cruel, dejan de ser un espectáculo o un símbolo. Espejo de su ser exhausto, la aridez del amor y la esterilidad final de las pasiones se reflejan en la desnudez de la sabana. Debajo de la forma y del lenguaje tradicionales, brilla el ojo fijo de una naturaleza que sólo se sacia aniquilando lo que ama y que no tiene otro objeto que consumirse consumiendo. Un sol de páramo quema las rocas del desierto, que no son sino las ruinas de su ser. La soledad humana es una de las rimas de la soledad plural de la naturaleza. El soneto se ahonda y sus correspondencias y sus ecos aluden a otra inexorable geometría y a otras rimas más fatales y vacías.

Si Othón es un académico que descubre el romanticismo y escapa así al parnasianismo de su escuela, Salvador Díaz Mirón emprende un viaje contrario: es un romántico que aspira al clasicismo. La poesía de su primera época ostenta la huella elocuente de Hugo y la insolencia de Byron, ya que no su precisión y su ironía. Tras un silencio de años, publica *Lascas*, único libro que reconoció como enteramente suyo. Ese título califica su poesía. O más exactamente: los instantes de poesía arrancados por la cólera y la impaciencia a una forma que es siempre freno. *Lascas*: chispas, luces breves que iluminan por un segundo un alma negra y soberbia. El Díaz Mirón parnasiano no niega al romántico: lo sujeta sin acabar jamás de domarlo. Y de ese forcejeo –a veces sólo estéril maestría y tortura del idioma– brotan versos tensos y puros «como el silencio de la estrella sobre el tumulto de la ola».

Frente al lenguaje desvaído de los poetas anteriores –y también frente a las joyas falsas de casi todos los modernistas– la poesía de Díaz Mirón posee la dureza y el esplendor del diamante. Un diamante al que no le faltan, sino le sobran, luces. Poeta que sólo aspira a domeñar, no encuentra una forma que lo exprese sin oprimirlo. Al cabo de este jadeo, su obra se resuelve en silencio. El silencio es su forma, la forma definitiva de su espíritu. O como ha dicho Jorge Cuesta: «Su fecundidad está en su silencio. Otros poetas fueron indignos de callar». Precursor y maestro del modernismo, la aventura de Díaz Mirón es sobre todo una aventura verbal. Mas esa aventura es también un drama: el del orgullo. Pues este artífice es también el primer poeta mexicano que tiene conciencia del mal y de sus atroces posibilidades creadoras.

El modernismo no consiste nada más en la asimilación de la poesía parnasiana y simbolista que realizan algunos ávidos poetas hispanoamericanos. Al descubrir a la poesía francesa, el modernismo descubre también a la verdadera tradición española, olvidada en España. Y sobre todo, crea un nuevo lenguaje que serviría para que en un momento de extraordinaria fecundidad se expresaran algunos grandes poetas: Rubén Darío, Leopoldo Lugones, José Martí. En México el modernismo acaso habría poseído mayor fertilidad poética si los mexicanos hubiesen advertido la verdadera significación de la nueva

Poetas de la *Revista Moderna*, órgano

...dernismo mexicano, por Julio Ruelas.

tendencia. El modernismo se presentaba como una indiferencia ante el tradicionalismo español y, al mismo tiempo, como un rescate de la verdadera tradición española: ¿cómo no ver en él a un heredero de la tradición que nos había fundado? Para el resto de Hispanoamérica, abría las puertas de la tradición poética universal; a los mexicanos, en cambio, les daba ocasión de reanudar su propia tradición. Toda revolución posee una tradición o la crea: Darío y Lugones crean la suya; Gutiérrez Nájera y Amado Nervo no tuvieron plena conciencia de la que les pertenecía y por eso tampoco la tuvieron del sentido profundo de la renovación modernista. Su modernismo es casi siempre un exotismo, quiero decir, un recrearse en los elementos más decorativos y externos del nuevo estilo.

A pesar de sus limitaciones, en algunos poemas de Manuel Gutiérrez Nájera se entrevé ese otro mundo, esa otra realidad que es patrimonio de todo poeta de verdad. Sensible y elegante, cuando no se complace en sus lágrimas o en sus hallazgos, acomete con gracia melancólica el tema de la brevedad de la vida. Su poesía, como él mismo lo dice en uno de sus poemas más citados, «no morirá del todo». En su período modernista, Amado Nervo manipula sin gusto, pero con novedad y autenticidad, el repertorio del simbolismo. Después decide desnudarse. En realidad, se trata de un simple cambio de ropajes: el traje simbolista –que le iba bien– es substituido por el gabán del pensador religioso. La poesía perdió con el cambio, sin que ganaran la religión o la moral.

Otros poetas, menos aplaudidos en su tiempo, se acercan más a la zona eléctrica de la poesía. Francisco A. de Icaza, amargo y sobrio, logra en sus breves poemas una concisión al mismo tiempo sentenciosa y opaca. Luis G. Urbina continúa en buena parte de su obra la línea sentimental de Nájera, pero lo salva su temperamento de pintor impresionista. La porción mejor de su poesía, constituida por crepúsculos y marinas, lo revela como un excelente heredero de la tradición del paisaje. Con menor intensidad que Othón, aunque con mayor fantasía y riqueza de matices, Urbina consigue un delicado equilibrio expresivo. Es curioso observar cómo los poetas mexicanos escapan de la afectación modernista acudiendo a una tradición universal. La poesía mexicana no encuentra su forma nativa, y cada vez que se arriesga a expresar lo mejor y más secreto de su ser no tiene más remedio que servirse de un lenguaje abstracto y que es suyo sólo por un acto de conquista intelectual.

A los poetas modernistas, que recogen del simbolismo los elementos más perecederos, Enrique González Martínez opone una sensibilidad más honda y reflexiva y una inteligencia que osa interrogar la faz nocturna del mundo. La severidad de González Martínez, la ausencia de casi todo elemento imprevisible, sal de la poesía, y el didactismo que tiñe parte de su obra, han hecho que se le considere como el primer poeta hispanoamericano que rompe con el modernismo: al cisne enfrenta el búho. En realidad, González Martínez no se opone al modernismo: lo desnuda y despoja. Al despojarlo de sus adherencias sentimentales y parnasianas, lo redime, le otorga conciencia de sí mismo y de su oculta significación. González Martínez asume la originalidad mexicana del modernismo, esto es, lo convierte en una conciencia y lo enlaza a una tradición. Así, no es su negador, sino el único poeta realmente modernista que tuvo México –en el sentido en que fueron modernistas Darío y Lugones en América, Machado y Jiménez en España. La atención que otorga al paisaje –y sobre todo al paisaje nocturno– se impregna de sentido: el diálogo entre el hombre y el mundo se reanuda. La poesía deja de ser descripción o queja para volver a ser aventura espiritual. A partir de González Martínez serán imposibles la elocuencia parnasiana y el desahogo romántico. Al hacer del modernismo una conciencia, cambia la actitud del poeta ante la poesía, aunque deje intactos el lenguaje y los símbolos. El valor de su ejemplo no reside en su oposición al lenguaje modernista –al que nunca negó sino en sus extravíos, y al que permaneció fiel hasta su muerte–, sino en ser el primero que devuelve a la poesía el sentido de la *gravedad* de la palabra.

El primer libro de poemas que publica Alfonso Reyes se llama *Pausa*. Este título no sólo define su poesía: también la sitúa frente a la de sus antecesores inmediatos. Reyes no rompe con el modernismo; simplemente se aparta y tras una pausa –constituida precisamente por los poemas que contiene el libro así llamado– le da la espalda para siempre. Espíritu tan aéreo como sólido, tan del aire como de la tierra, Reyes se ha asomado a muchos manantiales, ha sufrido diversas tentaciones y nunca ha dicho «de esta agua no beberé». El habla popular, los giros coloquiales, los clásicos griegos y los simbolistas franceses se alían en su voz, sin olvidar a los españoles del Siglo de Oro. Viajero en varias lenguas por éste y otros mundos, escritor afín a Valéry Larbaud por la universalidad de su curiosidad y de sus experiencias –a veces verdaderas expediciones de conquista en tierras ayer incógnitas– mezcla lo leído con lo vivido, lo real con lo soñado, la danza con la marcha, la erudición con la más fresca invención. En su obra prosa y verso, crítica y creación, se penetran e influyen mutuamente. Por eso no es posible reducir su poesía a sus versos; uno de sus poemas es un vasto fresco en prosa, *Visión de Anáhuac*, recreación del paisaje y la vida precolombina en el Valle de México. Frente a este texto debe mencionarse *Ifigenia cruel*, que es algo así como una respuesta a la *Visión* y en donde el drama del espíritu y la tierra, el cielo y el suelo, la sangre y la palabra, encarna en un lenguaje sutil y bárbaro a un tiempo y que sorprende doblemente por su arcaísmo y su refinamiento. Tampoco sería justo olvidar sus traducciones poéticas, que son verdaderas recreaciones y entre las que es imprescindible citar dos nombres que son dos polos: Homero y Mallarmé. Se dice que Alfonso Reyes es uno de los mejores prosistas de la lengua; hay que añadir que esa prosa no sería lo que es si no fuera la prosa de un poeta.

José Juan Tablada y Ramón López Velarde rompen abierta y ostensiblemente con el modernismo. El primero era un tránsfuga de ese movimiento. La poesía de su juventud es uno de los ejemplos típicos de los vicios brillantes y vanos de esa escuela. Curioso, apasionado, sin volver nunca la cabeza hacia atrás, con alas en los zapatos, Tablada oía crecer la hierba; es el primero que adivina la llegada del nuevo monstruo, la bestia magnífica y feroz que iba a devorar a tantos adormilados: la imagen. Enamorado de la poesía japonesa, introduce en nuestra lengua el haikú. Su bestiario muestra una penetrante comprensión del mundo animal, y sus monos, loros y armadillos nos miran con ojos fijos y chispeantes. Sol diminuto, el haikú de Tablada casi nunca es una imagen suelta desprendida de un poema más vasto: es una estrella inmóvil sólo en apariencia, pues gira siempre alrededor de sí misma. El haikú se enlaza muy naturalmente con la copla popular, lo que explica su boga extraordinaria; en América muchos lo adoptan y en España Juan Ramón Jiménez y Machado han escrito algunos de sus mejores «sentencias y donaires» en poemas de tres o cuatro líneas, que, si son eco de la poesía andaluza, también recuerdan esta forma oriental.

Apenas el haikú se convierte en lugar común, Tablada lo abandona e inicia sus poemas «ideográficos». Su tentativa –menos genial, sin duda– es un eco de la de Apollinaire, que en ese tiempo publicaba *Calligrammes*. La tipografía poética lo seduce sólo un instante. Sonriente y apresurado, en unos pocos años recorre muchas tierras poéticas. Al final, regresa a su patria y publica una serie de poemas «mexicanos» que sería injusto ver como una simple imitación de los que un poco antes daba a conocer López Velarde, aunque ostenten sus huellas y sigan su ejemplo. Menos profundo que éste, menos personal, su visión es más alegre y colorida. Su lenguaje, limpio casi enteramente de la pedrería modernista, es elástico, irónico y danzante: México de ballet y de feria, de cohete y alarido. En sus poemas aparecen, vivos por primera vez, los animales sagrados y cotidianos, los ídolos, las viejas religiones y el arte antiguo. López Velarde ignoró siempre ese mundo. Fascinado por la lucha mortal entre la provincia y la capital, sus ojos se detienen en el México criollo y mestizo, popular y refinado, católico hasta cuando es jacobino. La visión de Tablada es más extensa; ocultista y viajero, ve con otros ojos a su país, y hace suyo el exotismo de los dioses y de los colores. Es uno de los primeros que tienen conciencia de la riqueza de nuestra herencia indígena y de la importancia de sus artes plásticas. Tablada es un temperamento menos hondo que López Velarde y su estilo es más inventado que creado, más premeditado que fatalmente sufrido. Pero también es más nervioso y ágil; juega más, sabe sonreír y reír; vuela, y cae, con más frecuencia. En una palabra: es más arriesgado.

A despecho de las diferencias que los separaban, algo unía a estos dos poetas: su amor por la imagen novedosa, su creencia común en el valor de la sorpresa. De allí que Tablada fuese uno de los primeros en descubrir a López Velarde y que, años más tarde, no tuviera dificultad en reconocer su deuda con el poeta de Zacatecas. Ramón López Velarde era provinciano, silencioso y reconcentrado. Mientras Tablada era un poeta visual, capaz de aprehender una realidad instantánea en tres versos, el otro era un hombre lento y en diálogo consigo mismo. Su imaginación no le servía para arder en fuegos de artificio sino para ahondar en sí mismo y expresar con mayor fidelidad lo que tenía que decir: «Yo anhelo expulsar de mí cualquier sílaba que no nazca de la combustión de mis huesos». López Velarde era un poeta con destino.

Como a todo verdadero poeta, el lenguaje le preocupa. Quiere hacerlo suyo. Pero quiere crearse un lenguaje personal porque tiene algo personal que decir. Algo que decirnos y algo que decirse a sí mismo y que hasta que no sea dicho no cesará de atormentarlo. Su conciencia de las palabras es muy aguda porque es muy honda la conciencia de sí mismo y de su propio conflicto. Y habría que agregar que si la conciencia de sí lo lleva a inventarse un lenguaje, también ese idioma lo inclina sobre sí mismo y le descubre una parte de su ser que de otra manera hubiese permanecido informulada e invisible.

Dos hechos favorecen el descubrimiento que hará López Velarde de su país y de sí mismo. El primero es la Revolución mexicana, que rompe con un orden social y cultural que era una mera superposición histórica, una camisa de fuerza que ahogaba y deformaba a la nación. Al destruir el orden oligárquico –que se había disfrazado, a la moda europea, de positivismo progresista– la Revolución arranca las máscaras sucesivas que cubrían el rostro de México. La Revolución revela a López Velarde una «patria castellana y morisca, rayada de azteca». Mientras los otros poetas vuelven los ojos hacia el exterior, él se adentra en ella y, por primera vez en nuestra historia, se atreve a expresarla sin disfraces o sin reducirla a una abstracción. El México de López Velarde es un México vivo, esto es, vivido día a día por el poeta.

El otro hecho decisivo en la poesía de López Velarde es su descubrimiento de la capital. La marea revolucionaria, tanto como sus propias ambiciones literarias, lo llevan a la ciudad de México cuando ya estaba formado su espíritu pero no su gusto ni su poesía. Su sorpresa, desconcierto, alegría y amargura deben haber sido inmensos. En la ciudad de México descubre a las mujeres, a la soledad, a la duda y al demonio. Al mismo tiempo que sufre estas deslumbrantes revelaciones, conoce la poesía de un poeta sudamericano que se atreve a romper con el modernismo extremando sus conquistas: Leopoldo Lugones. Al contacto de esa lectura, cambia su manera y su visión. Los críticos de su tiempo lo encontraron retorcido, incomprensible y afectado. La verdad es lo contrario: gracias a su búsqueda de la imagen, a su casi pérfido empleo de adjetivos hasta ayer insólitos y a su desdén por las formas ya hechas, su poesía deja de ser confidencia sentimental para convertirse en la expresión de un espíritu y de una zozobra.

El descubrimiento de la poesía de Lugones habría hecho de López Velarde un retórico distinguido si al mismo tiempo no hubiese recordado el idioma de su pueblo natal. Su originalidad consiste en esa afortunada fusión del lenguaje opaco y ardiente del centro de México con los procedimientos de Lugones. A la inversa de Laforgue, que desciende del «idioma poético» al coloquial y obtiene de ese choque un extraño resplandor, López Velarde construye con elementos cotidianos y en apariencia realistas una frase sinuosa y laberíntica que, en los momentos más altos, desemboca en una imagen sorprendente. Ese lenguaje tan personal e inimitable le permite descubrir su propia intimidad y la de su país. Sin él, López Velarde hubiera sido un poeta sentimental; sólo con él, un hábil retórico. Su drama, y el drama de su lenguaje, lo convierten en un poeta genuino. Y aún más: en el primer poeta realmente mexicano. Pues con López Velarde principia la poesía mexicana, que hasta entonces no había encontrado su lenguaje y se vertía en formas que sólo eran suyas porque también eran de todos los hombres.

Más allá del valor intrínseco de la poesía de López Velarde, su lección y, en menor grado, la de Tablada, consiste en que ambos poetas no acuden a formas ya probadas y sancionadas por una tradición universal sino que se arriesgan a inventar otras, suyas e intransferibles. En el caso de López Velarde, la invención de nuevas formas se alía a su fidelidad al lenguaje de su tiempo y de su pueblo, como ocurre con todos los innovadores de verdad. Si parte de su poesía nos parece ingenua o limitada, nada impide que veamos en ella algo que aún sus sucesores no han realizado completamente: la búsqueda, y el hallazgo, de lo universal a través de lo genuino y lo propio. La herencia de López Velarde es ardua: invención y lealtad a su tiempo y su pueblo, esto es, una universalidad que no nos traicione y una fidelidad que no nos aísle ni ahogue. Y si es cierto que no es posible regresar a la poesía de López Velarde, también lo es que ese regreso es imposible precisamente porque ella constituye nuestro único punto de partida.

La poesía mexicana contemporánea –ausente por desgracia de esta antología– arranca de la experiencia de López Velarde. Su breve desarrollo corrobora que toda actividad poética se alimenta de la historia, quiero decir: del lenguaje, las realidades, los mitos y las imágenes de su tiempo. Y asimismo, que el poeta tiende a disolver o transcender la mera sucesión histórica. Cada poema es una tentativa por resolver la oposición entre historia y poesía, en beneficio de la segunda. El poeta aspira siempre a substraerse de la tiranía de la historia, aun cuando se identifique con su sociedad y participe en lo que llaman «la corriente de la época», extremo cada vez menos imaginable en el mundo moderno. Todas las grandes tentativas poéticas –desde la fórmula mágica y el poema épico hasta la escritura automática– pretenden hacer del poema un sitio de reconciliación entre historia y poesía, entre el hecho y el mito, la frase coloquial y la imagen, la fecha irrepetible y la fiesta, fecha viva, dotada de secreta fertilidad, que vuelve siempre para inaugurar un tiempo nuevo. La naturaleza del poema es análoga a la de la fiesta, que si es una fecha del calendario también es ruptura de la sucesión e irrupción de un presente que vuelve periódicamente y que no tiene ayer ni mañana. Todo poema es una fiesta: un precipitado de tiempo puro.

La relación entre los hombres y la historia es una relación de esclavitud y dependencia. Pues si nosotros somos los únicos protagonistas de la historia, también somos sus objetos y sus víctimas: ella no se cumple sino a nuestras expensas. El poema transforma radicalmente esta relación: sólo se cumple a expensas de la historia. Todos sus productos: el héroe, el asesino, el amante, el mito, la leyenda en andrajos, el refrán, la palabrota, la exclamación que pronuncian casi a pesar suyo el niño que juega, el condenado a subir al patíbulo, la muchacha que se enamora; y la frase que se lleva el viento, el jirón del grito, junto con el arcaísmo y el neologismo y la consigna, de pronto no se resignan a morir o, por lo menos, no se resignan a estrellarse contra el muro. Quieren llegar al fin, quieren ser plenamente. Se desprenden de las causas y de los efectos y esperan encarnar en el poema que los redima. No hay poesía sin historia pero la poesía no tiene otra misión que transmutar la historia.

Hecha de la substancia misma de la historia y la sociedad: el lenguaje, la poesía tiende a recrearlo bajo leyes distintas a las que rigen la conversación y el discurso. La transmutación poética opera en la entraña misma del idioma. La frase –no la palabra aislada– constituye la célula, el elemento más simple del habla. La palabra no puede vivir sin las palabras; la frase, sin las frases. Una frase u oración cualquiera contiene siempre, implícita o explícita, una referencia a otra y es susceptible de ser explicada por una nueva frase. Toda frase quiere decir algo que puede ser dicho por otra frase. El lenguaje es un *querer decir* y de ahí que constituya un conjunto de signos y sonidos móviles e intercambiables. La poesía transforma radicalmente al lenguaje: las palabras pierden de pronto su movilidad y se vuelven insustituibles. Hay varias maneras de decir una misma cosa en prosa, sólo hay una en poesía. El decir poético no es un querer decir sino un decir irrevocable. El poeta no habla del horror, del amor o del paisaje: los muestra, los recrea. Irrevocables e insustituibles, las palabras se vuelven inexplicables —excepto por sí mismas. Su sentido no está más allá de ellas, en otras palabras, sino en ellas. Toda imagen poética es inexplicable: simplemente es. Y del mismo modo: todo poema es un organismo de significaciones internas, irreductibles a cualquier otro decir. Una vez más: el poema no quiere decir: *dice*. No es una frase o una serie de frases sino una indivisible constelación de imágenes, mundo verbal poblado de visiones heterogéneas o contrarias y que resuelven su discordia en un sistema solar de correspondencias. Universo de palabras corruptibles y opacas pero capaz de encenderse y arder cada vez que unos labios las rozan. A ciertas horas y por obra de ciertas bocas, el molino de frases se convierte en manantial de evidencias sin recurso a la demostración. Entonces se vive en pleno tiempo. Al afirmar a la historia, el poeta la disuelve, la desnuda, le muestra lo que es: tiempo, imagen, ritmo.

Cuando la historia parece decirnos que quizá no posee más significado que ser una marcha fantasmal sin dirección ni fin, el lenguaje acentúa su carácter equívoco e impide el verdadero diálogo. Las palabras pierden su sentido y, por tanto, su función comunicativa. La degradación de la historia en mera sucesión entraña la del lenguaje en un conjunto de signos inertes. Todos usan las mismas palabras pero nadie se entiende; y es inútil que los hombres quieran ponerse de acuerdo sobre los significados lingüísticos: el significado es incierto porque el hombre mismo se ha vuelto encarnación de la incertidumbre. El lenguaje no es una convención sino una dimensión inseparable del hombre. Por eso toda aventura verbal posee un carácter total: el hombre entero se juega la vida en una palabra. Si el poeta es el hombre de las palabras, poeta es aquel para quien su ser mismo se confunde con la palabra. De ahí, también, que sólo el poeta pueda fundar la posibilidad del diálogo. Su destino —y singularmente en épocas como la nuestra— consiste en «dar un sentido más puro a las palabras de la tribu». Mas las palabras son inseparables del hombre. Por tanto, la actividad poética no se resuelve fuera del poeta, en el objeto mágico que es el poema, sino en su ser mismo. Poema y poeta se funden porque ambos términos son inseparables: el poeta es su palabra. Tal ha sido, durante los últimos cien años, la empresa de los más altos poetas de nuestra cultura. Y no es otro el sentido del último gran movimiento poético del siglo: el surrealismo. La grandeza de esta tentativa –frente a la que ningún poeta digno de este nombre puede permanecer indiferente– consiste en que pretendió resolver de una vez, para siempre y a la desesperada, la dualidad que nos escinde: la poesía es un salto mortal o no es nada.

En las actuales circunstancias puede parecer irrisorio referirse a estas extravagantes pretensiones de la poesía. Jamás la dominación de la historia fue tan grande y nunca tan asfixiante la presión de los «hechos». A medida que la exigencia despótica del quehacer inmediato se vuelve intolerable –pues se trata de un hacer para el que nadie nos pide nuestro asentimiento y que casi siempre está dirigido a deshacer al hombre–, la actividad poética aparece más secreta, aislada e insólita. Ayer apenas escribir un poema, enamorarse, asombrarse, soñar en voz alta, eran actos subversivos que comprometían el orden social, exhibiéndolo en su doblez. Hoy la noción misma de orden ha desaparecido, substituida por una combinación de fuerzas, masas y resistencias. La realidad histórica ha arrojado sus disfraces y la sociedad contemporánea se muestra tal cual es: un conjunto de objetos «homogeneizados» por el látigo o la propaganda, dirigidos por grupos que no se distinguen del resto sino por su brutalidad.

En estas condiciones, la creación poética vuelve a la clandestinidad. Si el poema es fiesta, lo es a deshoras y en sitios poco frecuentados, festín en el subsuelo. La actividad poética redescubre toda su antigua eficacia por su mismo carácter secreto, impregnado de erotismo y rito oculto, desafío a una interdicción no por informulada menos condenatoria. El poema, ayer llamado al aire libre de la comunión universal, sigue siendo un exorcismo capaz de preservarnos del sortilegio de la fuerza y el número. La poesía es una de las formas de que dispone el hombre moderno para decir NO a todos estos poderes que, no contentos con disponer de nuestras vidas, también quieren nuestras conciencias.

París, 1950

Prólogo a la *Anthologie de la poésie mexicaine* (Colección UNESCO), París, Nagel, 1952, y a *An Anthology of Mexican Poetry*, Indiana University Press, 1952. Se publicó en *Las peras del olmo*, México, Universidad Nacional Autónoma de México, 1957.

Émula de la llama

> *Pura, encendida rosa,*
> *émula de la llama...*
>
> FRANCISCO DE RIOJA

Desde que Pedro Henríquez Ureña señaló que las notas distintivas de la sensibilidad mexicana eran la mesura, la melancolía, el amor a los tonos neutros, las opiniones sobre el carácter de nuestra poesía tienden casi con unanimidad a repetir, subrayar o enriquecer estas afirmaciones. El introvertido mexicano ha creado una poesía sobria, inteligente y afilada, que huye del resplandor tanto como del grito y que, lejos del discurso y de la confesión, se recata, cuando se entrega, en la confidencia. Una poesía que al sollozo prefiere el suspiro, al arrebato la sonrisa, a la sombra nocturna y a la luz meridiana los tintes del crepúsculo. Ni sentimental ni sensitiva: sensible. Nuestra poesía, casi siempre académica, clásica en sus cimas, rigurosa y contenida, es una réplica a una geografía volcánica e indomada; representa el antípoda de una historia violenta y sanguinaria y de una política obscura y pintoresca; constituye el silencioso reproche a una pintura que, no contenta con declamar en los muros públicos, irrumpe en las luchas diarias y en la que no es posible distinguir todavía, al cabo de tantos años, la paja con que se nutren ciertos críticos del país y extranjeros del polvo de la propaganda equívoca. En suma, si fuese verdadera la imagen que nos ofrecen los críticos, nuestra poesía sería la otra cara, la de la vigilia, de un pueblo que, si bien es callado y cortés, triste y resignado, también es violento y terrible, un pueblo que grita y mata cuando se emborracha o se enamora, aunque el resto del día permanezca hermético y velado, y que ha hecho, ciego y vidente a un tiempo, una revolución ayuna de teorías que no podemos calificar de universal sino de todo lo contrario: de intuitiva y obscura, cargada de pasiones más que de ideas, de impulsos más que de propósitos, explosión, más que revolución, de una conciencia reprimida.

México, uno de los pocos países que aún poseen eso que llaman color local, rico de antigüedad legendaria si pobre de historia moderna, parece que se siente avergonzado de estos dones, signos de su miseria y de su pureza, de su incurable incapacidad para vestir el uniforme gris de la civilización contemporánea. El mexicano necesita de la fiesta, de la Revolución o de cualquier otro excitante para revelarse tal cual es; su cortesía y su mesura no son más que la máscara con que su conciencia de sí, su desconfianza vital, cubren el rostro magnífico y atroz. México tiene vergüenza de ser y sólo en las grandes ocasiones arroja la careta, como esos adolescentes apasionados y taciturnos, siempre silenciosos y reservados, que de pronto asombran a las personas mayores con una acción inesperada. La historia nos enseña que la convulsión es nuestra forma de crecimiento. Bomba de tiempo, la sensibilidad mexicana parece complacerse en retrasar el reloj que ha de marcar el estallido final, la final revelación de lo que somos. Ese día, esa noche, subirá al cielo un árbol de fuegos de artificio y una columna de sangre. Mientras tanto, nos hundimos en nosotros mismos, preferimos el silencio al diálogo, la crítica a la creación, la ironía a la acción. El odio y el amor se abrazan en cada uno de nosotros y sus rostros se funden hasta volverse uno solo, indecible e indescriptible. Durante años hemos sentido hacia España un amor encarnizado, que nuestro orgullo encontraba culpable, y que nos ha llevado a negarnos, negándola; y hemos hecho algo parecido con nuestro pasado indígena. Nos despedazamos a nosotros mismos con un extraño gusto por la destrucción y devoramos nuestros corazones con júbilo sagrado. En nuestras manos gotea un ácido que corroe todo lo que tocan. Vivimos enamorados de la nada pero nuestro nihilismo no tiene nada de intelectual: no nace de la razón sino del instinto y, por tanto, es irrefutable. Jamás han sido expresadas por el arte o el pensamiento estas obscuridades y luces de nuestra alma.

Es innecesario extenderse en la consideración de la paradoja que parece constituir una literatura restringida, académica hasta cuando es romántica, frente a un país que nunca ha podido vestir con entera corrección el traje de la civilización racionalista. Después de Henríquez Ureña, Luis G. Urbina, Alfonso Reyes, Antonio Castro Leal y Xavier Villaurrutia, que coinciden en atribuir parecida tonalidad a la poesía mexicana, no parece arriesgado sostener que el espacio de tiempo en que vive no es el del amanecer, como la poesía popular española, ni el del mediodía, como la barroca, ni el de la medianoche del romanticismo sino el del crepúsculo. Poesía de crepúsculo, entre azul y buenas noches, de luz tímida, gris y con resplandores suntuosos y melancólicos. La angustia del crepúsculo, minuto de conciencia antes del vértigo, de lucidez frente a la sombra creciente, es una de las notas salientes de nuestra poesía. Y con la angustia, su luz: melodiosos y velados resplandores que, más que recordar al día que muere, anticipan a la noche naciente. Mas no sólo la luz y la angustia del crepúsculo: también el ruido, que no es el soñoliento del alba, en el que los gallos preludian la gloria de la mañana; ni el misterioso de la noche, poblada no de silencio sino de rumores silenciosos; ni, en fin, el de la plenitud del mediodía que, así como ciega con su luz, crea el silencio a fuerza de saturarse de las diversas músicas que vibran en el aire; sino un ruido muriente, murmullo, susurro mejor que murmullo, soplo, suspiro del día.

Poesía de crepúsculo: angustia, lucidez, resplandor velado, suspiro. Todo eso es la poesía mexicana: Othón y Díaz Mirón, López Velarde y Urbina, González Martínez y Pellicer, Gorostiza y Villaurrutia. Al mezclar nombres tan diversos nos damos cuenta inmediatamente de que el tono crepuscular no define a toda la poesía mexicana, aunque sí constituye una línea, una atmósfera de cierta porción suya. Pero antes de proferir cualquier juicio y atrevernos a condenar la opinión que intenta reducir la poesía a un solo tono –por otra parte, melódico y rico de matices, fugas y transiciones–, examinemos a algunos de nuestros poetas y, si esto es posible, determinemos su hora, su momento. Cada poesía se instala en una porción del día, en un instante irrepetible y pleno que, si no es infinito, sí puede ser eterno.

La hora de Díaz Mirón no es la hora íntima y crepuscular que se ha convenido en identificar con nuestra sensibilidad. Al contrario, es el mediodía pleno, lujoso, dorado, caliente, majestuoso e insoportable. El mediodía no poda al árbol de la mañana de sus gritos y esplendores visuales sino que los absorbe y los concentra en una sola luz amarilla y en un solo estruendo parecido al silencio. El poeta veracruzano convirtió el sol de su corazón en un diamante que ciega. Hay ejemplos abundantes en *Lascas*: *Idilio*, *A ella*, *Beatus ille*, *Dentro de una esmeralda*. Y sin embargo, el mejor poema de Díaz Mirón, los tercetos de *El fantasma*, es un nocturno, tan lejos del crepúsculo como del mediodía. Mediodía y medianoche: ¿no se trata de una versión en negro de la misma hora de plenitud, pues si una absorbe toda la luz, la otra funde todas las tinieblas?

Othón, el seco, el desgarrado Othón, sí posee la lucidez, la angustia, el resplandor herido del sol en el crepúsculo. He aquí, en tres versos, su cielo desolado:

> Asoladora atmósfera candente
> do se incrustan las águilas serenas
> como clavos que se hunden lentamente.

Su corazón es como un águila herida, semejante al sol cuando se hunde, vencido y fiero, en la sombra. Pero su voz no es un suspiro, ni una queja. Tampoco sus paisajes tienen la luz suave del crepúsculo: son demasiado violentos, acusados y crueles. Su pudor no se vela sino que se muestra en una desnudez austera. No hay medias tintas en Othón. ¿Será porque el crepúsculo del norte es más violento, más viril y neto, menos complaciente que el del Valle de México? Luz y sombra, su hora inicia el crepúsculo y marca, no la unión, sino la enemistad de los contrarios: las cinco de la tarde.

A Luis G. Urbina le convienen todas las características que se han señalado como distintivas de la poesía mexicana. Voluptuoso y triste, suspirante y melancólico, su sensualidad perezosa lo lleva, tanto como su sentimentalismo, a la luz vacilante del día que muere, no sabemos si para gozar mejor o para recrearse con la idea de la muerte. Su poesía, en la que abundan los cielos aterciopelados, los oros y las púrpuras expirantes, es como la plata de los volcanes al atardecer: ni demasiado brillante ni demasiado opaca. Monótono y apasionado como una confidencia, es rico de matices y pobre de colores. No es nuestro mejor poeta, pero sí es uno de nuestros más queridos poetas. Su poesía es una graciosa y triste colina, que todos contemplamos con amor y a la que subimos con cierta nostálgica facilidad. Pero otros abismos y otras cimas nos tientan.

¿Cuál es la hora de González Martínez? Este poeta, tan distinto de Urbina, tiene cierto parentesco con él: también prefiere los tonos velados, pero no por sensualidad, sino por orgullo y pudor. Su poesía está llena de advertencias y avisos y —excepto en las ocasiones en que desciende al sermón— su índice esboza un gesto amistoso, lleno de simpatía; su queja nunca es un grito, ni siquiera un suspiro: más bien es una sonrisa estoica; su angustia es púdica y su sensualidad siempre prevé el castigo no tanto de Dios como del tiempo. Afirma la vanidad del placer y del conocimiento, no sólo por lo que tienen de inmorales, sino por lo que poseen de instantáneos, de efímeros. Lejos de horrorizarle la insaciable voracidad del tiempo, se abandona a su río de ruinas y nos advierte que todo es perecedero. Su obra está llena de jardines que la sombra empieza a anegar, jardines románticos y vetustos, un poco descuidados, con estatuas nobles y desiertos zócalos, verdeantes por la lluvia y el tiempo, con calzadas silenciosas, propicias al recuerdo y a la meditación; quizá no posea la trágica intensidad de Othón, pero tiene cierta constancia clásica, que la hace un río navegable, fluido siempre y al que siempre acudimos, no para contemplarnos o naufragar sino para meditar. Si la poesía de Othón es la de las cinco de la tarde, toda sombra y resplandor nítidos, crueles y enemigos, y la de Urbina la de las seis, nácar lujoso y muriente, la de González Martínez es la de las siete: nos anuncia la noche.

López Velarde era un «payo», un provinciano y un gran poeta, que encontró los acentos más originales de nuestra poesía. Siendo tan de México, es difícil encontrar su hora, su tiempo. Su espacio es claro: su pueblo, de cielo cruel y tierra colorada; o la ciudad de México, gris y rojiza, empolvada, sórdida y milagrosa. ¿En qué hora situarlo: al atardecer, en la calle de Madero, ruinas del paseo de Plateros, o en un burdel postvillista, con olfato y angustia, pecador y creyente?; ¿o en una iglesia, permanente crepúsculo, llorando ante la Virgen, espantado de sí mismo, que contempla a la imagen con cierta sarracena codicia? Sacrílego e ingenuo, López Velarde crea una atmósfera de alcoba e iglesia, en la que no podemos distinguir si la luz es de la lámpara votiva o de la mesa de noche, y entre cuyas sombras es difícil adivinar si, sobre el lujo de un canapé o la dureza de una tarima, gesticula la muerte o el placer.

La poesía del humanista Alfonso Reyes es pudorosa y medida, pero estas cualidades no nacen, como en otros poetas, de la represión de una sensibilidad extremosa, sino que fluyen naturalmente de un temperamento equilibrado. Una poesía que, si aspira a las cimas de Mallarmé, no se rehúsa a las llanuras del habla viva y a los arroyuelos y bosquecillos de la poesía tradicional. Poesía de sobremesa y de siesta sensual, luminosa, de ojos entrecerrados y nostálgicos cuando sueña en la soledad de la estancia, de vivos ojos abiertos cuando departe y reparte la sal de la gracia y el pan de la cordialidad a los invitados. Ni llama ni hielo: brasa, tibia atmósfera, melancolía sin amargura. Más que nostálgica, añorante; más que angustiada, lúcida; más que sensual, voluptuosa; más que voluptuosa, epicúrea, en el más alto de los sentidos de la palabra. Pensamiento y ternura. Alfonso Reyes: con un ojo mira al cielo y con el otro hace guiños a la tierra. Su hora: ¿las tres o las cuatro de la tarde?

Pellicer es el poeta de la mañana, no del amanecer. Con él no nace el mundo; con él, brilla. Apenas roza las cosas, las cambia, las metamorfosea: *el caimán es un perro aplastado.* Sopla sobre la creación y la ordena en un vuelo, en un arrebato mágico. Es el poeta del entusiasmo y del milagro, como otros lo son del asombro o de la angustia. Todo lo que toca resplandece. Sin duda es el más poeta de su generación: el que posee mayor aliento, mayor aire, mayor soplo creador. Todo lo que nombra ¡vuela! Pero a su vuelo le falta cierta fuerza de gravedad y a veces las corrientes celestes lo hacen encallar en nubes, estrellas y planetas. Como su hora, la de la mañana, toda júbilo e invitación al viaje, su obra es una promesa y una esperanza: la de la luz plena, la del pleno poeta que un día –¿dentro de cuántos siglos, años, días?– nacerá en México. Y así como la mañana es el anticipo, la profecía del mediodía, Pellicer es la prefigura del gran poeta que espera América.

La hora de Gorostiza es la de la madrugada. (Nos referimos a *Canciones para cantar en las barcas.* Su segundo libro posee un esplendor abstracto: mediodía cruel de la inteligencia, mediodía fuera del tiempo.) Madrugada de luz suave y amarga, un poco fría y húmeda, siempre tierna y deliciosa. Nos levantamos tarde y por eso somos poco sensibles a esta hora pura y afilada. La hora de la poesía naciente y del mundo naciente; el mar pierde en solemnidad lo que gana en inocencia y somos como un vaho en la soledad de la Tierra:

>A veces siento ganas de llorar
>pero las suple el mar.

Si Pellicer es el presentimiento de un gran poeta futuro, Gorostiza es la más alta realización, en México y en América, de una vieja y niña sensibilidad, la más secreta y permanente de nuestro idioma.

Xavier Villaurrutia es un poeta nocturno. Su hora no es la del crepúsculo, ni tampoco la medianoche romántica (por la que suspira y a la que aspira, pero para la que le sobra inteligencia y le faltan abandono, pureza y destino). Es un poeta desvelado, un poeta insomne, lúcido, sin sueño, sin revelación pero con sueños, con fantasmas. Esos fantasmas que surgen cuando ya han dado las doce y vemos avanzar las manecillas implacables que marcan la una, las dos, las tres, las cuatro… Espera con angustia el nuevo día, con la boca y el paladar secos, los párpados dolorosamente abiertos contemplando la aridez de una alcoba o de un espíritu. Solitario y dramático, asiste a una función sin espectadores, a un monólogo en el que se juzga y condena. Y al condenarse al hastío y al infierno del aburrimiento y la esterilidad, logra arrancar, difícil y penosamente, de esas rocas impías, extrañas chispas eléctricas: sus poemas. Xavier Villaurrutia, rico de sensibilidad y pobre de fantasía, inclinado sobre unas cuantas imágenes como sobre una constelación fatídica, ha escrito unos cuantos poemas que, por su perfección, se me antojan como un grupo de estatuas nocturnas, a solas con la noche y la muerte. Esos poemas poseen la dureza de las piedras preciosas y su luz fría; la angustia, la soledad, el peso y el paso de las horas han cristalizado en estas construcciones a un tiempo heladas e incandescentes. Y así, una vez más, la transmutación poética se nos revela como una alquimia superior, cuya materia prima es el tiempo.

No, el crepúsculo no define a todos los poetas mexicanos. Cada uno tiene su hora, su espacio y su luz propia. Pero en todos ellos vive la misma poesía, porque la poesía es, como quería Baudelaire que fuera Dios, lo único común a los poetas. Lo otro, la hora, la atmósfera, la sensibilidad particular, el acento, son las inevitables, necesarias adherencias de la persona y la circunstancia. *Émula de la llama*, la poesía cambia de color y de forma pero a todos, lectores y poetas, a los que la gozan y a los que la sufren, nos devora. Fénix de nuestras humanas cenizas, vuela hacia un cielo desconocido: la huella de su vuelo, el poema, es la nostalgia o el presentimiento de ese cielo.

México, 1942

«Émula de la llama» se publicó en *Las peras del olmo*, México, Universidad Nacional Autónoma de México, 1957.

Poesía mexicana moderna

Con frecuencia se dice que la poesía de Inglaterra equilibra la relativa pobreza de sus artes plásticas; o que la medianía, también relativa, de la pintura rusa parece redimirse en la obra de sus grandes novelistas, poetas y músicos. Según esto, habría pueblos ciegos pero dueños del canto. Otros, todo ojos, serían mudos y sordos. Nada más engañoso que una generalización de esta naturaleza. Recordamos a Grecia no sólo por sus poetas sino también por sus escultores y arquitectos; Velázquez, El Greco y Murillo no ocultan, sino subrayan, la presencia de Góngora, Quevedo o San Juan de la Cruz; lo mismo puede decirse de los grandes líricos renacentistas italianos y de sus pares en la pintura, la escultura, la arquitectura y la música. En los grandes períodos creadores todas las artes crecen conjunta y armoniosamente.

La falacia que acabamos de denunciar –y que puede reducirse a esta fórmula: «los pueblos poéticos no son plásticos; y a la inversa»– ha servido durante los últimos años para justificar el desdén con que se ve a nuestra literatura y, especialmente, a nuestra poesía. Todos conocemos las causas del auge en la pintura mexicana contemporánea. Unas son buenas y legítimas; no las discutiremos. Otras provienen de ciertas necesidades psicológicas de la clase rica. En nuestra época el dinero es el signo del valor. Todo tiene precio. Los mexicanos ricos –como los del mundo entero– necesitan asegurarse y ver confirmado por la crítica que compran objetos únicos y de la más alta calidad. (Rareza o escasez de ejemplares es sinónimo de calidad.) ¿Cómo conciliar este afán por adquirir obras de arte con la indiferencia que muestran esos mismos ricos ante la poesía, la novela o el teatro? Aparece entonces, como caída del cielo, la famosa «teoría»: México es una tierra de pintores y lo demás no vale nada. Naturalmente, sería inútil tratar de convencer a los compradores de la falsedad de esta afirmación. López Velarde no es un valor cotizable. Es tan «ininteligible» como Tamayo, pero mientras un libro de poemas cuesta diez o quince pesos, un cuadro vale diez o quince mil. No se puede atesorar poesía. Los poemas no dan intereses.

Nada de esto tendría importancia si no fuese porque se hace víctima de este juego al público. A ese público que, como no tiene dinero para comprar cuadros, no necesita que le tranquilicen la conciencia pero al que desde hace años, directa o indirectamente, se le predica que es tiempo perdido leer a los autores de su propia lengua. La boga de las traducciones bárbaras y la popularidad de ciertos autores extranjeros de segundo y tercer orden pueden explicarse, en parte, por esta desconfianza popular ante un Borges, un Vasconcelos o un Reyes. De ahí que no sea ocioso recordar que la escultura y la arquitectura precortesianas tienen su equivalente poético en ciertos libros como el *Chilam-Balam*, el *Popol Vuh* y los cantares líricos y sagrados de los aztecas, que recientemente nos ha revelado el admirable Ángel Garibay K. Lo mismo debe decirse de nuestra espléndida poesía barroca y de nuestra literatura contemporánea: *Primero sueño* bien vale lo que valen el Sagrario Metropolitano o la Capilla del Rosario. Vasconcelos no es menos intenso y desigual –y acaso sea más lúcido– que Orozco. El dibujo de Reyes rivaliza con el de Rivera –y es más fino y más libre, si menos amplio. Los episodios y personajes de *El águila y la serpiente* son verdaderos grabados en acero y sería difícil encontrar en nuestras artes plásticas tal economía de medios, tal concisión y seguridad. Pellicer tiene las «manos llenas de color», como Tamayo. *El gesticulador* de Usigli es algo más que un mural y va más lejos que una denuncia pintada. *Muerte sin fin* de Gorostiza, los *Nocturnos* de Villaurrutia...

Sin duda para remediar, así sea parcialmente, la situación de nuestros escritores –desterrados en su propia tierra– el Fondo de Cultura ha iniciado la publicación de la serie «Letras Mexicanas». En esa colección ha aparecido, hace algunos meses, la *Antología de la poesía mexicana* de Antonio Castro Leal. Envejecida la de Cuesta y agotados los libros de nuestros más grandes poetas (Pellicer como ejemplo notorio y próximo), era legítimo que se esperase con impaciencia y júbilo la nueva obra de Castro Leal. Sus otros trabajos críticos –algunos de ellos excelentes– hacían pensar que su *Antología* daría una imagen fiel de nuestra poesía moderna. Al fin el público comprobaría que el período moderno no sólo es el más rico de nuestra historia literaria sino que también es uno de los más intensos y significativos dentro del movimiento general de la poesía contemporánea en lengua española. En efecto, algunas de las aventuras más arriesgadas y algunas de las obras más perfectas de la poesía hispánica son mexicanas. Han pasado varios meses desde la aparición del libro de Castro Leal y la crítica ha permanecido silenciosa –como si no se tratase de la obra de uno de nuestros críticos más distinguidos y, sobre todo, como si no se tratase de la poesía mexicana. Con razón el mismo Castro Leal se ha quejado de la ausencia de «estudios serios» sobre su *Antología*. ¡Equívoca situación! Los críticos prefieren no comprometerse ¡mientras hablan interminablemente de la responsabilidad social, política o metafísica del escritor! ¿Estamos vivos o muertos? ¿Es miedo, pereza, indiferencia? No me interesa averiguarlo. En cualquier caso es una deserción.

Las líneas que siguen no pretenden ser ese «estudio serio» que, con justicia, reclama Castro Leal. Pero sí son, por lo menos, la expresión de ese interés apasionado que toda obra humana aspira a despertar. Todo acto –y un libro es un acto– merece una respuesta. La mía es una réplica. De todos modos, me gustaría que Castro Leal entendiese que yo no le hago la ofensa de ignorarlo. Hablo de su libro porque me parece importante. Toda crítica, aun la adversa, encierra un elemento de solidaridad, puesto que se rehúsa a la complicidad del «ninguneo» y del chisme maloliente.

Ante el libro de Castro Leal la primera pregunta que debemos hacernos es ésta: ¿se trata realmente de una antología de la poesía mexicana? No, a juzgar por el número de autores incluidos: más de un centenar de poetas en cincuenta años de historia literaria. Catálogo de nombres frente al cual se siente la tentación de repetir la frase célebre: «En Nueva España hay más poetas que estiércol». También resulta extraña la ausencia de poemas en prosa. Daría muchos de los versos bien medidos de la *Antología* por dos o tres textos de Torri, Owen y otros que han cultivado el poema en prosa, género que como pocos expresa la poesía de la vida moderna. Los reparos anteriores pueden juzgarse de poca monta. Pero ¿están de veras las obras más importantes, aquellas que dan fisonomía a nuestra poesía y la distinguen entre todas las que se escriben en español?

El libro, nos advierte su autor, consta de dos partes: la primera va de Gutiérrez Nájera a Carlos Pellicer; la segunda de Pellicer a nuestros días. La selección de la primera parte es, en lo esencial, acertada. La segunda revela incomprensión de lo que significa, quiere y es la poesía contemporánea. En primer término, Castro Leal ha decidido, en algunos casos, no publicar los poemas íntegros sino los fragmentos que le parecen mejores. El método no es reprobable; lo es la forma en que ha escogido los fragmentos. A un poema de Reyes, *Yerbas del Tarahumara*, Castro Leal le arranca una estrofa como quien corta un ala. Esa estrofa –adrede prosaica– cumplía una función dentro del poema: le daba peso, materialidad y subrayaba así el lirismo de otros pasajes. No es otro el sentido de ciertas irrupciones del habla coloquial o erudita en los poemas de Eliot, Pound y Apollinaire. *La glosa incompleta* de Salvador Novo también fue recortada; Castro Leal sólo dejó el fragmento que es ociosa recreación de nuestra poesía clásica y suprimió el inesperado y vivo trozo de humor (uno de los elementos constitutivos de la poesía moderna) y la intensa parte final.

El capítulo de omisiones afecta a todos los poetas importantes, con la sola excepción de Carlos Pellicer, representado con verdadero gusto y con la amplitud que este gran poeta se merece. La selección de Gilberto Owen muestra la ceguera de Castro Leal ante uno de los espíritus más serios de nuestra actual literatura y frente a una de sus obras más originales. Rodolfo Usigli no está representado por lo mejor y más suyo. La ausencia más notable es la de *Muerte sin fin*. Una antología de la poesía mexicana que ignore este poema es tan incompleta como una del siglo XVII que no incluyese un fragmento siquiera de las *Soledades* o del *Polifemo*.

La imagen que el libro de Castro Leal nos ofrece es la de una poesía correcta, que linda más con la artesanía que con la verdadera inspiración. Es posible que esto sea cierto pero el «buen gusto» y la mesura académica no son toda nuestra poesía. En sus mejores momentos la poesía mexicana, como la de todos los pueblos, ha sido una aventura espiritual. Algunos de nuestros poetas han vivido el acto poético como erotismo y muerte, comunión o conocimiento; para otros, el poema ha sido diálogo con la mujer, el mundo o el espejo. Se han jugado el todo por el todo del poema en una imagen y no han sido infieles a la verdad vital de la poesía, que es algo más que un verso bien hecho.

Tanto en el prólogo como en las notas que preceden a cada selección aparecen ciertas palabras y frases que nos dejan vislumbrar la razón de las diferencias entre la primera parte del libro (que es excelente) y la segunda. Es significativa la abundancia de adjetivos como «sutil», «depurado», «suave», «discreto», «delicado». Castro Leal percibe y recoge con innegable fortuna los acentos velados, melancólicos y matizados. También es sensible a la riqueza rítmica del verso, al peso de la palabra y a las alas del adjetivo. Heredero de aquella idea de Henríquez Ureña –que veía como notas predominantes de la literatura mexicana el tono crepuscular y la melancolía discreta–, reduce, recorta, matiza. Pero el procedimiento sacrifica la realidad a la teoría. El resultado, a la larga, es monótono. A fuerza de finura se acaba por sentir náuseas.

La introducción recoge y amplía, pero no mejora, estudios anteriores de Castro Leal. Los juicios críticos sobre los precursores y los poetas modernistas son penetrantes. Acaso es demasiado benévolo con Gutiérrez Nájera y con Amado Nervo. Quizá exagera el ascetismo puramente exterior –más bien disciplina de atleta– del verso de Díaz Mirón. Pero los retratos de Othón, Urbina, González Martínez y del mismo Nájera son modelos de precisión y elegancia. En cambio, nada se nos dice sobre la significación del modernismo mexicano, sobre sus tendencias más profundas, su relación con nuestra tradición poética, sus afinidades y diferencias con el movimiento en otras partes de América y España o sobre su lugar en la poesía moderna universal. Crítico impresionista, Castro Leal pierde de vista las grandes líneas y, también, las tendencias más secretas de la aventura poética.

La figura de Tablada resulta empequeñecida. Tablada no sólo fue el más perfecto y flexible de los poetas de la *Revista Moderna,* sino que, gracias a su admirable espíritu de aventura, es uno de los padres de la poesía contemporánea en lengua española. Su ejemplo estimuló a López Velarde, Pellicer, Villaurrutia, Gorostiza, Torres Bodet y Ortiz de Montellano. También es injusto afirmar que Tablada nada más fue un «cosmopolita». ¿Cosmopolita el hombre que asimiló y trasplantó muchos cantos extranjeros sin traicionar jamás su español de mexicano? ¿Cosmopolita aquel que despertó con salvas de imágenes a los poetas jóvenes, adormecidos por el simbolismo moralizante de González Martínez? Incluso en su período modernista, Tablada no fue ni más ni menos «afrancesado» que Gutiérrez Nájera, Nervo o Rebolledo. Más tarde su poesía nos hizo ver directamente al paisaje y al hombre; sus imágenes nos enseñaron a considerar el poema como un todo viviente, como un organismo animado. Basta leer los primeros poemas de Pellicer, la *Suite del insomnio* de Villaurrutia, *Biombo* de Torres Bodet, *Dibujos sobre un puerto* de Gorostiza, para darse cuenta de que sin Tablada sería otra la historia de la poesía mexicana. Entre la poesía de *Un día*, *Li-Po* o *El jarro de flores* y la de los poetas de *Con-*

temporáneos hay una evidente, visible continuidad. En cambio, todos ellos rompieron con la manera de González Martínez.

Castro Leal señala que Reyes «no quiso darle a la poesía más que una parte de su corazón y de su tiempo». Reproche que no deja de ser curioso, si se piensa en la extensión que tiene la obra poética de Reyes. Sin contar sus traducciones y sus ensayos sobre la poesía, quizá los más importantes en nuestra lengua. No es necesario repetir aquí lo que he escrito en otras partes sobre Reyes. Baste decir que sin él nuestra literatura sería media literatura.

Los párrafos sobre López Velarde son justos, aunque nada nuevo nos dicen. El lenguaje de López Velarde es un milagro, pero nos gustaría saber algo acerca de sus orígenes. Las notas acerca del «estridentismo» carecen de simpatía. Ese movimiento, abortado, es cierto, representó de todos modos una saludable y necesaria explosión de rebeldía. Lástima que durara tan poco. Lástima, también, que no haya tenido herederos directos. Sobre las tendencias y significación del grupo de *Contemporáneos* nada nos dice Castro Leal. Calla sus influencias y preferencias, su curiosidad intelectual y estética, su libertad moral, su intransigencia crítica, su amor por las artes plásticas (Tamayo, Lazo y Castellanos pertenecieron al grupo; Rodríguez Lozano estuvo cerca de ellos). Silencio sobre la extraña y dramática vida espiritual de Jorge Cuesta. Ni una palabra sobre el monólogo de Villaurrutia, ni sobre el sentido que para él tenían el sueño, el amor y la muerte, «muda telegrafía a que nada responde...». Silencio, en fin, sobre el poema capital de José Gorostiza, una de las obras más importantes de la poesía moderna en lengua española. ¿Cómo es posible que ni siquiera se aluda a un poema que tanta influencia ha ejercido y que, torre de cristal y de fuego, está llamado a perdurar con la misma vida de las más altas creaciones del idioma? Gracias a los poetas de *Contemporáneos* penetra en nuestra poesía el mundo de los sueños, las misteriosas correspondencias de Baudelaire, las analogías de Nerval, la inmensa libertad de espíritu de Blake.

El mismo silencio frente al grupo de poetas que se agruparon en *Taller*. Castro Leal piensa –guiado quizá por el título de la revista– que el «oficio» tuvo gran importancia para nosotros. Me parece que la idea de Solana, fundador de la revista, era otra: concebía a *Taller* como una fraternal y libre comunidad de artistas. Cierto, los problemas técnicos –quiero decir: el lenguaje– constituyeron una de nuestras preocupaciones centrales. Pero jamás vimos a la palabra como «medio de expresión». Y esto —nuestra repugnancia por lo literario y nuestra búsqueda de la palabra «original», por oposición a la palabra «personal»— distingue a mi generación de la de *Contemporáneos*. La poesía era actividad vital más que ejercicio de expresión. No queríamos tanto decir algo personal como, personalmente, realizarnos en algo que nos transcendiese. Para los poetas de *Contemporáneos* el poema era un objeto que podía desprenderse de su creador; para nosotros, un acto. O sea: la poesía era un «ejercicio espiritual». De ahí nuestro interés por Novalis, Blake, Rimbaud. A todos nos interesaba la poesía como experiencia, es decir, como algo que tenía que ser vivido. Veíamos en ella a una de las formas más altas de la comunión. No es extraño, así, que amor y poesía nos pareciesen las dos caras de una misma realidad. O más exactamente: las dos alas. El amor, como la poesía, era una tentativa por recobrar al hombre adánico, anterior a la escisión y a la desgarradura.

Estas breves notas muestran influencias y afinidades con los místicos, los surrealistas y ciertos escritores como D. H. Lawrence y algunos románticos alemanes e ingleses. Pero no nos interesaba el lenguaje del surrealismo, ni sus teorías sobre la «escritura automática»; nos seducía su afirmación intransigente de ciertos valores que considerábamos —y considero— preciosos entre todos: la imaginación, el amor y la libertad, únicas fuerzas capaces de consagrar al mundo y volverlo de veras *otro*. Nada más natural que en ese estado de espíritu volviésemos los ojos hacia ciertos poetas de nuestra lengua tocados por el surrealismo y que encarnaban con brillo sin igual estas tendencias: Cernuda, Aleixandre, Neruda, Lorca, Alberti. Creo que ellos influyeron más profundamente en nuestra generación que los «Contemporáneos». En los primeros poemas de Huerta es visible la presencia de Aleixandre y Neruda. En Quintero, quizá, influyó sobre todo Neruda (influencia que luego eliminó por completo). La poesía de Luis Cernuda —tras varios contactos anteriores— contribuyó a iluminarme por dentro y me ayudó a decir lo que quería. A todos nos molestaba un poco lo que llamábamos el «intelectualismo» de *Contemporáneos*. Concebíamos a la poesía como un «salto mortal», experiencia capaz de sacudir los cimientos del ser y llevarlo a la «otra orilla», ahí donde pactan los contrarios de que estamos hechos.

Una experiencia capaz de transformar al hombre, sí, pero también al mundo. Y, más concretamente, a la sociedad. El poema era un acto, por su naturaleza misma, revolucionario. Castro Leal ofrece una explicación muy superficial de nuestra actitud cuando afirma que algunos de nosotros «abrazamos las causas sociales» –como si la sociedad y sus «causas» fueran algo externo, objetos o cosas. No, para nosotros la actividad poética y la revolucionaria se confundían y eran lo mismo. Cambiar al hombre exigía el previo cambio de la sociedad. Y a la inversa. Así pues, no se trataba de un «imperativo social» –para emplear el lenguaje de Castro Leal– sino de la imperiosa necesidad, poética y moral, de destruir a la sociedad burguesa para que el hombre total, el hombre poético, dueño al fin de sí mismo, apareciese. Esta posición –que nos llevó a fraternizar con un viejo y amado poeta español: León Felipe– puede resumirse así: para la mayoría del grupo, amor, poesía y revolución eran tres sinónimos ardientes.

Todos hemos cambiado. Algunos han muerto, otros han renunciado. Las posiciones de los que hemos quedado –eso que llaman «ideología»– nos colocan a veces en bandos distintos. El grupo se desgarró. Nosotros mismos, por dentro, estamos desgarrados. Es triste reconocer que no es para mañana el reinado del hombre. Desde 1936, el año en que se inicia la guerra de España, decisiva para mi generación, han pasado muchas cosas. Del bombardeo de Madrid a las nuevas armas nucleares, de los procesos de Moscú a la ejecución de Beria, se han dado pasos inmensos: se mata ahora más simplemente. Pero nada de esto da derecho a Castro Leal para afirmar que algunos de nosotros hemos renunciado a las creencias de nuestra juventud. Se trata de algo de mayor gravedad y de problemas que, me temo, ni sospecha siquiera nuestro crítico.

No quisiera terminar sin aclarar, nuevamente, en qué sentido me parece que la experiencia de la poesía moderna –desde los románticos alemanes e ingleses hasta el surrealismo– aún tiene vigencia. El surrealismo, como tendencia artística, ha hecho sus pruebas. Nada hay que agregar, porque lo hecho fue bien hecho. Pero la doble consigna de mi juventud –«cambiar al hombre» y «cambiar la sociedad»– todavía me parece válida. Creo que piensan lo mismo algunos de mis antiguos compañeros y la mayoría de mis nuevos amigos. Para todos nosotros la edad de la reconciliación del hombre consigo mismo, las bodas de inocencia y experiencia, serán consagradas por la poesía. El mundo se ordenará conforme a los valores de la poesía –libertad y comunión– o caerá en la barbarie técnica, reino circular regido por los nuevos señores: el policía y el «experto en la psicología de las masas». A esto se reducen nuestras creencias políticas, sociales y poéticas.

México, 1954

«Poesía mexicana moderna» se publicó en *Las peras del olmo*, México, Universidad Nacional Autónoma de México, 1957.

Contemporáneos

PRIMER ENCUENTRO

Durante los años en que estudiaba el bachillerato de filosofía y letras en la Escuela Nacional Preparatoria, que estaba en aquel tiempo en el antiguo edificio de San Ildefonso, conocí a varios escritores de *Contemporáneos*. Al primero que traté fue a Carlos Pellicer. Era nuestro profesor de literatura hispanoamericana en 1931. A él le debo haber leído con devoción a Leopoldo Lugones y a otros poetas sudamericanos. Al terminar la clase, nos paseábamos por los corredores del Colegio y a veces lo visitábamos en su casa de las Lomas de Chapultepec. Los relatos exaltados y pintorescos de sus viajes por América del Sur, Europa y el Cercano Oriente, me abrieron los ojos y la sensibilidad. El mundo natural y el del arte, ríos y valles, templos y estatuas, volcanes y catedrales, desiertos y ruinas entraron por mis ojos y mis orejas con un rumor que no es exagerado llamar luminoso. Oleadas de luz, oleadas del tiempo que hace y deshace a un monte o a una ciudad. En los poemas de Pellicer oí hablar por primera vez al mar y su discurso, alternativamente azul y blanco, negro y dorado, todavía retumba en mi cráneo.

Durante ese mismo año de 1931 apareció una pequeña revista: *Barandal*. La hacíamos cuatro amigos: Rafael López Malo, Salvador Toscano, Arnulfo Martínez Lavalle y yo. Duró siete números. En ella también colaboraron José Alvarado, Enrique Ramírez y Ramírez, Raúl Vega, Manuel Rivera Silva y otros muchachos de nuestra edad o un poco mayores que nosotros, como Manuel Moreno Sánchez. Se nos ocurrió publicar, en cada número, como un suplemento aparte, poemas y textos de escritores que admirábamos: Carlos Pellicer, Xavier Villaurrutia, Salvador Novo. Los invitamos y todos ellos aceptaron. Con ese motivo visitamos a Novo. En aquellos años era jefe del Departamento Editorial de la Secretaría de Educación Pública y despachaba en una oficina de la planta baja del primer piso. Trabajaban bajo sus órdenes, en un cuarto minúsculo que también servía de antesala, Xavier Villaurrutia y Efrén Hernández. Alto, un poco caídos los hombros, ya ligeramente obeso, Novo reinaba sobre sus dos amigos y subordinados con una indefinible mezcla de cortesía e insolencia. Vestía trajes amplios y de telas claras, a la moda de entonces, más como un alto empleado de una compañía norteamericana que como un dandy mexicano. En aquel México lleno todavía de supervivencias del siglo XIX, Novo afirmaba casi como un desafío su voluntad de ser moderno. Nos azoraban sus corbatas, sus juicios irreverentes, sus zapatos bayos y chatos, su pelo untado de *stacomb*, sus cejas depiladas, sus anglicismos. Su programa era asombrar o irritar. Lo conseguía.

Villaurrutia y Hernández eran delgados, frágiles y bajos de estatura. Ahí terminaba su parecido. Efrén Hernández asomaba entre los papeles y libros de su enorme escritorio una sonriente cara de roedor asustado. Detrás de los espejuelos acechaban unos ojos vivos, irónicos. Vestía como un escribiente de notaría. Tenía una vocecita que de pronto se volvía aguada y metálica, como el chirrido de un tren de juguete al dar la vuelta en una curva. Era el personaje de sus cuentos: inteligente, tímido, reticente, perdido en circunloquios que desembocaban en paradojas, falsamente modesto, extravagante y, más que distraído, abstraído, girando en torno a una evidencia escondida pero cuya aparición era inminente. Novo era brillante adrede; Hernández, también adrede, opaco. Villaurrutia no pretendía ser humilde ni inclinaba la cabeza: la erguía y la movía de izquierda a derecha y de derecha a izquierda, entre curioso y desdeñoso. Un pájaro que reconoce sus terrenos y define sus límites. Como Novo, era elegante pero, a diferencia de su amigo, buscaba la discreción. Vestía trajes grises y azules de tonos obscuros. Al caminar, con la mirada en alto, taconeaba con fuerza. Usaba unas camisas blancas, inmaculadas y que –demasiado amplias– acentuaban la delgadez de su cuello. Piel mate, labios delgados, nariz de ventanas anchas, una fisonomía que habría sido más bien común de no ser por la humanidad de los ojos –grandes y pardos bajo las cejas estrictas– y la amplitud noble de la frente. El pelo era negro y levemente ondulado.

Desde la primera vez que hablé con él me di cuenta de que sabía oír. Además, sabía responder. Dos virtudes raras, sobre todo entre escritores. Hablaba sin precipitación. A veces esta cualidad se transformaba en defecto: se le veía oírse. También desde el principio me sorprendió su hermosa voz, grave y fluyendo como un río obscuro. Sus ademanes eran sobrios y exactos. Dos notas constantes, espuela y freno: la ironía, a veces cruel, y la cortesía. Años después descubrí que sus buenas maneras ocultaban un temperamento irritable y que los epigramas que disparaba defendían a un ser inseguro y angustiado, víctima de abulias y depresiones. Aunque no era lo que se llama una persona natural, me pareció que, a diferencia de Novo y de Hernández, no jugaba a ser su personaje. Mejor dicho: él también, como todos los hombres fuera del común, era un personaje pero sus gestos coincidían con su máscara. Cuando nos dio los poemas para *Barandal* insistió en que los forros de la *plaquette* fuesen del papel con que se cubren los muros de las habitaciones. Él mismo escogió la marca, el papel y los colores. Más que una confesión, una definición. Verde y oro sobre fondo negro: colores nocturnos como su poesía; *tapisserie*: el poema concebido como una forma cerrada, alcoba verbal cuyas paredes son páginas –y las páginas puertas que, de pronto, se abren hacia un corredor que termina en un golfo de sombra.

En 1935 conocí a Jorge Cuesta. Eran los días en que se debatía el tema de la «educación socialista». La disputa llegó a la Universidad, pues se pretendía imponerla también en ella. El Consejo Universitario discutió con pasión el asunto y una mañana sus bóvedas resonaron con la artillería pesada de los discursos de Antonio Caso y Vicente Lombardo Toledano, los dos capitanes, acompañados por los tiroteos y las salvas de Diego Rivera, Jorge Cuesta y otros. Los estudiantes nos agolpábamos en los patios y los corredores del edificio; para evitar tumultos, nos habían prohibido la entrada al salón del Consejo. La lenta marea humana me empujó insensiblemente hacia las puertas precisamente en el momento en que salía Jorge Cuesta. Había abandonado el debate por un momento para respirar un poco de aire y fumar un cigarrillo. Lo reconocí inmediatamente pues lo había visto varias veces caminar por la calle de Argentina, vecina a San Ildefonso, rumbo a la Secretaría de Educación Pública, en donde trabajaban varios amigos suyos: Novo, Villaurrutia, José Gorostiza, Samuel Ramos. Además, me había cruzado con él, una mañana, en los corredores del Colegio: acompañaba a Aldous Huxley y le mostraba los frescos de Orozco. En aquellos años yo era amigo de un amigo de Cuesta, el inteligente y atrabiliario Rubén Salazar Mallén (un inocente que anda por el mundo disfrazado de lobo y que no asusta a nadie salvo a sí mismo). Salazar Mallén me había hablado con admiración de Cuesta (más tarde comprobé que la estimación era recíproca) y me había hecho leer algunos de sus ensayos y poemas. Me intrigaron y deslumbraron. Al verlo frente a mí –alto, delgado, elegante, vestido de gris, rubio, ojos de perpetuo asombro, labios gruesos, nariz ancha, extraña fisonomía de inglés negroide– me atreví a interpelarlo y le lancé una impertinencia:

–¿Qué diría su amigo Huxley de este circo?

Me miró con sorpresa, alzó las cejas, sus ojos de color café se volvieron más redondos y me repuso:

–¿Por qué me habla de Huxley? ¿Lo ha leído?

El falso aplomo juvenil me dictó otra impertinencia:

–Sí, lo he leído... y no me gusta.

Su asombro creció pero se limitó a emitir un monosílabo:

–¡Ah!

Aproveché su indecisión para continuar:

–Prefiero a Lawrence... También he leído las cosas de usted.

Le brillaron los ojos y me repuso con amabilidad:

–¿Pero a usted le interesa la literatura? ¿Escribe?

Así comenzó, en medio de la multitud y los gritos, una conversación entrecortada. A los pocos minutos dijo:

–¿Le interesa mucho lo que ocurre aquí?

–No demasiado. ¿Y a usted?

–Tampoco. Lo invito a comer.

Salimos de San Ildefonso y Jorge me llevó a un restaurante alemán que estaba en la calle de Bolívar. Mi emoción y mi nerviosismo deben de haberle divertido. Era la primera vez que yo comía en un lugar elegante ¡y con Jorge Cuesta! Hablamos de Lawrence y de Huxley, es decir, de la pasión y de la razón, de Gide y de Malraux, es decir, de la curiosidad y de la acción. Esas horas fueron mi primera experiencia con el prodigioso mecanismo mental que fue Jorge Cuesta. Al hablar de mecanismo no pretendo deshumanizarlo; era sensible, refinado y profundamente humano. En su trato conmigo fue siempre atento, generoso y hasta indulgente. Pero su inteligencia era más poderosa que sus otras facultades; se le veía pensar y sus razonamientos se desplegaban ante sus oyentes con una suerte de fatalidad invencible, como si fuesen algo pensado no *por* sino *a través* de él. He conocido a personas muy inteligentes y casi todas ellas se servían de su inteligencia para esto o aquello (por ejemplo, el escritor español José Bergamín) pero Jorge Cuesta era un servidor de su inteligencia. Mejor dicho: de la inteligencia.

Aquella tarde –y fue la primera de muchas– asistí a un espectáculo en verdad alucinante: delante de mí veía levantarse edificios mentales que tenían la tenuidad y la resistencia de una tela de araña; también su fragilidad: se balanceaban un instante en el aire para ser barridos, en otro instante, por el viento distraído de la conversación. Pero su verdadero enemigo, como lo comprobé más tarde, cuando quise recordar aquellas conversaciones, fue el olvido, insidioso destructor de todas nuestras obras. ¿Por qué Jorge Cuesta escribió tan poco? ¿Por qué se dejaba arrastrar por el demonio socrático de la conversación y por qué después no apuntaba en un cuaderno cualquiera aquellas ideas y ocurrencias que confiaba a sus amigos? ¿Pereza, desdén? ¿O quiso irse sin dejar nada? Dicen que antes de morir destruyó todos sus papeles. Lo único que se salvó fue esa extraña *Crítica del reino de los cielos*, escrita ya en el hospital. Cierto, sus infortunios le impidieron hacer su obra; creo, sin embargo, que el obstáculo mayor fue su misma inteligencia. Al pensar en los últimos y terribles años de su vida, asaltado por delirios y obsesiones que le parecían irrefutables como silogismos, encuentro una confirmación de mi primera impresión, aquella tarde de la primavera de 1935: Jorge Cuesta estaba poseído por un dios temible, la inteligencia. Pero *inteligencia* es una palabra que no designa realmente a la potencia que lo devoraba. La inteligencia está cerca del instinto y no había nada instintivo en Jorge Cuesta. El verdadero nombre de esa divinidad sin rostro es Razón. La gran tentadora: sólo la Razón endiosa. Por esto la muerte, para vencerlo, tuvo que tomar la forma de la tentación suprema: la razón divina. Su muerte fue absurda no por falta sino por exceso de razón. Fue un caso de intoxicación racional. A Jorge Cuesta le faltó sentido común, es decir, esa dosis de resignada irracionalidad que todos necesitamos para vivir.

Mi relación con Jorge Cuesta nunca se rompió. Digo relación y no amistad porque, a pesar de su cordialidad, nuestro trato se limitó al intercambio de ideas y opiniones. A veces Cuesta me leía sus poemas y ensayos, otras era yo el que le leía mis cosas; nunca, a pesar de que esos años fueron los de sus desastres, cedió a la confidencia o a la queja. Relación intelectual no desprovista de pasión y aun de encarnizamiento: nos interesaban las mismas ideas y los mismos temas pero desde orillas opuestas. Nuestras coincidencias se situaban en capas más profundas: si nuestras opiniones eran distintas no lo eran nuestros gustos estéticos y nuestras preferencias y animadversiones intelectuales.

En los primeros días de enero de 1937 apareció un pequeño libro mío (*Raíz del hombre*). Jorge escribió un artículo y lo publicó en el número inicial de *Letras de México*, la revista de Barreda. La nota de Cuesta no fue del agrado de algunos de sus amigos, que veían de reojo mis poemas y mis opiniones políticas. En ese mismo número de *Letras de México,* y en la misma página, apareció una nota sin firma en la que se juzgaba severamente un poema mío. Supe más tarde que había sido escrita por Bernardo Ortiz de Montellano. Un poco después Jorge me invitó a una comida y mencionó, sin explicaciones, que asistirían otros amigos suyos. Acepté y quedamos en que pasaría a recogerlo a su oficina. Era químico de una compañía azucarera que estaba, si no recuerdo mal, entre Gante y 16 de Septiembre. Cuando llegué, me encontré en la antesala con Xavier Villaurrutia. Me dijo que él y Cuesta me llevarían a la comida y me dio los nombres de los otros asistentes: el grupo de *Contemporáneos* en pleno. De pronto me di cuenta de que se me había invitado a una suerte de ceremonia de iniciación. Mejor dicho, a un examen: yo iba a ser el examinado y Xavier y Jorge mis padrinos.

Un taxi nos llevó a un restaurante que estaba frente a una de las entradas del Bosque de Chapultepec, cerca del mercado de flores: El Cisne. Recuerdo muy bien a los asistentes: Ortiz de Montellano, José y Celestino Gorostiza, Samuel Ramos, Octavio G. Barreda, Jaime Torres Bodet, Enrique González Rojo y el abate Mendoza. Tres ausentes: Pellicer, Novo y Owen. (Este último vivía en Colombia.) Se habló de las opuestas ideas de Goethe y Valéry acerca de la traducción poética, pero, sobre todo, se habló de Gide, el comunismo y los escritores. Eran los días de la guerra civil en España. Todos ellos eran partidarios de la República; todos también estaban en contra del *engagement* de los escritores y aborrecían el «realismo socialista», proclamado en esos años como doctrina estética de los comunistas. Me interrogaron largamente sobre la contradicción que les parecía advertir entre mis opiniones políticas y mis gustos poéticos. Les respondí como pude. Si mi dialéctica no los convenció, debe de haberlos impresionado mi sinceridad pues me invitaron a sus comidas mensuales. No pude volver a esas reuniones: al poco tiempo dejé México por una larga temporada –primero estuve en Yucatán y más tarde en España.

DESENGAÑO Y REBELIÓN, CURIOSIDAD Y REVELACIÓN

Se ha reprochado muchas veces a los «Contemporáneos» su indiferencia ante la historia y los asuntos públicos. La acusación es injusta o, mejor dicho, ha sido mal formulada. Jaime Torres Bodet fue un diplomático distinguido y su obra como secretario de Educación Pública y como director de la UNESCO fue notable y fecunda. José Gorostiza también fue hombre público y su gestión en la Secretaría de Relaciones Exteriores fue memorable. Salvador Novo fue un periodista muy leído y escuchado. Pero ninguno de ellos –salvo Jorge Cuesta y Carlos Pellicer– reveló pasión o, siquiera, interés por los grandes debates que han conmovido la conciencia de los escritores y los intelectuales durante el siglo XX. Esta indiferencia, próxima al escepticismo, tuvo quizá un origen histórico, social. Fue una reacción ante ciertas experiencias de la vida mexicana. Niños, habían presenciado las violencias y las matanzas revolucionarias; jóvenes, habían sido testigos de la rápida corrupción de los revolucionarios y su transformación en una plutocracia ávida y zafia. La generación anterior –Gómez Morín, Lombardo Toledano, Alfonso Caso, Palacios Macedo, Cosío Villegas– había podido hacerse ilusiones. Los poetas de *Contemporáneos* ya no podían creer ni en los revolucionarios ni en sus programas. Por eso se aislaron en un mundo privado poblado por los fantasmas del erotismo, el sueño y la muerte. Un mundo regido por la palabra ausencia. Alguna vez, para recoger un manuscrito o un libro, pasé por el «estudio» que tenía Xavier en el centro. Me sorprendió la atmósfera de aquella habitación: parecía el *set* de una película de Cocteau (*La sangre del poeta*). Él notó mi sorpresa y me dijo: «Para soportar a México he tenido que construirme este refugio artificial».

La actitud de Xavier y sus amigos no era sino lo que hoy llamamos *exilio interior*. ¿A cuántos escritores no ha condenado México a ese destierro en su propia tierra? Alfonso Reyes, después de muchos años de ausencia, vuelve a su colegio de San Ildefonso –que fue también el de Xavier y el mío– y dice al recordarse:

> Yo era otro, siendo el mismo:
> yo era el que quiere irse.
> Volver es sollozar. No estoy arrepentido
> del ancho mundo. No soy yo quien vuelve
> sino mis pies esclavos.

En ninguno de los «Contemporáneos» aparecen «los otros», esos hombres y mujeres de «toda condición» con los que, día tras día, hablamos y nos cruzamos en calles, oficinas, templos, autobuses. En Pellicer hay montañas, ríos, árboles, ruinas; también hay héroes y villanos estereotipados pero no hay gente. Dos maneras opuestas y en el fondo coincidentes de anular a los «otros»: en Novo la gente se vuelve objeto de escarnio y befa; en Torres Bodet es tema de apólogos edificantes y adocenados. En los poemas de Gorostiza, Villaurrutia y Ortiz de Montellano no hay nadie; todos y todo se han vuelto reflejos, espectros. No sé si me he expresado con claridad. Para que se comprenda lo que quiero decir, citaré a dos poetas muy opuestos, Eliot y Apollinaire. La gente es la ciudad y la ciudad es la doble faz de los hombres, la faz nocturna y la diurna. Los hombres, reales e irreales a un tiempo. En *Un fantôme de nuées*, Apollinaire describe una escena callejera con unos saltimbanquis y el asombro de los mirones ante un niño cirquero que desaparece entre sus piruetas, aspirado por su salto. Después

> *Les saltimbanques soulevèrent le gros haltères à bout de bras*
> *Ils jonglèrent avec les poids*
> *Mais chaque spectateur cherchait en soi l'enfant miraculeux*
> *Siècle ô siècle des nuages*

La visión que tenía Eliot de la ciudad no sólo era distinta sino opuesta a la de Apollinaire pero en ella también aparece la gente y, de nuevo, lo real es irreal, real lo irreal:

> *Unreal City*
> *Under the brown fog of a winter noon*
> *Mr. Eugenides, the Smyrna merchant...*

La ciudad es la gente y la gente es nuestro horizonte. La poesía de la generación de *Contemporáneos*, admirable por más de una razón, carece de ese horizonte. Poesía con alas pero sin el peso –la pesadumbre– de la historia. Los ensayistas del grupo sí se enfrentaron al hecho de vivir en México y en este siglo. Con ellos comenzó la crítica moral que tanta falta nos hace. Pero Cuesta, su talento más profundo, murió demasiado joven y Ramos se detuvo a medio camino.

A pesar de su soledad, todos ellos colaboraron con el gobierno de México. Las necesidades económicas no explican enteramente su actitud. En 1932, por el escándalo de *Examen*, tuvieron que abandonar sus empleos oficiales. *Examen* fue una revista fundada y dirigida por Jorge Cuesta. Duró apenas tres números: la publicación de dos capítulos de una novela de Rubén Salazar Mallén en la que figuraban «expresiones obscenas» desató la gritería de varios periodistas ultramontanos, parapetados en el diario *Excélsior*. Muchos de los «Contemporáneos» eran funcionarios de la Secretaría de Educación Pública. Así, el ataque contra ellos en nombre de la moral y las buenas costumbres, estaba dirigido en realidad contra el ministro de Educación, Bassols, odiado por los reaccionarios. Para esquivar la embestida, Bassols decidió no defender a sus colaboradores. *Examen* fue consignado ante los tribunales y los inculpados, Cuesta y Salazar Mallén, tuvieron que hacer frente a un largo proceso. «Por primera vez en México –observa Luis Mario Schneider– se procesaba a un grupo de escritores y a una revista literaria».[1] Al final, Cuesta y Salazar Mallén fueron absueltos pero mientras tanto –le decía Villaurrutia a Eduardo Luquín en una carta– «Bassols no daba color».[2] José Gorostiza, Ramos, Pellicer y el mismo Villaurrutia se quedaron sin sus empleos en Educación Pública. No menos grave que la represalia burocrática fue la hostilidad de la prensa. «*Examen* no saldrá –decía Villaurrutia en la misma carta– y estamos condenados, por algún tiempo, a la expresión oral. En los periódicos estamos boicoteados por la descastada casta de los periodistas.» La persecución duró poco; unos cuantos meses más tarde todos ellos habían regresado al gobierno y trabajaban no en Educación Pública sino en Relaciones Exteriores y en otros ministerios. Cuesta comenzó a colaborar en *El Universal* y los otros en distintas revistas pero *Examen* fue su última empresa común. Asimismo, fue la

---

1. Prólogo al primer volumen de *Poemas y ensayos* de Jorge Cuesta, México, 1964.
2. Xavier Villaurrutia, *Cartas inéditas* (a Eduardo Luquín), México, 1970.

más lúcida y rigurosa. Las revistas que sucedieron a *Examen* fueron órganos de grupos más jóvenes (*Taller, Tierra Nueva*) o publicaciones eclécticas (*Letras de México*).

La segunda campaña contra los «Contemporáneos», la más violenta, ocurrió durante el régimen del general Cárdenas. En esta ocasión, el ataque no vino de los conservadores sino de los revolucionarios y no fue, como en el caso de *Excélsior*, un ataque contra el gobierno sino desde éste. Fue una ofensiva contra la literatura libre y, además, una expresión del resentimiento de escritores y artistas mediocres y acomodaticios. La ideología, una vez más, fue la máscara de la venganza. Varios diputados, coreados por funcionarios de Bellas Artes y por escritores «progresistas», los denunciaron como reaccionarios y los llamaron poetas exquisitos, decadentes y cosmopolitas. Casi todos los «Contemporáneos» –salvo, si no recuerdo mal, Torres Bodet y Ortiz de Montellano– tuvieron que dejar otra vez sus empleos gubernamentales. Como el país había crecido, no les fue difícil encontrar acomodo en las actividades privadas –la publicidad, el cine– y ganar su vida con cierta holgura. Novo, incluso, prosperó y se convirtió en una suerte de Aretino menor, aunque no menos rico que el del Renacimiento. Xavier vivió de la enseñanza, las crónicas de cine, el teatro y los prólogos a los libros que publicaba la editorial Cultura. Pero todos ellos, apenas pudieron regresar al gobierno, volvieron. ¿Empleomanía hispánica? En parte. Además, la idea, también hispánica, de que el poder es el sol de la vida pública. Entre nosotros el prestigio del Estado es inmenso: somos herederos del patrimonialismo español y del centralismo francés. En nuestro sistema de valores la riqueza y el saber vienen después del poder. Los niños mexicanos sueñan con ser presidentes, no banqueros. En cada ciudad mexicana, en cada pueblo, en cada municipio y en cada casa se reproduce una estructura de dominación que viene de la sociedad precortesiana y que los españoles preservaron.

Jorge Cuesta señaló que la crítica era el rasgo distintivo de su grupo: «casi todos, si no puede decirse que son críticos, han adoptado una actitud crítica». Sin embargo, con las excepciones ya mencionadas –la de Cuesta y, a medias, la de Ramos– fue una generación que no practicó la crítica en los dos campos en donde más la necesitamos: el de la moral y el de la política. Novo fue un satírico brillante y venal; los otros prefirieron, en silencio, la acción y la burocracia. Pero hay un aspecto positivo en su actitud. El Estado mexicano no sólo representa

Portada del primer número de la revista *Contemporáneos*.

a la nación más acentuadamente que en otros países sino que no es exagerado afirmar que el México moderno, en gran escala, ha sido una creación suya. El agente de la evolución histórica y social de México no ha sido, hasta fechas recientes, la burguesía sino el Estado. En una sociedad como la nuestra es natural que los mejores aspiren a ser servidores públicos. Torres Bodet y José Gorostiza ocuparon altos puestos y los dos contribuyeron a la edificación del moderno Estado mexicano. La vocación de Torres Bodet fue siempre la de un *grand commis de l'État*, una suerte de Colbert sin Luis XIV, o más bien con ese Luis XIV sintético que es el Señor Presidente en turno. El día en que se escriba la historia de la política internacional de México en el período contemporáneo se descubrirá la enorme influencia que ejerció José Gorostiza. Una influencia que no se tradujo en poder político pues se limitó a las ideas y a la estrategia. Fue un verdadero consejero de príncipes, más en la tradición de Confucio que en la de Maquiavelo.

La actitud de los «Contemporáneos» puede parecer contradictoria. No lo es. Cosmopolitas en materia de arte, fueron patriotas convencidos. En sus obras, en forma constante aunque dispersa, figuran las declaraciones mexicanistas al lado de la sátira más o menos velada a los extranjeros. Reléase, por ejemplo, el teatro de Villaurrutia. Para ellos los extranjeros eran sobre todo los españoles y los norteamericanos. Extranjero era sinónimo de intruso. Su afrancesamiento, como lo dijo Cuesta muchas veces, era la libre elección no de un particularismo (francés) sino de un universalismo. Se puede discutir si realmente la tradición francesa representa esa visión universal del hombre que veían en ella Cuesta, Villaurrutia, Torres Bodet y Owen; lo que sí es indiscutible es que para ellos el afrancesamiento era una profesión de fe universalista. Por ello podía coexistir con su patriotismo. Su mexicanismo, en el polo contrario al de Diego Rivera, no era folklórico ni ideológico sino una manera de ser a un tiempo severa, reservada y cortés. Más que una política, una *cortesía*, en el antiguo sentido de la palabra, es decir: una cultura.

Grotesco equívoco: fueron obstinados, fervientes patriotas y los persiguieron por cosmopolitas y extranjerizantes. Lo más curioso es que los ataques en nombre del nacionalismo venían de escritores que se decían marxistas. La confusión entre marxismo y nacionalismo ha sido y es una de las expresiones del obscurantismo de nuestra época, sobre todo en la América Latina. El mexicanismo de Xavier no era una idea –por eso no lo llamo nacionalismo– sino un sentimiento, una tradición. Su actitud ante los españoles era una herencia de la hostilidad que sentían contra ellos los criollos de la Nueva España y que se recrudeció durante las guerras de Independencia y el siglo XIX. Compuso, con la colaboración de Usigli, si no me equivoco, unos epigramas contra los intelectuales españoles refugiados en México, especialmente contra José Bergamín. Le reprochaban, entre otras cosas, unos juicios más bien despectivos, escritos años antes, contra Juan Ruiz de Alarcón. La joroba del dramaturgo –sobre la que habían clavado banderillas Lope, Quevedo y Mira de Amescua– volvía a encender, tres siglos después, la guerra literaria en los cafés de México. Los epigramas, impresos en unas hojas rosadas, circularon por todas partes. Bergamín respondió con unos sonetos feroces. Santo remedio: hubo una tregua a la que siguió una reconciliación general.

Xavier atenuó después su antiespañolismo, no su impaciencia ante la actitud de nuestros gobernantes. Un día, durante un pequeño viaje que hicimos a Jalapa, se explayó: «No estoy –¿cómo podría estarlo?– en contra del asilo a los perseguidos políticos. Tampoco estoy en contra de que se les ayude. ¿Y cómo podría negar que muchos de los intelectuales españoles refugiados son gente de mérito y que es benéfica su presencia entre nosotros? Lo que me irrita es el trato de favor que nuestros semiletrados gobernantes conceden a extranjeros mediocres, españoles o de otras nacionalidades, mientras desdeñan a tantos mexicanos distinguidos. No profeso ninguna ideología política pero me gustaría que nuestro gobierno practicara un nacionalismo inteligente, es decir, que ayudase y estimulase a los mexicanos inteligentes». Le respondí que postulaba una imposibilidad lógica: un nacionalismo inteligente. No le gustó mi respuesta.

Como todos los artistas y escritores –es decir: como todos los hombres dotados de sensibilidad, inteligencia, fantasía– los «Contemporáneos» se ajustaban difícilmente a las convenciones y exigencias sociales, especialmente a las que impone la sociedad burguesa, más rígida e hipócrita que las antiguas sociedades aristocráticas. Pero una cosa es la originalidad y aun la excentricidad en la conducta o en las opiniones y otra la crítica de una sociedad. Singularmente tímidos en materia de filosofía y de política, no se les puede llamar ni revolucionarios ni conservadores. Sería inútil buscar en su obra o en su vida declaraciones, ideas o actitudes como las de los surrealistas franceses o como las de Pound y Eliot. Las excepciones fueron Cuesta y Pellicer. Aunque Cuesta fue un agudo polemista político, no tuvo tiempo de integrar y articular sus ideas: dejó un puñado de afirmaciones y negaciones originales pero dispersas. Pellicer fue un poeta extraordinario; en cuanto a sus convicciones antimperialistas y antifascistas: nos impresionan, como sus creencias religiosas, por su sinceridad, no por su rigor intelectual. Fue un hombre de fe, no un crítico. No es un misterio la homosexualidad de algunos de los «Contemporáneos» (Novo, Pellicer, Villaurrutia). Fueron honrados consigo mismos y se enfrentaron con entereza y aun con humor a la intolerancia. Sin embargo, no se encuentra en sus escritos la independencia moral y la coherencia intelectual de un Gide o la rebeldía de un Cernuda.

He tocado el tema de la moral y de la política porque está íntimamente enlazado con el de la poesía y el arte. Por supuesto, no pretendo someter la literatura a los preceptos de la moral o a las necesidades de la estrategia política. Al contrario: si en algo me siento deudor y heredero de los «Contemporáneos» es precisamente en su valerosa e intransigente defensa de la libertad del arte y la cultura. Pero si estas páginas quieren ser una descripción crítica de un momento de la cultura mexicana, ¿cómo no señalar su insensibilidad frente a ciertos temas que desde esos años no cesan de inquietar y atormentar a los escritores de todo el mundo? En un breve texto de 1938, que apareció en el número 2 de *Taller* («Razón de ser»), señalé todo lo que nos unía a los «Contemporáneos», apuntando también todo lo que nos separaba. Los «Contemporáneos» se propusieron incorporar la tradición moderna; prosiguieron así la obra iniciada por los modernistas y continuada por los escritores del Ateneo. Su interpretación de la tradición europea no fue más rigurosa ni más amplia que la de Reyes, sí más arriesgada. Quisieron ser contemporáneos de los escritores de su época y, en buena parte, lo consiguieron. Sin embargo, su interpretación de la tradición moderna desdeñó ese elemento visionario y pasional que es uno de sus componentes esenciales, desde el romanticismo hasta el surrealismo. La poesía del sueño y los sueños, el onirismo, a su vez está enlazada a la idea de subversión. Los poetas del siglo XX, como antes los románticos, pasaron de la visión a la subversión y de ésta a la política. En lengua inglesa, según he tratado de mostrar en *Los hijos del limo*, la evolución fue a la inversa pero, por decirlo así, simétrica: los poetas norteamericanos también sufrieron, como los surrealistas y los latinoamericanos, la doble fascinación de la política y de la religión (o de la «otra religión»: la tradición hermética). Religión y Reacción son dos palabras íntimamente ligadas a la poesía de Eliot y Pound como Magia y Revolución son inseparables de Breton, Éluard y Aragon. Los poetas de *Contemporáneos* fueron indiferentes a todas estas palabras. Esta indiferencia era precisamente lo que nos separaba. Por ejemplo: para ellos el surrealismo fue exclusivamente una experiencia estética mientras que para nosotros la escritura automática y el mundo de los sueños fueron al mismo tiempo una poética y una ética, una visión y una subversión. Hay dos palabras que a nosotros nos estremecieron y que a ellos no les dieron ni frío ni calor: rebelión, revelación.

La «contemporaneidad» de los «Contemporáneos» fue incompleta y su interpretación de la tradición poética moderna omitió recoger ese haz de oposiciones en que consiste precisamente su modernidad. En esos años llegó a México el poeta guatemalteco Luis Cardoza y Aragón. Era casi de la misma edad que los «Contemporáneos», venía de Europa, su primer libro había sido saludado por Ramón Gómez de la Serna y su conocimiento de la vanguardia europea, sobre todo del surrealismo, era directo. En sus poemas y en su actitud se reunían al fin las dos mitades que a Efraín Huerta y a mí nos parecían fatalmente irreconciliables y, al mismo tiempo, inseparables: la visión y la subversión, la rebelión y la revelación. La actividad de Cardoza y Aragón fue aislada y marginal; por eso mismo, decisiva. Por una parte, estaba muy cerca de los «Contemporáneos»: no sólo era muy amigo de Cuesta, Gorostiza y Villaurrutia, sino que sus gustos poéticos y pictóricos eran muy semejantes. Por la otra, sus simpatías morales y políticas lo inclinaban hacia las ideas que defendían los escritores y artistas que, en esos años, fundaron la LEAR (Liga de Escritores y Artistas Revolucionarios). Todavía recuerdo aquella noche en que Huerta, Revueltas y yo, en una sala de la LEAR, ante un público hostil y frente a los anatemas de algunos obispos y coadjutores, oímos a Cardoza y Aragón defender a la poesía, no como una actividad al servicio de la Revolución sino como la expresión de la perpetua subversión humana.

Cardoza y Aragón fue el puente entre la vanguardia y los poetas de mi edad. Puente tendido no entre dos orillas sino entre dos oposiciones. La unidad entre la actividad poética y la revolucionaria no tardó en resolverse en discordia. Cardoza y Aragón cayó en el pantano estalinista y durante años y años chapoteó en esos lodazales. La palinodia de Jruschev lo obligó a hacer algunas abluciones rituales pero no ha logrado lavarse del todo y en lo que después ha escrito hay salpicaduras de cieno. El caso de Cardoza y Aragón no es el único: apenas si es una nota en el capítulo de los extravíos morales de la época estaliniana. Sin embargo, con perversa obstinación y a diferencia de muchos de sus antiguos compañeros, nunca ha confesado enteramente sus errores; en cambio, persiste en calumniar a todos los que, como André Breton, denunciaron los crímenes de Stalin cuando era peligroso hacerlo, mientras él y sus amigos quemaban incienso ante las botas ensangrentadas del tirano. Es curioso que estos críticos tan severos con los errores de los otros sean tan indulgentes con sus propios actos ignominiosos. ¿Falla moral o tara psicológica? ¿O estamos ante una aberración religiosa? Si es así, se trata de una caricatura de la verdadera religión... En el siglo XX la religión política no ha sido menos intolerante que lo fue la política religiosa del siglo XVI. Pero este conflicto, central no sólo en la historia de mi generación sino en la poesía moderna, no tocó a ninguno de los «Contemporáneos». Cuesta vio con extraordinaria claridad la oposición: «hay un abismo entre el espíritu que reconoce el poder subversivo de la palabra y el que no ve su utilidad revolucionaria sino en que renuncie a ese poder». La *vio* pero no la *vivió*.

VARIACIONES SOBRE LA MUERTE

En los últimos tiempos se ha hablado de la influencia de Heidegger sobre algunos poetas de *Contemporáneos*, especialmente Villaurrutia y Cuesta. No: las influencias determinantes en un espíritu son, casi siempre, las de la juventud y ellos leyeron a Heidegger más bien tarde –no en alemán sino en español y en francés. Tal vez valga la pena recordar que la boga de Heidegger en lengua española comenzó un poco antes de la segunda guerra mundial. Su influencia en Francia, salvo en círculos muy reducidos, fue posterior. Hay que agregar que incluso en España, tan impregnada de filosofía alemana en esos años, se tenía una idea más bien vaga del pensamiento de Heidegger. El único ensayo suyo traducido al castellano, si no me equivoco, fue el célebre texto sobre la nada, traducido por Zubiri y publicado en *Cruz y Raya*. El momento en que la figura del filósofo alemán empieza a ser dominante puede situarse hacia 1937; ese año, precisamente, Antonio Machado comenta, en *Hora de España*, la visión de la muerte en la filosofía de Heidegger. El período de la segunda postguerra fue el del apogeo de su influencia en Hispanoamérica. Fue obra de varios maestros de filosofía, casi todos españoles, en primer término José Gaos. Los centros de irradiación fueron México y Buenos Aires.

El tema de la muerte, por lo demás, estaba en el aire. Son los años de la gran influencia de Rilke, traducido a todas las lenguas de Occidente e imitado en todas ellas. En la poesía de Supervielle, por ejemplo, hay en ciertos momentos ecos del poeta alemán. En México, además de Villaurrutia, dos poetas publicaron libros cuyo tema era la muerte: José Gorostiza y Bernardo Ortiz de Montellano. Son tres visiones de la muerte completamente distintas. Podría agregarse otra: la de Jorge Cuesta. En ninguno de ellos es perceptible la influencia de Heidegger. Nada más natural: no lo habían leído. En cambio, sí conocían y admiraban un libro de Pablo Luis Landsberg: *Experiencia de la muerte*. También habían leído una obrita póstuma de Max Scheler: *Muerte y resurrección*. Los dos libros fueron muy comentados en México y Xavier cita el de Landsberg en su conocida conversación con José Luis Martínez. Agregaré que los «Contemporáneos» –con la excepción de Ramos– sólo tuvieron un conocimiento tangencial de la fenomenología y del existencialismo. No quiero decir que ignorasen a Husserl o a Heidegger: todos ellos eran lectores atentos de *Revista de Occidente* y de sus publicaciones. Pero su relación con la fenomenología fue más bien lejana y, sobre todo, tardía. No fue una lectura formativa, como son las de la juventud. Aunque Cuesta escribió una nota sobre Scheler y en sus artículos figuran una o dos veces los nombres de Husserl y Heidegger, sus verdaderas admiraciones eran otras: Valéry, Benda, Bachelard (fue el primero que me habló, en 1939, de este último). También fue un lector constante de Nietzsche, sin duda por influencia de Gide, uno de sus introductores en Francia. Éste es otro de los rasgos que distingue a mi generación de la de *Contemporáneos*; en nuestra formación aparecen corrientes que a ellos apenas si les tocaron: el marxismo, Freud, la fenomenología y el pensamiento de Heidegger. Este último sobre todo a través de las publicaciones de *Revista de Occidente* y, más tarde, de los maestros españoles refugiados en México y de sus traducciones.

Hacia 1930 aparece el tema de la muerte en la literatura mexicana; desaparece, como una víctima más, durante la gran matanza de la segunda guerra. No quiero decir, claro, que los escritores de las otras generaciones no hubiesen tocado el tema. Apenas si necesito recordar que la poesía de López Velarde, el antecesor inmediato de los «Contemporáneos», gira casi exclusivamente en torno al eje del amor y la muerte. Pero los escritores mexicanos de esa década sufrieron una suerte de fascinación, al grado que tres de los mejores libros de poemas de ese período se llaman *Muerte sin fin* (Gorostiza), *Nostalgia de la muerte* (Villaurrutia) y *Muerte de cielo azul* (Montellano). La aparición casi simultánea de estos tres libros es reveladora pero ¿qué es lo que realmente revela? ¿Una obsesión? ¿Una epidemia de melancolía? ¿Una moda, un contagio intelectual? Los historiadores de la cultura mexicana no se han detenido sobre el fenómeno. ¿Por qué esta repentina aparición de la muerte en la conciencia, la sensibilidad y la imaginación de un grupo de poetas mexicanos?

El amor y la muerte, gemelos adversarios, han sido constante asunto de los poetas, desde el origen de la civilización. Y aun antes: uno de los poemas más puros e intensos que conozco es un canto fúnebre pigmeo. Sin embargo, aunque la imagen de la muerte acompaña al hombre desde el principio, periódicamente se vuelve una preocupación obsesiva. Hay épocas enamoradas de la muerte y otras que procuran exorcizarla. La muerte aparece y desaparece en la conciencia de los hombres con cierta regularidad cíclica. Además, nuestra idea de la muerte cambia con las épocas y las sociedades; hay tantas visiones de la muerte como civilizaciones. Como las otras ideas e imágenes de los hombres, la muerte está sujeta al cambio y a la recurrencia. Se aleja del horizonte espiritual de una época y, al cabo de algún tiempo, regresa. Cada vez que regresa, es otra: la recurrencia es cambio. Los grandes cambios, quiero decir: la muerte y el nacimiento de las civilizaciones, se manifiestan por la emergencia de una imagen de la muerte. Cada civilización tiene la suya. La originalidad judeocristiana consistió en la ruptura del tiempo cíclico del paganismo y en la introducción de un tiempo nuevo, con un principio y un fin. La invención del tiempo cristiano no hubiera sido posible sin la aparición de una nueva imagen de la muerte. Para los paganos, la muerte era el fin de la existencia individual, un episodio en el circular renacer y remorir cósmico; para los cristianos, fue la puerta de entrada a otra realidad y a otro tiempo.

El cristianismo le dio una muerte propia a cada uno e hizo de esa muerte la llave de la eternidad. La muerte cesó de ser un fin y se transformó en un comienzo. Así, lo que distingue radicalmente al cristianismo del paganismo es la manera de morir, la manera de vivir la muerte. Y del mismo modo: todas las oposiciones entre el cristianismo y el budismo pueden condensarse en dos imágenes de la muerte, la de Cristo y la de Buda. El primero, a los treinta y tres años, muere clavado en una cruz; el segundo, a los ochenta, tendido bajo un árbol «sal», a la orilla de un villorrio, predicando a sus discípulos.

En el interior de cada civilización se despliega el ritmo doble de la recurrencia y el cambio. En un libro célebre y que no ha perdido nada de su interés inicial, Huizinga mostró cómo la visión de la muerte, aliada a la de la fiesta, se apoderó de la conciencia europea al finalizar la Edad Media. La muerte lujosa y descarnada de Borgoña regresó en el período barroco. Era la muerte de Carlos el Temerario y de Villon y era otra: la muerte sensual, agusanada y razonadora que iluminan y ensombrecen, alternativamente, los fuegos fatuos de Donne y Quevedo. Con el romanticismo la muerte vuelve a reinar pero ya no es el esqueleto coronado y con capa de armiños del siglo XV ni la muerte conceptista y libertina del XVII: es una sombra inspirada y profética, que habla en sueños y que es indistinguible de la noche. La muerte romántica es femenina: la mujer y la madre, vagina universal y tierra negra donde se pudren los cadáveres y germinan las vegetaciones terribles del inconsciente. En el primer tercio del siglo XX, sin duda como una reacción ante el optimismo positivista de la segunda mitad del XIX, la muerte vuelve a presentarse. Es la muerte romántica y es una muerte que se ríe del romanticismo. No es un azar que esté ligada estrechamente, primero, a los arabescos sensuales del *art nouveau* y, después, a los delirios de Dadá y el surrealismo. Es imposible entender a Dadá si se olvida que fue, en su comienzo y en su fin, un vértigo ante la muerte. El dadaísmo es el momento en que la conciencia estética europea experimenta la atracción por el vacío. En una conferencia dada en Alemania en 1922 –uno de sus últimos textos dadaístas y uno de los mejores– Tristan Tzara asocia explícitamente el nihilismo de Dadá al budismo. El surrealismo transformó ese vértigo en fascinación ante la dualidad de la existencia: sueño y vigilia, muerte y vida. El emblema de esta realidad, adorable y temible, es la hendedura femenina. En la mujer y en su sexo se funden el más allá y el más acá. En la segunda postguerra la imagen de la muerte se retira de la conciencia de Occidente mientras crece su realidad pública hasta volverse omnipresente. Después de la bomba atómica y de los campos de concentración de Hitler y de Stalin, era difícil sentir «nostalgia de la muerte». Ahora la muerte ha regresado pero ya no es filosófica ni poética como en el primer tercio del siglo; aunque los hombres se siguen matando como siempre, la muerte contemporánea es la musa razonable de los biólogos, los psicólogos y los historiadores.

Durante el primer tercio del siglo, la vertiente romántica de esta preocupación universal por la muerte fueron Dadá, el surrealismo y sus ramificaciones en casi todo el mundo y especialmente en Hispanoamérica y España. La vertiente opuesta, aunque no menos poseída por la conciencia de la fragilidad de los hombres y de sus obras, fue la poesía de lengua inglesa. Pienso sobre todo en Eliot y en poemas como *Miércoles de ceniza*. El centro de esta vasta meditación sobre la muerte fueron Alemania y sus figuras más notables, Rilke y Heidegger. El pensamiento y la poesía de nuestra lengua no fueron insensibles a tantos estímulos. Perplejo ante los signos que tal vez anunciaban su ocaso y aterrado ante el espectro –pronto vuelto realidad– de una guerra mundial, Occidente se inclinaba fascinado sobre el enigma que llamamos morir: ¿cómo no iban a sentir el mismo vértigo los españoles y los hispanoamericanos? Tres siglos de postración, derrotas y convulsiones sangrientas los habían preparado para participar en esta meditación ante su propio cadáver a que los convidaba la conciencia europea. Nada más natural, por otra parte, que los hispanoamericanos contribuyesen con poemas y novelas. Nuestros pueblos, según he procurado mostrar en otros escritos, son un extremo de Occidente. El otro es el mundo angloamericano. Como todos los extremos, América Latina es excéntrica, particularmente Brasil, México, Perú, Bolivia, Guatemala; además, somos un continente humillado y saqueado. No importa: sin nosotros, la literatura moderna de Occidente sería más pobre.

En casi todos los poetas españoles e hispanoamericanos de ese período aparece el tema de la muerte. Las excepciones pueden contarse con los dedos: Guillén, Pellicer y algún otro. Pero la poesía que se escribía en España y en América sobre este tema no tenía el carácter obsesivo que tuvo entre los mexicanos. El lugar que ocupa la muerte en la poesía de Gorostiza y Villaurrutia lo tienen el erotismo y la rebeldía en la de Cernuda, el tiempo y la identidad en la de Borges. En otros poetas de esa época –Neruda, Lorca, Aleixandre– la muerte es un centro magnético indistinguible de la pasión sexual, como lo dice el título del libro de Aleixandre: *La destrucción o el amor*. La conjunción disyuntiva sugiere, en este caso, la equivalencia: el amor es como la destrucción. En Borges la muerte aparece un poco antes que entre los mexicanos pero su muerte no es privada como la de Villaurrutia ni es la muerte del universo como en Gorostiza. Para Villaurrutia la muerte es una experiencia vivida desde su vida –o como entonces se decía: una vivencia; para Borges, es un ejemplo, una ocasión de reflexiones y epitafios sentenciosos. La muerte de sus poemas no es la suya sino la del otro: un ciudadano. No es accidental que una colección poética de Borges se llame *Muertes de Buenos Aires*. El plural es indicativo: la muerte es de los otros y por eso, a la estoica y muy quevedescamente, es un aviso y un escarmiento anticipado. Muertes urbanas: caudillos, héroes, facinerosos y muertos de «nombre vacante». Muertos sobre cuyas tumbas Borges el moralista y el escéptico, fiel a sí mismo, se contradice: no cree en el yo pero sí en su muerte. Por eso escribe líneas despaciosas y graves; líneas que son también de un poeta lírico, rumor de sílabas como «dicción de pájaros que aluden, sin saberlo, a la muerte». Sólo que Borges *sí sabe*.

La actitud de Villaurrutia y sus amigos es ininteligible si se olvida el clima intelectual y espiritual de la época en que vivieron. Todos ellos tenían una conciencia muy viva de pertenecer a Occidente y toda su empresa cultural puede definirse como una tentativa de recuperación y reactualización de los valores europeos. No en balde hicieron una revista que se llamó *Contemporáneos*. Ninguno de ellos fue indigenista, salvo –y muy tímidamente– Montellano y, al final de su vida, Novo. Ya señalé que su nacionalismo era un universalismo y que ser mexicano, para ellos, significaba reinsertarse en la tradición europea. Según Cuesta, la independencia y la reforma liberal de 1857 habían tenido por objeto separarnos de la tradición española (una Europa muerta) para insertarnos en la tradición republicana y liberal (una Europa viva). Por eso la verdadera tradición mexicana, contra lo que pensaban los románticos y los modernistas, era clasicista en literatura y, contra lo que decían los conservadores, radical y republicana en política. (El radicalismo de Cuesta estaba más cerca de Alain que de Marx.) Pero para hacer suya la preocupación europea por la muerte no bastaba con este universalismo más bien abstracto. Hacía falta también una predisposición interior. En otra parte me he referido a la *melancolía*, en el sentido nervaliano de la palabra, de Villaurrutia. También fueron melancólicos y acidiosos Gorostiza y Cuesta. Por último, aparte de las inclinaciones personales y del temperamento de cada uno, hay que considerar esa característica del grupo a que aludí en la primera parte de este ensayo: el escepticismo.

Con la excepción de Carlos Pellicer –distinto en esto como en tantas otras cosas– ninguno de ellos conservó la fe católica. Aunque a veces Owen se confesó católico, su catolicismo fue, como el de Villaurrutia, paradójico. Más que una religión fue una magia, un exorcismo más que una plegaria. Las ideas y las creencias de los «Contemporáneos» no pueden definirse fácilmente. No se distinguieron tanto por sus afirmaciones y sus negaciones como por sus interrogaciones. El escepticismo los hizo abandonar la religión tradicional mexicana pero no les abrió las puertas de otro sistema de creencias. Sería inútil buscar en ellos las huellas de la «otra religión» que, desde el hermetismo neoplatónico del Renacimiento y a través de diversas formas –la cábala, la alquimia, el pensamiento analógico– no ha cesado de fascinar a la conciencia poética de Occidente. Esta tradición, que nace en la Florencia de Ficino y Pico della Mirandola, contagia a Bruno y Campanella, influye en los poetas isabelinos y en los de la *Pléiade*, seduce a Goethe y a los románticos alemanes, llega hasta nuestro siglo a través de los simbolistas franceses y marca a Darío, Yeats, Pessoa, los surrealistas –esa tradición no fue la suya. Los poetas de *Contemporáneos* vivieron en una zona de arenas movedizas: ni el cristianismo de Eliot ni el «ocultismo» de Breton ni el materialismo teñido de animismo de Neruda. Hay un momento en que el escéptico consecuente emprende la crítica de su duda. A partir de esa autocrítica, el escéptico –excepto si se resigna al silencio– vuelve a creer, aunque no en lo que antes creía ni de la misma manera. Sus creencias no aspiran a ser justificadas por la razón: se contentan con su propia autenticidad. Pero el escepticismo de los «Contemporáneos» no fue radical y por eso no pudo desembocar en afirmaciones o negaciones. Tampoco en el silencio de Pirrón. Su escepticismo no fue un método intelectual sino una duda vital. No una filosofía sino una creencia que, al mismo tiempo, era una no-creencia.

Los «Contemporáneos» fueron fieles a la razón y esto los preservó de muchos extravíos. Pero le fueron fieles no por lo que la razón afirma sino por lo que niega. Su racionalismo, si podemos llamar así a su duda inteligente, era un instrumento para deconstruir sistemas, no para afirmar algo. La misma indiferencia que habían sentido ante los misterios de la religión y la magia, la sintieron ante las geometrías de la razón. De ahí su insensibilidad frente a las utopías revolucionarias de nuestro siglo. Naturalmente, esta actitud no puede explicarse únicamente por razones de orden filosófico e intelectual. Las circunstancias sociales y políticas de su infancia y de su juventud, según señalé antes, determinaron en buena parte el temple de esta generación. Para comprender su escepticismo, hay que insertarlo en el mundo en que les tocó vivir. Fueron «contemporáneos» de Picasso y de Eliot pero también de la gran desilusión revolucionaria mexicana. A la altura de 1930 podía ya verse la historia de México como una carrera que terminaba ante un muro. Ese muro que todavía no hemos podido ni saltar ni perforar. El escepticismo tiene un valor social terapéutico: nos inmuniza contra las afirmaciones y las negaciones tajantes y exclusivas. Así preserva nuestra libertad pues en cada hombre que afirma o niega sin dudar jamás se esconde un tirano o un esclavo. Pero los «Contemporáneos», por las razones que he apuntado, no podían tener fe en el valor social de su duda y no ejercieron su saludable escepticismo en los campos de la moral y la política. Reducidos a su soledad, se condenaron al autoanálisis. En ese proceso de autocrítica y conocimiento, los más lúcidos y rigurosos –Gorostiza, Cuesta, Villaurrutia– fatalmente tenían que encontrar a la muerte.

Casi siempre la muerte está asociada al erotismo. Las variaciones sobre este tema son innumerables y pertenecen a todas las épocas. En el gran poema de Gorostiza la sexualidad ocupa un espacio reducido y su visión del amor es sarcástica: la flauta fálica y su «cachonda serenata». El mundo erótico de Villaurrutia es más intenso pero es un mundo deshabitado: sombras, ecos, reflejos. Los cuerpos son estatuas; la carne es piedra o yeso; las bocas son heridas. A la inversa de la muerte de Donne o de Baudelaire, la muerte de Villaurrutia no es lasciva ni libertina. Para encontrar la unión de sexualidad y muerte en la literatura mexicana hay que ir a López Velarde o a los poetas de mi generación; hay que ir, sobre todo, a las novelas y ficciones de Juan García Ponce y de Salvador Elizondo. El erotismo no es una nota distintiva de los «Contemporáneos». En Pellicer hay una visión del cuerpo, un sensualismo escultórico, pero no erotismo propiamente. La excepción es Novo. Por desgracia, salvo en contados momentos eléctricos, su erotismo colinda por un lado con la escatología y por el otro con el sentimentalismo. El llanto y el excremento. Los poetas eróticos de esa generación fueron otros y ninguno de ellos mexicano: Neruda, Lorca, Salinas, Cernuda, Aleixandre.

En algunos pasajes de sus obras en prosa Villaurrutia alude a México como «el país de la muerte». Sin embargo, ni en su poesía ni en la de Gorostiza hay la menor concesión al «color local». En la pintura de esa época abundan las calaveras, los esqueletos, las velas y las flores amarillas de los velorios, los féretros, las cruces y las procesiones, fastos de la muerte mexicana, celebrada a veces con lirismo, otras como sarcasmo y burla, otras como protesta –muerte proletaria cubierta de banderas rojas. En cambio, los poemas de Villaurrutia y Gorostiza parecen escritos no sólo en otro país sino en un lugar fuera de la geografía y de la historia. Fuera también del mito y de la leyenda, un ninguna parte que «no ocupa lugar en el espacio» y en donde el tiempo se ha detenido. La excepción es Montellano, un poeta al que convendría prestar más atención, no tanto por lo que consiguió como por lo que intentó. Ortiz de Montellano estaba más cerca del verdadero romanticismo y del surrealismo por el valor profético que atribuía al sueño. En algunos de sus poemas la muerte asume la forma del entierro mexicano:

> Jacal de tres juguetes,
> arcos de flores,
> la ofrenda del cadáver:
> cuatro amarillas velas
> de sempasóchil.

En los poemas de Gorostiza y Villaurrutia no sólo no figuran los ritos fúnebres del pueblo mexicano sino que tampoco aparecen los de la civilización precolombina ni los esplendores con que la poesía barroca rodeó a la muerte. Para los aztecas la muerte era un momento del movimiento cósmico, concepción que no está muy alejada de la muerte circular de Gorostiza. Asimismo, en los poemas aztecas hay imágenes e intuiciones próximas a la idea de la «muerte propia» que desvelaba a Villaurrutia. Sin embargo, en ninguno de los dos poetas hay la menor alusión al mundo precolombino. Ambos conocían admirablemente la poesía barroca y las huellas de Góngora son tan numerosas en *Muerte sin fin* como las de Quevedo, Calderón y sor Juana en *Nostalgia de la muerte*. Pero esas influencias han sido sometidas a una curiosa operación, una suerte de cámara de vacío, de modo que las imágenes y las metáforas, sin perder nada de su poder y de su consistencia, se han inmaterializado: reflejos en Villaurrutia, cristales en Gorostiza. La muerte de Gorostiza encarna en todas las formas y acaba por no tener ninguna. Intocable como una idea, es invisible como una transparencia. La muerte de Villaurrutia es más íntima y personal, no menos intangible. Los muertos de Borges son cuerpos que están ahí, tendidos ante nosotros, a la luz fantástica del velorio. O son los muertos de los cementerios urbanos: los defiende de nuestra mirada una lápida, un montón de piedras y ladrillos, no una malla de conceptos. Son una realidad muy real aunque incomprensible. La muerte de Villaurrutia es «la compañía con la que habla a solas», la voz sin cuerpo, la voz que no dice palabras, la voz que dice nada. Villaurrutia tenía una extraordinaria sensibilidad visual y casi todos sus poemas son cuadros pero cuadros deshabitados: el personaje central, la muerte o el amor, no está. Mejor dicho: es una presencia invisible. Es el viento que mueve las cortinas, la sombra que se ahoga en el espejo.

La muerte se realiza en el rito del entierro. No necesito nombrar todos los grandes entierros de la pintura y la literatura de Occidente, del Greco a Courbet y del discurso fúnebre de Marco Antonio sobre el cadáver de César, en Shakespeare, a las estrofas de Hugo en el entierro de Gautier. Ya mencioné los velorios de Borges y podría agregar ahora el *Llanto por Ignacio Sánchez Mejías* de García Lorca. En México, un país donde el entierro era, hasta hace poco, un arte público, surgió una poesía de la muerte que, deliberadamente, desdeña no sólo todos los elementos visuales sino también toda anécdota y particularidad afectiva. En la muerte de Villaurrutia –puede decirse lo mismo de la de Gorostiza– no hay *tierra* en todos los sentidos de la palabra. La oposición entre la muerte y la vida no se expresa en Villaurrutia a través del rito funerario del entierro sino como oposición entre el sueño y la vigilia. En uno de sus *Epitafios* (¿dedicado a su muerte o a la de Jorge Cuesta?) dice que «despertar es morir». Esta paradoja ilumina su visión de la muerte y su poesía. El dormir fue siempre «la imagen de la muerte» pero Villaurrutia invierte los términos de la vieja metáfora: dormir es la imagen de la vida y moriremos si despertamos. La muerte es vida. Así quiso Xavier sugerir que en la vigilia, si somos lúcidos, vivimos nuestra muerte. El contenido de nuestra vida es nuestra muerte. Estamos habitados por ella. ¿Habitados o deshabitados? Es lo mismo: la muerte es una presencia vacía, una ausencia presente. Para Villaurrutia el emblema de la muerte no es el entierro: la muerte es un destierro. Ese destierro es asimismo un regreso: nuestra verdadera patria es la muerte y por eso sentimos nostalgia de ella. Aunque la muerte es la gran madre, no es ni sexo ni tumba sino espacio ilimitado y vacío. Como todos los poetas, Villaurrutia transmutó las circunstancias de su vida y de su mundo; el tema del exilio interior, común a todos sus compañeros, caídos en un medio hostil y que los trató siempre como extraños, se convirtió en la visión de la muerte como patria:

> Volver a una patria lejana,
> volver a una patria olvidada,
> obscuramente deformada
> por el destierro de esta tierra.

México, 30 de septiembre de 1977

«Contemporáneos» se publicó en *Xavier Villaurrutia en persona y en obra,* México, Fondo de Cultura Económica, 1978.

Antevíspera: *Taller* (1938-1941)

La historia de una literatura es la historia de unas obras y de los autores de esas obras. Pero entre las obras y los autores hay un tercer término, un puente que comunica a los escritores con su medio social y a las obras con sus primeros lectores: las generaciones literarias. Una generación literaria es una sociedad dentro de la sociedad y, a veces, frente a ella. Es un hecho biológico que asimismo es un hecho social: la generación es un grupo de muchachos de la misma edad, nacidos en la misma clase y el mismo país, lectores de los mismos libros y poseídos por las mismas pasiones y los mismos intereses estéticos y morales. Con frecuencia dividida en grupos y facciones que profesan opiniones antagónicas, cada generación combina la guerra exterior con la intestina. Sin embargo, los temas vitales de sus miembros son semejantes; lo que distingue a una generación de otra no son tanto las ideas como la sensibilidad, las actitudes, los gustos y las antipatías; en una palabra: el *temple*. Ortega y Gasset señala que hay generaciones polémicas, que rompen con el pasado inmediato, y hay otras que se presentan como mediadoras y continuadoras. No obstante, ni las rupturas son absolutas ni la continuidad es mera repetición. Las generaciones de ruptura invariablemente buscan en la tradición ejemplos, modelos y precedentes; al inventarse una genealogía, proponen a sus lectores y partidarios una versión distinta de la tradición.

La división entre generaciones revolucionarias y tradicionalistas es demasiado simple. Una generación revolucionaria en términos de acción histórica puede, al mismo tiempo, continuar en materia de filosofía y de estética las ideas y las formas de la generación anterior. Ése fue el caso de los revolucionarios franceses: acabaron con el *Ancien Régime* pero ni intelectual ni artísticamente modificaron substancialmente el legado de la Enciclopedia. En cambio, los románticos rompieron simultáneamente con la Enciclopedia y con la Revolución; buscaron en la Edad Media inspiración pero su tradicionalismo fue, en realidad, una revolución literaria, artística y filosófica. La crítica moderna confunde a veces ruptura con originalidad y novedad con valía. Es un prejuicio que disipa el examen histórico: en todas las obras que de veras cuentan, la *imitación* –en el sentido en que empleaban los antiguos esta palabra– no ha sido menos decisiva que la *invención*. La tradición está hecha de ruptura y de continuidad; los agentes de este doble movimiento son las generaciones literarias.

Entre 1935 y 1938 el observador más distraído podía advertir que una nueva generación literaria aparecía en México: un grupo de muchachos, nacidos alrededor de 1914, se manifestaba en los diarios, publicaba revistas y libros, frecuentaba ciertos cafés y concurría a las salas de teatro experimental, a las exposiciones de pintura, a los conciertos y a las conferencias. Aquellos jóvenes también asistían –gran diferencia con la generación anterior– a las reuniones políticas de las agrupaciones de izquierda. Las relaciones de esta generación con la precedente (la de *Contemporáneos*) eran ambiguas: los unía la misma soledad frente a la indiferencia y hostilidad del medio así como la comunidad en los gustos y preferencias estéticas. Los jóvenes habían heredado la «modernidad» de los «Contemporáneos», aunque casi todos ellos no tardaron en modificar por su cuenta esa tradición con nuevas lecturas e interpretaciones; al mismo tiempo, sentían cierta impaciencia (y uno de ellos –Efraín Huerta– verdadera irritación) ante la frialdad y la reserva con que la generación anterior veía a las luchas revolucionarias mundiales y su no velado desvío ante la potencia que, para ellos, encarnaba el lado «positivo» de la historia: la Unión Soviética. Debo añadir que la mayoría de los jóvenes experimentaba igual repugnancia ante las dos doctrinas estéticas que en aquellos años eran utilizadas como proyectiles contra los escritores independientes: el nacionalismo y el realismo socialista. La polémica sobre la libertad del arte fue el comienzo de sus diferencias con el marxismo en sus distintas versiones; esas diferencias, al cabo de unos pocos años, se hicieron, para la mayoría de los jóvenes, más y más profundas e insalvables.

Las primeras publicaciones de los nuevos escritores fueron revistas de poesía. El más activo y generoso entre ellos, Rafael Solana, dirigió unos cuadernos de cuidada tipografía y alta calidad: *Taller Poético*. En las páginas de *Taller Poético* aparecieron todos los poetas de valía de esos años, de Enrique González Martínez y Carlos Pellicer a los más jóvenes, como Alberto Quintero Álvarez, Manuel Lerín, Efraín Huerta y Enrique Guerrero. Un poco después Neftalí Beltrán –uno de los mejores poetas de esa generación– publicó otra revista, *Poesía*, en la que aparecieron algunos textos notables, entre ellos una antología de la poesía surrealista, hecha por César Moro. Hubo también pequeñas editoriales, como Simbad, que sólo alcanzó a publicar dos cuadernos de poesía, uno de Octavio Novaro y otro mío. Las prensas de *Taller Poético* fueron las más activas y entre las obras publicadas por Solana está el primer libro de Efraín Huerta (*Línea del alba*). A fines de 1938 Rafael Solana nos invitó a comer a Efraín Huerta, a Quintero Álvarez y a mí. Huerta era su compañero de escuela; Quintero Álvarez, llegado hacía poco de la provincia, había logrado conquistar nuestro reconocimiento y amistad tanto por sus poemas como por su aguda inteligencia y sus maneras simples y melancólicas. Yo había comenzado un poco antes, con Salvador Toscano, José Alvarado, Enrique Ramírez y Ramírez, Rafael López Malo y otros, primero en *Barandal* y, después, en *Cuadernos del Valle de México*. En el curso de la reunión Solana nos dijo que había decidido transformar *Taller Poético* en una revista literaria más amplia y en la que se publicasen también cuentos, ensayos, notas críticas y traducciones. Para realizar esta idea deseaba contar con nuestra ayuda. Aceptamos inmediatamente y así se formó el pequeño grupo de «responsables», como se decía en esos años, de la primera época de *Taller*[1].

El primer número fue, en gran parte, ideado, realizado y pagado por Solana. En el sumario, además de los poemas, ensayos y comentarios de los «responsables», figuraban colaboraciones valiosas: unos poemas inéditos de García Lorca rescatados por Genaro Estrada, con ilustraciones de Moreno Villa, notas de Villaurrutia y Revueltas, un excelente ensayo de Solana sobre María Izquierdo y un texto memorable de Andrés Henestrosa: *Retrato de mi madre*. Este primer número definió el temple de la nueva generación. Mejor dicho: de su primera promoción pues unos años después apareció un segundo grupo, el de *Tierra Nueva*, menos preocupado por los temas sociales y políticos, más culto y más cerca de los afanes universitarios. Los de *Taller* frecuentábamos los bares y los cafés; los de *Tierra Nueva* se reunían en el jardín de la Facultad de Filosofía y Letras. Después de publicado el primer número de *Taller*, Solana hizo un viaje a Europa y nos dejó por una larga temporada. Nos encargamos de los tres números siguientes

---

1. El primer número de *Taller* apareció en diciembre de 1938; el último, en enero de 1941. En total, doce números en un poco más de dos años. El Fondo de Cultura Económica ha hecho una edición facsimilar, en dos volúmenes, de los doce números (México, 1982).

Quintero Álvarez y yo. Huerta nos ayudó a veces y también, a su regreso, Solana. Pero ninguno de los dos tenía mucho tiempo libre. Esos tres números no hubieran aparecido si no es por el generoso apoyo que me prestó Eduardo Villaseñor. Ocupaba un alto cargo en el gobierno de Cárdenas y amaba la poesía; al enterarse de nuestros apuros, me regaló el papel y nos concedió un pequeño subsidio. Así pudimos continuar, aunque con muchísimos trabajos: entre el primer número y el segundo transcurrieron cuatro meses y entre el tercero y el cuarto otros dos.

En el segundo número José Revueltas publicó el primer capítulo de *El quebranto*, una novela corta que no llegó a editarse: su autor perdió el manuscrito en un viaje. Pude leerla antes del extravío. Me impresionó tanto que me apresuré a proponerla, sin éxito, a un *would-be publisher*. Años más tarde descubrí que este pequeño escrito de juventud –intenso, confuso y relampagueante, como casi todo lo que escribió Revueltas– tenía más de una turbadora afinidad con *El alumno Törless*, de Musil. El tema es el mismo: un internado de adolescentes y la humillación de la virilidad. Por supuesto, en aquellos años Revueltas no había leído al novelista austríaco. Otro texto revelador de nuestras aficiones y preferencias: el comentario de Quintero Álvarez, en el número 3, sobre León Chestov. La muerte prematura de Alberto fue una verdadera pérdida para nuestra literatura: en su temperamento se aliaban muy naturalmente la reflexión y el lirismo, el temple filosófico y el sentimiento de la naturaleza. Nuestra generación sufrió muchas pérdidas: aparte de las defecciones (numerosas) y de los destrozos del alcohol, hubo muertes tempranas, como las de Quintero Álvarez y el historiador Salvador Toscano, suicidios como los de Rafael Vega Albela y José Ferrel, el traductor de Rimbaud y Lautréamont.

Con el número 4, aparecido en julio de 1939, terminó la primera época de *Taller*. Fue un número de veras excepcional. Dedicado a la poesía, colaboramos los cuatro –Quintero Álvarez, Huerta, Solana y yo– así como algunos invitados de nota. Abre el número un espléndido ensayo de María Zambrano: «Filosofía y Poesía». Es un tema que no ha cesado de inspirar sus reflexiones y al que debemos algunas de sus mejores páginas. Xavier Villaurrutia, que colaboró con nosotros desde el primer número, aparece con un poema que es uno de los más perfectos que escribió: *Amor condusse noi ad una morte*. También figuran en el sumario Bergamín, Prados, Emmanuel Palacios y, sobre todo, Enrique González Rojo, que publicó sus *Elegías romanas*, quizá lo mejor de ese delicado poeta. Pero lo más notable del número fue el suplemento: *Temporada de infierno* de Rimbaud, precedida por una breve nota de Cardoza y Aragón y en traducción de José Ferrel. Fue la primera vez que se publicó completo en español ese texto célebre. Si una generación se define al escoger a sus antepasados, la publicación de Rimbaud en el número 4 de *Taller* fue una definición. Nuestra «modernidad» no era la de los «Contemporáneos» ni la de los poetas españoles de la Generación de 1927. Tampoco nos definía el «realismo social» (o socialista) que comenzaba en esos años ni lo que después se llamaría «poesía comprometida». Nuestros afanes y preocupaciones eran confusos pero en su confusión misma –según he tratado de mostrar en otro ensayo[1]– se dibujaba ya nuestro tema: poesía e historia.

En ese año llegaron a México los republicanos españoles desterrados. Los recibimos con emoción: en *Taller* habíamos vivido la guerra de España como si fuese nuestra. Entre los refugiados se encontraban algunos de los jóvenes que habían hecho en Valencia y en Barcelona la revista *Hora de España*. A todos los había conocido en España, en 1937, y era amigo de algunos de ellos. Se me ocurrió invitarlos para que formasen parte del cuerpo de redacción de *Taller*. La mayoría de mis amigos mexicanos aprobó la idea y así ingresaron en nuestra revista Juan Gil-Albert, Ramón Gaya, Antonio Sánchez-Barbudo, Lorenzo Varela y José Herrera Petere. Más tarde invitamos a otros dos mexicanos y a un español: José Alvarado, Rafael Vega Albela y Juan Rejano. Me nombraron director y secretario a Gil-Albert. El ingreso de los jóvenes españoles no fue sólo una definición política sino histórica y literaria. Fue un acto de fraternidad pero también fue una declaración de principios: la verdadera nacionalidad de un escritor es su lengua. Al frente del número 5 (septiembre de 1939) publicamos una nota que decía, entre otras cosas: «Más que una revista de coincidencias, *Taller* es una revista de confluencias. Queremos que nuestras páginas sean el cauce que permita el libre curso de la corriente literaria y poética de la joven generación hispanomexicana, al mismo tiempo

---

1. «Poesía e historia: *Laurel* y nosotros», recogido en *Sombras de obras*, pp. 47-93; e incluido en el tercer volumen -*Fundación y disidencia*- de las Obras Completas, México, Círculo de Lectores-Fondo de Cultura Económica, 1994.

que la casa de trabajo de los escritores hispanoamericanos angustiados, en estas horas tristes, por el destino de la cultura...»[1]. Había comenzado la segunda guerra.

La presencia de los españoles no desnaturalizó a la revista, como dijo después Solana, ni menos causó su muerte. Después del número 4 nuestros recursos se habían agotado. Acudí de nuevo a Eduardo Villaseñor y obtuve, gracias a José Bergamín, una pequeña ayuda de la Editorial Séneca. También Alfonso Reyes y Antonio Castro Leal nos auxiliaron con los anuncios de varias editoriales. Así logramos sobrevivir y publicar ocho números más. A partir del quinto número Ramón Gaya se encargó de la tipografía, dibujó las viñetas (sin cobrar un centavo) y modificó la carátula. Físicamente la revista fue más atractiva aunque demasiado parecida a *Hora de España*. No podía ser de otro modo: las dos revistas fueron hechura de Gaya. Pero *Taller* no cambió ni de orientación ni de colaboradores: siguió siendo la misma del principio. En los números siguientes todos –los mexicanos y los españoles– publicamos con regularidad poemas, ensayos, cuentos, notas. Entre los jóvenes mexicanos que colaboraron en *Taller*, además de José Revueltas, debo citar a dos prosistas: Efrén Hernández y Juan de la Cabada, y a varios poetas: al malogrado Rafael Vega Albela, a Neftalí Beltrán y a Enrique Guerrero. El suicidio de Vega Albela, en marzo de 1940, me dolió mucho –era mi amigo desde la adolescencia– y me hizo dudar de los poderes de salvación de la poesía. Hacía unos meses apenas había escrito:

> Yo no te busco, sueño,
> sino a la muerte obscura...
> pues para vivir dolido
> sobra el llanto
> y para morir sin duelo
> basta el sueño.

Revista de confluencias, en *Taller* colaboraron también Juan Ramón Jiménez, Alfonso Reyes, Pablo Neruda, Luis Cernuda, Carlos Pellicer, Jorge Cuesta, Rafael Alberti, Luis Cardoza y Aragón, León

---

1. Sería inútil buscar una información completa sobre *Taller* y su significación durante esos años en el voluminoso libro que recientemente se ha dedicado a la inmigración republicana en México: *El exilio español en México*, FCE, 1982.

Felipe y otros. Una afición que revela nuestra actitud ante la tradición literaria de nuestra lengua: el gusto por redescubrir poetas olvidados o aspectos desconocidos de nuestros clásicos. Varios de mis amigos compartían esa afición, como el pintor Juan Soriano, con el que quince años más tarde, acompañados de otros jóvenes, emprendí la aventura teatral de *Poesía en voz alta*, en cuyo tablado las voces del Arcipreste de Hita, Quevedo y Calderón alternaron con las de Eliot, Ionesco y Genet[1]. En *Taller* publicamos una antología de Luis Carrillo de Sotomayor, hecha por Pedro Salinas, así como una edición moderna de las *Endechas* de sor Juana Inés de la Cruz, preparada por Xavier Villaurrutia. Aunque parezca extraño, Neruda colaboró con una curiosa selección de liras del XVII (entre las que figuran las de una incógnita poetisa: doña Cristobalina) precedida por un poema suyo: *Discurso de las liras*. No sé si este poema ha sido recogido en alguno de sus libros. Pablo también nos dio una antología de Sara de Ibáñez con una presentación belicosa. En otro lugar he relatado este incidente[2]. En el número quinto Antonio Castro Leal publicó unos «Fragmentos de Juan Ruiz de Alarcón sobre el amor y las mujeres», así como un penetrante ensayo sobre el autor de *La verdad sospechosa*. Castro Leal colaboró con cierta frecuencia y publicó cuentos fantásticos y críticas inteligentes. Destaco su colaboración porque, aunque más tarde nos hayan separado diferencias de orden literario, no me resigno a aceptar el silencio a que lo han condenado después de su muerte[3].

Entre los suplementos dedicados a autores modernos hay uno que fue, como el de Rimbaud, una definición: *Poemas de T. S. Eliot* (abril-mayo de 1940). Es una antología de las traducciones de Eliot hecha por Bernardo Ortiz de Montellano. Como en el caso de Rimbaud, fue la primera que se publicó en castellano y sigue siendo, para mi gusto, la mejor. Incluye la excelente versión del *Canto de amor de J. A. Pru-*

---

1. En México no se ha publicado ningún estudio sobre *Poesía en voz alta* pero el curioso puede leer con provecho el pequeño libro de Roni Unger: *Poesía en voz alta in the Theater of Mexico*, Columbia y Londres, University of Missouri Press, 1981.
2. «Poesía e historia: *Laurel* y nosotros», recogido en el tercer volumen –*Fundación y disidencia*– de las Obras Completas.
3. Este desdén no debería extrañarme demasiado. Castro Leal es autor de uno de los mejores libros sobre Juan Ruiz de Alarcón pero en el tomo II de la *Historia de México* (Colegio de México, 1976), dedicado a Nueva España, ni siquiera se menciona al dramaturgo. Olvido enorme que no aplasta a Alarcón sino a los olvidadizos.

frock de Rodolfo Usigli, la de *Tierra baldía* de Ángel Flores, la de *Miércoles de ceniza* de Ortiz de Montellano, la de *Los hombres huecos* de León Felipe y algunas otras. La publicación de Eliot tuvo la misma significación que la de Rimbaud; nuestra «modernidad», quiero decir, nuestra visión de la poesía moderna –sobre todo: de la poesía *en* y *ante* el mundo moderno– era radicalmente distinta a la de la generación anterior. *Tierra baldía* me pareció –lo sigo creyendo– como la visión (y la versión) cristiana y tradicionalista de la realidad que, cincuenta años antes, con lenguaje entrecortado y extrañamente contemporáneo, había descrito Rimbaud. El tema de los dos poetas –nuestro tema– es el mundo moderno. Más exactamente: nosotros (yo, tú, él, ella) en el mundo moderno. Rimbaud lo llamó *infierno* y Eliot *purgatorio*: ¿qué importa el nombre? No es un lugar fuera del mundo ni está en las entrañas de la Tierra; tampoco es una entidad metafísica o un estado psicológico: es una realidad histórica y así incluye a la psicología y a la metafísica, al aquí y al allá. Es una ciudad, muchas ciudades. Es el teatro del progreso, un lugar en el que, como decía Llull del infierno, la pena es circular.

A pesar de que en *Taller* colaboraron escritores de las generaciones anteriores, sobre todo de la inmediatamente anterior: *Contemporáneos*, la revista tuvo características propias, inconfundibles y que distinguen a nuestra generación de las otras. Desde el principio nos propusimos guardar nuestras distancias y en el número 2 (abril de 1939) publiqué una nota, «Razón de ser», en la que subrayaba todo lo que nos unía y todo lo que nos separaba de los escritores de *Contemporáneos*. Esa generación había trasplantado a México, con talento, el movimiento moderno: «pintura pura, arte puro, poesía pura, filosofía de la filosofía» y también «juventud joven». Me irritaba la pretensión de eterna juventud de los «Contemporáneos» y desenterré la frase del poeta francés: «¡Viva la juventud, con tal de que no dure toda la vida!». Admiraba lo que habían hecho y hacían pero lamentaba «el carácter de una empresa intelectual que hace la revolución (artística) sin esperanzas y ejercita su rigor en la forma». Habían renovado las técnicas y habían creado «hermosos poemas que raras veces habitó la poesía, cuadros desiertos, novelas en las que transitan nieblas puras, obras que terminan como nubes...». Me preguntaba: «¿Qué conquistaron ellos, qué podemos heredar nosotros?», y me respondía: «ahora, los que escaparon de la *eterna juventud* se heredan a sí mismos y los más jóvenes también participamos de esa herencia... quiero decir: los jóvenes heredamos de los inmediatamente anteriores no una obra sino una situación y un instrumento para crear nuestra obra. Lo mismo ocurre a los "Contemporáneos" con su obra de juventud, que no es más que un útil y una ambición». Estas líneas, escritas en 1939, no eran del todo desacertadas: precisamente en esos años los poetas de la generación anterior escribían sus obras de madurez[1]. Mi nota terminaba así: «Nosotros no heredamos sino una inquietud; un movimiento, no una inercia; un estímulo, no un modelo... *Taller* no quiere ser el sitio donde se asfixia una generación sino el lugar donde se construye el mexicano...».

Las reflexiones de «Razón de ser» fueron pensadas en México y para México. No son aplicables a los jóvenes españoles que ingresaron más tarde. Su caso era muy distinto. El grupo que colaboró en *Taller* no era sino eso: un grupo; los otros escritores de esa generación se habían quedado en España (Miguel Hernández, Luis Rosales, Leopoldo Panero, Dionisio Ridruejo, etc.) o vivían en Argentina (Serrano Plaja, Dieste y otros). Señalo, de paso, algo más: si la guerra civil de España interrumpió la vida literaria normal, la dictadura de Franco introdujo un equívoco que sólo ahora se ha desvanecido del todo. Ese equívoco fue doble: por una parte, dificultó la comunicación entre las generaciones y, asimismo, entre los escritores del interior y los del exterior; por otra, esterilizó a varios poetas españoles de talento, como Blas de Otero. Esto último fue lo más grave. Por odio (justificado) al franquismo, muchos escritores decidieron sacrificar el arte a la ideología y el lenguaje de la literatura al de la moral pública y aun al de la propaganda. La «literatura comprometida» no derribó a Franco pero comprometió a la literatura y la desnaturalizó. Se confundió a la literatura –novela, poema, crítica literaria– con la literatura política. Esta última es legítima y necesaria; sin ella, en la edad moderna, no hay verdadera civilización. Pero la literatura política tiene sus formas propias de expresión, las únicas eficaces: el ensayo, el artículo, la sátira, el reportaje.

---

1. Ese mismo año, unos meses después, José Gorostiza publicaba *Muerte sin fin*. Véase la nota de Quintero Álvarez en el número séptimo de *Taller* (diciembre de 1939).

Los movimientos de vanguardia –no hay más remedio que usar esa antipática palabra– comienzan en Europa hacia 1910 y entre 1920 y 1930 alcanzan su mayor virulencia expresiva. *Taller* aparece en 1939 y, en este sentido, los que colaborábamos en sus páginas éramos (y nos sentíamos) herederos de más de treinta años de experimentos y aventuras estéticas. En México los iniciadores del movimiento moderno habían sido los *estridentistas*. A diferencia de los ultraístas españoles y argentinos, los estridentistas profesaron ideas radicales en política y unieron, influidos sin duda por el futurismo ruso, la revolución estética a la revolución social. El estridentismo duró poco: se disolvió en algaradas y en puestos públicos. El gobierno mexicano protegía con la misma solicitud a los estridentistas y a los «artepuristas», al trotskista Rivera y al anárquico Orozco. Los mejores poetas de esos años no participaron en el estridentismo. Eran un conjunto de personalidades aisladas –un «grupo sin grupo», dijo uno de ellos– que se reunieron en distintas revistas. Las principales fueron *Ulises* y *Contemporáneos.* No tuvieron ideas políticas definidas; todos colaboraron con los sucesivos gobiernos mexicanos y fueron vagamente republicanos, democráticos y partidarios de los gobiernos de la Revolución mexicana. En materia de arte y literatura casi todos siguieron la doctrina de la poesía pura, a veces en la versión de Juan Ramón Jiménez y otras en la de Paul Valéry. Más tarde algunos se interesaron en el surrealismo pero lo vieron como un movimiento estético, no como una subversión psíquica y moral. Fue una generación de poetas más que de prosistas; entre los poemas mejores de la primera mitad del siglo XX, en nuestra lengua, algunos fueron escritos por ellos. Era natural que nosotros los admirásemos; era también natural que nos sintiésemos muy distintos. «Razón de ser» expresa esa coincidencia y esa disidencia. No sólo nos sentíamos distintos: sentíamos que los tiempos nos pedían algo distinto. Había que ir *más allá*, pero ¿hacia dónde?

Aunque es imposible resumir en una frase lo que nos separaba de nuestros predecesores, me parece que la gran diferencia consistía en que nuestra conciencia del tiempo que vivíamos era más viva y, ya que no más lúcida, sí más honda y total. El tiempo nos hacía una pregunta a la que había que responder si no queríamos perder la cara y el alma. Nos angustiaba nuestra situación en la historia. En «Razón de ser» decía: «ellos son la generación de la postguerra; nosotros estamos antes de la gran hecatombe próxima, ellos después»[1]. Seis meses más tarde Alemania invadía Polonia. La historia nos rodeaba con terrible violencia. Crecimos con la idea de que vivíamos una crisis general y mortal de la civilización, un fin del mundo. Habíamos leído y seguíamos leyendo –en inextricable y apresurada confusión quizá no del todo infecunda– a los profetas de los cuatro puntos cardinales: Nietzsche y Trotski, Spengler y Berdiaev, Freud y Heidegger, Valéry y Ortega y Gasset. Las adhesiones de Gide y de Malraux al comunismo nos exaltaron. Nuestra generación era violenta como los tiempos; desde la adolescencia los extremos se disputaban nuestras almas y nuestras voluntades. Casi todos nos habíamos inclinado hacia el marxismo; mejor dicho: hacia los partidos revolucionarios. La mayoría siguió a la III Internacional y a Stalin; otros sentimos simpatías por el POUM y los trotskistas, aunque pronto, ante Hitler y por la política del Frente Popular, fuimos «recuperados», como se decía entonces.

Sería un error creer que el pensamiento marxista inspiraba nuestras actitudes. Lo que nos encendía era el prestigio mágico de la palabra revolución. Éramos neófitos de la moderna y confusa religión de la historia, con su culto a los héroes, su fe en el fin de estos tiempos y en el comienzo de otros, los de la verdadera historia. Veíamos los sucesos de cada día –fútiles, atroces, risibles o indiferentes– no como el resultado de mil causas indeterminadas y casi siempre indeterminables sino como un episodio de la historia del fin de este mundo y del comienzo del otro. La historia como teatro sagrado. Nuestro amor a la justicia era indistinguible de un profundo sentimiento de venganza, en el que se mezclaban las fantasías y resentimientos íntimos de unos muchachos de la clase media mexicana con auténticas y obscuras, pero desnaturalizadas, aspiraciones religiosas. En nuestra visión el presente revolucionario transfiguraba y redimía a los siglos de humillaciones y horrores de la historia humana. El futuro poseía una realidad transnatural que englobaba a todos los tiempos; era la revolución: el mañana próximo, el ahora mismo y la restauración del tiempo del comienzo, el tiempo de la igualdad, la inocencia y la libertad. A la esperanza de la inminencia del Gran Cambio –ahora lo veo como un acontecimiento no menos quimérico que el de la Segunda Vuelta de Cristo

---

1. Debería haber añadido que su escepticismo era el de la primera generación post-revolucionaria de México.

para los cristianos primitivos – se unía otra emoción igualmente poderosa: la fraternidad revolucionaria. Hablábamos con frecuencia de «la solidaridad proletaria internacional» pero ¿los trabajadores eran internacionalistas? ¿Qué sabíamos de la clase obrera? Nunca vi en nuestras reuniones a un verdadero proletario.

No advertíamos contradicción alguna entre la fuerza y la solidaridad, la coacción y la conversión. Estábamos enamorados de la violencia, palanca para hacer saltar al mundo y establecer el reino de la fraternidad. El título de un libro de Roger Caillois, publicado en esos días: *La comunión de los fuertes*, describe no lo que vivíamos sino lo que soñábamos. Ninguno de nosotros se daba cuenta de que esa fórmula, mitad heroica y mitad cínica, podía aplicarse igualmente a los fascistas. Nuestra confusión era tal que no queríamos (no podíamos) ver todo lo que nos asemejaba a nuestros enemigos. En nuestro lenguaje había un elemento de irrealidad: nuestras palabras no designaban realidades sino entelequias ideológicas. Y algo más grave: nuestra pasión era una parodia de la verdadera religión. La ideología que habíamos abrazado con entusiasmo nos ofrecía un mediocre sucedáneo de la antigua transcendencia. En su vocabulario no era difícil percibir el eco de las creencias antiguas: comunión, salto final, redención, comienzo de otro tiempo, regreso del tiempo del origen, hombre universal y otros parecidos.

Religión sin dioses pero con ídolos, imágenes, ritos, sacramentos, sacrificios, penitencias, castigos, excomuniones, inquisidores y hogueras. Sin embargo, en *Taller* los clérigos de la nueva iglesia eran la minoría: el resto éramos catecúmenos y heréticos inofensivos. Además, y por fortuna: no hubo teólogos entre nosotros. (La escolástica marxista no se convirtió sino hasta años más tarde en socorrida carrera, no en los cafés de los escritores sino en las aulas de las universidades.) Tuvimos, sí, varios frailes –uno de ellos chispeante, libertino y blasfemo (J. A.)–, dos o tres sacristanes y algún abad. Aunque con frecuencia nuestras actitudes fueron irreales, no eran inauténticas. Creíamos en lo que decíamos y nuestras creencias correspondían, ya que no a la realidad mexicana y del mundo, sí a necesidades psíquicas profundas. Como todos los hombres modernos –tal vez debería decir: como todos los hombres de todos los tiempos–, nos sentíamos separados, escindidos de los otros y de nosotros mismos. Queríamos volver al Gran Todo, rehacer la unidad del principio del principio.

Los términos de nuestro predicamento se manifestaban en la oposición de dos palabras: *poesía/historia*. Las generaciones anteriores –la modernista y la de vanguardia– las habían separado con violencia, en beneficio de la primera. ¿Cómo unirlas, cómo restablecer la circulación entre ellas? Los románticos se habían hecho la misma pregunta y habían respondido con sus obras y con sus vidas. Pero en lengua española –y también en francés– la gran revolución del arte moderno, desde el simbolismo hasta los movimientos de vanguardia, había acentuado la autonomía y la pureza de la poesía frente a la historia. Con el pretexto de extirpar a la «anécdota» en el poema, se pretendió suprimir a los significados y a los referentes. Sin embargo, en lengua inglesa Pound y Eliot habían logrado insertar a la poesía en la historia moderna[1]. Podríamos habernos inspirado en ellos pero sus ideas, valores y creencias eran precisamente los opuestos a los nuestros. Sólo unos años más tarde –no tengo más remedio que acudir a mi caso personal– pude seguirlos por ese camino, aunque en dirección opuesta[2].

En Francia los surrealistas se habían enfrentado a la misma disyuntiva y la habían resuelto con violencia al unir las dos palabras magnéticas: poesía y revolución. Cierto, la poética surrealista –el automatismo tanto como la herencia del simbolismo y del cubismo– impidió que en la realidad, es decir, en los poemas, se manifestase la unión de poesía e historia. Pero el surrealismo habría sido un buen punto de partida. Si nuestra evolución hubiese sido la natural, deberíamos haber adoptado en esos años la estética y (sobre todo) la ética de los surrealistas (como, en el dominio del cine, lo había hecho Buñuel). Probablemente habríamos modificado la doctrina atenuando o renunciando al automatismo y reintroduciendo el *asunto* en el poema, como yo mismo, más tarde, intenté hacerlo.

La conjunción con el surrealismo se frustró por dos razones. La primera fue de orden político. Uno de los grandes méritos morales e intelectuales de Breton y de sus amigos fue haber roto con el estalinismo

---

1. Véase al capítulo sexto de mi libro *Los hijos del limo*. Este texto ha sido incluido en el primer volumen –*La casa de la Presencia*– de las Obras Completas, México, Círculo de Lectores-Fondo de Cultura Económica, 1994.
2. En Nicaragua el poeta Coronel Urtecho y sus amigos siguieron desde el principio a Pound. ¿Pound los llevó al fascismo o el fascismo a Pound? No lo sé, pero es natural que uno de ellos, Ernesto Cardenal, haya pasado de su juvenil franquismo falangista al castrismo. Como dicen los rancheros: «es la misma burra nomás que revolcada»

en 1930. Pero ese mérito inmenso era para nosotros un demérito. Todavía en 1940 seguíamos inmovilizados por el perverso sofisma que ha degradado a tantos intelectuales: criticar al régimen soviético es atacar a la revolución, denunciar los crímenes de la burocracia rusa y de sus cómplices es aliarse con los fascistas y con los imperialistas. Se decía: Breton es amigo de Trotski y ambos sirven «objetivamente», a sabiendas o no: es lo mismo, a Hitler. Un poco después, gracias a Victor Serge, Jean Malaquais y Benjamin Péret –gracias también a que, dos años más tarde, me alejé de México y sus facciones ideológicas– pude romper el hechizo. Otros vivieron enredados en esa trácala moral hasta el día de su muerte.

La segunda razón de nuestro desvío frente al surrealismo –a veces expresado con necia hostilidad– fue de orden estético. Creíamos de buena fe que el movimiento había sido *superado*. Con razón y no sin ironía Jorge Cuesta nos preguntó: ¿por quién y cómo? Confundíamos al surrealismo con una escuela poética y artística; más exactamente, con una *manera*. Para comprender nuestra actitud deben recordarse dos circunstancias. Una de ellas: efectivamente, ya había pasado el momento de apogeo del surrealismo; la *manera*, un poco después, triunfaría más y más sobre la inspiración. Éste ha sido, por lo demás y cada día con mayor frecuencia, el destino de todos los movimientos de vanguardia durante la segunda mitad del siglo. La diferencia con las otras tendencias o, más bien, la superioridad del surrealismo sobre ellas, es de orden espiritual, no estético. Aunque en su período final no haya dado grandes obras, el surrealismo guardó intactos sus poderes de indignación moral. Fue un foco secreto de pasión poética en nuestra época vil. En sus negaciones palpitó siempre el gran Sí de la poesía, el amor y la libertad. La lección de Breton fue moral y cuando la gritería y la cháchara que hoy nos ensordecen se hayan disipado, su palabra volverá a ser oída.

La otra circunstancia es la siguiente: nosotros empezamos a escribir en un período de renuncia general a las experiencias y aventuras de la vanguardia. Todos nuestros predecesores, con la excepción de Huidobro, volvían a las formas tradicionales, a veces combinadas, como en el caso de Alberti, con temas políticos. Decíamos que estábamos *de vuelta*. Pero ¿de vuelta de qué y a qué? Ésta fue la pregunta que, un poco después, nos hicimos algunos poetas de mi generación, cada uno por su cuenta y de una manera aislada. Con esa pregunta y con las distintas respuestas que unos cuantos le dimos, comienza hacia 1945 la poesía contemporánea hispanoamericana. Ésta es una verdad que apenas empieza a abrirse paso en la crítica. Me he referido al tema en otra parte y no volveré ahora a tocarlo[1]. Baste con recordar lo esencial: nuestra actitud puede considerarse como «un regreso a la vanguardia pero a una vanguardia *otra*, crítica de sí misma y en rebelión solitaria contra la academia en que se había convertido la primera vanguardia, la de 1920...». En mi caso, el redescubrimiento de los poderes de revelación del surrealismo fue, ya que no una respuesta a mis preguntas, sí una vía de salida. En 1942 comencé a examinar con ojos distintos a los de la época de *Taller* la herencia de la poesía moderna, especialmente la experiencia surrealista y, en el otro extremo, la de Pound y Eliot[2].

Vuelvo a *Taller* y a esos años. Descartadas las respuestas que habían dado los surrealistas y los poetas de lengua inglesa a la pregunta sobre la poesía y la historia, no quedaba sino la poesía social o comprometida. Ése había sido el camino escogido por Neruda, Alberti y Vallejo. A todos nosotros nos había impresionado la poesía última de Vallejo; había logrado transfigurar los conceptos, programas y aun las consignas en poemas hechos de palabras quemantes como carbones encendidos. Pero el logro de Vallejo me parecía paradójico pues había conseguido exactamente lo contrario de lo que él se proponía: había hecho, con la política, poesía religiosa. Aunque me conmueven sus devociones y flagelaciones, confieso que me siento lejos de ellas. Es otra mi idea de la poesía y otra mi idea de la religión. En la poesía social de Neruda tampoco encontré lo que buscaba. Vallejo sufre la historia con cierta exasperante pasividad de mártir; la actitud de Neruda es más activa pero participa en la historia desde fuera, como los generales en las batallas. Con la excepción de Huerta, los poetas mexicanos que escribíamos en *Taller* vimos siempre con recelo a la poesía social. Ni Quintero Álvarez ni Vega Albela incurrieron en el género y yo, después de algunos intentos, también desistí.

Nuestra oposición al arte de propaganda era una manera de afirmar

---

1. Cf. el citado capítulo sexto de *Los hijos del limo* y la última parte de «Poesía e historia: *Laurel* y nosotros» (éste ha sido incluido en el tercer volumen de las Obras Completas: *Fundación y disidencia*, México, Círculo de Lectores-Fondo de Cultura Económica, 1994).
2. «Poesía de soledad y poesía de comunión», en el número 5 de *El Hijo Pródigo*, agosto de 1943; este texto se incluye en el último volumen de las Obras Completas.

la libertad de la literatura. Así lo sentimos y lo entendimos todos los que formábamos el consejo de redacción de *Taller*. Probablemente los comunistas veían en esta actitud sólo una posición táctica transitoria. Pero para los otros –Sánchez-Barbudo, Quintero Álvarez, Solana, Gaya, Gil-Albert y Vega Albela– el principio de la libertad de creación era esencial. Un acontecimiento estuvo a punto de acabar con *Taller*: el pacto entre Alemania y Rusia. Fue un hecho que nos sacudió, nos dividió y que, a algunos, nos abrió los ojos. Pero por un acuerdo tácito –estaba todavía fresca la memoria del Frente Popular y la unidad de la guerra de España– no traslucieron en las páginas de la revista ni nuestras dudas ni nuestras discusiones. Después, el ataque alemán en contra de Rusia, en junio de 1941, restableció la unidad, sólo que para entonces ya había desaparecido nuestra revista.

¿De qué murió *Taller*? En primer lugar, por falta de recursos: en México no existían las condiciones para sostener una publicación independiente como la nuestra, ni entre nosotros había nadie con talento de administrador. Las revistas literarias mexicanas, hasta la aparición de *Vuelta*, han sido subvencionadas o publicadas por una institución pública o por una empresa periodística. La única excepción fue *Letras de México*, dirigida por Octavio G. Barreda. Pero la desaparición de *Taller* no debe atribuirse únicamente a las dificultades económicas. Estábamos cansados, desilusionados y divididos. En el cansancio y la desilusión habían influido decisivamente, al menos en mí y en algunos otros, las discusiones políticas y nuestro creciente desencanto ante la política de Stalin. El asesinato de Trotski, en agosto de 1940, me había horrorizado.

Nuestra defensa de la libertad del arte y de la poesía habría sido intachable a no ser por una falla moral y política que ahora me ruboriza. En *Taller* se podían profesar todas las ideas y expresarlas pero, por una prohibición no por tácita menos rigurosa, no se podía criticar a la Unión Soviética. La realidad rusa –su arte, su literatura, su política– era intocable. También lo eran los partidos comunistas y sus prohombres. *Noli me tangere*: el precepto nos paralizaba; para no caer en pecado, preferíamos no abordar ciertos temas. Nuestro silencio podía interpretarse como una crítica pero en realidad era una abdicación. La actitud de *Taller* fue semejante a la de *Hora de España*. Las dos revistas nacieron en los años de lucha contra el fascismo y ambas recogieron la herencia de aquellos Congresos Internacionales de Escritores

Antifascistas (París, 1935; Madrid-Valencia, 1937). Esas reuniones tuvieron por objeto unir a los escritores en la defensa de la libertad y la democracia pero el movimiento fue secuestrado por los comunistas, desviado y puesto al servicio de la política de Stalin.

En abril de 1943 apareció una nueva revista: *El Hijo Pródigo*. En sus páginas nos reunimos escritores de dos generaciones y tres revistas: *Contemporáneos*, *Taller* y *Tierra Nueva*. Fue una tentativa más rigurosa para preservar la independencia de la literatura. Se desató entonces una baja campaña de injurias, inspirada por Neruda y sus amigos. Lo secundó Diego Rivera, que había renegado del trotskismo y quería volver al Partido Comunista Mexicano. Colaboraron en *El Hijo Pródigo* algunos escritores con olor a azufre: Victor Serge, Jean Malaquais, Benjamin Péret; el poeta peruano César Moro publicó textos valerosos y otros defendimos la libertad de las letras contra todas las censuras, fuesen de derecha o de izquierda. Por desgracia, *El Hijo Pródigo* volvió a caer insensiblemente en la trampa de *Taller*. Caída menos disculpable pues los tiempos habían cambiado y disminuido las presiones. Yo abandoné México a fines de 1943 y no volví sino hasta diez años después.

Taller ha sido el antecedente y el modelo –casi siempre inconsciente– de la mayoría de los suplementos y revistas literarias de México. En todas esas publicaciones ha regido, bajo la máscara de la tolerancia de todas las tendencias, la prohibición paralizante y castradora. Excepto durante el período inicial de *El Hijo Pródigo* (desaparecido en 1946) reinó en nuestra vida literaria la «cláusula de excepción» (para llamarla de algún modo) hasta la aparición de la *Revista Mexicana de Literatura*, que en sus dos épocas defendió a la libertad auténtica. Al extinguirse esta última, sufrimos otra prolongada recaída. A fines de 1971 nació el primer *Plural*. Aunque provocó muchas oposiciones, fue el comienzo de la verdadera crítica. Ahora se prosigue el combate en *Vuelta* y en otras publicaciones. Se ha relajado la «cláusula» y aun en publicaciones de izquierda se pueden leer artículos sobre lo que ocurre en Polonia y hasta acerca de la ocupación vietnamita de Kampuchea. El descenso del prestigio moral y político del régimen soviético ha sido vertiginoso. Cierto, todavía no es fácil hablar de los escritores cubanos bajo el látigo de Fidel Castro –recuérdese el silencio ante los casos de Valladares y Cuadra– ni tampoco decir que hay censura en Nicaragua. Pero es innegable que se ha ganado mucho. Y como las

Consejo de Redacción de la revista *Plural*.
(De pie, de izquierda a derecha: Tomás Segovia,
Gabriel Zaid, Kazuya Sakai, Alejandro Rossi,
José de la Colina y Octavio Paz. En primer término:
Salvador Elizondo y Juan García Ponce.)

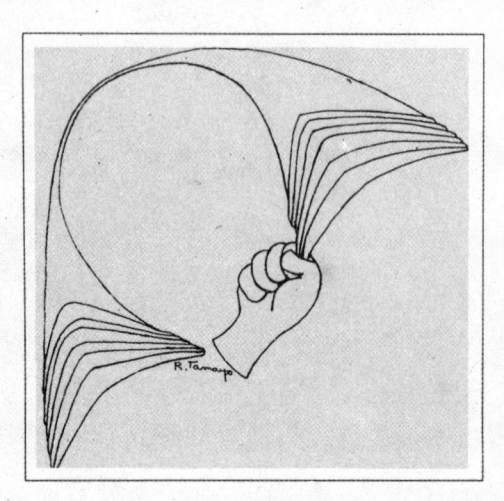

Portada de la revista *Vuelta*.

ganancias en un sector repercuten en los otros, ante la realidad mexicana nuestra mirada es hoy más fresca y rigurosa. Los ensayos y comentarios que se publican en *Vuelta* acerca de lo que ocurre en nuestro país no hubieran podido escribirse en *Taller* o en *El Hijo Pródigo*.

Durante estos años, desde 1940, los escritores mexicanos hemos aprendido, lenta y penosamente, una lección que es universal: el arte y la literatura sólo pueden ser libres en sociedades libres. De ahí que la defensa de la libertad de los escritores y los artistas sea indistinguible de la defensa de la libertad de todos los ciudadanos. Aunque esta fórmula es, simultáneamente, verdadera y universal, hay que referirla al caso particular de México. La libertad es siempre concreta y se despliega en un donde y frente a un esto o un aquello. La vida literaria mexicana vive entre dos realidades que, aunque no la determinan, sí la constriñen: para existir, nuestra literatura ha tenido que transgredirlas e ir más allá de ellas. La primera es nuestro sistema político, regido por una burocracia cada día más poderosa y poco dispuesta a oír las críticas. La otra es la versión simplificada y simplificadora del marxismo escolástico, adoptada por un gran número de intelectuales y que circula como doctrina oficiosa, ya que no oficial, en muchas universidades, institutos de cultura y mesas de redacción de publicaciones literarias y artísticas. Aunque sus relaciones no siempre son armoniosas, el sistema y la ideología viven en continua comunicación y han auspiciado un populismo alharaquiento, rampante en todos los espacios libres, de los suplementos y revistas culturales a las salas de arte. Así, la verdadera literatura se ha vuelto marginal. ¿O siempre lo fue? Poco se puede hacer frente a todo esto, salvo *persistir*. Para defender a la libertad y a la literatura lo primero que hay que hacer es ejercerlas.

México, D. F., 7 de febrero de 1983

«Antevíspera: *Taller*» se publicó en *Sombras de obras*, Barcelona, Seix Barral, 1983.

Poesía en movimiento[1]

AVISO

La expresión *poesía mexicana* es ambigua: ¿poesía escrita por mexicanos o poesía que de alguna manera revela el espíritu, la realidad o el carácter de México? Nuestros poetas escriben un español de mexicanos del siglo XX pero la mexicanidad de sus poemas es tan dudosa como la idea misma de genio nacional. Se dice que López Velarde es el más mexicano de nuestros poetas y, no obstante, se afirma que su obra es de tal modo personal que sería inútil buscar una parecida entre sus contemporáneos y descendientes. Si aquello que la distingue es su mexicanidad, habría que concluir que ésta consiste en no parecerse a la de ningún otro mexicano. No sería un carácter general sino una anomalía personal. En realidad la obra de López Velarde tiene más de un parecido con la del argentino Lugones que, a su vez, se parece a la del francés Laforgue. No es el genio nacional sino el espíritu de la época lo que une a estos tres poetas tan distintos entre sí. Esta observación es aplicable a otras literaturas: Manrique se parece más a Villon que a Garcilaso, y Góngora está más cerca de Marino que de Berceo. Es discutible la existencia de una poesía francesa, alemana o inglesa; no lo es la realidad de la poesía barroca, romántica o simbolista. No niego las tradiciones nacionales ni el temperamento de los pueblos; afirmo que los estilos son universales o, más bien, internacionales. Lo que llamamos tradiciones nacionales son, casi siempre, versiones y adaptaciones de estilos universales. Por último, una obra es algo más que una tradición y un estilo: una creación única, una visión singular. A medida que la obra es más perfecta son menos visibles la tradición y el estilo. El arte aspira a la transparencia.

La poesía de los mexicanos es parte de una tradición más vasta: la de la poesía de lengua castellana escrita en Hispanoamérica en la época moderna. Esta tradición no es la misma que la de España. Nuestra tradición es también y sobre todo un estilo polémico, en lucha constante

---

1. Prólogo a *Poesía en movimiento, México, 1915-1966.* (*Nota del editor.*)

con la tradición española y consigo mismo: al casticismo español opone un cosmopolitismo; a su propio cosmopolitismo, una voluntad de ser americano. Apenas se hizo patente esta voluntad de estilo, a partir del modernismo, se entabló un diálogo entre España e Hispanoamérica. Ese diálogo es la historia de nuestra poesía: Darío y Jiménez, Machado y Lugones, Huidobro y Guillén, Neruda y García Lorca. Los poetas mexicanos participan en ese diálogo desde los tiempos de Gutiérrez Nájera y la *Revista Azul*. Sin ese diálogo no habría poetas modernos en México pero, asimismo, sin los mexicanos la poesía de nuestra lengua no sería lo que es. Subrayo el carácter hispanoamericano de nuestros autores porque creo que la poesía escrita en nuestro país es parte de un movimiento general que se inicia hacia 1885 en la porción hispánica de América. No hay una poesía argentina, mexicana o venezolana: hay una poesía hispanoamericana o, más exactamente, una tradición y un estilo hispanoamericanos. Las historias nacionales de nuestra literatura son tan artificiales como nuestras fronteras políticas. Unas y otras son consecuencia del gran fracaso de las guerras de Independencia. Nuestros libertadores y sus sucesores nos dividieron. Ahora bien, lo que separaron los caudillos ¿no lo unirá la poesía? Así pues, este libro sólo presenta un fragmento, la porción mexicana, de la poesía hispanoamericana. Esta limitación nacional, por más antipática que parezca, no es demasiado grave. Nuestro libro no es sino una contribución al diálogo hispanoamericano.

Si el criterio de nacionalidad me parece insuficiencia, ¿qué decir del prejuicio de la modernidad? Escribo prejuicio porque convengo en que lo es. Sólo que es un prejuicio inseparable de nuestro ser mismo: la modernidad, desde hace cien años, es nuestro estilo. Es el estilo universal. Querer ser moderno parece locura: estamos condenados a serlo, ya que el futuro y el pasado nos están vedados. Pero la modernidad no consiste en resignarse a vivir este ahora fantasma que llamamos siglo XX. La modernidad es una decisión, un deseo de no ser como los que nos antecedieron y un querer ser el comienzo de otro tiempo. La sabiduría antigua predicaba vivir el instante –un instante único y, sin embargo, idéntico a todos los instantes que lo habían precedido. La modernidad afirma que el instante es único porque no se parece a los otros: nada hay nuevo bajo el sol, excepto las creaciones e inventos del hombre; nada es nuevo sobre la Tierra, excepto el hombre que cambia cada día. Aquello que distingue al instante de los otros instantes es su carga de futuro desconocido. No repetición sino inauguración, ruptura y no continuidad. La tradición moderna es la tradición de la ruptura. Ilusoria o no, esta idea enciende al joven Rubén Darío y lo lleva a proclamar una estética nueva. El segundo gran movimiento del siglo se inicia también como ruptura: Huidobro y los ultraístas niegan con violencia el pasado inmediato.

El proceso es circular: la búsqueda de un futuro termina siempre con la reconquista de un pasado. Ese pasado no es menos nuevo que el futuro: es un pasado reinventado. En cada instante nace un pasado y se apaga un futuro. La tradición también es un invento de la modernidad. O dicho de otro modo: la modernidad construye su pasado con la misma violencia con que edifica su futuro. Castillos en el aire, no menos fantásticos y vulnerables que los edificios intemporales de otras épocas. En suma, nuestro prejuicio es más una pasión que una estética, más una conciencia que un destino: es asumir el tiempo que nos tocó vivir no como algo impuesto sino como algo querido –un tiempo que no se parece a los otros tiempos y que es siempre, hasta en sus cacofonías y repeticiones, la encarnación de lo inesperado. La modernidad nace de la desesperación y está perpetuamente enamorada de lo inesperado. Su gloria y su castigo no son de este mundo: son las maravillas y los desengaños del futuro. Nuestro libro pretende reflejar la trayectoria de la modernidad en México: poesía en movimiento, poesía en rotación.

Las antologías aspiran a presentar los mejores poemas de un autor o de un período y, así, postulan implícitamente una visión más o menos estática de la literatura. Inclusive si admite que los gustos cambian, la crítica afirma casi siempre que las obras permanecen; aunque la visión de un crítico sea distinta de la de otro crítico, el paisaje que contemplan es el mismo. Este libro está inspirado por una idea distinta: el paisaje también cambia, las obras no son nunca las mismas, los lectores son igualmente autores. Las obras que nos apasionan son aquellas que se transforman indefinidamente; los poemas que amamos son mecanismos de significaciones sucesivas –una arquitectura que sin cesar se deshace y se rehace, un organismo en perpetua rotación. No la belleza quieta sino las mutaciones, las transmutaciones. El poema no significa pero engendra las significaciones: es el lenguaje en su forma más pura.

Movilidad del paisaje contemplado y movilidad del punto de vista: no es lo mismo leer a Segovia o a Sabines desde la perspectiva de un lector de González Martínez que leer a Tablada o a Gorostiza desde la de Montes de Oca o de Aridjis. En el primer caso nuestro punto de vista sería estático: vemos al presente desde un pasado consumado; en el segundo, vemos al pasado desde un presente en movimiento: el pasado insensiblemente se anima, cambia, marcha hacia nosotros. En general la crítica busca la continuidad de una literatura a partir de los autores consagrados: ve al pasado como un comienzo y al presente como un fin provisional; nosotros pretendemos alterar la visión acostumbrada: ver en el presente un comienzo, en el pasado un fin. Este fin también es provisional porque cambia a medida que cambia el presente. Si el presente es un comienzo, la obra de Pellicer, Villaurrutia y Novo es la consecuencia natural de la poesía de los jóvenes y no a la inversa. La prueba de la juventud de estos tres poetas es que soporta la cercanía de los jóvenes. El presente la cambia, le otorga nuevo sentido. En cambio, si no hay una relación viva entre el presente y el pasado, si el pasado es insensible a la acción de los jóvenes, no es aventurado afirmar que hay una ruptura: ese pasado no nos pertenece. Por supuesto, no quiero decir que sea desdeñable: simplemente no es nuestro, no forma parte de nuestro presente.

Este libro no es una antología sino un experimento. Lo es en dos sentidos: por la idea que lo anima y por ser una obra colectiva. Sobre lo segundo diré que nuestra coincidencia no ha sido absoluta. Desde el principio se manifestaron ciertas diferencias de interpretación. Nada más natural. Uno de nosotros observó que la idea de «tradición de la ruptura» es contradictoria: si hay tradición, algo permanece (substancia o forma) y la cadena no se rompe, si hay ruptura, la tradición se quebranta e, inclusive, se extingue. Otro repuso que la tradición se preserva gracias a la ruptura: los cambios son su continuidad. Una tradición que se petrifica sólo prolonga a la muerte. Y más: transmite muerte. Réplica: el ejemplo de las sociedades tradicionales desmiente las supuestas virtudes vivificadoras de la ruptura. Nada cambia en ellas y, no obstante, la tradición está viva. Contestación: la tradición es una invención moderna. Los llamados pueblos tradicionales no saben que lo son: repiten unos gestos heredados, fuera de la historia, fuera del tiempo –o, más bien, inmersos en otro tiempo, cíclico y cerrado. Sólo la ruptura nos da conciencia de la tradición. Nueva réplica: lo contrario es lo cierto: gracias a la tradición tenemos conciencia de los cambios... No repetiré aquí todo lo que dijimos. En un momento de la discusión surgió la verdadera divergencia. Alí Chumacero y José Emilio Pacheco sostuvieron que, al lado del criterio central de cambio, deberíamos tomar en cuenta otros valores: la dignidad estética, el decoro –en el sentido horaciano de la palabra–, la perfección. Aridjis y yo nos opusimos. Nos parecía que aceptar esa proposición era recaer en el eclecticismo que domina desde hace muchos años la crítica y la vida intelectual de México. Ni los convencimos ni nos convencieron. Se me ocurrió que no quedaba otro remedio que publicar, en el mismo libro, dos selecciones. Nueva dificultad: algunos poetas figurarían en ambas, aunque con poemas diferentes. Alguien propuso una solución intermedia: incluir también a los autores que cultivan el «decoro» pero que, en algún momento, han coincidido con la tradición del cambio. A pesar de que Aridjis y yo queríamos un libro *parcial*, nos inclinamos sin alegría. Esto explica la presencia de nombres que sólo de una manera tangencial pertenecen a la tradición del movimiento y la ruptura. Al mismo tiempo procuramos, al seleccionar sus poemas, ajustarnos dentro de lo posible a la idea de mutación. No creo que lo hayamos conseguido en todos los casos. No importa: a despecho del eclecticismo de este libro, el lector percibirá la continuidad de una corriente que comienza con José Juan Tablada, avanza y se ensancha en la obra de cuatro o cinco poetas del grupo siguiente, más tarde se desvía y oculta –aunque sólo para reaparecer con mayor violencia en tres o cuatro poetas de mi generación– y, en fin, acaba por animar a la mayoría de los nuevos poetas.

Dividimos el libro en cuatro partes. La primera está consagrada a los jóvenes. No es ni puede ser una selección completa. Más que un cuadro de la poesía reciente es una ventana abierta a un paisaje que cambia con velocidad. La segunda parte nos enfrentó a un grupo disperso y cuya obra de verdad significativa se inicia no en la juventud sino en la madurez. Es una generación marcada por la segunda guerra mundial y por las querellas ideológicas que la precedieron y siguieron. Más tarde que las otras, como para recobrar el tiempo perdido, da un salto hacia adelante, hacia su juventud. Omitimos a Neftalí Beltrán y a Manuel Ponce porque pensamos que lo mejor de su obra no corresponde a la «tradición de la ruptura». Confieso que, ya en prensa este libro, pensé que su exclusión no se justifica enteramente: su caso no es distinto al de varios poetas que figuran en esta sección y en la siguiente[1]. La tercera

---

1. Lamento todavía la ausencia de Ponce y de Beltrán. (*Nota de 1986*.)

parte es más homogénea. Las obras decisivas de este grupo, con la excepción de José Gorostiza, son las de juventud. No faltará quien nos reproche la ausencia de Jorge Cuesta. La influencia de su pensamiento fue muy profunda en los poetas de su generación y aun en la mía, pero su poesía no está en sus poemas sino en la obra de aquellos que tuvimos la suerte de escucharlo. A medida que nos internamos en el tiempo los nombres disminuyen. Por eso no es extraño que el cuarto grupo (1915) sólo incluya a cuatro poetas. Uno de ellos, Alfonso Reyes, no pertenece realmente a la tradición moderna pero una porción limitada de su obra sí revela ese espíritu de aventura y exploración que nos interesa destacar. El caso de López Velarde también parece, a primera vista, dudoso. No lo es. Cierto, es el poeta de la tradición: ¿será necesario recordar que para él esa palabra era sinónimo de novedad? El tercer poeta de este grupo es un solitario que nunca ha publicado un libro de versos: Julio Torri. Fue uno de los primeros que, entre nosotros, escribieron poemas en prosa. Con él aparece en nuestra lengua el humor moderno. El cuarto poeta es un tránsfuga del modernismo: José Juan Tablada. Tal vez es nuestro poeta más joven.

REPASO

La contradicción entre los términos «tradición» y «ruptura» recubre otra: obra abierta y obra cerrada. ¿La forma encierra un significado que el lector pone en movimiento? ¿La obra *dice* o es un medio para que alguien, el lector, *diga*? En el primer caso, el lector participa en la medida en que recibe e interpreta el mensaje transmitido por el texto. En el segundo, hacemos algo más que recibir e interpretar: intervenimos directamente y, en verdad, nos servimos de la obra como de un trampolín. Obras cerradas y abiertas son arquetipos, modelos ideales y no realidades. Una obra realmente cerrada sería inaccesible; una totalmente abierta, no sería obra. Todas las creaciones son, al mismo tiempo, cerradas y abiertas: *emiten* significados y *reciben* nuevos significados de cada lector. Pero las obras modernas tienden más y más a convertirse en campos de experimentación, abiertos a la acción del lector y a otros *accidentes* externos. El arte clásico fue cerrado; el barroco, hermético; el moderno es abierto. Desde el romanticismo el arte quiere fundirse a la vida. El proceso se ha acelerado en los últimos cincuenta años: Picasso destruye las formas, lo cual no es sino una manera paradójica de exaltarlas. Duchamp va más allá; al destruir la noción misma de obra pone el dedo en la llaga: el significado. Su cura fue radical: disolvió el significado. Después de Duchamp podemos empezar a pintar. Digo empezar y no continuar: la pintura será lo que no ha sido –o no será. En la poesía el fenómeno se inicia antes. A fines del siglo pasado Mallarmé publica en una revista *Un Coup de dés* y así inaugura una nueva forma poética. Una forma que no encierra un significado sino una forma en busca de significación. En otro lugar me he ocupado de la situación de la poesía moderna[1]. Aquí diré solamente que la noción de obra abierta es plural y abarca muchas experiencias y procedimientos. Expuesta a la intervención del lector y a la acción –calculada o involuntaria– de otros elementos externos, también saca partido del azar y de sus leyes, provoca el accidente creador o destructor, convierte el acto poético en un juego o en una ceremonia y, en fin, pretende restablecer la comunicación entre la vida y la poesía. En sus formas más extremas, se inspira en una filosofía del movimiento del *I Ching* a las matemáticas modernas; en las más simples y directas, consiste en abrir las puertas del poema para que entren muchas palabras, formas, energías e ideas que la poética tradicional rechazaba. Abrir las puertas condenadas...

En cierto sentido poesía moderna y obra abierta son términos equivalentes. Desde esta perspectiva el iniciador del movimiento, en lengua española, es Vicente Huidobro. Pero la verdadera obra abierta, en sus expresiones más rigurosas y complejas, es reciente. La prefiguran ciertos textos de Macedonio Fernández y aparece plenamente en algunos poemas y novelas de unos cuantos poetas y escritores de mi generación. Pienso en *Rayuela*, de Julio Cortázar, y en la poesía de un autor menos conocido, el cubano José Lezama Lima[2]. La tendencia también es visible en otros escritores y poetas de la misma edad y, aún más acusadamente, en varios novelistas y poetas jóvenes. Lo que distingue a mi generación de la de Borges y Neruda no es únicamente el estilo

---

1. «Los signos en rotación», *Sur*, Buenos Aires, 1965. Ensayo recogido en la segunda edición de *El arco y la lira*, FCE, 1967; e incluido en el primer volumen -*La casa de la presencia*- de las Obras Completas.
2. También, ¿por qué no decirlo?, en varias obras mías: *¿Águila o sol?* (1950), *Homenaje y profanaciones* (1960), *Blanco* (1965), etcétera.

sino la concepción misma del lenguaje y de la obra. Neruda tiene confianza en los significados: el purgatorio de las sensaciones y las pasiones quema y retuerce las palabras; así las pone a prueba y las salva. En dirección contraria, Borges muestra el revés del significado: si el sentido desaparece o cambia de orientación (tiempo es eternidad, sueño es vigilia, Borges no es Borges sino Borges), las palabras también vuelven a salvarse. Textos de la pasión y pasión de los textos: escritura inmutable. En uno y otro caso el lector aprueba o rechaza. *Rayuela* es una invitación a jugar el juego arriesgado de escribir una novela. Escribir, jugar y vivir se vuelven realidades intercambiables. *Rayuela* es un juego infantil y un camino espiritual que termina en una apuesta. Al término de la escalera nos espera un enigma cuyo significado depende de cómo hayamos jugado el juego: ¿suerte, destino, habilidad, gracia, compasión, iluminación, Tao? Cada uno dirá la palabra que merezca. El lector no sólo participa sino que interviene; es el autor de la respuesta final. La obra de Lezama Lima se despliega en otra dirección. Se ha dicho que sus poemas son informes. Creo lo contrario: son un océano de formas, un caldo criollo en el que nadan todas las criaturas terrestres y marinas del lenguaje español, todas las hablas, todos los estilos. Ese hervidero de formas seduce y aterra. Lezama Lima ensancha los límites de la obra y pone a la disposición del lector no un libro sino lo que sobrevive de los libros. En suma, los poetas de la generación anterior usaron y abusaron de una propiedad mágica del lenguaje: la ambigüedad. Me parece que ahora la palabra clave es *indeterminación*. Textos en movimiento.

En México la tradición de la obra abierta, no en el sentido estricto, sino en el más general y laxo, comienza con Tablada. Una parte de su obra me fascina: la escrita al final de su vida poética. No son muchos poemas pero casi todos son sorprendentes. Haikú y poesía ideográfica, humor y lirismo, el mundo natural y la ciudad, las mujeres y los viajes, los animales y las plantas, Buda y los insectos. Su poesía no ha perdido nada de su frescura, nada de su novedad. Tablada murió hace más de veinte años y aún no se ha publicado un volumen que recoja toda su poesía[1]. Desde el principio fue visto con desconfianza. Es increíble la incomprensión con que recibieron sus mejores poemas un

---

[1]. Se publicó años después, en 1971. Véase, en este volumen, «Alcance: *Poesías* de José Juan Tablada», pp. 163-165.

escritor admirable y un crítico eminente: Alfonso Reyes y Pedro Henríquez Ureña. Los dos pensaron siempre que el gran poeta de su tiempo se llamaba Enrique González Martínez, no Ramón López Velarde ni José Juan Tablada. En otras ocasiones me he ocupado de López Velarde y de Alfonso Reyes. El primero fue un gran poeta. Su relación con la poesía contemporánea es distinta a la de Tablada. Situado entre el modernismo y la «vanguardia», se explora a sí mismo y explora el lenguaje. Es un ejemplo más que un camino. Alfonso Reyes examina con prudencia las novedades; asimila unas cuantas y rechaza las otras. En algunos de sus poemas *(Golfo de México, Yerbas del tarahumara)* el prosaísmo es ascendente, quiero decir: no cae en la prosa, como ocurre con la mayoría de los que usan este procedimiento, sino que infunde en el lenguaje llano una secreta tensión poética. Hay un eco lejano de Whitman –vía Larbaud– y también resabios de poetas medievales. Con el Arcipreste de Hita tiene más de una semejanza: el gusto por lo popular, el enciclopedismo, la sorna, los bailes y, sobre todo, el erotismo. Una sensualidad siempre despierta y, sin embargo, nunca del todo dicha. Tal vez sin reticencia –sin máscara– no hay erotismo sino simple sexualidad. En *Ifigenia cruel* y en otros textos, publicados después de su muerte o poco conocidos, Reyes ve la otra mitad del sexo: sus uñas y garras, «las cubas rojas del sacrificio».

Julio Torri o la poesía crítica: sus poemas son crítica de la poesía y crítica de la crítica. Los últimos son poesía a la segunda potencia. Para definirlo lo mejor es citarlo: «los espíritus hablan a pesar del hipnotizador y del hipnotizado». Y también: «los sueños nos crean un pasado». Una escritura de sombra y destellos: «la melancolía es el color complementario de la ironía». ¿Por qué ha escrito tan poco? Quizá porque ha sentido como nadie «el gozo irresistible de perderse, de no ser conocido, de huir».

La aparición de Carlos Pellicer y Salvador Novo fue deslumbrante. El primer libro de Pellicer (1921) refleja su asombro ante la realidad del mundo. Ese asombro no cesa: en 1966 la realidad lo entusiasma todavía. A nosotros también nos entusiasma esa poesía que hace volar al mundo y convierte en nube a la roca, al bosque en lluvia, al charco en constelación. Palabra-papalote, palabra-hélice, palabra-piedra para apedrear el cielo. Nunca nos cansará esta realidad con alas. Cada vez que leo a Pellicer, *veo* de verdad. Leerlo limpia los ojos, afila los sentidos, da cuerpo a la realidad. Velocidad de la mirada en el aire diáfano: fijar ese momento en que la energía invisible fluye, madura y estalla en árbol, casa, perro, máquina, gente. Como los ríos de su tierra, la obra de Pellicer es larga y, como ellos, fiel a sí misma: su último libro podría ser el primero. En otro poeta esto podría ser un defecto. En él es una virtud, el mayor de sus dones. Conserva intacta la fuerza inicial: entusiasmo e imaginación creadora.

La obra de Salvador Novo es breve y la porción que me interesa fue escrita en diez años: *XX Poemas* se publicó en 1925 y *Frida Kahlo* en 1935. La brevedad no siempre es buena; tampoco lo es escribir poemas únicamente durante la juventud. ¿Qué tendríamos de Whitman si hubiera dejado de escribir a los treinta años? En cambio, la obra de juventud de Catulo es suficiente: no pedimos más. Lo mismo sucede con Salvador Novo. No es arbitrario pensar en Catulo al hablar de Novo: el erotismo eléctrico, la pasión, y el asco, la desesperación lúcida (el casi-cinismo, la casi-piedad), la navaja de la inteligencia (para herir y para herirse), la precocidad y la procacidad, el dandismo y el sentimentalismo, la facilidad y la felicidad de la escritura –una obra breve y una larga resonancia. En diez años Novo recorre y agota todas las direcciones de la poesía moderna. Incansable, después escribe artículos, piezas de teatro, ensayos, sonetos y de vez en cuando regresa de la retórica a la poesía. Pero el arco que va de *XX Poemas* a *Never ever* se despliega sobre un territorio magnético que no ha perdido ninguno de sus poderes de imantación. Cada aventura es una experiencia de rara intensidad y aún más rara autenticidad. Su obra es variada, no dispersa. La unidad está en la unión de dos intensidades: la de su sensibilidad y la del instante. No instantes de poesía: poesía instantánea.

El tercer poeta de este grupo es una figura nocturna: Gilberto Owen. El surrealismo, el mundo del sueño, despunta en su obra. Tal vez no cerró los ojos del todo, o los cerró por muy poco tiempo, pero en sus poemas en prosa el idioma español habla como un sonámbulo, sin tropezar jamás con las palabras. Owen publicó *Línea* en 1930 y ese año es una fecha en la historia del poema en prosa. Los de Julio Torri, aparecidos quince años antes, se insertan en la tradición de Baudelaire y los simbolistas; los de Owen están más cerca de Max Jacob y de Cocteau. Valdría la pena, alguna vez, examinar la evolución de esta forma entre nosotros. En mi generación cambia de rumbo otra vez, en dirección de Rimbaud y Lautréamont. No las palabras en libertad: la búsqueda de la palabra que funda nuestra libertad. Descenso no tanto al inconsciente del poeta como al subsuelo de México, tentativa por recuperar un fragmento de la palabra profética. Nueva metamorfosis entre los jóvenes (Aridjis especialmente): ahora el poema en prosa se expande en círculos cada vez más amplios y colinda con el relato. El experimento, a primera vista, parece peligroso: la brevedad mantiene la ambigüedad entre prosa y poema, impide que éste se disuelva en aquélla. Sin embargo, los textos de Lautréamont, Chirico, Breton, Péret, Aragon y Leiris también son extensos y a veces son verdaderas narraciones. Por otra parte, en un sentido estricto, no hay prosa: todo es poesía en el lenguaje. Su fundamento físico –la relación de oposición entre los fonemas– no es distinto al principio que rige al poema, desde el paralelismo y la rima hasta las leyes del ritmo[1].

El cuarto poeta es Xavier Villaurrutia. A pesar de la influencia de los poetas franceses, de Chirico y de los surrealistas, Villaurrutia tampoco cerró los ojos, y sus poemas, aun los del período automático, son siempre reflexivos. No me parece una limitación: amo el lenguaje sonámbulo pero desconfío de los poetas sonámbulos. Poeta escaso, casi todo lo que escribió es (será) perdurable. Aunque no es rápido como Pellicer y Novo, no es menos pintor que el primero ni menos intenso que el segundo. Pellicer trabaja con la luz y los colores, está cerca de Tamayo; Villaurrutia con los volúmenes y las apariciones: el cubismo por un lado y, por el otro, la pintura surrealista. La intensidad de su poesía no es la del instante: es una lenta cristalización de horas y días angustiosos. Sus poemas son máquinas transparentes por las que circulan los elementos terribles: la sangre, las obsesiones, el miedo, la lujuria –la vida. El mundo de Villaurrutia, quizá por estar iluminado por el sol abstracto de una idea (la idea de la muerte), posee una vitalidad y una sensualidad verdaderamente feroces. El principio de la muerte –y su máscara: la moral– hizo más violenta y secreta la explosión de la palabra sombría: placer. Esa palabra resuena en las galerías de Villaurrutia con un esplendor rojizo.

El núcleo de la «vanguardia» está formado por los cuatro poetas arriba citados. La palabra «vanguardia» quizá no les convenga y ellos no la usaron casi nunca para calificar su tendencia. A su izquierda, está Manuel Maples Arce, éste sí un auténtico «vanguardista», por voca-

---

[1]. Roman Jakobson, *Essais de linguistique générale*, París, 1963.

ción y decisión. Fue el fundador del «estridentismo». El nombre fue poco afortunado y el movimiento duró poco. Pero Maples Arce nos ha dejado algunos poemas que me impresionan por la velocidad del lenguaje, la pasión y el valiente descaro de las imágenes. Imposible desdeñarlo, como fue la moda hasta hace poco. En la *Antología* de Jorge Cuesta se le reprocha su romanticismo. La crítica revela cierta miopía: Apollinaire y Mayakovski fueron románticos y el surrealismo se declaró continuador del romanticismo. A la derecha, cerca de Villaurrutia, se encuentra Bernardo Ortiz de Montellano. Aún más a la derecha, Jaime Torres Bodet. El primero se interesó en la poesía prehispánica y en este sentido es un antecedente de algunas tentativas posteriores. También penetró en el mundo del sueño, el natural y el artificial (la anestesia). Regresó de esas exploraciones con dos poemas memorables: *Primero sueño* y *Segundo sueño*. Después, con rabia y nostalgia por esas fragmentarias revelaciones, escribió el ardiente *Himno a Hipnos*. La mayor parte de los poetas de esta generación sufrieron, al comenzar, la influencia de González Martínez. Como el resto de sus compañeros, Jaime Torres Bodet la abandonó pronto pero, a diferencia de ellos, retuvo la sensibilidad mesurada que la animaba, meditabunda a ratos y en otros moralizante. Sin embargo, durante algunos años coincide con las tendencias que, a falta de palabra mejor, llamamos renovadoras. Animado por el ejemplo de Tablada y Pellicer, publica *Biombo* (1925); más tarde, aprovecha con inteligencia las lecciones de la poesía francesa, española e hispanoamericana de esa época y escribe *Destierro* (1930). Para Enrique Anderson Imbert es su período más feliz: «Sus mejores momentos fueron aquellos en que se despeinaba la imaginación, sólo que lo hacía con la misma elegancia que otros ponen en peinársela»[1]. Después regresó a las formas tradicionales y escribió dos libros que contienen sus poemas más personales y logrados: *Cripta* (1937) y *Sonetos* (1940). En su tercera época hay un cambio brusco: sus temas son ahora la sociedad y la historia, un humanismo a la UNESCO.

Completan el cuadro un solitario y dos francotiradores. El solitario es Elías Nandino, amigo y discípulo de Xavier Villaurrutia. Los francotiradores son dos excéntricos: Rodolfo Usigli y Renato Leduc. Más

---

[1]. Enrique Anderson Imbert, *Historia de la literatura hispanoamericana*, México, Fondo de Cultura Económica, 1961.

conocido y aplaudido como autor dramático (con él comienza nuestro teatro) y por algunos ensayos feroces, arbitrarios y brillantes (todos estos adjetivos son elogios), Usigli introduce en la poesía mexicana un personaje desconocido: un señor vestido con elegancia un poco raída, muy inteligente, muy tímido y muy impertinente, a ratos sentimental y otras veces cínico. Un señor que se peina con desesperación, un señor absurdo, un poeta. Es Prufrock perdido en la ciudad de México. Renato Leduc o, más bien, el personaje que aparece en sus poemas, no es tímido como el de Usigli pero sí es sentimental, erótico y sarcástico. El personaje de Usigli se pasea por los salones de la burguesía: el de Leduc por los arrabales. Los dos son anarquistas a su manera y en ambos el realismo es nostalgia: uno, cosmopolita, quiere volver a una infancia perdida; el otro es norteño y recuerda las correrías de Pancho Villa. Dos descendientes de Laforgue condenados a vivir entre nosotros.

En todos estos poetas hay una continua oscilación entre las formas abiertas y las cerradas. Las décimas de Villaurrutia y los sonetos de Pellicer entablan, dentro de su obra, un diálogo con sus otros poemas. ¿Lo entablan con nosotros? Fue una generación dividida por la disyuntiva entre tradición y ruptura, obra cerrada y abierta. José Gorostiza la resuelve en favor de la primera. Fue un acto paradójico. No es menos paradójico que una de las obras centrales de la poesía moderna en nuestra lengua sea un discurso poético en verso blanco pero no libre. Nada más lejos de Huidobro, Vallejo y Neruda. No repetiré aquí lo que ya he dicho sobre el poema de Gorostiza. Me limitaré a subrayar su significación dentro de la tradición moderna. *Muerte sin fin* es el monumento que la forma se erige a sí misma. Ese monumento es una tumba: la forma, al consumarse, se consume, se extingue. Es una transparencia: no queda nada por ver ni por decir. Homenaje de la palabra al silencio, de la presencia a la ausencia, de la forma al vacío. La perfección de *Muerte sin fin* es una reducción al absurdo de la noción misma de perfección. Un poema como éste sólo se puede escribir al término de una tradición –y *para terminarla*. Es la destrucción de la forma por la forma. Todas las hermosas palabras heredadas de los clásicos, los barrocos y los simbolistas se desangran y la *descarnada lección de poesía* de Gorostiza termina con un admirable escupitajo: «anda, putilla del rubor helado, anda, vámonos al diablo». La poesía se fue efectivamente al diablo: se volvió callejera. Desde entonces hablará con otro lenguaje.

El primero en sacar partido de la nueva situación fue Efraín Huerta. Muy joven aún publicó una serie de poemas en los que, cegados por la literatura, sus amigos no vimos sino unas imágenes sorprendentes mezcladas a otras que prolongaban el surrealismo hispanoamericano y español. Ciegos y también sordos pues no oímos la voz que hablaba por boca de Huerta –la *otra* voz, blasfema, anónima, la voz maravillosa de la transeúnte desconocida, la voz de la calle. Después, Huerta escribió desafortunados poemas «políticos». Ahora, en una milagrosa vuelta a su juventud, ha publicado varios poemas que continúan, ahondan y ensanchan sus primeros poemas[1]. En el otro extremo, Alí Chumacero. Concentrada, reconcentrada, encerrada en un lenguaje de escamas y suntuosas opacidades, rotas aquí y allá por centelleos, la poesía de Chumacero es una liturgia de los misterios cotidianos: el velorio, el salón de baile, la alcoba de los amantes, el cuarto del solitario. Sitios públicos, sitios secretos, lugares de la infamia o de la consagración. «Oficios de luces y tinieblas», dice Carlos Monsiváis. Yo agregaría otros dos elementos: erotismo y profanación.

Advierto la misma oposición, poema-explosión y poema sellado, en otros dos poetas: Rubén Bonifaz Nuño y Jaime Sabines. La evolución del primero ha sido lenta y en espiral, de las formas neoclásicas al lenguaje coloquial y de éste al barroquismo alucinante de su último libro, *Siete de espadas*. Barroco en movimiento: su signo es una carta de la baraja que es asimismo una cifra mágica de fecundidad entre los aztecas y un símbolo cristiano y romántico. Signos, palabras que se dispersan y se reúnen como los huesos, los cuerpos, las semillas, los dados. Jaime Sabines se instaló desde el principio, con naturalidad, en el caos. No por amor al desorden sino por fidelidad a su visión de la realidad. Es un poeta expresionista y sus poemas me hacen pensar en Gottfried Benn: en sus saltos y caídas, en sus violentas y apasionadas relaciones con el lenguaje (verdugo enamorado de su víctima, golpea a las palabras y ellas le desgarran el pecho), en su realismo de hospital y burdel, en su fantasía genésica, en sus momentos pedestres, en sus

---

1. Los poetas de este grupo (*Taller*) intentaron reunir en una sola corriente poesía, erotismo y rebelión. Dijeron: *la poesía entra en acción*. Su tentativa fue distinta a la de los «estridentistas», que unos años antes se habían servido de la Revolución como otro elemento (sonoro) más, en su estética de timbre eléctrico y martillazo. El grupo también se opuso a los secuaces del «realismo socialista», que en esos días comenzaban su tarea de domesticación del espíritu creador.

momentos de iluminación. Su humor es una lluvia de bofetadas, su risa termina en un aullido, su cólera es amorosa y su ternura, colérica. Pasa del jardín de la infancia a la sala de cirugía. Para Sabines todos los días son el primer y el último día del mundo.

Entre Bonifaz Nuño y Sabines hay una relación de oposición: el barroquismo y el expresionismo son gemelos enemigos. Jaime García Terrés no es ni lo uno ni lo otro. Sus primeros poemas fueron notables por el rigor inteligente con que el poeta extirpaba la vegetación parásita del yo. (Una poda que deberíamos encomendar a muchos poetas de aquí y de allá.) El rigor se resolvió al fin en poemas de violencia ensimismada. Un estallido sordo, hacia adentro. Pero no es un poeta íntimo. Su mundo, como lo dice el título del último de sus libros, es el de *Los reinos combatientes*: un período de la historia de China que es también nuestro siglo. Tampoco poesía colectivista: el hombre entre los hombres. Los libros de García Terrés prueban, una vez más, que la inteligencia no está reñida con la pasión y que la ignorancia no es un certificado poético.

El poeta más joven de este grupo se llama Tomás Segovia. Nació dos veces: una en España, donde lo parieron; otra en México, donde escribió sus primeros poemas. Estoy seguro de que lo espera un tercer nacimiento. Decir que su inteligencia es luminosa sería decir poco y sería inexacto. En realidad no sé si es inteligente: su escritura me parece a un tiempo clara y vertiginosa. Si la realidad es así y no como la vemos, su transparencia es aterradora. Tal vez estas dos palabras –terror y transparencia– definan la actitud de Segovia, su búsqueda. Porque Segovia, que ha encontrado ciertas evidencias –unos cuantos de sus poemas son el testimonio de un verdadero *encuentro*– aún no se encuentra, aún busca. Seguirá buscando. Busca una claridad y presiente que esa claridad es idéntica al vacío e idéntica a la realidad. Por eso la transparencia es aterradora. Segovia: una inteligencia espiritual, a condición de saber que el espíritu no niega al mundo ni al demonio ni a la carne. Tampoco a la vida histórica ni a la vida cotidiana: es la vida que reflexiona sobre sí misma. Una inteligencia erótica, ávida de realidad.

Margarita Michelena y Rosario Castellanos: aunque no escriben lo que se llama «poesía femenina», sus poemas no habrían podido ser escritos sino por dos mujeres enteras y que asumen su condición. Los poemas de Margarita Michelena son torres esbeltas, construcciones intelectuales de una sensibilidad inteligente. Introspección, dialéctica interior, sutileza, volutas, juegos de la inteligencia y la sensibilidad; con esos elementos la poetisa crea perfectos objetos verbales de admirable transparencia, poemas que son cristalizaciones del tiempo vivido. Rosario Castellanos es un temperamento menos complejo y agudo; su mirada es amplia y conmovedora su derechura espiritual. Su lenguaje es llano y, cuando no cede a la elocuencia, grave, sentencioso. Como Torres Bodet y algunos otros de la generación anterior, Margarita Michelena y Rosario Castellanos pertenecen a la tradición de la ruptura sólo en momentos aislados. Lo mismo sucede con Manuel Durán. Prefiero su primer libro a los que ha publicado después. En *La ciudad asediada* había descubrimientos y «observaciones», en el sentido de Eliot; en los últimos, comentarios. Antes veía, ahora juzga. Pero en sus mejores poemas aún perdura la limpidez de la visión. Además, la obra de Durán ofrece otro interés, éste sí dentro de la corriente que deseamos subrayar: la poesía de la ciudad moderna, la vida anónima y la vida íntima. Juan José Arreola es admirado, con razón, por sus «confabulaciones». Lo hemos incluido porque pensamos que ha escrito verdaderos poemas en prosa. Fantasía, humor y el elemento poético por excelencia, el elemento explosivo: lo inesperado. Sin embargo, ni por el espíritu ni por el lenguaje esos textos revelan afinidades con las tendencias más recientes del poema en prosa (desde Owen hasta los más jóvenes). Más bien son un regreso a Torri, aunque sean más tensos y violentos. La corriente que transmiten esas transparentes paradojas es de alto voltaje.

Con Manuel Calvillo y Jorge Hernández Campos regresamos a la tradición de la ruptura. Si olvido sus ensayos juveniles, Manuel Calvillo ha escrito hasta ahora sólo un poema: *El libro del emigrante*. Es un poema extenso y que aún no ha sido publicado completo. Historia de una apuesta, no aquí ni ahora sino en una vertiginosa sucesión de lugares y tiempos. Historia con muchos cuerpos y un solo personaje deshabitado. Los nombres y el nombre. Poema de la dispersión y la unidad, búsqueda de la identidad. Lenguaje en movimiento. Jorge Hernández Campos es autor de un delgado libro (*A quien corresponda*, 1961) que contiene varios poemas nada desdeñables y uno notable: *El Presidente*. Algunos de los *Poemas proletarios* de Novo habían sido una denuncia de la Revolución hecha gobierno y de los poetas y pintores del llamado «realismo social». El de Hernández

Campos, no menos feroz, es más concentrado y, al mismo tiempo, más amplio. No es sátira: participa de la imprecación y de la épica, de la energía y de la historia. Nada de prédicas ni de moral. La realidad sufrida y asumida, no vista desde el balcón sin riesgo de los buenos sentimientos. En su centro, un mito poderoso, sombrío y sórdido. Este poema es, otra vez, ruptura y comienzo.

JUEGO

Se habla mucho, y es justo, de los nuevos novelistas mexicanos. Hay que hablar también de los poetas jóvenes. Procuraré hacerlo –sin miedo pero con la certeza de que mis juicios son provisionales. (¿Hay juicios definitivos?) En lo que sigue me guía el entusiasmo. El conjunto es rico, polémico y en perpetuo movimiento. Para acercarme a ese torbellino se me ocurrió una estratagema: oponer al movimiento el movimiento. La civilización china nos ha dejado un libro de oráculos, *I Ching* o *Libro de las mutaciones*, que pretende condensar en ocho signos (trigramas) los cambios del cosmos, la sociedad y los hombres. Al combinarse, los ocho signos producen otros sesenta y cuatro (hexagramas) que comprenden todas las posibles situaciones humanas y sus contradictorias direcciones. La pretensión puede parecer excesiva y, en realidad, lo es. También son excesivas las de los sistemas de Occidente que definen nuestros actos con un número aún más reducido de signos, casi siempre estáticos: bien y mal, burgués y proletario, creyente e idólatra, hombre y mujer, blanco y negro, etc. Lo peor es que nuestros sistemas califican nuestra conducta y nos condenan y nos premian... Me decidí a usar el *I Ching* –como guía, no como oráculo– por varias razones. En primer término, porque une a la idea de cambio la complementaria de facilidad. (*I* significa «mutación» y «fácil».) Aplicar los signos del movimiento a una situación en movimiento es más fácil que tratar de entenderla con categorías y conceptos inmóviles. Además, es un método que ha hecho sus pruebas conmigo; si me ha servido para escribir poemas (y no soy el único, el músico John Cage también usa el *I Ching*), ¿por qué no emplearlo como un sistema de coordenadas? No le atribuyo valor supernatural ni rigor científico. No es una revelación y sus reglas no son menos arbitrarias e hipotéticas que las de la crítica moderna, sea marxista o estructuralista, estilística o fenomenológica. En realidad, para mí no es método: es un juego. Como todos los juegos, obedece a leyes precisas. Como casi ningún otro juego, estimula la percepción y la imaginación.

Lo primero fue considerar la doble característica de la situación: por una parte, la poesía joven es un principio, con ella comienza algo en México; por la otra, ese principio es una continuación (tradición de la ruptura) de algo que iniciaron Tablada, Pellicer, Novo y algunos otros. Consulté el libro en busca de una situación análoga. Encontré un momento arquetípico: ese instante que señala el fin y el recomienzo. Se llama, literalmente, *Antes de los cambios del mundo*, y, más comúnmente, *Primer cielo* u *Orden primordial*. Los signos se distribuyen en los ocho puntos cardinales, en actitud de reposo (ficticio), antes de comenzar su rotación. Pensé que era un espejo que reflejaba parcialmente la situación. Páginas más adelante encontré otro modelo: *Segundo cielo* u *Orden del mundo* (o sea: dentro de la historia). Aquí la disposición de los signos no corresponde nada más al orden de la naturaleza sino que tiene en cuenta a la sociedad y sus cambios. Es el modelo de un principio que no es absoluto, puesto que tiene un pasado. El *Segundo cielo* me ofreció una imagen fiel de la situación. En seguida escogí cuatro nombres, entre los de mayor edad y los más jóvenes, que fuesen asimismo representativos: Marco Antonio Montes de Oca y Gabriel Zaid, José Emilio Pacheco y Homero Aridjis. Este cuadrilátero traza las fronteras y delimita el campo visual. Más allá de Montes de Oca, el territorio ya explorado; más allá de Aridjis, lo venidero y sus figuras nebulosas. Las relaciones entre estos cuatro poetas forman una suerte de tejido que, en sus dibujos, revela el contenido del cuadro. Esas relaciones son dinámicas, quiero decir: contradictorias y complementarias. La forma más simple de la contradicción es dual: esto no es aquello. Dos parejas contradictorias: Montes de Oca y Pacheco, Zaid y Aridjis. Después de esto, podía empezar la ronda, el juego.

El iniciador de la nueva poesía es Montes de Oca. Le corresponde el signo que señala a lo que aparece, surge, se levanta, suscita: el Trueno. Su contrario –dentro de esta conjetura– es aquello que contempla, recibe, reflexiona: el Lago. Pacheco se ha distinguido por todos esos atributos y, además, posee un temperamento crítico. La otra pareja: al movimiento vertical y en ascenso del Trueno, se opone un movimiento también vertical, pero hacia abajo y hacia dentro: el Agua abismal,

Zaid. El contrario del Agua es el Fuego, siempre lanzado hacia afuera, ávido de tocar la realidad y siempre llenas de humo las manos rojas: Aridjis. El tejido de las oposiciones es múltiple: al movimiento vertical, ascendente en Montes de Oca y descendente en Zaid, se opone la horizontalidad del Lago (Pacheco) y del Fuego (Aridjis). Nueva oposición: el Fuego se extiende; el Lago se concentra. Quizá la mayor virtud de Montes de Oca sea la del vuelo; su poesía son imágenes de aire, cielo, alas. La de Zaid es la mirada interior, el descenso hacia las profundidades; su lenguaje es claro pero sus visiones son inquietantes como las confusas formas submarinas. Aridjis ha proclamado la supremacía del amor, y la mujer es su horizonte y su espejismo. Su poesía son las huellas rojas y negras que deja el fuego en su carrera. Pacheco no sube como Montes de Oca ni perfora como Zaid ni se extiende como Aridjis: se contiene en una claridad quieta.

Montes de Oca y Aridjis encarnan la audacia y el movimiento y son, hasta ahora, los que han escrito los poemas más originales de la nueva generación; Zaid y Pacheco representan la crítica y la lucidez, cada uno a su manera: el primero ahonda, el segundo contiene. Los dos oponen al movimiento una resistencia saludable. El Trueno es el primer hijo del principio creador, el Cielo, y Montes de Oca puede considerarse el primogénito: recibe la herencia y la impulsa, la pone en movimiento. Pacheco también la recoge pero reflexiona sobre ella. Zaid la somete a prueba y, si es necesario, la niega. Aridjis la usa y la consume. El peligro del Trueno es la dispersión; el del Agua, caer en los abismos sin luz; el del Fuego, destruir aquello que ama; el del Lago, el estancamiento. El movimiento está amenazado y estimulado por cuatro signos contradictorios: Montes de Oca debería conocer un límite y Pacheco romper los suyos; Zaid debería nadar hacia arriba y Aridjis recogerse, concentrarse. La unión de Trueno y Lago produce un nuevo signo. Es un signo de nupcias (*La desposada*) y su imagen es el Trueno sobre el lago. La superficie líquida se mueve y el Trueno encuentra su centro. La conjunción de Agua y Fuego produce el signo *Después del cumplimiento*, es decir: después de haber concluido aquello que nos proponíamos. El primer hexagrama anuncia una unión; el segundo nos da un aviso ambiguo sobre sus resultados: el agua, calentada por el fuego, engendra vapor y energía pero si hierve demasiado se disipa o se desparrama, extingue al fuego.

En 1960 apareció un libro, *La espiga amotinada*, que era la presentación colectiva de cinco jóvenes: Juan Bañuelos, Óscar Oliva, Jaime Augusto Shelley, Eraclio Zepeda y Jaime Labastida. El prólogo lo firmaba el poeta catalán Agustí Bartra, guía y amigo de estos muchachos. El título del libro era romántico y un poco retórico. Los poemas también lo eran. La actitud del grupo pareció exagerada. Paso por alto la retórica y me quedo con el romanticismo y la exageración. A este libro siguió otro: *Ocupación de la palabra* (1965). Sin someterse a los necios preceptos del «realismo socialista», los cinco han declarado que para ellos el ejercicio de la poesía es inseparable del cambio de la sociedad. Esta pretensión, en la segunda mitad del siglo XX, puede hacer sonreír. Por mi parte creo que, inclusive si se estrellan contra el famoso muro de la historia, pensar y obrar así es un punto de honra para cualquier poeta y más si es joven. Al proclamar su voluntad de unir el acto y la palabra, el grupo volvió a la actitud de *Taller*, sólo que con mayor lucidez y osadía poética. Este regreso fue, además y sobre todo, un retorno al verdadero origen del movimiento poético moderno. Doble tradición: una va del surrealismo, por la vía de Rimbaud, a los románticos alemanes y Blake; la otra va de Marx, por el puente de Fourier, a Rousseau y su complemento contradictorio: Sade. Es la tradición del comienzo, el *principio* del principio que ha inspirado a la poesía moderna desde el fin del siglo XVIII: la ambición de construir una «sociedad poética» (comunista y libertaria) y una «poesía práctica» (como los ritos, los juegos y las fiestas). Así pues, el modelo que refleja la situación de este grupo, dentro de la joven poesía mexicana, es el *Primer cielo* u *Orden primordial*. Como el grupo está compuesto por cinco poetas, la simetría parece romperse. No es así. Al leerlos advertí que en Jaime Augusto Shelley –sin que esto implique el menor juicio sobre sus lealtades políticas y amistosas– el gusto por la experimentación es mayor que la voluntad de testimonio. No repruebo esa inclinación (la aplaudo) pero creo que esto separa un poco a Jaime Augusto de sus compañeros.

El signo que corresponde a Bañuelos es el Trueno, sólo que ahora en relación de antagonismo complementario con el Viento: Oliva. Otra diferencia: aquí el Trueno no nace arriba: brota de la tierra. Es una protesta de abajo. El Viento la recoge y la extiende. La unión de estos dos signos produce el de *Aumento*. Este último encierra la idea de crecimiento, progenie, propagación (palabra que se codea con propaganda). Trueno y viento: la imagen de la violencia con que irrumpió el grupo y, asimismo, advertencia contra las facilidades del proselitismo y la elocuencia. Como la de Montes de Oca, la poesía de Bañuelos es poderosa pero su peligro no es la dispersión sino el ruido: la retórica de la fuerza. La poesía de Oliva me recuerda a veces la de Éluard, no por el erotismo sino por la limpidez: edificios verbales hechos de aire. Si Bañuelos tiende al énfasis, Oliva en ocasiones se evapora. Trueno y Viento se complementan y se oponen: el primero es movimiento que se difunde; el segundo es movimiento que penetra. Uno es un círculo en expansión; el otro, una flecha que se aguza.

La otra pareja es Montaña y Lago. La primera y única vez que vi a Eraclio Zepeda me pareció, en efecto, una montaña. Si se reía, la casa temblaba; si se quedaba quieto, veía nubes sobre su cabeza. Es la quietud, no la inmovilidad. Un signo fuerte: la tierra áspera que esconde tesoros y dragones. El lugar donde viven los muertos y los vivos guerrean. Uno de los mejores poemas de Zepeda es *Asela*: el hombre que mira a la mujer tendida, el monte frente al mar extendido. Labastida es el lago, el depósito de agua: en su fondo se encuentran muchas cosas –quizá las que perdimos en la infancia. El Trueno proclama, el Viento propaga, la Montaña defiende: el Lago recoge a los elementos. Aunque la poesía de Labastida no es reflexiva como la de Pacheco, sí tiende a verterse en formas estables. Montaña y Lago se unen en un signo contrario al de Bañuelos y Oliva: *Disminución*. El lago mina a la Montaña y ésta inmoviliza al Lago. Los riesgos: desmoronarse y estancarse. El remedio: que el agua corra, que el monte se levante. Doble movimiento: el agua, horizontal; el cerro, hacia arriba. *Disminución* no es un signo malo (no hay signos malos ni buenos): es lo contrario de *Aumento*. La influencia de *Disminución* corregiría los inútiles excesos de *Aumento* y éste fortalecería a aquél. El movimiento está representado por Bañuelos y Oliva; el elemento estático por Zepeda y Labastida. Bañuelos tiende a las formas fijas (extraña nostalgia del ocelote por la jaula); Oliva, el más inventivo y amante de la experimentación entre los cuatro, aún no encuentra una forma; la tentación de Zepeda es la fuerza inmóvil, la pesadez; Labastida puede secarse. Los cuatro, al lado de muchos gritos y puñetazos, han dado a nuestra poesía joven algo que le faltaba: la rabia.

El tercer cuadrilátero está compuesto por dos parejas: Isabel Fraire y José Carlos Becerra, Sergio Mondragón y Jaime Augusto. Volvemos al *Segundo cielo*: ninguno de ellos es un comienzo aunque quizá alguno entre los cuatro cumpla la promesa que nos hacen tantos jóvenes. La primera dualidad es la del antagonismo entre Viento y Fuego; la segunda es la oposición de Agua y Montaña. Isabel Fraire es Viento. No el que perfora la roca sino el que disemina las semillas, no el ventarrón que multiplica el Trueno sino el aire que aviva la llama. Su poesía es un continuo volar de imágenes que se disipan, reaparecen y vuelven a desaparecer. No imágenes en el aire: imágenes de aire. Su claridad es la diafanidad de la atmósfera en la altura, no la ensimismada del Lago. Hasta hace unos días no sabía nada de Becerra. Acabo de leer unos cuantos poemas suyos y su fuego templado me hizo pensar en un poeta joven y ya maduro. No sé si esto sea bueno o malo pero su seguridad es pasmosa. No es el Fuego en libertad: es la brasa. La mirada ardiente del fuego, el lingote al rojo blanco. Admirable e inquietante. Una condensación que linda ya con la ceniza. El Fuego, en Aridjis, se propaga; en Becerra, se concentra. El primero puede autodevorarse; el segundo, enfriarse. La unión de Viento y Fuego es un signo que realiza el ideal de la civilización china: *La familia* o, más exactamente, *El clan*. Es la expresión más perfecta de la naturaleza porque en ella coexisten orden y movimiento. El movimiento es el Viento; en su centro, el árbol de llamas. Los peligros: si la llama no avanza, se extingue y la atmósfera se enfría; si el aire sopla con exceso, mata a la flama.

El segundo hijo del Cielo es el Agua. En Sergio Mondragón el impulso inicial de Montes de Oca se alía a una tentativa de exploración interior. Montes de Oca cree en el poder de las palabras; Mondragón busca la palabra del poder (mágico o espiritual, no sé). Como a Zaid, le atrae la aventura del espíritu: el otro lado de la realidad, la «otra orilla». La aventura de Zaid es de orden intelectual; busca la contemplación y espera la aparición, en el sentido griego de la palabra: el desvelarse de la realidad, del ser. Mondragón busca la transformación, cree en las substancias donadoras de visiones y su mística poética es corporal. En Zaid el Agua es la visión mediterránea; en Mondragón, la disolución oriental. Entre todos los elementos, el Agua es el fascinante por excelencia y las mitologías no cesan de prevenirnos contra sus seducciones. Claridad de Zaid, remolinos de Mondragón: en el Agua está lo que buscan y, acaso, lo que puede perderlos. La Montaña de Jaime Augusto no tiene la quietud pétrea de Zepeda: es un monte batido por el viento y la nieve. El monte es el tercer hijo y en este poeta, aunque en dirección opuesta a Mondragón, también es visible la voluntad de experimentación y novedad que empieza con Montes de Oca. Es el hijo más joven y las montañas más altas y escarpadas son las montañas jóvenes. Según el *Libro de las mutaciones* este signo también quiere decir piedrecitas, puertas que se abren y cierran, semillas, frutas. La Montaña es obscura, misteriosa. Los poemas de Jaime Augusto son más complejos que los de sus compañeros de grupo. No es una dificultad conceptual sino física: leerlo es abrirse paso entre piedras, yerbas, espinas. Vale la pena: las vistas son vertiginosas. Otros elementos de la poesía de Jaime Augusto: el jazz, las máquinas, las ciudades. La vida moderna y el campo; en su poesía hay un ir y venir entre ambas: puertas que se abren y cierran, frutos y teléfonos, letreros y semillas –semillas de futuros poemas. La unión de Agua y Montaña es un signo que define muy bien a estos dos poetas: *Locura juvenil*. Es un manantial al pie de un cerro. El sentido es claro: significa la osadía de la juventud, la primavera de la creación. Desde otro punto de vista, el signo nos previene de varios infortunios: la quietud de la Montaña frente al abismo del Agua es la imagen del adolescente indeciso: las vacilaciones de Narciso, la atracción por el vacío. Los remolinos de Agua señalan la posibilidad de enredarse en varias direcciones a la vez. La variedad de los dones de Jaime Augusto; la fascinación de Mondragón ante lo informe.

Francisco Cervantes y Thelma Nava son los otros dos jóvenes que aparecen en nuestro libro. Aquí se rompe el equilibrio: los conozco apenas. Decir que debemos a Cervantes una buena traducción de la *Oda marítima* de Pessoa sería eludir el tema. Escribir generalidades sobre Thelma Nava sería peor que una mentira: una escapatoria. La segunda razón: el hecho de no poder dar una opinión sobre su poesía, lejos de ser un juicio, confirma simplemente el carácter abierto de este libro. Para continuar el juego interminable de los signos en movimiento es necesaria la aparición de otros dos poetas. Ellos reclamarán otros y así sucesivamente. Cervantes y Thelma Nava –en su obra personal y en su relación con el conjunto de la poesía juvenil– representan lo venidero.

Si de las personas pasamos a la consideración de la situación general, advierto que se condensa en seis signos: dos en movimiento horizontal, dos hacia arriba y dos hacia dentro. El movimiento horizontal es pasión erótica; hacia arriba, es entusiasmo lírico y rebeldía, protesta;

hacia adentro, exploración interior y seducción por el abismo. Con toda intención no he mencionado otros dos signos, los centrales: el principio creador (Cielo) y el germinador (Tierra). La intervención imprevisible de estos dos elementos cambiará pronto mis frágiles construcciones. Mientras tanto, ¿qué decir de esta pluralidad de vías y direcciones? A cada poeta se le presentan, en general, tres caminos: explotar una sola veta, con el riesgo de repetirse o callarse; cambiar a la manera de Picasso y otros artistas, con el peligro de disiparse si no se es fuerte; buscar una síntesis a la Pound, que puede convertirse en galimatías o en generalizaciones si se abarca demasiado. Entre la repetición, la agitación sin sentido y la falsa universalidad, lo más digno es el silencio. Pero hay que merecerlo. Para callar es necesario haberse arriesgado a decir. El silencio se apoya en la palabra y por ella se vuelve significación −una significación que las palabras no pueden ya decir. El poeta no tiene más remedio que escribir −con los ojos fijos en el silencio.

Al comenzar estas páginas me prometí hablar de todos y cada uno de los poetas que figuran en *Poesía en movimiento*, no con objetividad sino conforme a mis ideas, preferencias, prejuicios y caprichos. Mis opiniones no pertenecen a la crítica literaria. Al terminar este trabajo siento la tentación de preguntarme: ¿Cuál es el sitio de la poesía mexicana dentro de la escrita en nuestra lengua durante los últimos cincuenta años? Pienso que toca a los hispanoamericanos y españoles responder. Yo sólo podría decir que, entre las ocho o diez obras que de verdad cuentan, algunas son mexicanas. ¿Y el carácter y la significación de nuestra poesía? Sobre lo primero: no creo que la poesía mexicana tenga carácter: creo en el carácter de algunos admirables poetas de México. Sobre lo segundo: la significación de la poesía, si alguna tiene, no está ni en los juicios del crítico ni en las opiniones del poeta. La significación es cambiante y momentánea: brota del encuentro entre el poema y el lector.

Delhi, 17 de septiembre de 1966

Prólogo a *Poesía en movimiento, México, 1915-1966*, México, Siglo XXI, 1966.

Post-scriptum

Estas páginas fueron el prólogo del libro *Poesía en movimiento* (selección y notas de Alí Chumacero, José Emilio Pacheco, Homero Aridjis y Octavio Paz), aparecido en 1966. Las publico no sin vencer ciertos escrúpulos. Aparte de sus lagunas e insuficiencias, fueron escritas hace veinte años y el paisaje poético de México ha cambiado mucho. La porción más vulnerable y perecedera de mi ensayo es la sección «Juego». Ahora, al releerla, siento rubor, irritación y mareo. Fue una apuesta. Perdí en muchos casos; en otro, la muerte anuló la rotación de los signos: Becerra. Me consuela saber que ese infortunado muchacho nos dejó una obra. Por último, no será excesiva presunción decir que unas cuantas de mis modestas previsiones se han cumplido. Por ejemplo, aunque pocos se han dado cuenta, con la publicación de sus últimos libros de poemas y de *Poética y profética*, hemos asistido al «tercer nacimiento» de Tomás Segovia.

Un nombre –una obra– que ha cambiado nuestro paisaje poético: Eduardo Lizalde. Unos años antes de la publicación de *Poesía en movimiento* era conocido por un libro inteligente y, al mismo tiempo, sensible: *Cada cosa es Babel* (1960). Diez años después, en 1970, publicó *El tigre en la casa*. Fue el año de su *aparición*, en el sentido fuerte de la palabra: la aparición de un poeta verdadero tiene algo de milagroso. Desde entonces Lizalde ha publicado varios libros de poemas; cada uno de ellos, cada vez con mayor precisión y limpieza no exenta de piadosa ironía, es una operación sobre el cuerpo de la realidad. Mirada-cuchillo de cirujano, mirada de moralista, mirada de enamorado. Podría agregar más casos, como el de Francisco Cervantes. Otro cambio no menos notable: la presencia de una nueva generación de poetas. No se ha manifestado como una irrupción, sino como una lenta marea. Es una generación dividida en dos promociones: los mayores se acercan a los cuarenta años y los menores no llegan a los treinta. Juzgarlos sería temerario; no lo es decir que entre ellos se encuentran algunos de los mejores poetas jóvenes de nuestra lengua. Nos ha tocado a los mexicanos, durante estos últimos años, vivir tiempos duros e inciertos; entre los pocos signos que me devuelven la confianza en nuestra continuidad espiritual, encuentro dos: la poesía y la música de los jóvenes. Es un fenómeno del que, como siempre ocurre, muy pocos hablan. Es mejor: en el silencio germinan las obras que duran.

México, 10 de junio de 1986

PROTAGONISTAS Y AGONISTAS: POETAS

Una obra sin joroba: Juan Ruiz de Alarcón

No creemos en los aniversarios sino en la medida en que dejan de serlo y de simple recuerdo escolar se convierten en tradición; tradición, es decir, cosa viva, combatida y combatiente: polémica. En la medida en que son una respuesta a nuestra íntima polémica. Tal es el caso de Alarcón. Y sólo en este sentido podemos –si en verdad nos impulsa algo más hondo que una fecha inerte– acudir a la cita que, en nombre del creador y de la comedia moderna, nos hacen estudiosos y profesores a los jóvenes de México.

Alarcón es un *caso*. De allí, de su problematicidad, arranca, más que el valor de su obra, su sentido y actualidad. Cómo y por qué escribió lo que escribió son, a nuestro juicio, las preguntas que deberían hacerse –que de hecho se hacen– los investigadores. Su actualidad –nosotros no tenemos horror a lo *actual* sino a lo pasajero– proviene de su carácter extraordinario. Alarcón es una respuesta al siglo XVII español. En Alarcón, por vez primera, se presiente que lo mexicano no es, tan sólo, una dimensión de lo español sino, mejor que nada, una réplica. El teatro alarconiano es una réplica al teatro español; por eso no es nada accidental el entusiasmo con que su respuesta fue acogida por los franceses. Alarcón, el indiano, llega a España seducido por Lope, el monstruo de la naturaleza, pero ante ese monstruo, genial, poético, se inhibe. Se «enconcha» en su joroba, esa monstruosa joroba alarconiana que guarda, sin esconder, todas sus lágrimas no derramadas y que desde ese día será el símbolo de todo lo que no hará Alarcón. Y es que veía, en su joroba, a la de todo el teatro de su tiempo; como en un espejo la veía retratada, con toda su violencia inmoderada, con toda su misteriosa ternura, con toda su impudente desgracia, henchida, hinchada de lágrimas. En suma, con toda su fatalidad. Y en un callado, heroico esfuerzo artístico y ético, les dijo *no* a la Joroba de su tiempo y a su propia joroba. El precio fue caro: al huir de su joroba, de su fatalidad, huía de la Poesía.

De esta audaz negación parte toda su obra y buena parte del teatro universal. A la temperatura apasionada, religiosa y heroica de su tiempo, él opone la suya, hecha de mesura y dignidad. Si no es sublime es, por lo menos, digno. No asciende mucho pero tampoco su caída es profunda; queda, siempre, en un tenso equilibrio. Y eso es, ya, una estoica lección que lo acerca a nosotros. En su obra no hay Joroba.

En el *no* de Alarcón está, como en cifra, todo el *no* de México. Es un *no* a su tiempo, una réplica. (¿El *no* a su madre, a su fatalidad, Edipo redimido?) Su negación es la réplica que necesitaba el espíritu español, que siempre vive de la polémica y que cuando no tiene interlocutor lo engendra. Y, también, su *no* es, en potencia, una implícita afirmación. ¿Cuál es el *sí* de esta negación? En primer término, su estoica dignidad, que huye de la desesperación y se afila en la cortesía. Sus virtudes, sin embargo, están más en el contenido de su obra que en el carácter que de ella han desprendido sus críticos. Pero, por encima de las contradictorias verdades en que se vela y revela, más hondo que la imagen que de ella nos dan los estudiosos, queda en pie que la parte más valedera, más fecunda hasta ahora, de su teatro, es la que engendra la «comedia moral». Su claro presentimiento del mundo de la burguesía, su «psicologismo», pertenecen por completo al mundo que hasta hace poco llamábamos moderno. Su mundo es el de la razón y, sobre todo, el mundo de las probabilidades razonables, más que el mundo de las imposibles razones de Calderón. Su lenguaje, asimismo, pertenece por completo a esta esfera del mundo moral, lejos de la fatalidad lopesca. En su obra no cabe, no podía caber, todo lo obscuro y balbuciente, informe y entrañable que alentaba y alienta en los abismos de cada hombre y que, para expresarse, hubiera necesitado, quizá, de un idioma más inseguro pero más tierno. El español ya había expresado, con ese mismo instrumento, su mundo primario y poético; Alarcón, por el contrario, no da el paso hacia atrás, hacia su mundo incógnito, sino hacia delante, hacia la razón y lo moderno. Frente a la pasión de los españoles no opuso un estremecimiento más hondo que la pasión, sino una fina arquitectura de posibilidades y razones. Por eso se ha podido decir que «Alarcón es mexicano, en cuanto que no es español».

Esta negación alarconiana es la que, entre todas sus magníficas afirmaciones, que pertenecen a todos los pueblos y viven ya en la historia viva de la literatura dramática, nos acerca a él. En ella palpitan todas esas posibles, incumplidas afirmaciones del mexicano. Del mexicano que vive en el hondo, inexpresado mundo primario de su pueblo. Del mexicano, del hombre que no quiere huir de la Joroba, de su propia joroba y de la de sus montañas y de la de sus rencores. Y de la Gran

Joroba del mundo moderno, del mundo de la razón sin comunión. No quiere huir de ellas sino superarlas, porque en cada una, como en los volcanes, duermen todo el fuego, las lágrimas y las lavas purificadoras y redentoras. Y sólo ellas, «corriendo ya sin duelo», podrán rescatarnos de la Gran Joroba de la injusticia y del rencor.

México, octubre de 1939

«Una obra sin joroba: Juan Ruiz de Alarcón» se publicó en la revista *Taller*, V, octubre de 1939.

Sor Juana Inés de la Cruz, Primera aproximación[1]

En 1690 Manuel Fernández de Santa Cruz, obispo de Puebla, publica la crítica de sor Juana Inés al famoso sermón del jesuita Antonio de Vieyra sobre «las finezas de Cristo». La *Carta atenagórica* es el único escrito teológico de sor Juana; o, al menos, el único que ha llegado hasta nosotros. Escrita por encargo y «con más repugnancia que otra cosa, así por ser de cosas sagradas, a quienes tengo reverente temor, como por parecer querer impugnar, a lo que tengo aversión natural», la *Carta* tuvo inmediata resonancia. Era insólito que una monja mexicana se atreviese a criticar, con tanto rigor como osadía intelectual, al célebre confesor de Cristina de Suecia. Pero si la crítica a Vieyra produjo asombro, la singular opinión de la poetisa acerca de los favores divinos debe haber turbado a aquellos mismos que la admiraban. Sor Juana sostenía que los mayores beneficios de Dios son negativos: «premiar es beneficio, castigar es beneficio y suspender los beneficios es el mayor beneficio y el no hacer finezas la mayor fineza». En una monja amante de la poesía y de la ciencia, más preocupada por el saber que por el salvarse, esta idea corría el riesgo de ser juzgada como algo más que una sutileza teológica: si el mayor favor divino era la indiferencia, ¿no crecía demasiado la esfera del libre albedrío?

El obispo de Puebla, editor y amigo de la monja, no oculta su desacuerdo. Con el pseudónimo de sor Filotea de la Cruz, declara en la misiva que precede a la *Carta atenagórica*: «Aunque la discreción de la V. md. las llama finezas (a los beneficios negativos), yo las tengo por castigos». En efecto, para un cristiano no hay vida fuera de la gracia y la libertad misma es su reflejo. El prelado no se contentó, por lo demás, con mostrar su inconformidad ante la teología de sor Juana sino que ante sus aficiones intelectuales y literarias manifiesta una reprobación aún más decidida y tajante: «no pretendo que V. md. mude de genio, renunciando a los libros, sino que lo mejore leyendo el de Jesucristo... lástima que un tan gran entendimiento de tal manera se abata a las raseras noticias de la Tierra que no desee penetrar lo que pasa en el Cielo; y ya que se humilla al suelo, que no baje más abajo,

---

[1]. Éste es el primer texto del autor sobre sor Juana Inés de la Cruz. (*Nota del editor.*)

considerando lo que pasa en el Infierno». La carta del obispo enfrenta a sor Juana con el problema de su vocación y, más radicalmente, con su vida entera. La discusión teológica pasa a segundo plano.

La *Respuesta a sor Filotea de la Cruz* es el último escrito de sor Juana. Autobiografía crítica, defensa de su derecho al saber y confesión de los límites de todo humano saber, este texto anuncia su final sumisión. Dos años después vende sus libros y se abandona a los poderes del silencio. Madura para la muerte, no escapa a la epidemia de 1695[1]. Temo que no sea posible entender lo que nos dicen su obra y su vida si antes no comprendemos el sentido de esta renuncia a la palabra. Oír lo que nos dice su callar es algo más que una fórmula barroca de la comprensión. Pues si el silencio es «cosa negativa», no lo es el callar: el oficio propio del silencio es «decir nada», que no es lo mismo que nada decir. El silencio es indecible, expresión sonora de la nada; el callar es significante pues aun de «aquellas cosas que no se pueden decir es menester decir siquiera que no se pueden decir, para que se entienda que el callar no es no saber qué decir sino no saber en voces lo mucho que hay que decir». ¿Qué es lo que nos callan los últimos años de sor Juana? Y eso que callan, ¿pertenece al reino del silencio, esto es, de lo indecible, o al del callar, que habla por alusiones y signos?

La crisis de sor Juana coincide con los trastornos y calamidades públicas que ensombrecieron el final del siglo XVII mexicano. No parece razonable pensar que lo primero sea efecto de lo segundo. Esta clase de explicaciones lineares exigen siempre un tercer término, que a su vez necesita de otro. La cadena de las causas y efectos no tiene fin. Por otra parte, no es posible explicar la cultura por la historia, como si se tratase de órdenes diferentes: uno el mundo de los hechos, otro el de las obras. Los hechos son inseparables de las obras. El hombre se mueve en un mundo de obras. La cultura es historia. Y puede añadirse que lo propio de la historia es la cultura y que no hay más historia que la de la cultura: la de las obras de los hombres, la de los hombres en sus obras. Así, el silencio de sor Juana y los tumultos de 1692 son hechos que guardan una estrecha relación y que no resultan inteligi-

---

1. Entre las pocas cosas que se encontraron en su celda figura un romance incompleto «en reconocimiento a las inimitables plumas de la Europa que hicieran mayores sus obras con sus elogios».

bles sino dentro de la historia de la cultura colonial. Ambos son consecuencia de una crisis histórica, poco estudiada hasta ahora.

En la esfera temporal Nueva España había sido fundada como armónica y jerárquica convivencia de muchas razas y naciones, a la sombra de la monarquía austríaca; en la espiritual, sobre la universalidad de la revelación cristiana. La superioridad de la monarquía española frente al Estado azteca no era de índole distinta a la de la nueva religión: ambos constituían un orden abierto, capaz de englobar a todos los hombres y a todas las razas. El orden temporal era justo, además, porque se apoyaba en la revelación cristiana, en una palabra divina y racional. Renunciar a la palabra racional –callarse– y quemar la Audiencia, símbolo del Estado, eran actos de significación parecida. En ellos Nueva España se expresa como negación. Pero esta negación no se hace frente a un poder externo: por esos actos la Colonia se niega a sí misma y renuncia a ser sin que, por otra parte, brote afirmación alguna de esta negación. El poeta calla, el intelectual abdica, el pueblo se amotina. La crisis desemboca en el silencio. Todas las puertas se cierran y la historia colonial se revela como aventura sin salida.

El sentido de la crisis colonial puede falsearse si se cede a la tentación de considerarla como una profecía de la Independencia. Esto sería cierto si la Independencia hubiese sido solamente la extrema conscuencia de la disgregación del Imperio español. Pero es algo más; y, también, algo substancialmente distinto: una revolución, esto es, un cambiar el orden colonial por otro. O sea: un total empezar de nuevo la historia de América. A pesar de lo que piensan muchos, el mundo colonial no engendra al México independiente: hay una ruptura y, tras ella, un orden fundado en principios e instituciones radicalmente distintos a los antiguos. De allí que el siglo XIX se haya sentido ajeno al pasado colonial. Nadie se reconocía en la tradición novohispana porque, en efecto, esa tradición no era la de los liberales que hicieron el México moderno. Durante más de un siglo México ha vivido sin pasado.

Si la crisis que cierra el período de la monarquía austríaca no es anuncio de la Independencia, ¿cuál es su sentido? Frente a la pluralidad de naciones y lenguas que componían al mundo prehispánico, Nueva España se presenta como una construcción unitaria: todos los pueblos y todos los hombres tenían cabida en ese orden universal. En los villancicos de sor Juana una abigarrada multitud confiesa en náhuatl, latín y español una sola fe y una sola lealtad. El catolicismo colonial era tan universal como la monarquía y en su cielo, apenas disfrazados, cabían todos los viejos dioses y las antiguas mitologías. Los indios, abandonados por sus divinidades, gracias al bautismo reanudan sus lazos con lo divino y ocupan un lugar en este mundo y en el otro. El desarraigo de la Conquista se resuelve en el descubrimiento de un nuevo hogar ultraterreno.

El catolicismo llega a México como una religión hecha y a la defensiva. Pocos han señalado que el apogeo de la religión católica en América coincide con su crepúsculo europeo: lo que allá era ocaso fue alba entre nosotros. La nueva religión era una religión vieja de siglos, con una filosofía sutil y compleja, que no dejaba resquicio abierto a los ardores de la investigación ni a las dudas de la especulación. Esta diferencia de ritmo histórico –raíz de la crisis– también es perceptible en otras órbitas, desde las económicas hasta las literarias. En todos los órdenes la situación era semejante: no había nada que inventar, nada que añadir, nada que proponer. Apenas nacida, Nueva España era ya una opulenta flor condenada a una prematura e inmóvil madurez. Sor Juana encarna esa madurez. Su obra poética es un excelente muestrario de los estilos de los siglos XVI y XVII. Cierto, a veces –como en su imitación de Jacinto Polo de Medina– resulta superior a su modelo, pero sin descubrir nuevos mundos. Otro tanto ocurre con su teatro, y el mayor elogio que se puede hacer de *El divino Narciso* es decir que no es indigno de los autos calderonianos. (Sólo en *Primero sueño*, por las razones que más adelante se apuntan, va más allá de sus maestros.) En suma, sor Juana nunca rebasa el estilo de su época. Para ella era imposible romper aquellas formas que tan sutilmente la aprisionaban y dentro de las cuales se movía con tanta elegancia: destruirlas hubiera sido negarse a sí misma. El conflicto era insoluble porque la única salida exigía la destrucción misma de los supuestos que fundaban al mundo colonial.

Si no era posible negar los principios en que aquella sociedad se apoyaba sin negarse a sí misma, tampoco lo era proponer otros. Ni la tradición ni la historia de Nueva España podían ofrecer soluciones diferentes. Es verdad que dos siglos más tarde se adoptaron otros principios; pero no debe olvidarse que venían de fuera, de Francia, y que estaban destinados a fundar una sociedad distinta. A fines del siglo XVII el mundo colonial pierde la posibilidad de reengendrarse: los mismos principios que le habían dado el ser, lo ahogaban.

Negar a este mundo y afirmar al otro era un acto que para sor Juana no podía tener la misma significación que para los grandes espíritus de la Contrarreforma o para los evangelizadores de la Nueva España. La renuncia a este mundo no significa, para Teresa o Ignacio, la dimisión o el silencio, sino un cambio de signo: la historia, y con ella la acción humana, se abre a lo ultraterreno y adquiere así nueva fertilidad. La mística misma no consiste tanto en salir de este mundo como en insertar la vida personal en la historia sagrada. El catolicismo militante, evangélico o reformador, impregna de sentido a la historia y la negación de este mundo se traduce finalmente en una afirmación de la acción histórica.

En cambio, la porción verdaderamente personal de la obra de sor Juana no se abre a la acción ni a la contemplación sino al conocimiento. Esta nueva especie de conocimiento era imposible dentro de los supuestos de su universo histórico. Durante más de veinte años sor Juana se obstina. Y no cede sino cuando las puertas se cierran definitivamente. Dentro de ella misma el conflicto era radical: el conocimiento es un sueño. Cuando la historia la despierta de su sueño, al final de su vida, calla. Su despertar cierra el sueño dorado del virreinato. Si no se entiende su callar no se podrá comprender lo que significan realmente el *Primero sueño* y la *Respuesta a sor Filotea de la Cruz*: el saber es imposible y toda palabra desemboca en el silencio. La comprensión de su callar

>   las glorias deletrea
>   entre los caracteres del estrago.

Glorias ambiguas. Todo en ella –vocación, alma, cuerpo– es ambivalente. Niña aún, su familia la envía a la ciudad de México, con unos parientes. A los dieciséis años es dama de compañía de la marquesa de Mancera, virreina de Nueva España. A través de la biografía del padre Calleja nos llegan los ecos de las fiestas y concursos en que Juana, niña prodigio, brillaba. Hermosa y sola, no le faltaron enamorados. Mas no quiso ser «pared blanca donde todos quieren echar borrón». Toma los hábitos porque «para la negación total que tenía al matrimonio era lo menos desproporcionado y lo más decente que podía elegir». Sabemos ahora que era hija natural: ¿habría escogido la vida matrimonial de haber sido legítima? Esta posibilidad es, por lo menos, dudosa. Sor

Juana parece sincera cuando habla de su vocación intelectual: ni la ausencia del amor terrestre ni la urgencia del divino la llevan al claustro. El convento es un expediente, una solución razonable, que le ofrece refugio y soledad. Para ella, la celda es retiro, no cueva de ermitaño. Laboratorio, biblioteca, salón, allí se recibe y conversa, se leen versos, se discute, se oye buena música. Desde el convento sor Juana participa en la vida intelectual y, asimismo, en la palaciega. Versifica sin cesar. Escribe comedias, villancicos, loas, un tratado de música, reflexiones de moral. Entre el palacio virreinal y el convento hay un ir y venir de rimas y obsequios, parabienes, poemas burlescos, peticiones. Niña mimada, décima musa.

En sus villancicos surgen «las cláusulas tiernas del mexicano lenguaje», al lado del negro congolés y el bronco hablar del vizcaíno. Sor Juana usa con entera conciencia y hasta con cierta coquetería todas esas raras especias:

>¿Qué mágicas infusiones
>de los indios herbolarios
>de mi patria, entre mis letras
>el hechizo derramaron?

Sería un error confundir la estética barroca –que abría las puertas al exotismo del Nuevo Mundo– con una preocupación nacionalista. Más bien se puede decir lo contrario. Esta predilección por las lenguas y dialectos nativos –imitada de Góngora– no revela tanto una hipotética adivinación de la futura nacionalidad como una viva conciencia de la universalidad del Imperio: indios, criollos, mulatos y españoles forman un todo. Su preocupación por las religiones precortesianas –visible en la loa que precede a *El divino Narciso*– posee el mismo sentido. La función de la Iglesia no es diversa a la del Imperio: conciliar los antagonismos, abrazar las diferencias en una verdad superior.

El amor es uno de los temas constantes de su poesía. Dicen que amó y fue amada. Ella misma así lo da a entender en liras y sonetos –aunque en la *Respuesta a sor Filotea* advierte que todo lo que escribió, excepto el *Primero sueño*, fue de encargo. Poco importa que esos amores hayan sido ajenos o propios, vividos o soñados: ella los hizo suyos por gracia de la poesía. Su erotismo es intelectual, con lo que no quiero decir que carezca de profundidad o de autenticidad. Se complace, como todos los grandes enamorados, en la dialéctica de la pasión. Y también, sensual, en su retórica, que no es lo mismo que la pasión retórica de ciertas poetisas. Los hombres y mujeres de sus poemas son imágenes, sombras «labradas por la fantasía». Su platonismo no está exento de ardor. Siente a su cuerpo como una llama sin sexo:

> Y yo sé que mi cuerpo
> sin que a uno u otro se incline
> es neutro, o abstracto, cuanto
> sólo el alma deposite.

La cuestión es quemante. Y así la deja «para que otros la ventilen», pues no se debe sutilizar en lo que está bien que se ignore. No menos ambigua es su actitud ante los dos sexos. Los hombres de sus sonetos y sus liras son siempre ausencia o desdén, sombras huidizas. En cambio, sus retratos de mujeres son espléndidos, señaladamente los de las virreinas que la protegieron: la marquesa de Mancera y la condesa de Paredes. El romance en esdrújulo que «pinta la proporción hermosa de la señora de Paredes» es una de las obras memorables de la poesía gongorina. No debe escandalizar esta pasión:

> Ser mujer y estar ausente
> no es de amarte impedimento,
> pues sabes tú que las almas
> distancia ignoran y sexo.

En casi todas sus poesías amorosas –y también en aquellas que tratan de la amistad que profesa a Filis o a Lisis– aparece el mismo razonamiento: «el amor puro, sin deseo de indecencias, puede sentir lo que el más profano». Sería excesivo hablar de homosexualidad; no lo es advertir que ella misma no oculta la ambigüedad de sus sentimientos. En uno de sus más hondos sonetos repite:

> Aunque dejes burlado el lazo estrecho
> que tu forma fantástica ceñía,
> poco importa burlar brazos y pecho
> si te labra prisión mi fantasía.

Sus amores, ciertos o fingidos, fueron castos sin duda. Se enamora del cuerpo con el alma, mas ¿quién podrá trazar las fronteras entre uno y otro? Para nosotros cuerpo y alma son lo mismo o casi lo mismo: nuestra idea del cuerpo está teñida de espíritu y a la inversa. Sor Juana vive en un mundo fundado en el dualismo y para ella el problema era de más fácil resolución, tanto en la esfera de las ideas como en la de la conducta. Cuando muere la marquesa de Mancera, se pregunta:

> Bello compuesto en Laura dividido,
> alma inmortal, espíritu glorioso,
> ¿por qué dejaste cuerpo tan hermoso?
> ¿Y para qué tal alma has despedido?

Sor Juana se mueve entre sombras: las de los cuerpos inasibles y las de las almas huidizas. Para ella sólo el amor divino es concreto e ideal a un tiempo. Pero sor Juana no es un poeta místico y en sus poemas religiosos la divinidad es abstracta. Dios es idea, concepto, y aun ahí donde sigue visiblemente a los místicos se resiste a confundir lo terreno y lo celeste. El amor divino es amor racional.

Su gran amor no fueron estos amores. Desde niña se inclina por las letras. Adolescente, concibe el proyecto de vestirse de hombre y concurrir a la universidad. Resignada a ser autodidacta, se queja: «Cuán duro es estudiar en aquellos caracteres sin alma, careciendo de la voz viva del maestro». Y añade que todos estos trabajos «los sufría por amor a las letras; oh, ¡si hubiese sido por amor de Dios, que era lo acertado, cuánto hubiera merecido!». Este lamento es una confesión: el conocimiento que busca no es el que está en los libros sagrados. Si la teología es «la reina de las ciencias», ella se demora en sus aledaños: física y lógica, retórica y derecho. Pero su curiosidad no es la del especialista; aspira a la integración de las verdades particulares e insiste en la unidad del saber. La variedad no daña a la comprensión general, antes la exige; todas las ciencias se corresponden: «es la cadena que fingieron los antiguos que salía de la boca de Júpiter, de donde pendían todas las cosas, eslabonadas unas con otras».

Es impresionante su interés por la ciencia. En los versos del *Primero sueño* describe, con pedantería que nos hace sonreír, las funciones alimenticias, los fenómenos del sueño y de la fantasía, el valor curativo de ciertos venenos, las pirámides egipcias, la linterna mágica que:

representa fingidas
en la blanca pared varias figuras
de la sombra no menos ayudada
que de la luz que en trémulos reflejos...

Todo se mezcla: teología y ciencia, retórica barroca y real asombro ante el universo. Su actitud es insólita en la tradición hispánica. Para los grandes españoles el saber se resuelve en acción heroica o en negación del mundo (negación positiva, por decirlo así). Para sor Juana el mundo es problema. Todo le da ocasión de aguzar preguntas, toda ella se aguza en pregunta. El universo es un vasto laberinto, dentro del cual el alma no acierta a encontrar el desenlace, «sirtes tocando de imposibles en cuantos intenta rumbos seguir». Nada más alejado de este rompecabezas racional que la imagen del mundo que nos han dejado los clásicos españoles. En ellos ciencia y acción se confunden. Saber es obrar y todo obrar, como todo saber, está referido al más allá. Dentro de esta tradición el saber desinteresado parece blasfemia o locura.

La Iglesia no la juzgó loca o blasfema, pero sí lamentó su extravío. En la *Respuesta* nos relata que «la mortificaron y atormentaron con aquel: no conviene a la santa ignorancia este estudio; se ha de perder, se ha de desvanecer en tanta altura con su misma perspicacia y agudeza». Doble soledad: la de la conciencia y la de la mujer. Una superiora —«muy santa y muy cándida, que creyó que el estudio era cosa de la Inquisición»— le manda que no estudie. Su confesor aprieta el cerco y la priva de auxilios espirituales. Era difícil resistir a tanta presión contraria, como antes lo había sido no marearse con los halagos de la Corte. Sor Juana persiste. Apoyándose en los textos de los Padres de la Iglesia defiende su derecho —y el de todas las mujeres— al conocimiento. Y no sólo al saber; también a la enseñanza: «¿Qué inconveniente tiene que una anciana tenga a su cargo la educación de las doncellas?».

Versátil, atraída por mil cosas a la vez, se defiende estudiando y estudiando se repliega. Si le quitan los libros, le queda el pensamiento, que consume más en un cuarto de hora que los textos en cuatro años. Ni en el sueño se libra «de este continuo movimiento de mi imaginativa, antes suele obrar en él más libre y desembarazada... arguyendo y haciendo versos de que pudiera hacer un catálogo muy grande». Confesión preciosa entre todas y que nos da la clave de su poema capital: el sueño es una más larga y lúcida vigilia. Soñar es conocer. Frente al saber diurno se erige otro, necesariamente rebelde, fuera de la ley y sujeto a un castigo que, más que atemorizar al espíritu, lo estimula. Es ocioso subrayar hasta qué punto la concepción que preside al *Primero sueño* coincide con algunas de las preocupaciones de la poesía moderna.

Debemos la mejor y más clara descripción del asunto de *Primero sueño* al padre Calleja: «Siendo de noche, me dormí; soñé que de una vez quería comprender todas las cosas de que el universo se compone; no pude, ni aun divisas por categorías, ni aun sólo un individuo. Desengañada, amaneció y desperté». Sor Juana declara que escribió el poema como deliberada imitación de las *Soledades*. Mas el *Sueño* es el poema del asombro nocturno, en tanto que el de Góngora es el del mediodía. Tras las imágenes del poeta cordobés no hay nada porque su mundo es pura imagen, esplendor de la apariencia. El universo de sor Juana –pobre en colores, abundante en sombras, abismos y claridades súbitas– es un laberinto de símbolos, un delirio racional. *Primero sueño* es el poema del conocimiento. Esto lo distingue de la poesía gongorina y, más totalmente, de toda la poesía barroca. Esto mismo lo enlaza, inesperadamente, a la poesía alemana romántica y, por ella, a la de nuestro tiempo.

En algunos pasajes el verso barroco se resiste al inusitado ejercicio de transcribir en imágenes conceptos y fórmulas abstractas. El lenguaje se vuelve abrupto y pedantesco. En otros, los mejores y más intensos, la expresión es vertiginosa a fuerza de lucidez. Sor Juana crea un paisaje abstracto y alucinante, hecho de conos, obeliscos, pirámides, precipicios geométricos y picos agresivos. Su mundo participa de la mecánica y del mito. La esfera y el triángulo rigen su cielo vacío. Poesía de la ciencia pero también del terror nocturno. El poema se inicia cuando la noche reina sobre el mundo. Todo duerme, vencido por el sueño. Duermen el rey y el ladrón, los amantes y el solitario. Yace el cuerpo entregado a sí mismo. Vida disminuida del cuerpo, vida desmesurada del espíritu, libre de su peso corporal. Los alimentos, transformados en calor, engendran sensaciones que la fantasía convierte en imágenes. En lo alto de su pirámide mental –formada por todas las potencias del espíritu, memoria e imaginación, juicio y fantasía– el alma contempla los fantasmas del mundo y, sobre todo, esas figuras de la mente «que intelectuales claras son estrellas» de su cielo interior. En ellas el alma se recrea en sí misma. Después, se desprende de esta contemplación y despliega la mirada por todo lo creado; la diversidad del mundo la deslumbra y acaba por cegarla. Águila intelectual, el alma se despeña «en las neutralidades de un mar de asombros». La caída no la aniquila. Incapaz de volar, trepa. Penosamente, paso a paso, sube la pirámide. Divide al mundo en categorías, escalas del conocimiento, pues el método debe reparar el «defecto de no poder conocer con un acto intuitivo todo lo creado».

El poema describe la marcha del pensamiento, espiral que asciende desde lo inanimado hasta el hombre y su símbolo: el triángulo, figura en la que convergen lo animal y lo divino. El hombre es el lugar de cita de la creación, el punto más alto de tensión de la vida, siempre entre dos abismos: «altiva bajeza... a merced de amorosa unión». Pero el método no remedia las carencias del espíritu. El entendimiento no puede discernir los enlaces que unen lo inanimado a lo animado, el vegetal al animal, el animal al hombre. Ni siquiera le es dable penetrar en los fenómenos más simples. Obscuramente se da cuenta de que la inmensa variedad de la creación se resuelve en una ley, mas esa ley es inasible. El alma vacila. Acaso sea mejor retroceder. Surgen, como aviso a los temerarios, ejemplos de otras derrotas. La advertencia se vuelve reto y el ánimo se enardece al ver que otros no dudaron en «eternizar su nombre en su ruina». El poema se puebla de imágenes prometeicas: el acto de conocer, no el conocimiento mismo, es el premio del combate. El alma despeñada se afirma y, haciendo halago de su terror, se apresta a elegir nuevos rumbos. En ese instante el cuerpo ayuno de alimentos reclama lo suyo. Brota el sol. Las imágenes se disuelven. El conocimiento es un sueño. Pero la victoria del sol es parcial y cíclica. Triunfa en medio mundo, es vencido en el otro medio. La noche rebelde, «en su mismo despeño recobrada», erige su imperio en los territorios que el sol desampara. Allá otras almas sueñan el sueño de sor Juana. El universo que nos revela el poema es ambivalente: la vigilia es el sueño; la derrota de la noche, su victoria. El sueño del conocimiento es también: el conocimiento es sueño. Cada afirmación lleva en sí su negación.

La noche de sor Juana no es la noche carnal de los amantes. Tampoco es la de los místicos. Noche intelectual, altiva y fija como un ojo inmenso, noche construida a pulso sobre el vacío, geometría rigurosa, obelisco taciturno, todo fija tensión hacia los cielos. Este impulso vertical es lo único que recuerda a otras noches de la mística española. Pero los místicos son como aspirados por las fuerzas celestes, según se ve en cierto cuadro de El Greco. En el *Primero sueño* el ciclo se cierra: las alturas son hostiles al vuelo. Silencio frente al hombre: el ansia de conocer es ilícita y rebelde el alma que sueña el conocimiento. Soledad nocturna de la conciencia. Sequía, vértigo, jadeo. Y sin embargo, no todo es adverso. En su soledad y despeño el hombre se afirma en sí mismo: saber es sueño, mas ese sueño es todo lo que sabemos de nosotros y en él reside nuestra grandeza. Juego de espejos en el que el alma se pierde cada vez que se alcanza y se gana cada vez que se pierde, la emoción del poema brota de la conciencia de esta ambigüedad. La noche vertiginosa y cíclica de sor Juana nos revela de pronto su centro fijo: *Primero sueño* no es el poema del conocimiento, sino *del acto de conocer*. De esta manera, sor Juana transmuta sus fatalidades históricas y personales, hace victoria de su derrota, canto de su silencio. Una vez más la poesía se alimenta de historia y biografía. Una vez más las trasciende.

París, 20 de octubre de 1950

«Sor Juana Inés de la Cruz, Primera aproximación» se publicó en *Las peras del olmo*, México, Universidad Nacional Autónoma de México, 1957.

Estela de José Juan Tablada

El día 2 de agosto de 1945 murió el poeta mexicano José Juan Tablada. Murió aquí, en Nueva York[1], en esta ciudad a la que amó tanto y en la que escribió algunas de sus mejores crónicas, algunos de sus más intensos poemas. Hace apenas un mes que el poeta murió y, al volver la mirada hacia atrás, hacia ese 2 de agosto de su muerte, se tiene la sensación de que se trata de algo que pasó hace ya mucho tiempo. Todo, hasta los muertos, envejece ahora más pronto. No es extraño; hemos estado sujetos a tantas alternativas, a tantas presiones diversas, que el tiempo ha dejado de fluir con su velocidad normal. Hay días que son meses, meses que son años. Y este último mes −el mes de la bomba atómica, de la derrota japonesa y de la paz universal− ha estado tan lleno de vida pública que todo lo otro, el vivir y el morir de cada día, como que ha perdido relieve, como que no encuentra espacio ni sitio: la historia universal lo llena todo. ¡Cuántas cosas en cuatro semanas! Sin embargo, Péguy decía: «Homero es nuevo cada mañana y no hay nada más viejo que el periódico de ayer». La noticia de la muerte de Tablada nos puede parecer un hecho distante, sepultado entre otras fechas, y su muerte puede confundirse, envejecer, arrugarse como se arrugan las noticias de todos los periódicos, pero ¿su poesía?

La poesía de Tablada no ha envejecido. No es una noticia sino un hecho del espíritu. Y al leerla nos parece que el poeta no ha muerto; ni siquiera que la escribió hace ya muchos años. Viva, irónica, concentrada como una hierba de olor, resiste todavía a los años y a los gustos cambiantes de la hora. Resiste a la noticia de su muerte. Cada lector, si la lee con simpatía, puede volver a vivir la aventura del poema y arriesgarse a jugar al juego de imaginación que el poeta le propone, sonriente. Y si lee con pasión acaso encuentre nuevas soluciones a los viejos enigmas poéticos, como el hallazgo inesperado en una caja de sorpresas. Porque la obra de José Juan Tablada es una pequeña caja de sorpresas de la que surgen, en aparente desorden, plumas de aves-

---

[1]. Palabras pronunciadas en un homenaje a Tablada, celebrado en Nueva York el 3 de septiembre de 1945.

truz, diamantes modernistas, marfiles chinos, idolillos aztecas, dibujos japoneses, una calavera de azúcar, una baraja para decir la buena ventura, un grabado de «La Moda de 1900», el retrato de Lupe Vélez cuando bailaba en el Teatro Lírico, un lampadario, una receta de las monjas de San Jerónimo que declara cómo se hace la conserva de tejocotes, el arco de Arjuna... fragmentos de ciudades, de paisajes, de cielos, de mares, de épocas. Cada poema encierra muchas riquezas, muchas alegrías, si el lector sabe mover el resorte oculto. Y nunca se sabe cuál será la sorpresa que nos aguarda: si el diablo que nos guiña el ojo, el payaso que nos saca la lengua o una rosa que es una bailarina. ¿Quién sabe en qué colores reventará el cohete y si será verde o amarilla su lluvia, cuando en las noches de feria lo vemos subir al cielo?

Tres poetas –Tablada, Ramón López Velarde, Enrique González Martínez– influyeron considerablemente en los jóvenes de su tiempo. Cada uno de ellos representa una tentativa distinta y sus obras nos muestran los frutos de diversas experiencias. González Martínez simboliza la prudencia clásica: nacido, poéticamente, en el mediodía del modernismo, lo interroga y le injerta una conciencia moral. González Martínez no rompe con el lenguaje modernista; atenúa sus excesos, vela sus luces, pero se sirve de sus mismas palabras para advertirnos de su falsedad. Y así, eliminando lentamente lo superfluo, ejercitando un gusto inteligente cuando adopta alguna novedad, su obra se ha ido desprendiendo del pasado, no para lanzarse al futuro, sino para inmovilizarse, severa y melancólica, como una estatua noble en un jardín de las afueras. La unidad y la constancia –que son las virtudes de los ríos serenos– dan a su obra una fluidez navegable, que nunca se interrumpe y nunca se contradice. López Velarde y Tablada, en cambio, negaron al modernismo en el lenguaje y no sólo en el espíritu. Ellos representan la curiosidad, en tanto que González Martínez simboliza la meditación moral. Pero ¡qué distintas aventuras la de López Velarde y la de Tablada! Mientras el poeta de Zacatecas se siente atraído por la aventura interior, hacia dentro de México y hacia dentro de sí mismo, Tablada experimenta la fascinación del viaje, de la fuga: fuga de sí mismo y fuga de México. Viajes: doble París, uno visto con los ojos de Baudelaire y el simbolismo, otro dadaísta y picassiano; un Japón modernista y otro más profundo y ascético, donde Bashō dialoga con el árbol y consigo mismo; Nueva York de día y de noche; Bogotá, China, India y un México de fuegos de artificio. Viajes en el espacio y viajes en el tiempo, viajes hacia el pasado y hacia el futuro, pero sobre todo viajes hacia el presente. Su espíritu curioso siempre estaba en acecho de lo que iba a llegar, siempre en espera de lo inesperado. Su poesía tiende a lo inminente. En esta sensibilidad tan ávida para lo temporal reside, quizá, el secreto de la juventud de su obra y, también, una de sus más obvias limitaciones. Siempre dispuesto a tomar el tren, Tablada es el poeta pasajero, el poeta de lo pasajero.

Tablada inicia su prodigiosa vuelta al mundo de la poesía desde el modernismo. En esta escuela de baile literario se da a todos los excesos de la palabra. Su poesía, con antifaz negro, cruza el carnaval poético de fin de siglo, adornada de piedras dizque raras y declamando pecados suntuosos. Pero el disfraz lo cansa y apenas el modernismo se ha convertido en una feria vulgar, se despoja de sus ropajes recamados. ¿Tentativa de desnudez? No, cambio de traje. De su pasado modernista no conserva ninguna huella visible, excepto el gusto por la palabra. (La poesía del período modernista, en cambio, sí conserva las huellas del paso de Tablada: algunos poemas muy característicos, muebles para el museo de la época.) En 1919, en Caracas, desterrado, cuando casi todos los poetas de habla española seguían pensando en la poesía como un ejercicio de amplificación, publica un pequeño libro: *Un día*, poemas sintéticos. En 1922, en Nueva York, otro: *El jarro de flores*. Se trataba de poemas de tres líneas, en los cuales, más que apresar un sentimiento o un objeto, el poeta abría una ventana hacia una perspectiva desconocida. Con estos dos libros Tablada introduce en lengua española el haikú japonés. Su innovación es algo más que una simple importación literaria. Esa forma dio libertad a la imagen y la rescató del poema con argumento, en el que se ahogaba. Cada uno de estos pequeños poemas era una pequeña estrella errante y, casi siempre, un pequeño mundo suficiente. Años más tarde otros poetas descubrirían el valor de la imagen, aislada de la rima y de la lógica del poema: pero mientras que para ellos cada imagen era una flecha lanzada hacia un blanco desconocido o las cuentas sueltas de un collar, para Tablada cada imagen era un poema en sí y cada poema un mundo de relaciones imprevistas, profundo y límpido a la vez. Cuando retrata a un mono en tres líneas:

> El pequeño mono me mira.
> Quiere decirme
> algo que se le olvida,

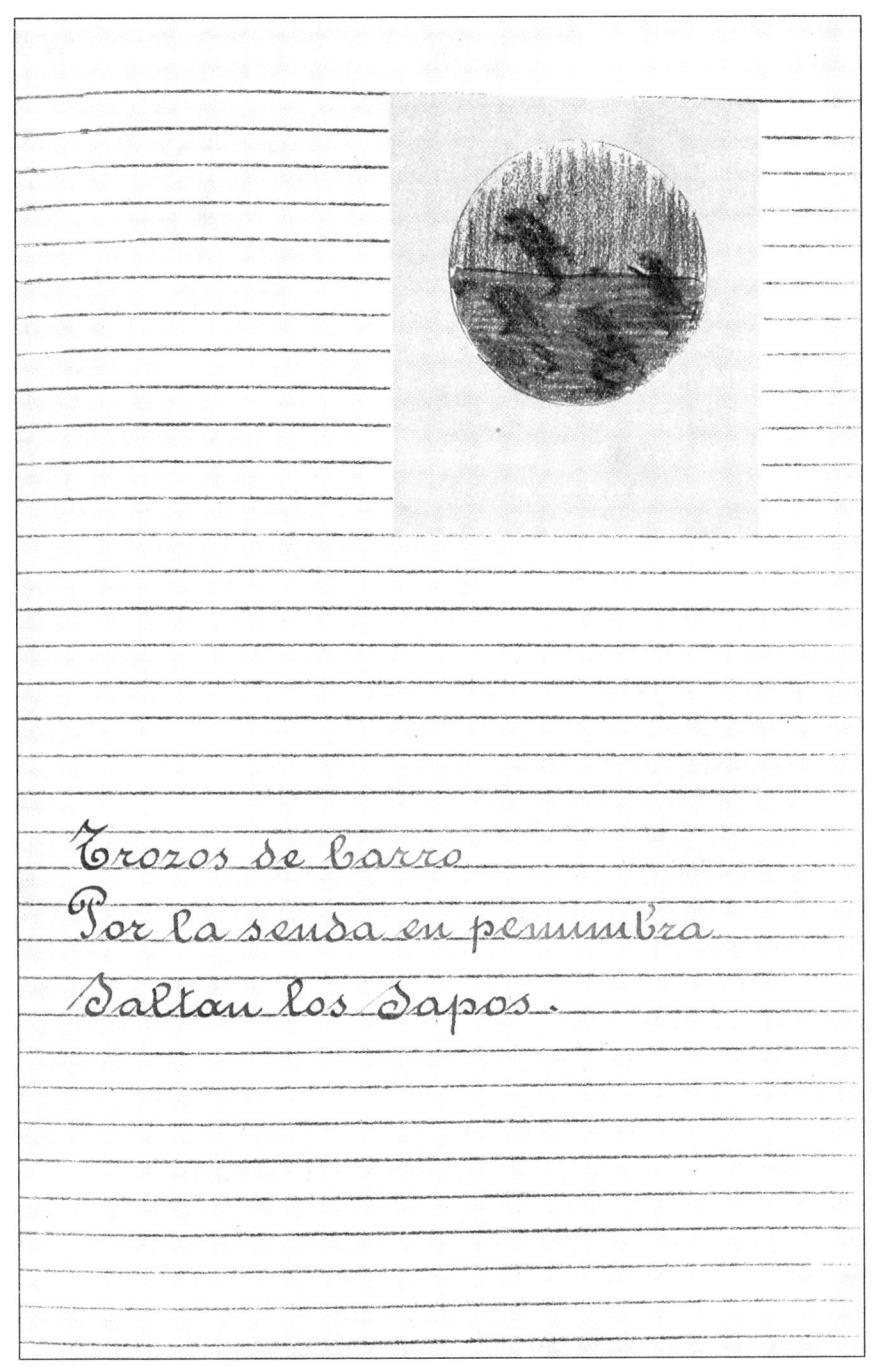

Trozos de barro
Por la senda en penumbra
Saltan los sapos.

Poema manuscrito y dibujo de José Juan Tablada, de su libro *Un día...*

¿no es cierto que sentimos un escalofrío? Pues en esos tres versos Tablada ha insinuado la posibilidad de que sea el mono quien se reconoce en nosotros y él –y no el hombre– quien recuerda su pasado. La misma inquietud, hecha de gozo y perplejidad, nos embarga al releer *Insomnio*:

> En una pizarra negra
> suma cifras de fósforo.

No es necesario decir más. No es que esté dicho todo: el poeta sólo ha abierto una puerta y nos invita a pasar. Como en esos dibujos japoneses en los que el temblor de una línea parece recoger el eco del paso del viento, Tablada nos entrega un paisaje verde líquido al dibujar un árbol:

> Tierno saúz,
> casi oro, casi ámbar,
> casi luz.

El haikú de Tablada tuvo muchos imitadores. Hubo toda una escuela, una manera que se prolonga hasta nuestros días. Su importancia verdadera no radica, quizá, en esos ecos sino en esto: las experiencias de Tablada contribuyeron a darnos conciencia del valor de la imagen y del poder de concentración de la palabra.

En 1920, también en Nueva York, publica un nuevo libro: *Li-Po*, versos ideográficos. El poeta sigue al tiempo y casi se le adelanta: en Francia los poetas continuaban los juegos y experimentos iniciados por Apollinaire y en lengua inglesa triunfaba la poesía imaginista. A unos y otros les es deudor Tablada y de ambas corrientes recoge, más que una imitación servil, el gusto por la tipografía y la arqueología poéticas (versiones de poesía japonesa y china, mundos que ya le habían interesado en su juventud modernista). En *Li-Po* hay un ingenioso poema que es una pequeña obra maestra, juego de poesía con imágenes encontradas y choque final, muy pocas veces intentado entre nosotros:

NOCTURNO ALTERNO

Neoyorquina noche dorada
fríos muros de cal moruna

Rector's champaña, fox-trot,
casas mudas y fuertes rejas

y volviendo la mirada
sobre las silenciosas tejas

el alma petrificada
los gatos blancos de la luna

como la mujer de Lot

Y sin embargo
  es una
    misma
      en Nueva York
        y Bogotá:
          ¡la luna!

Todos estos cambios no fueron sólo piruetas sino la expresión de un espíritu siempre curioso e insaciable. Don Juan de la Poesía, cada aventura lo estimulaba a una nueva fuga y a una nueva experiencia. Sus gustos cambiaban, no su objeto: no estaba enamorado de una poética cualquiera sino de la misma poesía. Dotado de fantasía y de un inagotable entusiasmo estético –que se manifiestan también en sus crónicas y en sus críticas de arte– ninguna novedad le era ajena. «Las pirámides son los gorros de dormir de los faraones», dice en un prólogo firmado en 1918, en una adivinación de la greguería. Él mismo se define: «Todo depende del concepto que se tenga del arte; hay quien lo cree estático y definitivo; yo lo creo en perpetuo movimiento. La obra está en marcha hacia sí misma, como el planeta, y alrededor del sol». En marcha hacia sí mismo y alrededor del sol, siguiendo la órbita trazada por López Velarde, regresa a México, al cabo de los años. El México que descubre ya no es el afrancesado del porfirismo sino el rescatado por la Revolución y sus músicos, sus pintores y, sobre todo, por López Velarde. También lo reconoce generosamente en su *Retablo*:

> Poeta municipal y rusticano
> tu Poesía fue la Aparición
> milagrosa en el árido Peñón
> entre nimbos de rosas y de estrellas
> y hoy nuestras almas van tras de tus huellas
> a la Provincia, en peregrinación.

El México de *La feria* (Nueva York, 1928) no es una patria íntima y sonámbula sino externa y decorativa. México de alarido y de color, barroco y popular, de 15 de Septiembre y de piñata de posada. México indio y mestizo, enmascarado como un sacerdote azteca, delirante como el borracho y el cohete, esos gemelos del mitote. México de ballet. El poeta canta al mole eclesiástico y sombrío, a la alegría de los «pollos dorados entre verdes lechugas», al loro que «es sólo un gajo de follaje con un poco de sol en la mollera», al canto del gallo que «arroja al cielo las onzas del siete de oros», al ídolo en el atrio, a las campanas de la torre, al volantín, a todo lo que en México danza o salta, aúlla o canta, gira o brilla. Mas no lo ciegan los colores en algarabía, ni lo ensordecen los músicos y los gritos; también es capaz de oír el silencio de la meseta y en ese silencio percibir el misterio de las viejas mitologías:

> En mitad de la llanura
> hay una roca
> que va tomando la figura
> del gran brujo Tezcatlipoca

Homenaje a la Revolución mexicana, graba a punta seca este pequeño cuadro:

> «Justicia de los humanos»
> con azogado gris
> la luna escribe en los pantanos;
> y un cadáver aprieta entre las manos
> sendas mazorcas de maíz.

Se le reprocha una falta de unidad que nunca buscó. La unidad, en él, reside en su fidelidad a la aventura. En cambio, ¿cómo no ver en su poesía otras virtudes: la curiosidad, la ironía, el poder de concentración, la agilidad, la renovada frescura de la imagen? ¿Y cómo olvidar que este poeta, que todos juzgan tan afectado y literario, fue el único entre nosotros, hasta la aparición de Carlos Pellicer, que se atrevió a ver con ojos limpios a la naturaleza, sin convertirla en símbolo o en decoración? Su infinita simpatía por los animales, los árboles, las yerbas o la luna lo llevan a descubrir la vieja puerta condenada durante siglos: la puerta que nos abre la comunicación con el instante. En sus mejores momentos la poesía de Tablada es un milagroso acuerdo con el mundo. ¿Seremos tan insensibles a la verdadera poesía que ignoremos al poeta que ha tenido los ojos más vivos y puros de su época y que nos ha mostrado que la palabra es capaz de reconciliar al hombre con los astros, los animales y las raíces? La obra de Tablada nos invita a la vida. No a la vida heroica, ni a la vida ascética, sino, simple y sencillamente, a la vida. A la aventura y al viaje. Nos invita a tener los ojos abiertos, a saber abandonar la ciudad natal y el verso que se ha convertido en una mala costumbre, nos invita a buscar nuevos cielos y nuevos amores. «Todo está en marcha –nos dice–, en marcha hacia sí mismo.» Y, ya lo sabemos, para volver hacia nosotros mismos es necesario salir y arriesgarse.

Nueva York, agosto de 1945

«Estela de José Juan Tablada» se publicó en *Las peras del olmo*, México, Universidad Nacional Autónoma de México, 1957.

Alcance: *Poesías* de José Juan Tablada

El Centro de Estudios Literarios de la Universidad Nacional se ha encargado de la edición de las *Obras* de José Juan Tablada. El primer volumen, *Poesías completas*, apareció en diciembre pasado (1971). Héctor Valdés es el autor de la recopilación, el prólogo y las notas. Un trabajo ejemplar: el joven investigador ha recogido muchos poemas desconocidos, unos perdidos en publicaciones sueltas y otros inéditos. Con todo ese material ha podido añadir dos títulos a la bibliografía de Tablada: *Poemas dispersos* e *Intersecciones*. El primero contiene la poesía temprana (1888-1914); aunque esos poemas están dentro del gusto modernista de *Florilegio*, el poeta no los incluyó en este libro. *Intersecciones* reúne poemas tomados de «libros, manuscritos y publicaciones periódicas» y es un intento por dar «una forma más o menos estructurada a lo que fue el proyecto más ambicioso del poeta: un libro que contuviese su última producción poética, ajustada a las ideas filosófico-religiosas que surgieron de su estudio de la teosofía». A despecho del loable empeño de Héctor Valdés, *Intersecciones* carece de esqueleto; no es un libro sino una pila de poemas de valor desigual. Algunos son borradores y los que no lo son repiten, sin superarlos, otros momentos de su poesía. La verdad es que después de *La feria* (1928) hay una baja de tensión poética en la obra de Tablada.

La impresión que deja este volumen de 626 páginas es contradictoria: abundancia y escasez. Abundancia de poemas bien hechos pero insignificantes. Gran parte de la obra de Tablada es prescindible. Cierto, en casi todo lo que escribió hay facilidad, brillo, ingenio. Una maestría poco original: primero, las recetas modernistas, en sus dos vertientes, la parnasiana y la simbolista; después, la receta postmodernista de Lugones. Hasta 1918, Tablada fue un adaptador inteligente de las modas y modos de su época. En 1919 publica *Un día* y en 1920 *Li-Po y otros poemas*; en esos libros recoge ciertas tendencias francesas y norteamericanas entonces en boga –poesía japonesa, *imagism*, ideogramas de Apollinaire– pero las hace realmente suyas y crea con ellas una obra intensamente personal. Así se adelanta a su tiempo: Tablada es uno de los iniciadores de la vanguardia en nuestra lengua.

En el libro de Valdés aparecen varios Tabladas poco conocidos. Uno de ellos es un retórico más bien antipático, autor de *La epopeya nacional*, larga y tediosa composición dedicada a Porfirio Díaz. Un poema deplorable no por el tema –se puede ser reaccionario y buen poeta– sino por el servilismo: la poesía no está reñida con el error sino con la indignidad. La prueba es que más tarde Tablada escribió algunos poemas cortos contra la Revolución que se salvan por su gracia y su valentía. Y uno de sus mejores poemas, *El caballero de la yerbabuena*, está envuelto en la atmósfera alucinante, entre grotesca y terrible –mariguana, soldados, alcohol–, de las noches revolucionarias en la provincia, tal como la vivían los civiles. «¿Quién vive? Grita la boca brutal del cuartel. / ¿Quién vive? ¿Quién muere? ¡Quién sabe!». Hay que comparar este extraño poema con uno de López Velarde no menos «reaccionario», *El retorno maléfico*, para apreciar en su verdadero valor la originalidad de Tablada, su humor y lo que habría que llamar su sentido *chispeante* de la vida –y la muerte.

El caballero de la yerbabuena nos lleva al otro Tablada, al autor de un puñado de breves poemas que todavía conservan intacta la frescura del primer día. Tablada es uno de los mejores poetas de su época y se encierra en cuatro delgados libros publicados entre 1919 y 1928: *Un día*, *Li-Po y otros poemas*, *El jarro de flores* y *La feria*. No todos los poemas de esos cuatro libros sobreviven. Por ejemplo, los caligramas de *Li-Po* sólo pueden interesarnos como curiosidad literaria. No importa: hay en ese libro un poemita que es uno de los más intensos y sorprendentes de la poesía moderna: *Nocturno alterno*. Sobre Tablada como introductor del haikú en nuestra lengua nada nuevo puedo decir; me contento con repetir que muchos de esos poemas siguen siendo nuevos con la novedad antiquísima de la verdadera poesía. En cambio, habría que decir algo más acerca del poeta de *La feria*. Merece ser leído con otros ojos, es decir, no como un mero epígono de López Velarde. La sensualidad de Tablada es más alegre y colorida que la de López Velarde; en su poesía hay mayor atrevimiento y, si menos hondura, hay más fantasía. La presencia del mundo indígena –alternativamente seductora y repelente– es constante en Tablada mientras que en López Velarde apenas si aparece. La visión de Tablada es más rica y variada: su México es más grande (el mar y los trópicos que no conoció López Velarde) y más antiguo (los dioses indios). Su fauna es prodigiosa: loros, gallos, armadillos, zopilotes, iguanas, camaleones, tortugas, tecolotes, quetzales, toninas. El ojo de

Tablada posee una precisión extraordinaria y por eso son memorables las líneas en que recrea lo instantáneo: el revoloteo de las plumas verdes entre las ramas, la raya amarilla del cohete en el cielo nocturno, el sol al clavarse en la ola, la luna fija sobre la cal del muro —reflejos, reverberaciones, espejeos. Lo que no se ha dicho es que sus otros sentidos —sobre todo el olfato y el gusto— se abrían al mundo con la misma intensidad y sensualidad. Los poemas de *La feria* no sólo son imágenes visuales: son pequeños universos de olores y sabores. Hay que leer *El figón*, elogio a los moles verdes, prietos y colorados, a los pulques de tuna solferinos y las cocadas de fuego. Sólo en la poesía de Alfonso Reyes la cocina alcanza parecido rango estético. Pero la cocina de Reyes es europea mientras que la de Tablada es criolla, virreinal y precolombina. Sería inútil buscar entre los poetas contemporáneos —con la excepción de Lezama Lima y sobre todo de Neruda, gran poeta del apio, la alcachofa y el vino— poemas gastronómicos de semejante esplendor verbal. ¿Es poco? Es muchísimo.

La edición de Héctor Valdés no merece sino elogios. Tal vez las notas podrían mejorarse. Un ejemplo: en el poema dedicado a Puebla (*La feria*) hubiera valido la pena indicar que el «Sánchez Onagro» que provoca la ira de Tablada es el general revolucionario Guadalupe Sánchez. Asimismo, el excelente prólogo habría ganado si Valdés hubiese situado a Tablada en el contexto que le corresponde: la poesía hispanoamericana moderna. Sobre esto quizá sea bueno recordar que, a imagen de su poesía, su fortuna literaria ha sido como la montaña rusa: bruscas bajadas y subidas. En el período modernista fue considerado un poeta distinguido pero menor; más tarde Lugones lo elogió pero Henríquez Ureña y Reyes lo desdeñaron; López Velarde lo admiró pero Villaurrutia lo llamó la Eva de la poesía mexicana (Velarde era el Adán); murió casi olvidado pero el mismo año de su muerte (1945) un artículo mío inició el período de revaluación y desagravio. Hoy la crítica hispanoamericana y española empieza a reconocer, aunque con lentitud, que es uno de los iniciadores de la poesía propiamente *moderna* en nuestra lengua. Un hermano menor de Huidobro. Y algo más: Tablada, gracias a unos cuantos poemas, es uno de nuestros verdaderos contemporáneos.

México, a 2 de septiembre de 1972

Este texto se publicó en *El signo y el garabato*, México, Joaquín Mortiz, 1973.

El lenguaje de López Velarde

Algunas de nuestras más rigurosas tentativas poéticas coinciden con el último período de la dictadura de Porfirio Díaz. A su época –vacía, satisfecha y enamorada de su propia mentira– Salvador Díaz Mirón y Manuel José Othón oponen una forma desdeñosa y estricta, que la ignora. Sus mejores poemas son esculturas, piedras solitarias que resisten tanto a la invasión de la selva sentimental como a la sequía espiritual de su tiempo. Almas exigentes, implacables y desdeñosas, apenas si se entregan. Se ha dicho que su poesía está en sus silencios, en su reserva. O en el breve relámpago de un terceto, de una imagen amarga, chispa lograda por la colisión de dos durezas o de dos frialdades. Esta actitud fue compartida por sus sucesores modernistas: el lenguaje preciso y desdeñoso de *Lascas* y la desolación escultórica del *Idilio salvaje* ceden el sitio a un idioma que, si es más colorido y nervioso, no es menos aristocrático. El poeta que cierra el período modernista, Enrique González Martínez, también es un solitario, como Othón y Díaz Mirón, y su poesía tiende a convertirse en una escultura aislada. Después de estos poetas hay un cambio de tono y dirección. Tablada lo inicia, lo ahonda López Velarde y Pellicer lo extrema.

Se dice que Ramón López Velarde es el descubridor de la provincia. Más justo sería decir que la provincia descubre en la poesía de López Velarde a la capital: al horror, a la sensualidad y al pecado. Después de *Zozobra*, *El minutero* y *El son del corazón* no es posible reducir su poesía a la ingenuidad fervorosa, pero fatalmente limitada, de sus cantos a Fuensanta y a la vida recoleta o colorida de una «bizarra capital» de provincia, como lo advirtió, primero que nadie, Xavier Villaurrutia. La complejidad de esta porción de su obra –la más importante y significativa– lleva a Villaurrutia a señalar cierto parentesco entre la poesía de nuestro poeta y la de Baudelaire. Mas apenas insinúa esta relación se apresura a decirnos que «sería injusto y artificial establecer un paralelo entre ambos poetas e imposible anotar siquiera una imitación directa o señalar una influencia exterior y precisa». Y es verdad: el lenguaje de López Velarde no ostenta huella alguna del poeta francés, aunque algunos de sus textos en prosa sí recuerdan pasajes de *Le Spleen de Paris*, como ese tigre enjaulado que describe con su cola sangrante el signo de infinito. Para justificar su opinión, Villaurrutia agrega que hay en ambos poetas un conflicto psíquico y una constante oscilación entre lo que, para hablar con inexactitud, se llama el bien y el mal. Este debate los hace de la misma familia de espíritus. Pero aun esta afirmación debe ser examinada con reserva. Vistas de cerca, no parecen tan semejantes las actitudes vitales de Baudelaire y de López Velarde. Mientras el primero alternativamente se inclina y retrocede ante el abismo de su propio ser, y no se hunde en el vacío sino para retroceder, condenado a una ambigüedad que sólo se resuelve en la poesía:

> *Et mon esprit, toujours du vertige hanté*
> *Jalouse du néant l'insensibilité*
> *Ah, ne jamais sortir des Nombres et des Êtres!*,

el drama de López Velarde es el del pecador ante «los vertebrales espejos de la belleza». Ni el orgullo ni el horror lo fascinan. Otros son sus vértigos, otros sus pecados y otros sus paraísos. Su religiosidad es menos profunda pero más directa:

> Mi conciencia, mojada por el hisopo, es un ciprés
> que en una huerta conventual se contrista.

Baudelaire es un rebelde y siente la fascinación de la nada. López Velarde un pecador y sufre la atracción de la carne. El francés es orgulloso y canta a Satán, el príncipe de la inteligencia autosuficiente; el mexicano no duda ni blasfema y sueña con la renunciación final y el perdón postrero. Así, creo que la opinión de Villaurrutia no resiste las pruebas de la crítica. Y, sin embargo, según me propongo mostrar en seguida, hay algo en la obra de López Velarde que lo convierte en un lejano, inesperado e indirecto descendiente de Baudelaire.

La forma poética —que iba a ser desollada por Rimbaud, *the poet with the red hands* y a la que Mallarmé iba a someter a operaciones quirúrgicas más sutiles— apenas si es modificada por el poeta de *Las flores del mal*. El alejandrino sale de sus manos como había llegado: intacto. Pero en esa forma estricta y monótona, Baudelaire destila algunos ácidos corrosivos que escandalizaron a muchos: situaciones y expresiones en las que la ciudad moderna, sus verdugos y sus víctimas, son los personajes centrales. El tema romántico de la soledad se transforma, a partir de Baudelaire, en el de la soledad del hombre perdido en la multitud sin rostro. El poeta es un prisionero de sí mismo. La lucidez con que contempla la grotesca agonía de cada minuto y el frío interés con que mide el espesor de las invisibles paredes que lo cercan, convierten a su canto en reflexión y blasfemia, música fúnebre y «examen de media noche». Baudelaire es el primer poeta moderno porque es el primero que tiene conciencia de la función crítica de la poesía. Poesía de la urbe, la poesía moderna oscila entre la prosa y el canto. Ahora bien, entre los descendientes de Baudelaire hay uno, Jules Laforgue, que encarna mejor que nadie este dualismo de prosa y poesía. Laforgue es un poeta menor, pero su influencia fuera de Francia ha sido tan profunda como asombrosa para los franceses, que no aciertan a comprender la razón de su fortuna en el extranjero. La presencia de Laforgue es constante en un poeta sudamericano admirado por López Velarde: el argentino Lugones («el más excelso o el más hondo poeta de habla castellana»). Es inútil destacar las correspondencias entre Lugones y Laforgue. Cualquier lector del *Lunario sentimental* las advierte. Tampoco es indispensable saber si López Velarde conoció directamente al autor de *Complaintes*. Vale la pena, en cambio, señalar que muchas de las virtudes que nuestro poeta admiraba en Lugones se encuentran en la poesía de Laforgue: la rima inesperada, la imagen autosuficiente, la ironía, el dinamismo de los contrastes, el choque entre lenguaje literario y lenguaje hablado. Para López Velarde la originalidad de Lugones (a la que él mismo aspiraba) residía en «la reducción de la vida sentimental a ecuaciones psicológicas», tentativa que no es diversa a la de Laforgue. Cierto, quizá el valor de su obra no consiste tanto en esta pretensión psicológica, más bien ingenua, cuanto en la rara virtud de su lenguaje y de sus imágenes. Pero ese lenguaje, en el que se alía el amor por lo raro a la fidelidad por lo genuino, acaso hubiera sido imposible sin el ejemplo de Lugones, discípulo de Laforgue, heredero menor de Baudelaire.

Son sorprendentes las correspondencias entre López Velarde y Laforgue. (Ninguna, es cierto, invalida las que ha descubierto Luis Noyola Vázquez −y que se refieren, casi siempre, a las primeras tentativas de López Velarde− ni tampoco niega las más directas que otros destacan: Lugones, Luis Carlos López, Herrera y Reissig.) Ecos de una influencia refleja o de una lectura persistente, las analogías que se advierten entre el francés y el mexicano son impresionantes:

> *Mon Moi, c'est Galathée aveuglant Pygmalion.*
> *Impossible de modifier cette situation.*

La misma confesión, sentimental e irónica, con el mismo gusto por la rima realista y erudita a un tiempo, se encuentra en López Velarde. Hay, incluso, una visión semejante de la provincia:

> *Ah, la belle pleine lune*
> *Grosse comme une fortune;*
> *La retraite sonne au loin;*
> *Un passant, monsieur l'adjoint;*
> *Un clavecin joue en face;*
> *Un chat traverse la place:*
> *La province qui s'endort.*

El procedimiento es el mismo de *El retorno maléfico* y de otros poemas, sólo que la atmósfera de López Velarde es más dramática y su lenguaje menos irónico.

Las reflexiones anteriores muestran que López Velarde no es solamente el poeta que descubre a la provincia –como piensa la mayoría de los críticos– ni tampoco el que descubre la ciudad y el mal –según afirma Villaurrutia–, sino que es, sobre todo, el creador de un lenguaje. Ese lenguaje no es el de la provincia ni el de la ciudad, el lenguaje hablado de su pueblo o el escrito por los poetas de su tiempo, sino uno nuevo, creado por él, aunque tiene sus necesarios antecedentes en Lugones y en Laforgue. En ellos aprende López Velarde el secreto de esas imágenes que mezclan, en dosis explosivas, lo cotidiano con lo inusitado y que un adjetivo incandescente ilumina, arte que participa de la fórmula química y de la magia. La originalidad de López Velarde consiste en seguir un procedimiento inverso al de sus maestros: no parte del lenguaje poético hacia la realidad, en un viaje descendente que en ocasiones es una caída en lo prosaico, sino que asciende del lenguaje cotidiano hacia uno nuevo, difícil y personal. El poeta se sumerge en el habla provinciana –casi a tientas, con la certeza sonámbula de la doble vista– y extrae de ese fondo maternal expresiones entrañables, que luego elabora y hace estallar en el aire opaco. Con menos premeditación que Eliot –otro descendiente de Laforgue–, su lenguaje parte del habla común, esto es, de la conversación. Él mismo advierte que ama el diálogo —la plática— y que detesta los discursos.

El lenguaje de López Velarde parte de la conversación: nunca se detiene en ella. Su poesía no habría tenido más resonancia que la de González León si no la hubiera sometido a una recreación más estricta y a una búsqueda más rigurosa. Tradición y novedad, realismo e innovación habitan su estilo, no para enfrentarse como dos mundos enemigos —según ocurre en ciertos poemas modernos— sino para fundirse en una imagen insólita. Por la gracia opaca y relampagueante de su lenguaje, López Velarde penetra en sí mismo y pasa de la confesión sentimental de sus primeros poemas a la lucidez de *Zozobra*. Su drama sería obscuro y vulgar sin ese idioma que con tan cruel perfección lo desnuda. Y su estilo, asimismo, no sería sino una retórica si no fuera porque es, asimismo, una conciencia. La palabra es espejo, conciencia escrupulosa. Todo lenguaje, si se extrema como extremó el suyo López Velarde, termina por ser una conciencia. Y allí donde comienza la conciencia del lenguaje, la desconfianza frente al lenguaje heredado, principia la recreación de uno nuevo. O principia el silencio. Principia la poesía.

La palabra, cuando es creación, desnuda. La primera virtud de la poesía, tanto para el poeta como para el lector, consiste en la revelación del propio ser. La conciencia de las palabras lleva a la conciencia de uno mismo: a conocerse, a reconocerse. Y ese mismo lenguaje, que es la única conciencia del poeta, lo impulsa fatalmente a convertirse en conciencia de su pueblo. Toda palabra, inclusive la palabra prohibida, la palabra personal, es bien común. En el primer tiempo de la operación poética, el poeta parte del lenguaje de todos para hacerse uno personal; en el segundo, aspira a que su lenguaje sea objeto de comunión. La tentativa poética se convierte en tentativa de participación. Y lo que se parte y reparte, el objeto del sacrificio comunal, es el poema. Si López Velarde se descubre a sí mismo gracias al lenguaje de los mexicanos, más tarde su lenguaje tiende a revelar a los mexicanos su propio ser y sus conflictos. Dueño de un lenguaje, al mismo tiempo suyo y de su pueblo, el poeta no tiene más remedio que hablar por todos y para todos.

La tentación del himno cívico era tan fatal para López Velarde como para un poeta de otro tiempo la del poema religioso. La originalidad de *La suave patria* consiste en que se trata de un himno dicho con ironía, ternura, recato y cierto rubor. El poeta canta «a la manera del tenor que imita la gutural entonación del bajo». Canta en voz baja y evita la elocuencia, el discurso y las grandes palabras. Su México no es una patria heroica sino cotidiana, entrañable y pintoresca, vista con ojos de enamorado lúcido y que sabe que todo amor es mortal. Vista, asimismo, con mirada limpia y humilde, de hombre que la ha recorrido en los días difíciles de la guerra civil. Patria pobre, patria de pobres. Hombre de la Revolución, López Velarde pide un retorno a los orígenes: nos pide volver a México, porque él mismo acaba de regresar y reconocerse en esas mestizas que «ponen la inmensidad sobre los corazones». Patria diminuta y enorme, cotidiana y milagrosa como la poesía misma, el himno con que la canta López Velarde posee la autenticidad y la delicadeza de una conversación amorosa.

Al escribir *La suave patria* quizá López Velarde era demasiado dueño de su estilo. Quizá ese estilo, esa manera, se había adueñado del poeta. Quizá hemos cambiado y no creemos ya en muchas cosas en que creía López Velarde. O creemos de otra manera. Nada de esto invalida la fatalidad que lo llevó a escribir ese poema y que da un acento tan genuino a sus mejores estrofas. *La suave patria* no tiene descendencia, a pesar de que ha merecido respuestas y prolongaciones. No podía ser de otro modo. Nadie piensa ahora que la salvación de México consiste en imitarse, en ser igual a sí mismo. Pero si su prédica ha sido desoída, nadie ha olvidado sus palabras. Por ellas tenemos conciencia de las nuestras, necesariamente diferentes. Nos contemplamos en ellas, no para repetirlas, sino para buscar la palabra que las prolongue.

París, 1950

«El lenguaje de López Velarde» se publicó en *Las peras del olmo*, México, Universidad Nacional Autónoma de México, 1957.

El camino de la pasión: Ramón López Velarde

LA BALANZA CON ESCRÚPULOS

> *Hemos perdido la inteligencia del*
> *lenguaje usual y el diccionario susurra...*

La lectura del libro que ha consagrado el señor Allen W. Phillips a Ramón López Velarde me incitó a reflexionar nuevamente sobre el caso de este poeta[1]. Lo que primero sorprende es su fortuna literaria. Su poesía, escasa y difícil, tras un período inicial de incomprensión pública, ha logrado entre nosotros una resonancia y una permanencia que no han obtenido obras más vastas y accesibles. En vida publicó solamente dos libros de poemas: *La sangre devota* (1916) y *Zozobra* (1919); después de su muerte se han editado tres volúmenes: uno de poesía, *El son del corazón* (1932) y dos de prosa, *El minutero* (1923) y *El don de febrero* (1952); aún andan dispersos varios poemas, artículos y algunos cuentos. ¿Lo que dejó es realmente una obra? Poco se salva, para mí, de lo que escribió antes de 1915 y pienso, contra la opinión de muchos, que su muerte prematura interrumpió su creación precisamente en el momento en que tendía a convertirse en una contemplación amorosa de la realidad, tal vez menos intensa pero más amplia que la concentrada poesía de su libro central, *Zozobra*. Al mismo tiempo, López Velarde nos ha dejado unos cuantos poemas en verso y en prosa –no llegan a treinta– de tal modo perfectos que resulta vano lamentarse por aquellos que la muerte le impidió escribir. Ese manojo de textos provoca en todo lector atento varias preguntas. La crítica, desde hace más de treinta años, se esfuerza en contestarlas: poeta de la provincia, poeta católico, poeta del erotismo y de la muerte y aun poeta de la Revolución, Y hay otras preguntas, más decisivas que las puramente literarias... Yo me propuse, una vez más, interrogar a esos poemas –como quien se interroga a sí mismo. Las páginas que

---

[1]. *Ramón López Velarde, el poeta y el prosista*, INBA, México, 1962.

siguen son mi respuesta. Pero antes debo decir algo del libro que me animó a escribir de nuevo sobre López Velarde.

El estudio del señor Phillips me parece lo más completo que se ha escrito sobre nuestro poeta. Es un resumen inteligente, quiero decir: una exposición crítica de todo lo que se ha dicho acerca del tema; asimismo, es una verdadera exploración de una obra singularmente compleja. En la historia de la crítica sobre López Velarde hay, a mi juicio, tres momentos: el ensayo de Xavier Villaurrutia que, literalmente, desenterró a un gran poeta sepultado bajo los escombros de la anécdota y el fácil entusiasmo; algunos valiosos estudios sobre aspectos parciales de su vida y de su obra, entre los que destacan los de Luis Noyola Vázquez; y este libro del crítico norteamericano, que nos da al fin la posibilidad de una comprensión más cabal[1]. Me interesaron sobremanera los capítulos sobre la formación de López Velarde. No creo que nadie, en su tiempo, se haya dado cuenta enteramente del sentido de su tentativa, excepto José Juan Tablada. Aunque la crítica se obstina en desdeñar tanto su influencia como el valor de su poesía, Tablada fue un estímulo y un ejemplo para López Velarde[2]. Con esta salvedad, la vida literaria de nuestro poeta transcurrió entre la reserva del grupo del Ateneo –que tampoco mostró entusiasmo por Tablada– y la devoción cordial, pero limitada, de sus compañeros de generación. Poco antes de su muerte los jóvenes que más tarde se unirían en la revista *Contemporáneos*, descubrieron en él, ya que no un guía, un espíritu afín, otro solitario. Y uno de ellos, Villaurrutia, escribió años

---

1. En 1971 José Luis Martínez publicó las *Obras* de López Velarde. Excelente trabajo; verdadera edición crítica. El volumen comprende un esclarecedor prólogo de Martínez, una cronología bibliográfica, los poemas, la prosa, la correspondencia y una sección de notas abundante, informativa y rica en acertadas interpretaciones. (Colección «Biblioteca Americana» del Fondo de Cultura Económica.)

2. Un testimonio curioso son las cartas cruzadas entre ambos, hacia 1919, a propósito de Apollinaire. *Calligrammes* aparece en 1918, pero el primer poema-ideograma, como al principio llamó Apollinaire a esas composiciones, fue publicado en 1914: *Lettre-Océan*. Escrito –¿o debo decir: dibujado?– sobre una «Carta Postal de la República Mexicana», contiene varias pintorescas alusiones a nuestro país y está dedicado a su hermano Albert Kostrowitzky, que vivía en México desde 1913 (murió en 1919, sin haber regresado a Francia). José María González de Mendoza lo trató. Frecuentaban el gimnasio de la YMCA y hablaban a veces de poesía. Un día tropezó con él en la calle de Balderas; Albert le mostró un telegrama de París y le dijo: «Ayer murió mi hermano. Era el mejor poeta de Francia, aunque pocos lo sabían...».

después un ensayo sobre su obra que, por su estricta geometría y su ritmo amplio y hondo, hace pensar en ciertos textos de Baudelaire.

Acerca de la influencia de varios poetas hispanoamericanos en López Velarde, el libro de Phillips dice casi todo lo que hay que decir[1]. A reserva de volver más adelante sobre el caso de Lugones, señalo que el ejemplo de Herrera y Reissig lo estimuló en dos dominios: afinó su sensibilidad y fecundó su fantasía verbal. Los sonetos de *Los éxtasis de la montaña*, sorprendente desfile de imágenes, deben de haberlo impresionado. Phillips percibe ecos de los *Nocturnos* de *Cantos de vida y esperanza* en ciertos poemas de *La sangre devota*. Es verdad y su observación nos ayuda a definir su linaje poético. Yo agregaría algo: quizás hay que volver a leer al olvidado Efrén Rebolledo; algunos de sus sonetos eróticos hacen pensar vagamente en los poemas de *Zozobra*. Es acertada la opinión de Phillips acerca de las afinidades entre López Velarde y González León; sin embargo, yo iría más lejos: se trata de una evolución paralela, debida no sólo a la cercanía de las sensibilidades sino a la comunidad de las fuentes. Uno y otro debieron leer con avidez lo mismo a los poetas hispanoamericanos y españoles que cultivaron el «provincianismo» que a sus maestros franceses. Por otra parte, la semejanza entre los dos poetas no debe ocultarnos la distancia que hay entre López Velarde y el talento más bien modesto de González León.

Amado Nervo fue, entre los poetas mexicanos, la influencia mayor en López Velarde, especialmente durante sus años de formación. Sobre eso me hubiera gustado que Phillips dijese algo más. Es conocido el juicio de López Velarde: «Amado Nervo es el máximo poeta nuestro». Admiración honda que no excluía ciertas reservas frente al Nervo de los «versos catequistas, alejados de la naturaleza artística y, en ocasiones, en pugna con ella... De la confusión de estas dos normas surgieron sus renglones postreros...». Alfonso Méndez Plancarte tuvo el mérito de mostrar las huellas de Nervo en la poesía de López Velarde; la célebre línea: «ojos inusitados de sulfato de cobre» aparece antes en Nervo: «unos ojos verdes, color sulfato de cobre». López Velarde transfiguró el verso con la simple substitución de un adjetivo

---

1. He ampliado los párrafos consagrados a la influencia que distintos poetas españoles, hispanoamericanos y franceses tuvieron en la obra de López Velarde. (*Nota de 1986.*)

redundante (*verdes*) por otro que nos advierte de la rara belleza de unos ojos. Así volvió misteriosa una observación banal.

Más tarde, al comentar un poema que alude a la decoración de los altares durante la Cuaresma, José Luis Martínez recordó que ya Nervo había hecho una descripción semejante. Pero tal vez se pueda ahondar un poco más en el tema. *Los jardines interiores* (1905) es uno de los mejores libros de Nervo y el que marca el ápice de su período simbolista. En ese libro hay una sección compuesta por once poemas escritos bajo la advocación de una figura femenina: Damiana. ¿Quién es Damiana? Nervo responde con una cita de Dante Gabriel Rossetti que le sirve de epígrafe: *My name is might have been.* En los once poemas de esta colección se combinan dos motivos: la provincia en sus manifestaciones devotas y un amor ardiente pero casto a una mujer ideal, «prócer y aldeana». Extraña pero no infrecuente mezcla del amor infantil y del adulto, la inocencia y la conciencia del pecado.

No es temerario ver en Damiana a una prefiguración de Fuensanta, no sólo por la unión de catolicismo y provincia, sensualidad y castidad, sino porque la iglesia fue, para los dos poetas, simultáneamente el lugar de la consagración y del sacrilegio, la devoción y el deliquio erótico. Varios de los poemas a Damiana anuncian los temas de *La sangre devota* y, especialmente, el *tono* de ese libro. Dos ejemplos: el sabor «del primer beso que, de improviso –dice Nervo– le dejé a una muchacha que me quiso / cierta noche de abril, entre los labios»; otro: «la enorme custodia / como un sol de nieve / dentro de un sol de fuego». Estas expresiones aparecen más tarde en varios poemas de López Velarde pero transfiguradas por un lenguaje hecho de asombrosas invenciones verbales.

La relación con los poetas españoles de esa época ha sido poco estudiada. Phillips cita a Azorín, al que admiraba nuestro poeta, a los Machado y a Juan Ramón Jiménez. Estos nombres, más que influencias, evocan la atmósfera de una época. Phillips recuerda a Marquina, leído con atención por López Velarde pero del que se sentía lejos. Aquí hay que tocar un punto sobre el que apenas si se ha detenido la mayoría de los críticos. Me refiero al ejemplo de algunos poetas españoles que, inspirados por ciertos simbolistas franceses, escribieron en esos años poemas acerca de la provincia y sus misterios pueriles y recónditos. No pienso en Gabriel y Galán –nada más opuesto a la estética de López Velarde que el academicismo de ese escritor– sino en

Andrés González Blanco. El primero y, realmente, el único que se ha ocupado del tema con la extensión que merece, ha sido Luis Noyola Vázquez[1].

Numerosos ejemplos ilustran el extraordinario parecido entre el poeta y crítico de Cuenca y el de Jerez de Zacatecas. Escojo unos pocos. La lluvia, que acentúa el tedio y la melancolía de la provincia, la sensualidad de las muchachas encerradas en sus casonas, el bisbiseo de los rezos y de la llovizna, son motivos frecuentes de González Blanco:

> Novenas de provincia,
> novenas
> que amenguaban el tedio
> de aquella población tan soñolienta...
>
> Y la lluvia caía
> fuera
> con un rumor de sílabas
> de letanía lenta...
>
> Dificultoso el tránsito
> por las calles en cuesta...
> Tintineo de lluvia,
> conversaciones sueltas
> de las niñas que en grupos
> narraban sus tristezas...

La misma escena, los mismos sentimientos y, como subraya Noyola Vázquez, «casi el mismo léxico» en López Velarde:

> En las noches profanas
> del novenario...
> estrados de señoritas
> sobre la regada banqueta...

---

1. *Fuentes de Fuensanta. La ascensión de López Velarde*, México, 1947.

> Altas
> y bajas del terreno que son siempre
> una broma pesada...
> Tardes de lluvia en que se agravan
> al par que una íntima tristeza
> un desdén manso de las cosas
> y una emoción sutil y contrita que reza.

Evocación de nombres femeninos: «Se llamaba Natalia. Tenía un sortilegio...» (González Blanco). «Llamábase María, vivía en un suburbio...» (López Velarde). El poder mágico de la fecha:

> ¿Por qué extraño portento yo revivo mi vida
> en esta serenata tantas veces oída
> que estaba de moda en 1850?

Como si se tratase precisamente de un eco concéntrico, López Velarde dice:

> ...su estrofa concéntrica en el agua
> y que dió fe del ósculo primero
> que por 1850 unió las bocas
> de mi abuelo y mi abuela...

No es preciso prolongar esta demostración. Finalizaré con un ejemplo más entre los que cita Noyola Vázquez. Dice González Blanco: «aquel coro en que alzaba / su voz dorada de impúber soprano / bajo el compás de las misas de Eslava...»; y López Velarde: «Unas voces núbiles / y lentas ensayaban / en un solfeo cristalino y simple / una lección de Eslava».

Los poemas de González Blanco fueron imitados por muchos poetas de España y América. Él lo dice, con cierta amarga vanagloria, en un escrito de 1910: «Algún día, si escribo la historia de mis libros, citaré los nombres de los líricos contemporáneos que me han leído con aprovechamiento». Hoy Andrés González Blanco es más recordado por sus estudios críticos que por sus poemas. Ha sido una víctima más de la estética que impuso en España la Generación de 1927. Como poeta fue prolijo, monocorde y reiterativo; sin embargo, no sólo introdujo ciertos temas en nuestra poesía sino una nueva sensibilidad, un vocabulario original y una imaginación más fresca. Andrés González Blanco estuvo en México al comenzar el siglo; su hermano Pedro también vivió entre nosotros, participó en la Revolución mexicana y escribió sobre ella. González Blanco se extiende y amplifica mientras que López Velarde se concentra y ahonda; no obstante, sin el español la aventura poética del mexicano hubiera sido quizá muy distinta. No es exagerado decir que la poesía de González Blanco fue su punto de partida.

Hacia 1910 comienza, primero en España y después en América, una tendencia que podríamos llamar provinciana o criollista y que continuó durante más de 15 años. El origen de este movimiento, que coincide con el fin del modernismo y que es tanto su prolongación como su réplica, se encuentra en la poesía simbolista francesa. En América los representantes más destacados de esta corriente, además de López Velarde, fueron Vallejo (*Los heraldos negros*, 1918), Borges (*Fervor de Buenos Aires*, 1923; *Luna de enfrente*, 1925 y *Cuaderno San Martín*, 1929)[1] y Molinari (*El imaginero*, 1927 y *El pez y la manzana*, 1927). En España el movimiento se inició un poco antes con González Blanco, al que pronto siguió otro olvidado poeta, Fernando Fortún, que murió muy joven. Sus últimos poemas muestran también afinidades con los de López Velarde. Es difícil saber si el poeta mexicano conoció los poemas de Fortún pero sí es indudable que leyó sus traducciones de los simbolistas franceses.

También en la poesía de los jóvenes españoles de entonces fue determinante y profunda la influencia de varios poetas franceses y belgas, sobre todo la de Francis Jammes. En la *Antología de la poesía francesa moderna* (1913) de Enrique Díez-Canedo y Fernando Fortún, en la breve nota consagrada a Jammes, dice Díez-Canedo: «su influencia se ha difundido hasta el punto de que raro es el poeta joven que no le deba algo. Recordemos en España la prosa antigua de Azorín, los versos de Pérez de Ayala y de Andrés González Blanco, los *sonetos criollos* de este último, especialmente…». Esos sonetos fueron escritos, sin duda, después de su estancia en México. Otro poeta que influyó en López Velarde fue Rodenbach, que también marcó a González Blanco. Oigamos de nuevo a Díez-Canedo: «En España Rodenbach

---

1. En Borges el criollismo postsimbolista se une al ultraísmo. (*Nota del editor.*)

ha influido bastante en los jóvenes, especialmente en Pérez de Ayala y en Andrés González Blanco».

¿López Velarde leyó a esos poetas en francés? No es fácil saberlo. En todo caso, conoció las traducciones que circulaban en esa época. Noyola Vázquez señala que en la *Revista Moderna* se publicaron, en 1905, trece poemas de Rodenbach traducidos por González Blanco. Hay que recordar, además, las espléndidas traducciones que hizo González Martínez de muchos de los simbolistas franceses y belgas. Todo esto, sin duda, fue leído por López Velarde. Esas lecturas fecundaron su imaginación y pulieron su gusto. Por último, no hay que olvidar el fervor con que fue leída la *Antología* de Díez-Canedo y Fortún. Hace años Neruda me confió que ese libro fue su primer contacto con la poesía francesa y subrayó: «como ocurrió con casi todos los poetas hispanoamericanos de esos tiempos...». Phillips cita también a Verhaeren y Maeterlinck. Su influencia fue real pero menos profunda.

Antes de pasar a otro punto importante –la relación con Baudelaire, Lugones y Laforgue– reitero que la literatura francesa es mucho más determinante en López Velarde de lo que parece a primera vista. Si su poesía recoge tantas y tan diversas influencias –aunque todas ellas afines a su espíritu y a su temperamento– ¿qué decir de la influencia que ha ejercido en los que vinieron después? En México tuvo imitadores sin mucha originalidad pero también fecundó a verdaderos poetas, como Xavier Villaurrutia. Aunque escasamente conocido en España y en casi toda la América hispana, López Velarde logró el reconocimiento de los mejores, como Neruda y Borges. En fin, hay ecos suyos en la obra juvenil de dos notables poetas argentinos: Ricardo Molinari y Silvina Ocampo.

El tema de las relaciones entre Baudelaire y nuestro poeta es capital. Aquí tampoco coincido enteramente con el señor Phillips. En un artículo sobre López Velarde, escrito en 1950, puse en duda esa semejanza, sostenida con gran sutileza por Villaurrutia. Hoy no diría lo mismo. En aquel artículo destacaba las diferencias entre ambos: el «abismo», para emplear la expresión de Xavier, que atrae a Baudelaire es el de la conciencia autosuficiente y, simultáneamente, desvalida –de ahí la identificación del mal con la libertad humana y de éstos con la nada; López Velarde, en cambio, siente la fascinación de la carne, que es siempre, fascinación ante la muerte: al ver «el surco que deja en la arena su sexo», el mundo se le vuelve «un enamorado mausoleo». La visión del cuerpo como presencia adorable y condenada a la putrefacción se acerca, pero no es idéntica, al vértigo del espíritu «celoso de la insensibilidad de la nada». Estas diferencias no deben ocultarnos muchas y profundas semejanzas. Los dos son «poetas católicos», no en el sentido militante o dogmático sino en el de su angustiosa relación, alternativamente de rebeldía y dependencia, con la fe tradicional; su erotismo está teñido de una crueldad que se revuelve contra ellos mismos: al *Je suis la plaie et le couteau* responde el mexicano con el «ser en un solo acto el flechador y la víctima»; ambos aman los espectáculos del lujo fúnebre: la cortesana, encarnación del tiempo y la muerte, las bailarinas, los payasos, la domadora, los seres al margen, imágenes de fasto y miseria. Hay en los dos la misma continua oscilación entre la realidad sórdida y la vida ideal («edén provinciano» o *chambre spirituelle*); la idolatría por el cuerpo y el horror del cuerpo; la sistemática y voluntaria confusión entre el lenguaje religioso y el erótico, no a la manera natural de los místicos sino con una suerte de exasperación blasfema... En una palabra, hay el mismo amor por el *sacrilegio*.

Baudelaire es un espíritu incomparablemente más rico y profundo pero López Velarde es de su estirpe. Para comprobarlo basta enfrentar algunos poemas en prosa de *El minutero* (entre otros *José de Arimatea, El bailarín, Obra maestra*) con ciertos textos de *Le Spleen de Paris*, por ejemplo: *L'Horloge, La Chambre double, Mademoiselle Bistouri*... ¿Pero es necesario insistir? Tenemos la confesión de López Velarde: «seminarista sin Baudelaire, sin rima y sin olfato». Por cierto, Phillips cita una desdichada interpretación de Ortiz de Montellano («olfato aquí quiere decir malicia») que ya en su hora provocó la razonada indignación de Villaurrutia. En efecto, aparte de que Montellano olvida que toda palabra poética contiene una pluralidad de significados, la poesía de López Velarde suscita una oleada de perfumes espesos e intensos, vibración que se prolonga en resonancias que yo me siento inclinado a llamar espirituales: incienso, olor de tierra mojada y de cirios, barro, azucena, almizcle, aromas de alcoba e iglesia, de lecho y cementerio... El catálogo es impresionante no sólo por el número sino por la complejidad de las sensaciones. Y en el centro de esa constelación sensual, como un ojo fijo, el nombre de Baudelaire; la conciencia sacrílega.

Las afinidades entre López Velarde y Laforgue me parecen indudables. Sobre esto sigo pensando todo lo que dije en mi artículo de 1950. Leída en francés, en traducción o conocida por intermedio de Lugones, la poesía de Laforgue es central en López Velarde. El poeta francés le revela el secreto de la fusión entre el lenguaje prosaico y la imagen poética, o sea, la receta de la incandescencia y el hielo verbales. No la oposición entre vida cotidiana y poesía sino su mezcla: las situaciones absurdas, las revelaciones oblicuas, los apartes, la alianza de lo grotesco, lo tierno y lo delirante. La luna y la ducha fría. Laforgue le enseña, sobre todo, a separarse de sí mismo, a verse sin complicidad: el monólogo, desdoblamiento del yo que habla en el yo que escucha. Rostro que se contempla en el espejo convexo de la ironía, el monólogo introduce el prosaísmo como un elemento esencial del poema. Pero no debe confundirse el uso deliberado de prosaísmos con el empleo de lo que llaman lenguaje popular o folklórico. En España, por esos años, Machado pretende volver al habla del pueblo; y más tarde, aunque dentro de una estética más próxima a Jiménez, García Lorca y Alberti lo intentaron también. Cualquiera que sea nuestra opinión sobre estos poetas, no creo que nadie pueda ver en sus poemas algo que se parezca al lenguaje popular. No es difícil saber la razón: ese lenguaje es más bien una vaga noción filosófica, heredada de Herder y el romanticismo alemán, que tiene poca substancia real.

El llamado lenguaje popular de la poesía española no viene del habla del pueblo sino de la canción tradicional; el prosaísmo de López Velarde y de otros poetas hispanoamericanos procede de la conversación, esto es, del lenguaje que efectivamente se habla en las ciudades. Por eso admite los términos técnicos, los cultismos y las voces locales y extranjeras. Mientras la canción a la manera tradicional es una nostalgia de otro tiempo, el prosaísmo enfrenta el idioma del pasado con el de ahora y crea así un nuevo lenguaje. Uno acentúa el lirismo; el otro tiende a romperlo: su función, dentro del poema, es la crítica de la poesía. López Velarde lo dice de una manera insuperable: «El sistema poético se ha convertido en sistema crítico». Sonambulismo y examen de conciencia. El tiempo, la famosa temporalidad, es abismal y discontinuo. La canción lo recubre, como el reloj que, al medir las horas, nos oculta al verdadero tiempo. La canción nos lleva a otros tiempos; el poema que intenta López Velarde abre la conciencia al tiempo real. Operación violenta, pues el hombre, que vive en el tiempo y que quizá sólo sea tiempo, cierra los ojos y nunca quiere verlo, nunca quiere verse.

La forma predilecta de Laforgue y López Velarde es el poema de líneas sinuosas que imita la marcha zigzagueante del monólogo: confesión, exaltación, interrupción brusca, comentario al margen, saltos y caídas de la palabra y del espíritu. El monólogo es tiempo: canto y prosa. Por eso no se acomoda a la canción tradicional, con sus metros fijos y sus rimas previstas, y prefiere el verso suelto y la rima inesperada. La ironía es su freno y el adjetivo su espuela. De una manera aún más acusada que Laforgue y siguiendo en esto a Lugones –al que repetidamente compara con Góngora– nuestro poeta se propone que cada uno de sus poemas sea una «ecuación psicológica» y un organismo sensual, un objeto insólito. Imágenes barrocas, prosaísmos, confidencias y las adivinaciones de la sangre. Un estilo de sorpresas y un estilo combustible: el poema ha de ser fuego de artificio en el que se incendia realmente el poeta.

Aquí debo repetir que la influencia de Lugones en nuestro poeta fue decisiva. El lenguaje del *Lunario sentimental*, en el sentido más radical y amplio de la palabra lenguaje, es una de las claves del estilo de López Velarde. Gracias a Lugones, se descubre; pero apenas se encuentra a sí mismo, deja de parecerse al gran poeta argentino. Phillips observa con precisión: «en Lugones predominan lo burlesco y lo socarrón, lo festivo y lo pintoresco, lo exuberante y lo regocijado... En Laforgue y López Velarde la actitud es más profunda: los dos esconden una inherente tristeza bajo la máscara de la ironía». Yo diría que en Lugones no hay esa dimensión moral, herencia de Baudelaire, que es la conciencia de sí; tampoco el sentimiento de la soledad en la multitud urbana; ni, en fin, el sentido de lo sobrenatural. Lugones jamás habría escrito esta frase de López Velarde, que Laforgue hubiera firmado y que es, simultáneamente, la cifra de su estilo y la definición de sí mismo: «los pasos perdidos de la conciencia, el caer de un guante en un pozo metafísico...». Hay en estas líneas un presentimiento de algo que nunca vio: los cuadros de Chirico. Y otras cosas más... Ahora bien, aunque la afinidad es mayor entre el francés y el mexicano, Laforgue es más seco e intelectual; hay en su sonrisa un rictus mundano que delata un alma marchita. López Velarde es más ingenuo, serio y viril; se burla pero no reniega de la poesía y el amor. Algo decisivo los separa: la religiosidad, viva en uno, muerta en otro.

Valdría la pena situar a López Velarde no sólo, como en uso y abuso, en el ámbito de la poesía mexicana sino en el campo más vasto de la literatura hispanoamericana y (¿por qué no?) universal. En aquellos años el joven Huidobro, en Santiago o en París, prepara una irrupción que desconcertará e irritará, entre otros, a Antonio Machado; en México (o más exactamente: en Bogotá), Tablada escribe *Un día*, delgado libro que López Velarde encontró «perfecto» y que nuestra crítica aún no digiere... ¿Y en el resto del continente y la península? Para encontrar un equivalente de la tentativa de López Velarde hay que ir a la lengua inglesa. Pound publica *Lustra* en 1916 y *Hugh Selwyn Mauberley* en 1920; esos mismos años son los de la iniciación de T. S. Eliot. Hay cierta semejanza entre el primer Eliot (hasta *The Love Song of J. Alfred Prufrock*) y el último López Velarde. Se trata, por supuesto, de un lejano aire de familia: ambos tienen algunos antepasados comunes. Esta semejanza es pasajera (puede decirse que Eliot principia donde termina López Velarde), pero revela hasta qué punto es superficial encerrar a nuestro poeta en el marco de la provincia. Su obra participa de las corrientes de la época, a pesar de la lejanía geográfica e histórica en que vivió. No, López Velarde no es un poeta provinciano, aunque el terruño natal sea uno de sus temas: los provincianos son la mayoría de sus críticos. Poemas como *El mendigo*, *Todo*, *Hormigas*, *Tierra mojada*, *El candil*, *La última odalisca*, *La lágrima* y otros cuantos más –en verso y en prosa– lo hacen un poeta moderno, lo que no podía decirse, en 1916 o 1917, de casi ninguno de sus contemporáneos en lengua española.

Hay que repetirlo: la poesía moderna nace en Hispanoamérica antes que en España (con la única y gran excepción de Gómez de la Serna) y uno de sus iniciadores es López Velarde. Con él empieza una *visión* de las cosas que todavía seduce a espíritus tan opuestos como Jorge Luis Borges y Pablo Neruda. La mirada que se mira, el saber que se sabe saber, es el atributo (la condenación, sería más justo decir) del poeta moderno. López Velarde vive una compleja situación moral –y sabe que la vive, al grado que ese saber se le vuelve más real que la realidad vivida. En un artículo dice: «Aquel que sea incapaz de tomarse el pulso a sí mismo no pasará de borrajear prosas de pamplinas y versos de cáscara». Conciencia de su fatalidad y conciencia de esa conciencia: de ahí brotan la ironía y el prosaísmo, la violencia de la sangre y el artificio pérfido del adjetivo. Juego mortal de la reflexión: la transparencia de la palabra ante la opacidad de las cosas, la transparencia de la conciencia ante la opacidad de las palabras, el reflejarse sin fin de una palabra en otra, de una conciencia en otra... Este conflicto tiene un nombre: pluralidad. La conciencia anda perdida entre la dispersión de objetos, almas y cuerpos femeninos. La mujer es la llave del mundo, la presencia que reconcilia y ata las realidades disgregadas; pero es una presencia que se multiplica y así se niega en infinitas presencias, todas ellas mortales. Multiplicidad femenina: duplicidad de la muerte. Una y otra vez el poeta intenta reducir a unidad la dispersión. Una y otra vez la mujer se convierte en las mujeres y el poema en el fragmento. La unidad sólo se da en la muerte o en la conciencia solitaria. Poesía de solitario y para solitarios.

Concentrado y complejo, el estilo de López Velarde triunfa en lo que podría llamarse la *intensidad fija*: ese momento en que la sangre se agolpa, el pensamiento se suspende o el ánimo se arroba. El instante de frenesí que alcanza la cima y se inmoviliza para después anularse. Estética del corazón y sus latidos. Y también: estilo de la desmesura –no hacia afuera sino hacia adentro. Su tentación no es la inmensidad exterior sino lo infinitesimal; y su peligro es la afectación retorcida, no la vaguedad ampulosa. Muchas de sus frases, más que de la perfección, nos dan la sensación de la tortura del idioma. Hay que confesar que con frecuencia López Velarde es alambicado y que a veces es cursi. Una considerable porción de sus escritos de juventud, en prosa y en verso, me parecen sentimentales, artificiosos y, lo diré con franqueza, insoportables. Su gusto era exigente pero no impecable. La atmósfera literaria de aquellos días estaba contaminada por el modernismo agonizante y sus epígonos habían degradado su retórica en una feria de rarezas estereotipadas. El mismo Juan Ramón Jiménez no se libró del contagio sino años después. López Velarde nunca abandonó por completo algunos tics de la poesía anterior. Gorostiza insinúa que su condición de «payo» podría explicar algunas de esas afectaciones. Cualquiera que haya sido el origen de su actitud, la novedad esencial de su imaginación fue más poderosa que las equivocaciones de su gusto.

Poeta escaso, concentrado y complejo. A estos tres adjetivos hay que agregar otro: limitado. Sus temas son pocos; sus intereses espirituales, reducidos. La historia está ausente de su obra. Al escribir «historia», me refiero a la general o universal. No hay otra: lo que se llama «historia patria» es espejo del hombre –y entonces es también universal– o es una anécdota de sobremesa. Tampoco aparece el conocimiento y sus dramas: jamás puso en duda la realidad del mundo o la del hombre y nunca se le hubiera ocurrido escribir *Muerte sin fin* o *Ifigenia cruel*. Las relaciones entre la vigilia y el sueño, el lenguaje y el pensamiento, la conciencia y la realidad –temas constantes de la poesía moderna, desde el romanticismo alemán– apenas tienen sitio entre sus preocupaciones. Sentó a la belleza en sus rodillas pero ¿la «encontró amarga»? En todo caso, no la maldijo. No renegó ni profetizó. No quiso ser Dios ni sintió nostalgia por el estado bestial. No adoró a la máquina ni buscó la edad de oro entre los zulúes, los tarahumaras o los tibetanos. Excepto en un poema de hermosa violencia («Mi corazón se amerita...») la rebeldía no lo conmovió. Su poesía no quiere «cambiar al hombre» ni «transformar al mundo». Insensible al rumor de futuro que en esos años se levanta por todos los confines del planeta, insensible a los grandes espacios que se abren al espíritu, insensible al planeta mismo, que emerge, por primera vez en la historia, como una realidad total... ¿sospechó que el hombre moderno, desde hace más de cien años, está desgarrado entre utopía y nihilismo? Lo que desveló a Marx, Nietzsche o Dostoyevski, a él no le quita el sueño. En suma, es ajeno a casi todo lo que nos agita. Es una paradoja que un espíritu de tal modo impermeable a las angustias, deseos y temores de los demás, se haya convertido en esa figura equívoca que designa la frase: «poeta nacional». No sé si lo sea; sé que no quiso serlo. El secreto de esta paradoja está en su lenguaje, creación inimitable, fusión rara de la conversación y de la imagen insólita. Con ese lenguaje descubre que la vida cotidiana es enigmática.

    Prosa y verso forman en su obra un sistema de vasos comunicantes. Villaurrutia escribió que el poeta «está casi siempre presente en lo que, sin hipérbole, podemos llamar las estrofas de *El minutero*». Phillips completa esta observación, que nos sirve para leer mejor los textos en prosa, con otra que nos ayuda a comprender más enteramente los poemas: en su prosa López Velarde nos da, aunque nunca como demostración, ciertas claves de su estética. La unidad es orgánica, no intelectual. La lectura simultánea de prosa y verso nos permite someter a prueba tanto la lucidez de sus ideas sobre el mundo y el lenguaje como la autenticidad de sus poemas. El resultado, según ocurre con todos los verdaderos poetas, comprueba la coherencia entre instinto creador y conciencia crítica. Para López Velarde el mundo se nos entrega como sensación y emoción: «la naranja no es, en la lira, positiva o aristotélica; es, simplemente, naranja. Una sola cosa sabemos: que el mundo es mágico». Proclamar que el mundo es mágico quiere decir que los objetos y los seres *están animados* y que una misma energía mueve al hombre y a las cosas. Toca al poeta nombrar esa energía, aislarla y concentrarla en el poema. Cada poema es un orbe diminuto de simpatías y repulsiones, un campo de relaciones mágicas y, así, un doble del mundo real. La fuerza que une y separa a las cosas se llama Eros:

> En mi pecho feliz no hubo cosa
> de cristal, terracota o madera
> que abrazada por mí no tuviera
> movimientos humanos de esposa.

Las cosas no se ordenan conforme a las jerarquías de la ciencia, la filosofía o la moral. El valor de los objetos no reside en su utilidad ni en su significación mundana (lógica o histórica) sino en su vivacidad: aquello que los une a los otros objetos en una suerte de copulación universal y los transforma en cosas nunca vistas. La metáfora es el agente del cambio y su modo de acción es el abrazo. Las cosas diarias –la tina, el teléfono, el pabilo, el azúcar y su lenta disgregación, los armarios y su queja– contienen una carga mayor de energía mágica que las nombradas tradicionalmente por los poetas. Expresiones coloquiales, utensilios y situaciones cotidianas sufren una dichosa metamorfosis. La redención alcanza también a los desperdicios, como en las líneas de *El perro de San Roque*:

> Mi carne es combustible y mi conciencia parda;
> efímeras y agudas refulgen mis pasiones
> cual vidrios de botella que erizaron la barda
> del gallinero contra los gatos y ladrones.

López Velarde no se propone tanto conquistar lo maravilloso –la creación de otra realidad– como descubrir la verdadera realidad de las cosas y de sí mismo. Su empresa es mágica; quiere obligar a las cosas, por medio de la metáfora, a volver sobre sí mismas para que sean lo que realmente son. El mundo no es nunca plenamente lo que es –López Velarde tuvo una conciencia muy aguda de nuestra falta de ser– excepto en algunos momentos privilegiados y que no es exagerado llamar eléctricos. Esos instantes son las sensaciones, las emociones, las iluminaciones que nos dan ciertas contadas experiencias. La metáfora debe ser el equivalente, es decir: el doble analógico, de esos estados de excepción y de ahí su concentración, su aparente obscuridad y sus paradojas. Pero ¿cómo pueden las cosas ser ellas mismas si la metáfora, el abrazo universal, las cambia en otras cosas? López Velarde no concibe al lenguaje como vestidura. O más bien, es una vestidura que, al ocultar, descubre. La función de la metáfora es desnudar: «para los actos trascendentales –sueño, baño o amor– nos desnudamos». El arte poético es la ciencia de la iluminación. Su claridad desnuda y, a veces, desuella. Su luz es insoportable: «la suprema nitidez obliga a las buenas gentes a quedarse en tinieblas, como les ocurriría si en lugar de un foquito eléctrico tuviesen a Sirio al lado de la cama. Casi todos los que han pedido claridad literaria en el curso de los siglos, han pedido, realmente, una moderación de luz, a fin de guardarse la retina sin choques, dentro de una penumbra rutinaria...». Así pues, la poesía no sólo es revelación sino deslumbramiento.

La provincia es uno de sus temas. O mejor dicho: es un campo magnético, al que vuelve una y otra vez, sin jamás regresar del todo. Pero no sólo lo mueven sus sentimientos; la provincia es una dimensión de su estética. La vida de las ciudades y villorrios del interior –«cielo cruel y tierra colorada»– le ofrece un mundo de situaciones, seres y cosas no tocado por los poetas del modernismo. Cierto, la Revolución mexicana, que despobló lugares, repobló otros, dispersó y reunió a las gentes y reveló a todos una patria desconocida, contribuyó a su descubrimiento. En sus manos esa materia en bruto sufre la misma transformación que el lenguaje cotidiano y los objetos de uso diario. Sometida a la doble presión de la alquimia verbal y de la ironía, la sencillez aldeana se convierte en un condimento raro, una extrañeza más que se incrusta en el discurso de la poesía tradicional. El ejemplo más notable de esta metamorfosis es *El retorno maléfico*. Ante el «hijo pródigo» que regresa a la casa paterna, los medallones de yeso de la puerta entornan «los párpados narcóticos», se miran y se dicen: «¿qué es eso?». En el patio hay «un brocal ensimismado, con un cubo de cuero goteando su gota categórica». En el jardín: «el amor amoroso de las parejas pares». Arte de contrastes: la irrupción del «gendarme que pita» o los gorjeos de la solterona cantando un aria pasada de moda, acentúan el carácter sonámbulo de la evocación. Las muchachas que aparecen, unos versos después, «frescas y humildes como humildes coles», podrán ser todo lo simples que se quiera (ya se verá que no lo son tanto) pero la imagen que ha escogido el poeta para mostrarlas, «a la luz de dramáticos faroles», es de una sencillez endiablada.

Humildemente ofrece una serie de «vistas fijas» de las calles del pueblo, a la hora en que pasa el Santísimo Sacramento. Seres y cosas se inmovilizan, como «juguetes sin cuerda»:

> Mi prima, con la aguja
> en alto, tras sus vidrios,
> está inmóvil, con un gesto de estatua...
>
> El húmedo corpiño
> de Genoveva, puesto
> a secar, ya no baila
> arriba del tejado...

El viático y el corpiño. No dos símbolos: dos realidades. Del cuadro pintoresco e irónico, el poema pasa a la veneración: las naranjas «cesan de crecer», todo «está de rodillas y en el polvo las frentes...». No de un salto sino con un movimiento imperceptible, la descripción se vuelve canto y el canto silencio. Esta visión de la provincia no es costumbrista sino mágica. La estética de López Velarde desciende del arte barroco –¿es necesario recordar al Góngora de *Hermana Marica...*?– y tiende a un expresionismo muy español. (Él me corregiría, diciendo: «y criollo».) Su nacionalismo brota de su estética –y no a la inversa. Es parte de su amor a esa realidad que todos los días vemos con mirada desatenta y que espera unos ojos que la salven. Su nacionalismo es un *descubrimiento*, mientras que el de sus imitadores es una complaciente repetición de lo ya dicho. En un artículo muy citado habla de «la novedad de la patria». Un nacionalista común y corriente habría escrito: «la antigüedad (o la eternidad o la grandeza) de la patria». Lo que él llama «criollismo» es una actitud estética: debemos usar las palabras que todos decimos porque son palabras nuevas, *nunca dichas* por la poesía.

La provincia tiene, además, un significado espiritual. Si se piensa en términos de espacio, es lo distante y lo cerrado. Si de lo físico se pasa a lo moral, es lo intacto y lo intocable: la virginidad femenina, la entereza masculina. Su pueblo, mutilado por la metralla de la contienda civil, es un «edén subversivo», un paraíso arrasado al que «será mejor no regresar». Pero la guerra y la dispersión, que han desfigurado al pueblo, también han hecho un desterrado y un inválido de López Velarde. También hay «aciagos mapas» en su cuerpo y en su espíritu: las cicatrices de los amores, las dudas, las cóleras, las resignaciones, todos los actos y las omisiones de una conciencia a la intemperie. Conoce las ciudades, es el pródigo que entra con «pies advenedizos» a la casa de su infancia y encuentra que nadie lo reconoce. Paraíso infantil o reino de la pasión adolescente, la provincia no es tanto un punto en el espacio como la nostalgia de un bien irrecuperable. Él lo sabe, aunque se defiende con la ironía: por las callejuelas de Zacatecas —altas y bajas del piso que son «una broma pesada»— desfilan «católicos de Pedro el Ermitaño y jacobinos de la era terciaria». Y sin embargo, el encanto persiste. La ciudad natal lo «tienta con un mixto halago de fósil y de miniatura». Se ve caminando por sus calles: «yo no soy más que una bestia deshabitada que cruza por un pueblo ficticio. Metido ya en el lecho, como en un sarcófago, el reloj del Santuario deja caer las doce. El trueno rueda y todo se vuelve nugatorio». Amarga visión: ¿ha muerto la provincia o López Velarde es el muerto? Símbolo de la lejanía física y de la inocencia perdida, la provincia pertenece al *antes* y al *después*. Es una dimensión temporal: encarna el pasado pero igualmente prefigura lo que volverá a ser. Ese futuro se identifica con la muerte: el edén sólo se abrirá para el agonizante. La relación entre López Velarde y la provincia es la misma que lo une a Fuensanta. Son una distancia que sólo la muerte puede abolir:

> Cuando me sobrevenga
> el cansancio del fin,
> me iré, como la grulla
> del refrán, a mi pueblo…

Es difícil hablar de *La suave patria*. En primer lugar: el título. Más que una falta de gusto o un error de juicio, me parece un engaño piadoso, una ilusión. Ni nuestra geografía ni nuestra historia ni nuestro temperamento son blandos, delicados o pacíficos, que eso es lo que quiere decir *suave*. Si el adjetivo es impreciso, no lo fue la intención del poeta. Aborrecía los tambores y las trompetas: quiso escribir, al margen de la historia, un poema en voluntario tono menor. Lo consiguió y de modo admirable. Pero la seducción que ejerce sobre nosotros ese poema no debe cerrarnos los ojos ante ciertos lunares y flaquezas. Como en otros poemas suyos, no siempre fue afortunado en su búsqueda del adjetivo único y la expresión original: hay versos inútilmente complicados y aun grotescos («la hora actual con su vientre de coco» o «desde el vergel de tu peinado denso»), inexactos y que revelan ignorancia del mundo natural («la noche que asusta a la rana»), ripiosos («suave patria, en tu tórrido festín / luces policromías de delfín» o, un poco después, «y con tu pelo rubio *(sic)* se desposa / el alma equilibrista chuparrosa»), mal acentuados («suave patria, vendedora de chía»), retóricos, tiesos a lo Núñez de Arce («inaccesible al deshonor, floreces»), etc. Al mismo tiempo, también como en muchos de sus poemas, abundan las felices combinaciones verbales, los adjetivos inusitados y que dan siempre en el blanco, las imágenes como un continuo y fastuoso fuego de artificio y, en fin, esa íntima música suya, levemente desentonada, que invariablemente nos cautiva.

Este hermoso y desigual poema no merecía haber sido manoseado con tanta torpeza. ¿O su destino público es la suerte de toda belleza provocativa y demasiado evidente? En todo caso, *La suave patria* tolera las complicidades sentimentales, no las ideológicas. Cualesquiera que hayan sido sus opiniones políticas, y nunca fueron muy ardientes, López Velarde no confundía el arte con la prédica ni el poema con la arenga[1]. Tenía una aversión natural por los sistemas y a las ideas prefería los seres y las cosas: «la patria no es una realidad histórica o política sino íntima». Con esta declaración, contemporánea de la redacción del poema, López Velarde se sitúa, sin proponérselo, en el antípoda de la pintura mural mexicana que, precisamente, se iniciaba en esos años. Así pues, por comodidad verbal o por apego a las clasificaciones históricas, se le puede llamar poeta

---

[1]. Los textos recogidos por José Luis Martínez en *Obras* revelan un aspecto poco conocido de López Velarde. Aunque siempre distinguió claramente entre la creación poética y las ideas políticas, no fue insensible a las luchas políticas: entusiasta partidario de la revolución democrática en Madero, quizá participó en la redacción del Plan de San Luis y fue candidato a diputado (suplente) por el Partido Católico Nacional.

Primera página del manuscrito del poema *La suave patria* de López Velarde.

de la Revolución –nunca poeta revolucionario. Su actitud, por otra parte, ha sido casi constantemente la de toda la poesía mexicana moderna. Aunque hoy han cedido las presiones, los insultos y los halagos –nuestros peligros son otros–, es bueno recordar esta tradición de integridad moral.

La suave patria no es un canto a las glorias o desastres nacionales. Al iniciar su poema, López Velarde nos advierte: «navegaré por las olas civiles con remos que no pesan...». Y lo cumple: no hay apenas alusiones a la historia política o social de México, ni a sus héroes, caudillos, tiranos y redentores. El único episodio que le parece digno de mención separada, lo seduce por su carácter legendario. Los diez versos que evocan a Cuauhtémoc atravesando la laguna, en la piragua, para entregarse a Cortés, contienen imágenes memorables: el «sollozar de las mitologías»; el rey que se desprende del «pecho curvo» de la reina «como del pecho de una codorniz»; y esos «ídolos a nado» en los que veo toda la catástrofe –agua y fuego– de Tenochtitlan. El resto del poema es una estampa del paisaje y la vida mexicana de esa época. ¿Realismo? Sí, a condición de llamar realistas a nuestros pintores anónimos del siglo XIX y a los que, desde el Aduanero Rousseau, se llama con cierta impropiedad «primitivos modernos». Sucesión de colores, sabores, perfumes y sensaciones: no un fresco sino un «documental», en el sentido cinematográfico, de imágenes poéticas.

El verdadero equivalente de *La suave patria* no está tanto en la pintura o en el cine como en el teatro. Ni lírico ni heroico –su tono: la «épica sordina»–, es un poema dramático, dividido en dos actos, con un proemio y un intermedio. El proemio participa del prólogo de la comedia romántica y de la obertura por la orquesta de la época: declaración de las intenciones del autor, sin descuidar la autoironía, y entrada en materia de los instrumentos, con predominio de los de cuerda y percusión. El intermedio es un solo en el que el vocalista, aquí y allá acompañado por un lejano murmullo de chirimías, canta el suplicio de un héroe. Los dos actos, a cargo de toda la compañía, están compuestos por una serie de cuadros escénicos: no hay diálogo, pero los bailes y pantomimas lo suplen con ventaja. La acción es nula. Hay un fin de fiesta: la aparición de «la carrera alegórica de paja», trono rústico de Pomona-Guadalupe-Tonantzin. Espectáculo para la vista y el oído, *La suave patria* se parece, más que a la pintura mural, a la música de Silvestre Revueltas. El poema, en su género, es perfecto.

Hay fragmentos que no es fácil olvidar: el trueno del temporal que enloquece a la mujer y «sana al lunático»; la mirada de esa mestiza que pone «la inmensidad sobre los corazones»; la «cuaresma opaca»; los «pájaros de oficio carpintero» y tantos otros. Nadie sino López Velarde podía haber escrito esas líneas. El poema es, en cierto modo, el mediodía de su estilo. Digo: el mediodía de su estilo, no de su poesía. La maestría vence con frecuencia a la inspiración, la receta suplanta a la invención y el hallazgo al verdadero descubrimiento. La mirada del poeta no penetra en la realidad de sí mismo ni en la de su pueblo. Es un poema exterior.

López Velarde es un poeta difícil y proclama una estética difícil. Su odio a «la crasa dicción de la ralea» es el reverso de su amor por la expresión que nos ciega a fuerza de evidencia. Así, no busca tanto la sorpresa como lo genuino. Su originalidad es un ir hacia el origen, hacia lo más antiguo: descubrir la raíz. El poema no es un objeto recién manufacturado sino un talismán recién desenterrado. La novedad y la sorpresa son las dos alas del poema y sin ellas no hay poesía; pero el cuerpo del poema es el descubrimiento de una realidad sin fecha. Para López Velarde expresión es sinónimo de exploración interior y ambas de creación de sí mismo. No quiere decir lo que siente; quiere descubrir quién es él y qué es aquello que siente –para sentirlo más plenamente, para ser lo que es con mayor albedrío. Esa búsqueda de sí mismo desemboca en la búsqueda de «otra realidad» porque el hombre nunca es él mismo enteramente; siempre inacabado, sólo se completa cuando sale de sí y se inventa. La pasión artística de López Velarde posee un sentido espiritual. Su conciencia crítica no es únicamente estética. O lo es con tal rigor que se confunde con su vida misma. Pule infinitamente –no como artífice: como enamorado– cada sustantivo y cada verbo porque en cada uno de ellos se juega su identidad. Perder el juego es olvidarse, desconocerse, perder algo más que gloria o fama: la razón de ser de su vida. En la historia espiritual de nuestra poesía, López Velarde es la «balanza con escrúpulos». Cuida los adjetivos porque cuida su alma.

LA MANCHA DE PÚRPURA

En el pecho un imán
de figura de trébol
y apasionada tinta de amapola...

El amor es su tema. En esto también es excepcional ya que, a pesar de lo que generalmente se piensa, esta pasión no tiene en la poesía moderna el lugar que ocupa en la de López Velarde[1]. Los dos momentos en que se divide su obra, *La sangre devota* y *Zozobra*, están regidos por distintas figuras de mujer. Su experiencia amorosa está de tal modo ligada a su aventura verbal que Fuensanta, la amada juvenil, y las incógnitas mujeres de *Zozobra* y *El son del corazón*, simbolizan para la mayoría de sus críticos no sólo dos clases de amor sino dos estilos de versificación. Esta opinión, aunque justa en lo esencial, es demasiado tajante. Ni *La sangre devota* es un libro enteramente ingenuo (ya el título, en su ambigüedad, lo insinúa) ni Fuensanta es una sombra metafísica. Además, al lado de Fuensanta aparecen otras figuras inquietantes, como aquella prima Águeda –ojos verdes y luto ceremonioso– contemplada por el poeta con la mirada, a un tiempo fija y vertiginosa, del deseo adolescente. No sé, por otra parte, si la palabra «amor» expresa con exactitud los contradictorios sentimientos que le inspira Fuensanta. Tal vez, al principio, López Velarde no se dio cuenta de esa complejidad pero es indudable que más tarde tuvo plena conciencia de la naturaleza singular de su relación. En un poema que está inspirado por ese primer amor, dice: «me das... algo en que se confunden el cordial refrigerio y el glacial desamparo de un lecho de

---

1. En Díaz Mirón hay escultura erótica, no amor; Othón o el elogio a «la vida retirada» (la excepción son los intensos, hondos sonetos que forman el *Idilio salvaje*, casi lo único que sobrevive de su vasta producción); González Martínez o la meditación; Tablada o el viaje; etcétera. Entre los «Contemporáneos»: Villaurrutia o el diálogo entre el insomne y el sonámbulo; Gorostiza o el monólogo del agua en su tumba de transparencias; Pellicer o la aviación poética; Owen o el ángel en el *subway*; etcétera. Otra excepción: *Nuevo amor*, el hermoso libro de Salvador Novo. Por supuesto, no digo que el amor esté ausente de la obra de estos poetas. Sin amor no hay poesía. Digo simplemente que para ellos no fue la preocupación tiránica que fue para Ramón López Valverde.

doncella». La oposición entre «cordial» y «glacial» impide la consumación de ese amor y, al mismo tiempo, su confusión lo conserva vivo a lo largo de los años. Pues ese amor, hecho de elementos contrarios, es una *confusión*: el refrigerio y el desamparo, lo glacial y lo cordial, no se funden pero tampoco se separan. La ambigüedad no reside sólo en el objeto de su adoración sino en sus sentimientos: amar a Fuensanta como mujer es traicionar la devoción que le profesa; venerarla como espíritu es olvidar que también, y sobre todo, es un cuerpo. Para que ese amor dure necesita preservar su confusión y, simultáneamente, ponerlo a salvo de su contradicción. Su amor es el constante vaivén de los dos términos que lo forman. Así, no puede exponerlo a la prueba de la realidad sin exponerlo al mismo tiempo a la extinción: la sangre y la devoción acabarían por fundirse o una de ellas anularía a la otra. No le queda más recurso que transfigurarlo. Fuensanta se vuelve un cuerpo inaccesible y su amor algo que jamás encarna en un aquí y un ahora. No se enfrenta a un amor imposible; su amor es imposible porque su esencia es ser permanente y nunca consumada posibilidad.

López Velarde era demasiado lúcido para no saber que al evadir la alternativa, consumación o desengaño, sacrificaba a la Fuensanta real y a la amada a una suerte de limbo perpetuo, errante entre el antes y el después. Es lo que pudo ser y de ahí que aparezca siempre como una criatura remota, en otro tiempo y en otro espacio. Encarna la provincia y los placeres ingenuos, pero no inocentes, de la adolescencia: es lo que fue, y volverá a ser en el «tiempo apocalíptico», en el trasmundo. Fuensanta, mujer real, se vuelve sombras. Mientras las otras mujeres de sus poemas son una presencia inmediata, feroz o jovial, ella es la imagen de la lejanía. Es la desaparecida, el ánima en pena, la ausente con la que se sostiene un infinito diálogo imaginario. Es aquello que está a punto de dejarnos y que todavía, por un instante, retenemos: tú eres, le dice, «una epístola de rasgos moribundos, colmada de dramáticos adioses». Estas líneas, aunque no son del mejor López Velarde, expresan muy bien lo que fue ese amor: una interminable despedida.

La distancia no basta. Aun lejana, la realidad de Fuensanta es una amenaza para su devoción. La muerte es la forma más perfecta de la despedida. Muerta, Fuensanta será más plenamente «la que pudo ser» y, puesto que ambos creían en la resurrección, «la que un día ha de ser». Anticipándose a la realidad, López Velarde imagina su agonía.

Hay dos textos reveladores: un poema y una prosa. Sorprende en ellos tanto la precisión cruel de los inventados detalles como el hecho de que en uno y otro López Velarde se presenta como el ángel de la muerte. En el primero, Fuensanta verá, «en la luna de su armario», dibujarse un puño esquelético y «gritará las cinco letras del nombre» del poeta; pero él «estará ausente de su final congoja». ¿Esta visión es de pena o de venganza? Quizás de ambas. Es un sacrificio en el cual uno de los dos oficiantes, y no precisamente la víctima, es un fantasma. En el otro texto se repite la escena con mayor realismo: «En tus ojeras habrá la sombra de la agonía y pensarás en mí y te sentirás más sofocada...». En el poema la ausencia de López Velarde hacía más total la soledad final de la moribunda; en el fragmento en prosa esa ausencia contribuye físicamente a su muerte: la sofoca, la asfixia. Algo más que el temor de perder lo que ama lo lleva a imaginar este final atroz. Se trata de una muerte invocada, deseada. No faltará quien diga que todo esto son desvaríos de enamorados. Otros dirán que destruir lo que amamos, así sea en sueños, es uno de los más poderosos y extraños componentes de la pasión. Será mejor preguntarse si López Velarde amó realmente a Fuensanta. Creo que más que amor sentía esa confusión de sentimientos que él llama *devoción*. La pasión lo habría llevado a profanar su devoción; su erotismo imaginario, no exento de agresividad, lo mueve a sacrificar simbólicamente al objeto que venera.

En toda despedida late, implícita, la esperanza de un nuevo encuentro. Nadie, al decir adiós, se atreve a decir que es para siempre. La muerte de Fuensanta –la real y la imaginaria– tiene una consecuencia paradójica: ya no es tanto el símbolo del adiós como del encuentro. Un intenso poema que no llegó a terminar, *El sueño de los guantes negros*, relata la reunión de los enamorados. En la primera línea el poeta nos dice que se trata de un sueño. Su claridad alucinante, sus colores netos y su dibujo estricto, la precisión con que emerge ese paisaje de fin de mundo y las sensaciones que nos sobrecogen al internarnos en esas estrofas de resonancias concéntricas, la aparición de las dos figuras fantasmales en el centro de esa inmensa cuenca de sal y, en fin, hasta las dos o tres líneas en blanco, hacen de este poema una verdadera visión, en el sentido religioso de la palabra: un sueño con los ojos abiertos. Según ocurre con muchos de sus poemas –el primero en advertirlo fue Tablada, que llamó *retablo* a la elegía dedicada a su memoria– esta composición es un pequeño cuadro. A mí me hace pensar en el realismo fantástico de algunos flamencos. La extrañeza del mundo que nos pinta López Velarde no reside en sus formas sino en la atmósfera que las baña. Es el mundo de todos los días, bajo otra luz. Lo mismo sucede con la aparición femenina: nada delata su condición ultraterrena excepto que surge con unos «guantes negros». Esos fúnebres guantes recuerdan a los lujosos sombreros de los desnudos de Cranach. El poeta se pregunta: «¿conservabas tu carne en cada hueso?». Él mismo no lo sabe:

> El enigma de amor se veló entero
> en la prudencia de tus guantes negros...

Reunidos al fin, enlazadas sus cuatro manos como si fuesen los cimientos de «la fábrica de los universos», los amantes giran en «un circuito eterno». Ha cesado la separación pero la verdadera unión, como lo insinúa la prudencia de los guantes negros, es imposible. El poema, más que la consagración de un amor que se consuma, parece ser el presentimiento de una eterna condenación. Y el lector siente la tentación de hacerse la pregunta de Nerval: *C'est la mort ou la Morte?*

Entre la muerte simbólica de Fuensanta y su imaginaria resurrección, transcurre toda la vida erótica de López Velarde. Su vida y su obra, ya que durante esos años escribe sus dos libros capitales: *Zozobra* y *El minutero*. Sería un error pensar que este período rompe con el anterior. En realidad lo prolonga, lo exacerba y lo hace más lúcido (aparte de que en varios poemas de *La sangre devota*, como *A Sara*, se presiente ya el tono de su poesía de madurez). Sus nuevos amores, sin excluir el segundo gran amor, más sensual pero no menos complejo que el primero, son la encarnizada continuación de su experiencia juvenil. A Fuensanta la vuelven inaccesible la distancia y la muerte; a las otras, la cercanía y la muerte. El abrazo es una metáfora y el significado de esa metáfora es un esqueleto y una calavera. Lo glacial y lo cordial ahora se confunden definitivamente. Ese misterio lo fascina a tal grado que lo acompaña a todas partes y es inseparable de su visión del mundo y de la vida. Es el misterio tatuado, por decirlo así, en el cuerpo de la mujer: los órganos de gestación son los de nuestra destrucción. Si el macho es el lujo de la especie, la hembra es su continuidad: al devorarnos se perpetúa. Aunque la idea no es nueva, para López Velarde es algo más que un lugar común: es una revelación que lo guía en su exploración de la realidad y de sí mismo. Por ella penetra en ciertas zonas prohibidas. Allá, en espacios más vastos e inclementes, la verdad se abre como una cruel flor doble.

La mujer es la imagen más completa y perfecta del universo porque en ella se reúnen las dos mitades del ser; al mismo tiempo, es el espejo sensible donde el hombre puede verse a sí mismo, por un instante, en toda su dolorosa irrealidad. Pero la mujer es algo más que una imagen del mundo y algo más que un espejo del hombre. También ella participa de nuestra universal falta de ser, carencia que se expresa como rabiosa, destructora hambre de muerte. A la visión de un cuerpo que contemplamos tendido, paisaje de signos en el que podemos leer el verso y el anverso de la realidad, sucede otra, activa, que no nos invita a la contemplación sino al abrazo. Ese abrazo, nos dice una y otra vez el poeta, es sangriento: es «la mancha de púrpura». ¿Cesa el monólogo, la conversación a solas con la perpetua ausente? López Velarde tal vez no encontró un interlocutor, excepto en algún momento de su segunda pasión; conoció, en cambio, adversarios amorosos. El cuerpo femenino deja de ser un fruto, una guitarra que se acaricia o se hiere; cobra voluntad y alma y se enfrenta al cuerpo masculino. El erotismo no le descubre a la mujer sino su terrible libertad –algo muy distinto a la «emancipación femenina», tema que no es fácil que le interesase. Al descubrir en la mujer ese elemento activo que creía ser el privilegio y la condenación del hombre, la palabra *placer*, y la realidad abismal que designa, cambian inmediatamente de coloración y de signo.

En la libertad erótica de la mujer reconoce la suya y sobre esas dos libertades enemigas funda una hermandad. Es una fraternidad vertiginosa porque se apoya en el instante: fundación en un abismo. Sociedad secreta donde no cuentan ni el nombre ni el rango ni la moral, su sombra alberga por igual a la muchacha cuyo nombre no acierta a recordar y a Sara, «racimo copioso», a la casada y a la «mujer sin letras ni antifaces». No es una sociedad de libertinos sino de solitarios que se unen en un rito apartado. También las vírgenes provincianas son parte de esa confraternidad clandestina. Símbolos de la rebeldía y la sumisión, y así doblemente hermanas suyas, las ve salir a los balcones, por las tardes,

<blockquote>
a que beban la brisa
los sexos, cual sañudos escorpiones.
</blockquote>

De nuevo López Velarde nos sorprende con una imagen que es un dibujo cruel y exacto. Es imposible no recordar, al leer estas líneas, a los grabados de Julio Ruelas, ese pequeño gran artista que todavía aguarda ser reconocido por nuestra crítica de arte. Punta seca de líneas que se cierran sobre sí mismas para concentrar más la exasperación de la sangre, en esa visión directa de la mujer no hay piedad sino algo que no sé si debo llamar complicidad. Hermanas o cómplices, López Velarde está unido a ellas por un lazo más fuerte que la sangre o el bautismo. En la soledad de un cuarto cerrado al mundo exterior, caverna urbana o «perdida alcoba de nigromante», han compartido con él unas cuantas horas fuera de los horarios: lujuria, aburrimiento, sabor de crimen y de inocencia, abandono y concentración. Juntos han atravesado, con los ojos cerrados, ese «puente de abismos» que el amor tiende de un cuerpo a otro.

La imaginación es el deseo en acción. Deseamos las formas que imaginamos pero esas imágenes adoptan la forma que nuestro deseo les ha impuesto. Al final regresamos a nosotros mismos: hemos perseguido, sin tocarla, nuestra sombra. El erotismo es un disparo de la imaginación y por esto no tiene límites, excepto aquellos que le traza nuestra naturaleza (el poder de fabulación de cada uno y su conformación psíquica tanto o más que su cuerpo). O dicho de otro modo: el erotismo es un infinito al servicio de nuestra finitud. De ahí que sus combinaciones, prácticamente incontables, terminen por parecernos monótonas. Lo son: su diversidad es repetición. El libertino se propone la abolición del otro y por esto lo convierte en «objeto erótico». Cada cuerpo que toca se transforma en humo y cada una de sus experiencias, al cumplirse, se anula. Su actividad es una peregrinación hacia un punto siempre inminente y que sin cesar se desvanece, reaparece y vuelve a desaparecer. La imaginación solitaria es circular; el fastidio, y no nada más el desencanto, nos espera al final de cada vuelta. Se puede ser vicioso por debilidad, tontería, falta de imaginación o cualquier otro defecto del ánima o del cuerpo. Libertino sólo se puede ser por ascetismo –según lo revelan *L'Histoire d'O* y otras guías de iniciación– o por convicción filosófica, como lo demuestra con abundancia el marqués de Sade. En uno y en otro casos el premio no es el placer, el conocimiento o el poder sino la *insensibilidad.* Un estado de indiferencia, descrito ya por los antiguos estoicos y los filósofos de la India, salvo que el camino del libertinaje es más largo y penoso y sus resultados más inciertos. El amor, en cambio, no nace de la imaginación sino de la vista. El enamorado no inventa: reconoce. Su imaginación no está en libertad; debe enfrentarse a ese misterio que es la persona amada. El amante está condenado a adivinar, aunque sepa de antemano que son ilusorias la pregunta y la respuesta, qué hay detrás de esa frente y qué atrae a esos ojos: ¿en qué piensas, a quién miras? Dichoso o infeliz, satisfecho o desdeñado, el que ama debe contar con el otro; su presencia le impone un límite y lo lleva así a reconocer su finitud. Esta limitación abre otro reino, ese sí de veras ilimitado, a su imaginación. El erotismo es una infinita multiplicación de cuerpos finitos; el amor es el descubrimiento de un infinito en una sola criatura.

Toda su vida López Velarde buscó el amor. No importa que no lo haya encontrado o que, como es más probable, no haya querido encontrarlo porque estaba enamorado, más que de una mujer, del amor mismo. En un poema de su primera época confiesa que padece una «infinita sed de amar». No dice que su amor sea infinito; dice que su sed lo es. Su obra vive en esa quebradiza frontera que separa al erotismo del amor y en esto, acaso, reside el secreto de su seducción. Sus amantes son sus hermanas porque con ellas ha compartido un misterio. Se reconoce en ellas y ellas en él. Esta fraternidad es una presencia constante en su espíritu y asume, como las obsesiones, dos formas: la del harén y la del hospital. El vínculo que lo une a todas esas mujeres es el de su común destino: «el tiempo se desboca». Aunque quisiera detener con sus manos su «caída oscura», no puede hacer nada sino verlas precipitarse en el barranco. Esa caída es su caída. El abrazo, la metáfora pasional, es un arrojarse juntos al despeñadero. La mujer no sólo le revela el verdadero rostro de la muerte, al mostrarle con tal abandono el verdadero rostro de la vida; abrazada a su cuerpo, ella también vislumbra que estrecha un montón de huesos. Esta experiencia, aunque su raíz sea de naturaleza erótica, traspasa el erotismo. Tampoco es amor. Yo no la llamaría pasión sino compasión.

Con demasiada frecuencia se repite que López Velarde es el «poeta del erotismo y de la muerte». La fórmula es demasiado vaga. Si su amor es fúnebre y en cada cuerpo abraza un esqueleto, lo contrario también es verdad: la muerte es erótica. Ante ella siente la misma turbación que frente a una mujer. Aunque la teme, no aparta los ojos de su figura. Afirmar que está enamorado de la muerte sería, además de excesivo, decir una simpleza. Por lo demás, en cierto sentido todos lo estamos –con la misma atracción inconsciente que sentimos hacia la madre y la tierra. La muerte es uno de los centros de gravitación del hombre. No se trata de esto. El sentimiento de López Velarde es más violento y contradictorio. Le aterra la muerte pero no puede reducirse al terror ni a la atracción inconsciente la sensación que experimenta. Su boca se «instala en la feminidad del esqueleto con un escrúpulo de diamantista». Estas expresiones no pertenecen al vocabulario del miedo o de la adoración sino al del placer. La muerte le parece deseable y hay un momento en que la confunde con el vértigo pasional:

> mis besos te recorren en devotas hileras
> encima de un sacrílego manto de calaveras,
> como sobre una erótica ficha de dominó.

(Besos, devoción, sacrilegio, calaveras: toda esta enumeración, que hace pensar en un simbolismo que no es de la mejor ley, se redime de pronto con el último verso, desconcertante y prodigioso.) En otro poema, *La última odalisca*, López Velarde nos revela en qué consiste esa fascinación: en el talle de la «voluptuosa melancolía» –siempre la unión de los opuestos– el placer escribe su «caligrafía» y la muerte «su garabato». Placer y muerte son las dos caras de una misma medalla. Si esta idea tampoco es original, lo es la intensidad con que la vive y las formas que adopta en su poesía y en su vida. La muerte lo aterra como fin o extinción del hombre; y simultáneamente, lo seduce porque *es el elemento abismal del abrazo*. En muchos poemas repite su terror ante la inevitable putrefacción del cuerpo; al mismo tiempo, afirma que la presencia de la muerte en mitad del abrazo transforma un acto más o menos instintivo en una experiencia espiritual. La intensidad del deseo hace de la unión de un instante una unión más allá de los instantes; la conciencia de la muerte reintroduce al tiempo en ese frenesí: ese instante en un instante mortal y, precisamente por serlo, se desprende de la sucesión y se vuelve instante único, absoluto. Los amantes caminan sobre el vacío. La conciencia de su mortalidad es la fuerza que los dispara fuera del tiempo y los retiene en el tiempo.

Hay una suerte de ebriedad metafísica en ese flotar sobre un instante que no reposa en nada, excepto en sí mismo, sin más asidero que otro cuerpo igualmente desprendido de su nombre y de sus amarras. López Velarde lo dice en unas líneas que es difícil olvidar:

>...la dicha de amar es un galope
> del corazón sin brida, por el desfiladero
> de la muerte...

A igual distancia del libertinaje y de la unión permanente, López Velarde decide habitar el instante. No hay hedonismo en su elección. Escoger el instante no es elegir el placer sino la lucidez. En realidad es negarse a escoger, aceptarlo todo. Su «virtud de sentir se acoge a la divisa del barómetro lúbrico», que refleja todos los cambios, todas las situaciones y los seres:

>...la mujer y la estrella,
> la congoja del trueno, la vejez con su báculo,
> el grifo que vomita su hidráulica querella,
> y la lámpara, parpadeo del tabernáculo.

Su actitud no está inspirada por el deseo de dominación, la voluntad de poder, la vanidad o el cinismo. Perpetuamente encandilado por los «ojos pendencieros y las frentes en armisticio», cree en la entrega. Jamás es el seductor: su «ánima es adoratriz». No, López Velarde escogió al amor y, *al mismo tiempo*, a la soledad. Toda su vida fue leal a esta contradictoria decisión. Su obra es el emblema de su lealtad. Y hay que añadir que en ese emblema creía haber grabado los signos de la existencia humana.

Su amor, él lo sabía mejor que nosotros, no era el amor total. ¿Lo conoció? Al menos, lo adivinó. Phillips cita varios poemas, dedicados a la mujer que fue su segunda pasión, en los que reitera que le debe la revelación del «saber cabal de la vida»[1]. Quizá por algún tiempo el amor dejó de ser esa confusión entre lo glacial y lo cordial o esa angustia de sentirse «colgado en la infinita agilidad del éter», que fueron, respectivamente, Fuensanta y sus encuentros pasajeros. Su poesía, verdadero barómetro de las alteraciones de su sensibilidad, cambia radicalmente. Es el momento más alto de su fiebre amorosa y, asi-

---

[1]. Por discreción no me atreví, al escribir este ensayo, a dar el nombre de su segundo amor. Hoy puedo decirlo y agregar que fue una mujer excepcional: Margarita Quijano.

mismo, el de la mayor concentración de sus dones creadores. En esos meses escribe sus mejores poemas: por una parte, ha descubierto, a través de Lugones, su propio estilo; por la otra, su nuevo amor le revela el verdadero temple de su alma. Su erotismo se exacerba y se ahonda, vuelto sobre sí mismo como un agua que labra en la piedra los signos de su destrucción. Embriaguez y lucidez. *Fuensanta* había sido una figura pasiva, más un ídolo que una realidad; la segunda mujer es, simultáneamente, un cuerpo y un espíritu Un cuerpo intocable y que lo hechiza; un espíritu que lo espanta y le abre mundos desconocidos. Es una «vehemencia pálida» y, para acentuar aún más la contradicción de esa figura, agrega: «¿Hiciste penitencia *revolcándote* encima de un desierto?». Por primera y última vez López Velarde reconoce en una mujer una complejidad espiritual semejante a la suya. Por un instante, la mujer deja de ser un objeto de veneración o de placer: «en tu rostro se ha posado el incendio y ha corrido la lava». A ella le debe la revelación de su «propio zodiaco: el León y la Virgen». El descubrimiento de sí mismo es también el de una mujer que es todas las mujeres, «total y parcial, periférica y central», es decir, una mujer que puede ser una amante sin abdicar de su albedrío. Una libertad.

A pesar de la exasperada sensualidad de sus expresiones, oscilante siempre entre la crueldad y la visión de la muerte, su pasión es espiritual —si se entiende por esto no un amor que niega al cuerpo sino que lo hostiga y consume. El camino de su pasión es «un camino rubí»: regado con su sangre. La posesión es imposible, pero si no lo fuera, sería igual: ¿qué hay más allá de un cuerpo? Algo que, tal vez, no es ni la vida ni la muerte. Todo amor es, así sea por una fracción de segundo, contemplación de un abismo:

> ¿Te quedaste dormida en la vertiente
> de un volcán, y la lava corrió sobre tu boca
> y calcinó tu frente?

Su segundo amor le revela el diálogo del alma y el monólogo del cuerpo, no la plenitud. Esa mujer, que lo ama con un amor más activo, complejo y lúcido que Fuensanta (¿pero ésta lo amó alguna vez o siquiera vislumbró quién era él?), esa mujer que es su verdadera pareja y a la que debe el descubrimiento de la parte más secreta de sí, lo rechaza. Cualesquiera que hayan sido las razones externas de su negativa, al obrar así ella fue fiel, acaso sin saberlo, a la índole de su mutua pasión. Pasión de combustión, no de encarnación. Hemos perdido el antiguo secreto de la reconciliación y nuestros amores humillan al cuerpo o degradan al espíritu.

La plenitud, para López Velarde, será desde entonces un más allá: la poesía o la muerte. Con amargura pero sin rencor, se instala definitivamente en su soledad. Vuelve a ser «el mendigo cósmico». Se dirá que no escoge la soltería: se la imponen las circunstancias, como antes había ocurrido con Fuensanta. No lo creo. Apenas si es necesario insistir sobre la responsabilidad que cada uno de nosotros tiene en lo que llamamos nuestros «fracasos», ya sea en amor o en los otros órdenes de la vida. Inconsciente o inconfesada, esa responsabilidad no deja de ser nuestra. ¿No buscamos casi siempre nuestro daño, no somos nosotros los secretos autores de nuestra ruina? Si el hombre no es dueño de su destino, tampoco es enteramente su víctima. Somos los cómplices de nuestras circunstancias: López Velarde *sabía* de antemano que aquel amor era irrealizable, aunque nunca se lo haya confesado del todo. Además, dos hechos prueban que su elección fue voluntaria: durante toda su vida profesó aversión al matrimonio y, lo que es más grave y decisivo, nunca ocultó su repugnancia por la paternidad.

Tal vez escandalizados por la franqueza de sus expresiones, la mayoría de los críticos apenas si se han detenido en las ideas de López Velarde sobre la procreación o han preferido cubrirlas con un velo de razones sentimentales. Sin embargo, el poeta no pudo ser más explícito: la familia es «un taller de sufrimiento, una fuente de desgracia, un vivero de infortunio». En el mismo texto –un cuento con sabor autobiográfico– compara al hogar con la caverna de las fieras y a los llantos y risas de la prole con las quejas y maldiciones de los condenados: «en el cubo sombrío y asfixiante de la fecundidad, donde Rosario, como todas, multiplicaría los ayes y las blasfemias de la estirpe de Caín…». La violencia de este lenguaje podría hacernos creer que se trata de un desahogo pasajero. No; estamos ante algo más profundo: López Velarde hizo voto de no tener hijos –y lo cumplió. Su decisión fue meditada y, a despecho de lo que piensa la crítica, no está en contradicción con los otros aspectos de su carácter. (Fue un espíritu complejo, no contradictorio.) Sin temor ni reticencia –él, amante del rodeo y la alusión oblicua– nos confía su pensamiento: «Vale más la vida estéril que prolongar la corrupción más allá de nosotros... ¿Para qué abastecer el cementerio? Viviré esta hora de melodía, de calma y de luz por mí y en mi descendencia. Así la viviré con una intensidad incisiva, con la intensidad del que quiere vivir él solo la vida de su raza».

Su misantropía no es, al menos exclusivamente, el resultado de su carácter o de sus desdichas sino de sus reflexiones. Ama a la vida; afirma que gozará la hora que le ha tocado con la plenitud lúcida porque sabe que será la última; y todo esto, que es mucho, le parece nada. En el mismo párrafo en que exalta a la vida –luz, melodía, calma– la condena. Y va más allá: la vida le parece admirable porque no se repetirá; la hora es hermosa por ser la última. Su condenación es definitiva. En verdad, exalta a la muerte. Y la exalta con la realidad absoluta: sólo ella nos libera de la podredumbre, sólo ella puede darnos la sensación de totalidad que perpetuamente nos niega el tiempo. A la luz de esta confidencia la imagen de la vida como un harén y un hospital aparece al fin con toda su gravedad. Es algo más que una anomalía psicológica, algo distinto a la fantasía de una sensibilidad desollada: es un *juicio* sobre el mundo y sobre el valor de la existencia. La vida padece una infección invisible e incurable. Aunque llamamos tiempo a esa enfermedad su verdadero nombre es el Mal. Propagar la existencia es servir al demonio.

EL SON DEL CORAZÓN

> *Alma, sibila inseparable, ya no sé dónde concluyes tú y dónde comienzo yo: somos dos vueltas de un mismo nudo fulgurante, de un mismo nudo de amor.*

Nos hace falta un estudio de veras completo sobre las creencias de López Velarde. Escribo creencias y no ideas porque, salvo en momentos excepcionales como el de su negación del valor de la existencia, sus convicciones eran más sentidas que pensadas. Su catolicismo no excluía, según él mismo lo advierte con frecuencia, dudas y vacilaciones. Nunca vivió esas dudas como un drama intelectual. En los momentos de crisis no acude a los consuelos de la teología sino al poder de la gracia. Funda su ortodoxia en la limpieza de sus sentimientos; sus pecados son de amor y sólo el amor puede perdonarlos. La religión de su infancia es su fondo vital, el alimento de su vida espiritual: sus ritos son una suerte de estética superior, un ceremonial para las almas; sus misterios, un teatro intemporal donde los símbolos representan la pasión de la verdad. Pero López Velarde es el espectador de sí mismo; su fervor le parece ligeramente cómico y trata a sus creencias con cierta ternura irónica. No cree y no puede dejar de creer. Desprecia a los fanáticos del nuevo culto, a «los publicistas con sarampión» que empuñan «la antorcha del progreso» y declaman contra la «hidra del oscurantismo». Afirma: mi corazón es «retrógrado». El adjetivo tiene dos puntas: es católico frente a los racionalistas, idólatra ante los cristianos. No le avergüenza confesar que es supersticioso; y en su confesión se desliza una sonrisa de escepticismo.

Desde que Villaurrutia se sirvió de ella para definir a su poesía, se exprimen los posibles significados de una célebre frase: «la síntesis de mi zodiaco es el León y la Virgen». No deja de ser extraño que nadie haya reparado en el primer y más obvio sentido de esta declaración. En lugar de acudir a los manuales de psicología, los comentaristas podrían haber hojeado cualquier tratado de astrología. Phillips roza el tema y advierte que los motivos astronómicos son frecuentes en su verso y en su prosa, «sobre todo los de los signos zodiacales». Hubiera sido más exacto escribir: motivos *astrológicos*. No cabe duda de que López Velarde se interesó en las «ciencias ocultas», inclinación que comparte con varios poetas modernos. A su segundo amor, que lo hace respirar una atmósfera de exaltado espiritualismo, cruzada de visiones apocalípticas –según lo deja vislumbrar *El don de febrero*– le debe esta imagen de su ser, regido por la doble y contradictoria influencia del Sol y de Mercurio. Por otra parte, en sus poemas aparecen los símbolos de la cábala, la astrología y la alquimia. Una de las composiciones más perfectas de *Zozobra* –desde cierto punto de vista quizá la más lograda– se llama *Día Trece* y termina con una invocación a la potencia oscura: «Superstición: consérvame el radioso vértigo del minuto perdurable...». La superstición no le parece un error de los antiguos sino los restos de una sabiduría perdida y que no es del todo incompatible con las creencias modernas: «Respeto por igual al físico que ve en su sombra la propagación de la luz... y al salvaje que rinde culto a su propia sombra. La astrología, cuando le place, entra en mi lecho con sus rodillas heladas. Me atengo a la quiromancia como la vacuna. Confundo las leyes de Newton con la fatalidad. Mi creencia de cábala. Mi arte de amuleto». Todo esto es difícilmente conciliable con el dogma católico pero no daña lo que yo llamaría su ortodoxia de corazón. Su pesimismo es capítulo de mayor gravedad.

Negarse a la procreación porque la existencia es el Mal es una herejía que la Iglesia nunca ha perdonado. Ignoro qué lecturas le inspiraron esta idea. Aunque el conocimiento de las fuentes es muy importante, no es indispensable. Sólo señalaré que en aquella época se empiezan a divulgar entre nosotros ciertas concepciones orientales. En esos años Tablada se interesa por el budismo y Vasconcelos por la filosofía india. La crítica considera que *La última odalisca* es uno de los poemas centrales de *Zozobra* y lo juzga, con razón, como una verdadera clave de su poesía. Sin embargo, nadie, que yo sepa, ha reparado en el sabor oriental de sus dos primeras estrofas. Citaré la primera:

> Mi carne pesa y se intimida
> porque su peso fabuloso
> es la cadena estremecida
> de los cuerpos universales
> que se han unido con mi vida.

Apenas es necesario comentar estos cinco versos: panteísmo y, no del todo explícitos, reencarnación y *karma*. No será difícil encontrar otros ejemplos dispersos. Pero el contacto de López Velarde con el pensamiento oriental no debe haber sido ni muy íntimo ni muy prolongado. No necesitaba ir tan lejos para identificar a la creación con el mal. Esta idea la recibe de una tradición más directa y que, nunca visible del todo, circula como una corriente perpetua y secreta en la historia de Occidente.

Por más indiferente que haya sido a la teología, es imposible que no advirtiese que su condenación de la existencia coincidía con una antigua herejía, combatida por la Iglesia desde su nacimiento y que todavía hoy, aunque a veces no lo sepamos, se apodera de nosotros: el maniqueísmo[1]. Y no se alegue falta de lecturas: olvidar que estudió en un seminario sería mucho olvidar. Tampoco es probable, por más

---

1. Noyola Vázquez alude al tema en *Fuentes de Fuensanta, op. cit.*

inseguros que fuesen sus conocimientos históricos, que ignorase el episodio de los albigenses y su exterminación a principios del siglo XII. La Edad Media le interesó. Al lado de las alusiones a las Escrituras, la historia sagrada y la liturgia eclesiástica, hay en su obra menciones de santos, emperadores, vírgenes, cruzados y leyendas medievales. No menos significativa es la utilización en sus poemas de ciertos símbolos de la poesía provenzal y del primer Renacimiento. La enumeración de todos estos elementos sería fastidiosa. Además, lo que cuenta no es su erudición o su información sino la dirección de su poesía.

La dualidad materia y espíritu, alma y cuerpo, amor sensual y amor espiritual, puede ser cristiana si esa oposición no es definitiva, quiero decir: si los dos principios no son irreconciliables. La Iglesia no condena a la carne sino a la confusión que nos hace atribuir al cuerpo las virtudes del espíritu: el endiosamiento de una criatura mortal. Con la misma severidad juzga los extravíos del espíritu y de ahí la desconfianza, por no decir hostilidad, con que mira a los místicos. En cada enamorado y en cada místico hay una semilla de herejía. Pero la Naturaleza no es el Mal: es el mundo caído. La Tierra y los seres vivos comparten con el hombre el destierro del ser, la contingencia. Esta separación es infinita (hay un abismo infranqueable entre Dios y el hombre), no eterna: aunque la redención no nos hará dioses, tiende un puente entre los seres caídos y el pleno ser. Para López Velarde, en cambio, las dos mitades jamás se funden. El espíritu es invulnerable, incorruptible, intocable. La materia, sometida al tiempo, vencida por su propio peso, cae; la materia es vulnerable y su peso es pesadumbre, corrupción. El dualismo de López Velarde es radical y en él debe verse el fundamento de su pesimismo. Su prosa y su poesía contienen innumerables alusiones a este tema central, que a veces adquiere la forma de una obsesión. En *La última odalisca*, como ejemplo mayor, los cuerpos son «racimos náufragos sobre las crestas del Diluvio» y su peso es «fabuloso» porque acumula toda la pesantez de la materia y de los tiempos, todos los siglos. El tiempo no es sólo la pluralidad sino la continuidad, la proliferación del Mal. Por eso el alma, en la estrofa siguiente, también «pesa y se acongoja»; su *peso* es su *pesar* y consiste en haber conocido, siendo de esencia espiritual, la «floresta roja y el cuchillo del cirujano»: el amor que es tiempo y que es muerte. Ese conocimiento es un «sinsabor arcano».

El alma no es el espíritu: es una de sus chispas, caída en la materia, perdida en los laberintos del tiempo. La salvación del alma no puede consistir en la redención del mundo natural que postula el cristianismo sino en la separación definitiva de la materia y del espíritu. O dicho de otro modo: la aniquilación del cuerpo es la condición del regreso del alma a su origen. Por eso la muerte es una potencia dual. Es enfermedad, descomposición, extinción y renacer: la sucesión de instantes y siglos, la agonía de la «cruel carrera logarítmica»; pero es también la liberación del alma, el fuego que la purifica, el soplo que anula al cuerpo. La muerte material es una multiplicación y pululación de formas, unas atroces y otras encantadoras; su esencia es no tener esencia: es la pluralidad. La muerte que libera es unidad y sólo tiene una forma: es el ángel, la Amada, la Esposa de ultratumba, Fuensanta. Es la Muerta. El horror a la muerte y la fascinación por la muerte, que nos parecían una aberración y una contradicción, dejan de ser obsesiones: poseen un sentido, forman el eje de una visión espiritual bastante más coherente que las pobres e inconexas explicaciones de la psicología en uso. López Velarde tiene miedo de morir porque, como a Quevedo, «el mundo lo ha hechizado»; y ama a la muerte porque está enamorado de un ser incorruptible: ese espíritu del cual su alma es un fragmento. Sólo el amor de la muerte, que es la Muerta, podrá salvarlo de la corrupción de la vida mortal.

La resurrección de la carne significa, entre otras cosas, la redención del cuerpo. López Velarde creía apasionadamente en ese dogma. Se dirá que no es posible conciliar esta creencia con la idea de que la existencia es el Mal. Es verdad. Repetiré que ni él se preocupó por dar a su obra la forma de un sistema intelectual ni yo busco en ella ese rigor. Mi intención es distinta: descubrir la filiación y el sentido de su tentativa poética. Ahora bien: ¿creía en la resurrección de la carne o creía que creía? Tal vez *El sueño de los guantes negros*, que es el poema de la resurrección, podría responder a esta pregunta. El núcleo de esa composición, su línea cardinal, no es una respuesta sino una interrogación: «¿conservabas tu carne en cada hueso?». López Velarde se hace la misma pregunta que nosotros. Y no puede contestarla: «el enigma de amor se veló entero...». La respuesta es un misterio indescifrable. No se percibirá el sentido de esta duda terrible si no se sabe qué y quién es Fuensanta en la mitología del poeta.

En un insignificante pero revelador poema de juventud (*El adiós*), López Velarde se llama a sí mismo «el idólatra»; y su ídolo es ella «la blanca y leve mujer». Fuensanta rechaza este endiosamiento y le anuncia que «el cadáver de su amor» desde ese día «presidirá los lutos de su hogar». Así, en el momento en que se aleja en la realidad, Fuensanta se une a él en el trasmundo. En otra composición de esos años, aún más infeliz (*El campanero*), el poeta declara que su prometida es la muerte. Todo esto son lugares comunes pero la poesía está hecha de lugares comunes que se vuelven imágenes, realidades inauditas. En el caso de López Velarde la realidad sentimental de Fuensanta se transfigura, al correr los años, en realidad metafísica. La transformación es ascendente y va de la novia provinciana al amor imposible y de éste a la Muerta, la «armoniosa elegida de mi sangre». Para que la *idolatría* de la juventud se convierta en la *religión* de la madurez es menester que pase por los purgatorios del erotismo y de la muerte. Sólo muerta, ya espíritu puro, la amada puede ser realmente Fuensanta. La pregunta de *El sueño de los guantes negros* posee una resonancia equívoca. ¿Fuensanta no acaba de ser espíritu porque el poeta sigue hechizado por el tiempo y sus trampas? ¿Cuál es el significado de esos guantes negros, cuya *prudencia* acentúa más su fúnebre erotismo? Son un obstáculo, una prohibición, pero ¿qué prohíben: la unión de las almas o la de los cuerpos? Los amantes giran en un circuito eterno –imagen que recuerda un célebre pasaje de la *Divina Comedia*– sin jamás fundirse, sin estar muertos ni vivos del todo, ¿en un paisaje que es del cielo o del infierno? Y ese amor, ¿es amor a la vida o a la muerte? No es fácil responder a estas preguntas. Todas ellas se funden en otra: ¿quién es Fuensanta?

En un libro que irrita y seduce a un tiempo, por su riqueza erizada de preguntas e hipótesis, Denis de Rougemont sostiene una idea a primera vista temeraria: «la pasión de amor, glorificada por el mito, fue realmente, en el siglo XII, fecha de su aparición, una *religión*, en el sentido lato del término y, específicamente, una *herejía cristiana*»[1]. La herejía a que se refiere Rougemont es el maniqueísmo de los cátaros. La pasión de amor (o, a la francesa: amor-pasión) fue el arquetipo de los poetas provenzales y desde entonces no cesa de inspirar a casi todas las obras de imaginación de Occidente, tanto a las más altas como a las más chabacanas. A los trovadores les debemos no sólo la invención de las formas fundamentales del lirismo europeo sino

---

1. *L'Amour et l'Occident*, segunda edición, París, 1956.

la concepción del «amor cortés», que es el origen de nuestra imagen de la mujer y de la pasión. Rougemont afirma que la metafísica implícita en la retórica de los trovadores no es otra que la del maniqueísmo. En efecto, hacia el siglo XII brotan, en el mismo sitio, esos dos movimientos espirituales. No veo cómo podrían disociarse sin quebrantar la unidad histórica de una civilización.

Sería excesivo extenderse en las semejanzas que el escritor suizo encuentra entre los poemas de los provenzales y las creencias de los cátaros. Me basta con señalar lo más notable: la condenación del matrimonio («unión de los cuerpos») y la exaltación del amor extraconyugal, que es pasión casta y promesa de reunión más allá de esta vida; la mujer, aliada de Lucifer y tentación perpetua de caer en la materia y reproducirla, es asimismo, como dama de cortesía, el lugar inmaterial de la unión espiritual; el principio femenino, la Dama, es la Imagen de nuestra propia alma o, para emplear el vocabulario moderno, la proyección de nuestra psiquis, nuestra Ánima. Partícula de Dios caída en el mundo, prisionera de la carne, el alma lucha por desprenderse del cuerpo y volver al espíritu. El alma desea reunirse con su ánima, esto es, consigo misma. Lo que busca el amante en la amada es su *identidad perdida*. El sufismo, que es casi seguramente una de las raíces orientales del «amor cortés», llama Ángel a esa parte gloriosa del alma. En la tradición mazdeísta, al tercer día de nuestra muerte, nos sale al encuentro nuestro Ángel, «como *doncella* de belleza resplandeciente, y nos dice: *Yo soy tú mismo*»[1]. Pero si el hombre ha pecado contra su alma, si ha manchado su Imagen, se enfrenta «a una aparición monstruosa o desfigurada, reflejo de su caída».

Esta pequeña digresión responde, así sea indirectamente, a las preguntas que provoca la pregunta de *El sueño de los guantes negros*. Los dos amores de López Velarde corresponden exactamente a la Dama de los poetas provenzales. Ambos amores reales se funden –o más bien: se disuelven– en la figura de la amada muerta y resucitada, «la prisionera del Valle de México». Pero esta Fuensanta ya no es el amor provinciano sino la Imagen de López Velarde. No es un arquetipo en el sentido en que lo fue la Dama para los provenzales o Beatriz para Dante. Imagen de una conciencia dividida, manchada, Fuensanta es todo lo que el poeta quería y no quería ser. Si es la Muerta vencedora

---

1. Denis de Rougemont, *Comme toi-même*, París, 1961.

de la muerte, también es la que esconde su verdadera identidad en la *prudencia* de unos guantes negros. López Velarde busca su verdadero ser en su Imagen pero, al encontrarla, no se reconoce en ella. Hay una distancia insalvable entre Fuensanta y él. Esa distancia no es física sino moral. El enigma se aclara si se piensa que esos guantes ocultan una *imperfección*. Y esa imperfección es, precisamente, lo que tienta y seduce al poeta. No es imposible saber en qué consiste esa tentadora imperfección. López Velarde lo descubre en su juventud, antes de conocer realmente las pasiones carnales. Aquel poema que antes cité (*El adiós*) describe una escena que es una alegoría burlesca: en el momento de la separación, Fuensanta guía al poeta hacia la puerta; lleva en «las manos frágiles» una luz que es «trasunto de Evangelio»,

> pero apenas llegados al umbral,
> suspiro de alma en pena
> o soplo del Espíritu del Mal,
> un golpe de aire mata la bujía.

La ironía altera la Imagen. Intrusión de la conciencia crítica, al acentuar la realidad física de Fuensanta mina su realidad anímica. La ironía no brota del cuerpo de Fuensanta sino de la conciencia de que tiene cuerpo. La ironía es el demonio, el soplo del espíritu caído. Al contemplar esa imagen de su alma desgarrada, el poeta avanza y retrocede. Ama esa grieta y le repele. Está enamorado de su propia desgarradura. La imperfección de Fuensanta es un reflejo de la pasión fatal que lo tiene prendido, como a Quevedo siglos antes,

> al abismo
> donde me enamoraba a mí mismo.

¿Abismo de la materia bruta o del espíritu caído? Sobre todo: abismo del amor por sí mismo. Amor que se ignora al ignorar al otro. Por eso, viva o muerta, aquí o en el otro mundo, Fuensanta es inaccesible. Aun si no hubiese sido el reflejo de un alma en lucha consigo misma (como es la de todos nosotros, los modernos), Fuensanta habría sido inaccesible: era una Imagen. Y una Imagen manchada. López Velarde está condenado a perseguirla continuamente y, cada vez que se acerca a ella, a interponer entre su Imagen y su ser la realidad equívoca de unos guantes. Emblema de la prohibición, la ironía de los guantes defiende a López Velarde de sí mismo (¿de la irrealidad de su pasión o de la irrealidad de su alma?). Ése es su drama. El de su primer amor y el del segundo; el de todas las pasiones, el drama de la pasión: amar al amor, a la Imagen, más que a un ser real, presente y mortal. El misterio de los guantes no es un enigma psicológico: es el secreto perdido, encontrado y vuelto a perder de una tradición espiritual. Su pasión no es dramática, como dijo Villaurrutia y se ha repetido después: su drama es la *pasión*.

El dualismo de López Velarde se manifiesta con claridad incisiva en un texto muy citado y poco comprendido: *La derrota de la palabra*. Afirma que su alma es una presencia ajena, aunque inseparable de su persona. Es su mitad femenina, en cierto sentido; y en otro: su porción inmortal. Así, la identifica con su segundo amor: ella, *la sibila incomparable*, es su propia alma, su verdadera identidad. Como las damas provenzales, vive «solitaria en un castillo abrupto». Es una amante cruel: «exige una soledad y un silencio de alcoba. Yo anhelo expulsar de mí cualquiera palabra, cualquiera sílaba que no nazca de la combustión de mis huesos... porque en mi alma convulsa hay una urgencia de danzar la danza religiosa y voluptuosa de un rito asiático. Y la danzante no abatirá sobre mis labios su desnudez ni su frenesí mientras me oiga mascullar una sílaba ociosa». Estas frases se citan siempre como ejemplo de su doctrina literaria. Así es, sólo que su estética es inseparable de su búsqueda vital. Verla como algo aislado, separada de su vida real y espiritual, es mutilarla. La identificación de alma y amada, constante en López Velarde, es el rasgo esencial de la concepción del amor entre los provenzales y, a partir de ellos, lo que distingue nuestra idea del amor de las que han tenido otras civilizaciones.

A riesgo de parecer prolijo no tengo más remedio que enumerar algunas de las semejanzas entre la Dama de la tradición y Fuensanta, a través de sus metamorfosis: el nombre secreto o simbólico; la inaccesibilidad (la «princesa desconocida» de Joufré Rudel, la provinciana que es un perpetuo adiós, la sibila); el obstáculo (matrimonio, enfermedad, separación y, sobre todo, el cuerpo y la conciencia de la caída en el cuerpo: la espada que interponen voluntariamente entre ellos Tristán e Isolda, los guantes negros); la Dama como guía espiritual (Beatriz y toda su descendencia); la unión después de la muerte (desde los provenzales hasta los modernos: la Aurélia de Nerval, la Sophie de Novalis); la confusión entre el lenguaje del amor divino y el humano; la metáfora hermética, los filtros pasionales (cábala, hechicería o simple embriaguez, pérdida del albedrío; todos ellos significan: no soy yo, es otro el que habla en mí, una fuerza desconocida me mueve); la Amada como Ángel de la muerte, imagen de la liberación del espíritu; el universo imantado por la presencia de la Dama (o sea la correspondencia mágica entre el orden natural y el espiritual); la esterilidad (corolario de la identificación de la existencia con el Mal); el amor casto que no impide la búsqueda del placer carnal (consecuencia de la separación tajante entre materia y espíritu: pederastia de varios poetas provenzales, pasiones ardientes de Dante, juergas de Quevedo y, en López Velarde, la dualidad funesta: «Ligia, la mártir de pestaña enhiesta / y de Zoraida la grupa bisiesta»); la fidelidad absoluta a la Dama que no se altera inclusive si intervienen otros amoríos (por la misma razón maniquea); el viaje o la peregrinación (búsqueda de la Dama lejana, descensos a los infiernos, viajes al interior de la conciencia, amor a los espacios vacíos, regresos a la infancia y a la casa natal: el arquetipo sería la *Divina Comedia*); en fin: la proyección del yo profundo en la figura de la Amada, la búsqueda de la identidad. La frase con que el Ángel recibe al muerto en la leyenda persa se repite incansablemente a través de toda la poesía europea, a veces de un modo desgarrador, como en el *Madrigal triste* de Baudelaire: en la «noche malsana», la amante, «alma maldita», le dice: *Je suis ton égale, ô mon Roi*. Todos estos elementos se funden en la aspiración a la inmortalidad del espíritu –o en su disolución. Pues éste es el misterio de la pasión, el enigma del amor: el Ánima que buscamos en este mundo y más allá ¿es la muerte? Alma, amada, muerte: «ya no sé dónde concluyes tú y dónde comienzo yo: somos un mismo nudo de amor».

No afirmo que López Velarde abrazó la religión de una secta del siglo XII. Sería grotesco y apenas vale la pena aclararlo. Además, el amor-pasión es una herejía que no sabe que lo es. Y aun si no lo fuera y las afinidades entre catarismo y amor cortés no fuesen sino una coincidencia, es evidente que la obra de nuestro poeta se inserta con naturalidad en la tradición central de la poesía de Occidente. Únicamente a la luz de esa tradición su *zozobra* –la continua oscilación de su alma, siempre a punto de naufragar, siempre milagrosamente suspendida sobre la ola– se revela como lo que es realmente: un conflicto del espíritu y no el movimiento desordenado de una conciencia enferma. La fórmula consagrada: López Velarde es «el poeta del erotismo y de la muerte», aunque pretende abarcar mucho, realmente no dice nada. Es un lugar común de la psicología moderna. El erotismo, la muerte y el amor ocupan el centro de su poesía porque López Velarde asume, en su vida y en su obra, una tradición espiritual que, desde su origen, se ha inclinado sobre el misterio de las relaciones entre esas tres palabras. Las otras definiciones —poeta de la provincia y poeta del amor sentimental— pecan por el extremo contrario: lo reducen a una particularidad pintoresca o lo convierten en un espíritu ñoño. Provinciano, sentimental, erótico, fúnebre, López Velarde es un poeta del amor, en el sentido casi religioso de la expresión: *la pasión del amor.* Su obra se sitúa en la vía regia de una tradición que se inicia en Provenza y que tiene como centros de irradiación sensible ciertos nombres: Dante y Petrarca, los barrocos españoles y los metafísicos ingleses, los románticos alemanes, Baudelaire y los simbolistas franceses. Y ese camino de la poesía es también el camino de la pasión; en cada una de sus estaciones nos ha dado una Imagen de la mujer... López Velarde es algo más que un temperamento poético: una tradición.

Nunca se le ocultó que la esterilidad no era el verdadero remedio contra el pecado de la fecundación. Negarse a la propagación del Mal no es hacer el bien y se parece a una deserción. Al oír el golpe repetido de su corazón, siente «la ternura remordida de un padre» que oye «entre sus brazos latir un hijo ciego». Y en un extraño arrebato, cólera y desesperación, sueña con arrancarlo de su pecho y alzarlo en triunfo a «conocer el día». Esta evocación del sacrificio azteca resulta insólita, pues ni amaba nuestro pasado indígena ni lo conocía mucho. Se trata de una verdadera irrupción de un mundo que yacía enterrado en lo más profundo de su ser. La memoria inconsciente del antiguo rito se hace más precisa en la última estrofa del poema. Desde la cumbre —¿montaña o pirámide?— lanzará su corazón a «la hoguera solar»:

> Así extirparé el cáncer de mi fatiga dura,
> será impasible por el este y el oeste,
> asistiré con una sonrisa depravada
> a las ineptitudes de la inepta cultura
> y habrá en mi corazón la llama que le preste
> el incienso sinfónico de la esfera celeste.

En pocas ocasiones fue López Velarde un poeta violento y nunca lo fue tanto como en este poema. Pero la purificación por el fuego, el regreso a los elementos, no le podía dar la inmortalidad sino la impasibilidad. Arrojar su corazón a la hoguera era aniquilar el espíritu, disolverlo en la indiferencia cósmica.

La tentación del regreso al caos original no se vuelve a presentar, al menos con esta intensidad, en otros poemas. Una vía más afín se le abre. En un texto en prosa que es uno de los mejores que escribió (*Obra maestra*) dice que su hijo ha de ser una criatura espiritual, una conciencia de su conciencia, perfecta e invulnerable: «existe en la gloria trascendental de que ni sus hombros ni su frente se agobien con las pesas del horror, de la santidad, de la belleza o del asco... Vive en mí como el ángel absoluto, prójimo de la especie humana. Hecho de rectitud, de angustia, de intransigencia, de furor de gozar y abnegación, el hijo que no he tenido es mi verdadera obra maestra». La esterilidad biológica se resuelve en fecundidad espiritual. Su misión es la creación de un hijo cercano al hombre aunque inhumano: un ángel absoluto. Este párrafo se corresponde, casi letra por letra, con las doctrinas de los cátaros y la concepción del Ángel de la mística sufí. Identificar al hijo espiritual con la obra, como antes identificó al hijo de carne con el corazón, es «transfigurar la caída en vuelo... juntando a un tiempo la Ascensión y la Asunción».

Los títulos de sus cuatro libros aluden al corazón: *La sangre devota, El minutero, El son del corazón* y *Zozobra*. El corazón, como símbolo y realidad, es el sol de su obra y en torno a su luz, o a su sombra, giran los otros elementos de su poesía. Su estética es la «corazonada»; su lenguaje, «el son del corazón»; la amada, «la elegida de su sangre»; el espectáculo del mundo, atrayente y terrible, le hace decir: «todo me pide sangre»; el corazón de Fuensanta es de «niebla y teología»; su propio corazón –oscurantista, temerario, guadalupano– es un imán, un bosque que habla, una alberca andaluza, un pontífice que todo lo posee, una balanza, un encono de hormigas, un reloj de agonías... Con obsesión de cardíaco repite las palabras asfixia, abrazo, sofocación. Oye en el ruido del mar a la sangre y sus crueles mareas. Aunque muchas de estas expresiones delatan una real angustia fisiológica, sería absurdo reducirlas a una maníaca preocupación por el cuerpo.

El corazón es el tiempo. Reloj de sangre, su tictac contiene la paradoja del instante: ser el punto más alto de la marea temporal, la intensidad extrema del tiempo y, en el mismo movimiento, su anulación. El instante reconcilia las oposiciones de que está hecha la sucesión temporal (pasado y futuro) en un presente compacto; y esa plenitud es un desgarramiento: al desprenderse del antes, el ahora flota en el vacío, perpetua zozobra, inminencia de caída. La analogía entre instante y corazón abraza también al amor: dilatación y contracción, ascenso y descenso, unión y dispersión: latido sobre el abismo. López Velarde habita el instante porque eligió la pasión del amor. Fue leal a su corazón. Como en el caso de la paternidad sin hijos de carne, esa lealtad se transfigura por la poesía. El tiempo, sin dejar de correr, ha de alcanzarse a sí mismo; el amor, sin cesar de ser vértigo, ha de ser estrella fija. El propósito de su obra es lograr la mutación del instante en tiempo espiritual, del amor volandero en fidelidad hasta la muerte. Sólo en la obra la flecha del instante, que es amor o desamor, «será milagrosa, porque seremos tan veloces que alcanzaremos a dispararla y a recibirla en un solo acto...». En el poema el poeta será a un tiempo el flechador, la víctima y la flecha.

Todos los que se han acercado a la poesía de López Velarde destacan la frecuencia de las imágenes de flujo y reflujo, ida y venida: el péndulo, la balanza, el columpio, el trapecio. La sensación de vacío y vértigo generalmente se alía a estas evocaciones. Y la muerte está presente siempre, como fondo del eterno vaivén. Uranga ha visto en esta oscilación la imagen de la contingencia, origen de la «inseguridad» de los mexicanos. Phillips se ciñe a la crítica literaria y en varias páginas de su libro examina con agudeza esta «predilección imaginativa». Villaurrutia reconoce en la figura del trapecio la dualidad que rige al espíritu del poeta. Es el signo de un alma dividida entre contrarios. Es verdad; pero hay que decir algo más: López Velarde no vive su conflicto de una manera pasiva. Su obra no es únicamente la descripción del movimiento contradictorio de su alma: es la tentativa por crearse a sí mismo, la búsqueda de un estado que reconcilie la discordia. Por eso elige el instante y la obra, el amor y la fidelidad: todo junto. El poema transfigura al instante y así lo redime. La imagen del trapecio, cifra del instante, nos enseña la vía de la reconciliación. El trapecio y su «viuda» oscilación contienen dos notas angustiosas: la suspensión en el vacío y la repetición. Son lo inacabado y lo inacabable: la vida humana, nunca fija, nunca estable –hasta que deja de ser vida. El poema no inmoviliza al trapecio pero da sentido a su vaivén mecánico. La obra es una respuesta doble: a la inmovilidad de la muerte y a la oscilación de la vida.

Hay un poema en el que López Velarde cree encontrar, al fin, el reposo en el movimiento: *El candil.* Lámpara en forma de navío, colgada de una cúpula criolla, fija en mitad del espacio interior del templo, el candil es la transfiguración del trapecio. Y así, se convierte en el emblema de su persona. Símbolo del viaje y el regreso, el candil-barco es también un corazón latiendo en la noche religiosa: «Dios ve su pulso». Metamorfosis del trapecio y su drama cotidiano, del corazón y del instante, el candil es un parpadeo de luz sin más oficio que la adoración:

> Oh, candil, oh bajel: frente al altar
> cumplimos, en dúo recóndito,
> un solo mandamiento: venerar.

El símbolo del candil es un ejemplo de la misión que asigna López Velarde a la obra poética. Fuensanta es otro. Si el instante es oscilación, el erotismo es vaivén. La amada da sentido y unidad a su experiencia erótica. La Muerta es la estrella fija: tal vez desapareció hace ya miles de años pero su resplandor guía la tortuosa peregrinación, como la custodia del altar rige la navegación del candil. Hay un imán que atrae los elementos contrarios, un centro: el corazón, la concordia. Buscar ese centro fue su destino de poeta. Aunque no lo haya encontrado, nos ha dejado las huellas de su búsqueda: sus poemas. Se nos escapará el sentido de su obra si no reconocemos que es una búsqueda, y a veces un encuentro –no de sí mismo sino de algo que no me atrevo a llamar Dios, verdad de más allá, espíritu, a pesar de que tiene todos esos nombres. Quizá son demasiado vagos y por eso prefiero usar una expresión suya: la «santidad de la persona». Un estado, por más triste o desamparada que sea la condición de la criatura, de reconciliación consigo misma y, simultáneamente, de desprendimiento de sí misma.

Lo opuesto a la insensibilidad que nos propone el erotismo es la contemplación activa. El libertino acaba en la indiferencia o apatía porque principió por sentir indiferencia ante sus semejantes. La tentativa de López Velarde, como hombre y poeta, va en dirección contraria: su obra parte de su interés apasionado por las cosas y los hombres, en particular por todo aquello que la poesía tradicional había juzgado insignificante o trivial. El vínculo que establece entre el mundo y su persona es de índole amorosa: el abrazo, la metáfora cordial. Pero el abrazo es un puente sobre el vacío. Pasado el deslumbramiento del relámpago erótico, al abrazo sucede una contemplación que es, asimismo, comunión con lo que nos rodea, sea la noche o la luz, la naturaleza o el espíritu. Algunos poemas de *Zozobra* y de *El son del corazón* reflejan esta actitud. Esta dirección, tal vez interrumpida por su muerte, no se llegó a desplegar del todo en su creación. No importa: nos dejó varios poemas que apuntan hacia esa zona. Uno de ellos es *Todo*. Empieza por ser una declaración, mitad irónica y mitad exaltada, de su estética, de sus creencias y del sentido de su misión poética. Su voz, «sonámbula y picante», es la voz criolla de la canela (admirable definición de su poesía y del lugar que ocupa en la tradición de nuestra lengua: pequeñez inmensa); su tiempo es el instante: vive en «el cogollo de cada minuto»; las realidades que designan las palabras carne y espíritu le parecen risibles, absurdas: en cambio su fe nunca vacila si dice «yo». Ese yo, humilde y sagrado, cuyo emblema es el candil, es intocable e invulnerable. Por él no reniega de sí mismo ni de sus apetitos; por él su discordia interior se resuelve en la unidad de su persona. Ese yo disperso es asimismo conciencia de la dispersión y de ahí que, «a pesar del moralista que le asedia y sobre la comedia» diaria, sea *santa su persona*. La lealtad al corazón es santidad cuando logramos percibir en sus latidos la armonía de los contrarios. Su persona no vive ensimismada ni «comprometida». En pleno ocio, no tiene más actividad que la imaginación:

> Aunque toca al poeta
> roerse los codos,
> vivo la formidable
> vida de todas y de todos.

La simpatía que siente por sus semejantes no debe confundirse con ese querer guiarlos o reformarlos que hoy predican muchos, con tanta hipocresía como crueldad. Su amor es amor, no pedagogía tiránica. Y es un amor que no se detiene en los hombres. Su persona es santa (en su contradicción y en su caída) porque en ella late «un pontífice» que consagra todo lo que existe. Aunque no sea dueño de nada, su corazón ampara a «la dolorosa Naturaleza y a sus tres reinos…». Y de pronto suspende esta enumeración, abandona el tono de la confidencia reflexiva y escribe dos de los versos más hermosos y enigmáticos que se hayan escrito en español durante este siglo. A pesar de su hermetismo, su sentido espiritual me parece tan evidente que juzgo inútil y temeraria toda explicación. Esas líneas expresan la experiencia de la unidad en la diversidad y oponen al frenesí de la pasión la serenidad de la compasión. No es la indiferencia sino la mirada amorosa de aquel que contempla las diferencias de las criaturas y su final identidad. López Velarde dice que se conmueve:

> con la ignorancia de la nieve
> y la sabiduría del jacinto.

Delhi, 4 de agosto de 1963

«El camino de la pasión: Ramón López Velarde» se publicó en *Cuadrivio*, México, Joaquín Mortiz, 1965.

Post-scriptum

FUENSANTA: IMÁN Y ESCAPULARIO

La magia de los nombres, sobre todo de mujer, ha fascinado siempre a los poetas. López Velarde no es una excepción; en el nombre de Fuensanta se concentra todo su contradictorio erotismo: devoción religiosa, inocencia aldeana y sexualidad sacrílega. El aura de Fuensanta es literaria y devota: por una parte evoca esos nombres femeninos que amaban los poetas simbolistas; por la otra, es una palabra compuesta como tantas de nuestra lengua que designan lugares, santuarios y vírgenes. Fuensanta: ¿de dónde viene este nombre? López Velarde no lo inventó sino que lo tomó de la tradición. Algunos críticos han discutido su origen. El imprescindible José Luis Martínez resume en una página todas esas hipótesis. Alfonso Méndez Plancarte dudaba entre dos precedentes: un cuento de Rubén M. Campos publicado en la *Revista Moderna* en 1902 o algunos poemas del español Antonio Fernández Grillo. La primera suposición es frágil: es indemostrable que López Velarde haya leído ese cuento; la segunda también lo es: ¿quién leía en 1908 al olvidado Fernández Grillo? López

Velarde nunca lo mencionó. Luis Noyola Vázquez señala que, en los años en que nuestro poeta estudiaba en San Luis Potosí, la compañía teatral de Tomás Borrás visitó esa ciudad y llevó a la escena obras de Zorrilla y de Echegaray; entre ellas una de este último, *El loco Dios*, cuya heroína se llama precisamente Fuensanta. López Velarde pudo haber visto, en su adolescencia, alguna representación de ese drama. Otra vez: es posible, no seguro. Además, ¿Echegaray el altisonante padrino de bautismo de Fuensanta la recatada?

En 1904, en *La Provincia*, revista de Aguascalientes, apareció un poema, *Epístola a Fuensanta*, firmado por Guillermo Eduardo Symonds. Es curioso que Symonds haya publicado, ocho años después, en 1912, el mismo poema y nada menos que en *La Nación*. Dirigía este diario, órgano del Partido Católico, Eduardo J. Correa, gran amigo de López Velarde y su correligionario en las luchas políticas de esos años. López Velarde fue frecuente colaborador de *La Nación* y publicó en sus páginas, aparte de numerosos artículos, varios poemas. Entre ellos uno, *Muerta*, probablemente escrito, como otros textos suyos, no para recordar una muerte real sino imaginaria: la del amor o su ilusión. Es un tema que aparece con frecuencia en su poesía y en su prosa. En una carta de 1909, dirigida a Eduardo J. Correa, se refiere así al fracaso de sus amores: «Soy doliente de una larga e intensa pasión, fallecida este otoño: Fuensanta, amigo mío, es un cadáver en mi ánima. Dios me saque del abatimiento en que estoy...». Pero no fue la persona real, Josefa de los Ríos, la que murió sino el símbolo: Fuensanta. Tal vez López Velarde prefirió esconderse bajo un pseudónimo porque temió el natural escándalo de la Fuensanta real ante el sospechoso fervor de su enamorado para describir su muerte ficticia. Pero el pseudónimo fue transparente: Álvaro de Monprez. Todas estas circunstancias llevaron a Noyola Vázquez a suponer que bajo el nombre de Guillermo Eduardo Symonds se ocultaba el de López Velarde. Aunque su hipótesis es plausible, provoca algunas dudas. Las expongo enseguida.

La primera viene del poema mismo, muy alejado del tono y el lenguaje de López Velarde. La segunda: el pseudónimo de *Muerta* es realmente un anagrama y los anagramas son contraseñas, claves, guiños para los entendidos: al ocultar, revelan. El anagrama es explicable: pudor y temor, escrúpulo íntimo y confidencia para unos pocos. En el caso de la *Epístola a Fuensanta* el pseudónimo no es explicable: ¿por qué y para qué? López Velarde dedicó abiertamente a Fuensanta sus primeros poemas y los de *La sangre devota*. La adopción de este nombre poético cubría la identidad de la persona real y le permitía al poeta hablar en público de ella y con ella. Fuensanta muere en 1917 –esta vez la persona real– y el velo se descorre: en la segunda edición de *La sangre devota* aparece el nombre de Josefa de los Ríos. Otro punto, señalado por José Luis Martínez: en 1904 López Velarde tenía sólo dieciséis años... Confieso que ninguno de estos argumentos me convence del todo. Yo me sumaría a la opinión de Noyola Vázquez si no fuese por una circunstancia que me parece decisiva: Symonds no es una sombra sino un poeta de carne y hueso que fue, según Phillips, colaborador asiduo de *La Provincia*.

Más cuerdo que seguir a los críticos en sus hipótesis es aceptar que ese nombre femenino dormía en el fondo del idioma y que, al comenzar este siglo, los poetas y los artistas lo redescubrieron o, más exactamente, lo pescaron en el mar del lenguaje. El nombre es muy hispánico pero el abanico de imágenes que despliega –manantial, pureza, sexualidad– lo conecta con la estética simbolista. Fuensanta parece una muchacha salida de un poema de Francis Jammes, como Claire d'Ellébeuse o Almaide d'Entremont. Menos frágil y evanescente que sus hermanas francesas, Fuensanta es más robusta y más sensual, a pesar de su pacata religiosidad provinciana. De ella se puede decir lo que López Velarde dijo de otra:

> y si en vértigo de abismo tu pelo se desmadeja,
> todavía, con brazo heroico
> y en caída acelerada, sostienes a tu pareja.

Hace unos días recibí un libro ilustrado, el *Catálogo del Museo Julio Romero de Torres*[1]. Presumo que debo este hermoso envío a la amistad de Feliciano Delgado; desde aquí le doy las gracias.

La pintura de Romero de Torres está muy alejada del gusto moderno. Fue famoso hacia 1910 y la generación modernista, de Valle-Inclán a Villaespesa, lo admiró y lo elogió. Pintor de indudable talento, mareado quizá por la publicidad mundana, cedió a los halagos del mercado y se dedicó a cultivar un fácil efectismo. Su arte, nunca rigu-

---

1. Obra de Mercedes Valverde Candil y Ana María Piriz Salgado, publicada en julio de 1983 por el Ayuntamiento de Córdoba (España). (*Nota del editor.*)

roso pero brillante y sensual, dejó de ser exploración y búsqueda. Sin embargo, hoy que comenzamos a reconciliarnos con los pintores simbolistas, podemos verlo con otros ojos. La admiración que le profesó Valle-Inclán no era ciega... Vuelvo al libro que recibí. Su portada reproduce un cuadro de Romero de Torres que representa a dos mujeres y cuyo título es *Ángeles y Fuensanta*. Aparte del nombre, es sorprendente la relación entre la poesía de López Velarde y la atmósfera a un tiempo acentuadamente erótica y recatada de la pintura. La afinidad salta inmediatamente a la vista y apenas si necesita un comentario.

Las dos jóvenes están sentadas al lado de una ventana que deja ver, al fondo, un vago paisaje de colinas, torres y murallas; entre el paisaje y las dos mujeres, las aguas verdes del Guadalquivir, el antepecho de un puente y, en un vasto espacio, solitaria e inmóvil, la figura obscura de un hombre cubierto, a lo torero, con una capa negra ornada de una franja rojiza. Ángeles viste blusa blanca de encajes que la cubre hasta el cuello, falda parda y mantón negro; con una mano sostiene un medallón y con la otra roza un seno, rotundo bajo la blancura de la tela. Se adivina el latido del pecho y una respiración de oleaje que la pasión puede convertir en jadeo. La figura hace pensar en aquella prima Águeda del poema, «cesta policroma de manzana y uvas». La Fuensanta del cuadro es menos sensual y, como la de los poemas, viste de negro, salvo los encajes blancos de los puños y el cuello. Un chal rojo, presagio pasional y sombrío, cae sobre sus rodillas. En las manos, una carta abierta: ¿cómo no recordar el poema en que López Velarde describe a la persona querida como «una epístola colmada de dramáticos adioses»? La Fuensanta de Romero de Torres, más que el retrato de una mujer, es la pintura ideal y carnal de un símbolo erótico, el mismo que fascinó y desveló al poeta mexicano.

Ángeles y Fuensanta recuerda otras composiciones de Romero de Torres, entre ellas una que Valle-Inclán elogió con entusiasmo: *Amor místico y amor profano*. Esta dualidad rige casi toda su obra y lo mismo ocurre con la del poeta mexicano. No es extraño: la pintura del artista cordobés es la expresión, no pocas veces afortunada y sugestiva, de una época que fue también la de López Velarde. ¿Lo conoció nuestro poeta? Los años de celebridad de Romero de Torres coinciden con la adolescencia y la juventud del mexicano. En 1910 Romero de Torres provocó un escándalo con un cuadro, *Retablo del amor*, que el jurado de la Exposición Nacional de Madrid rechazó por inmoral. El fallo desató una gran protesta de artistas, poetas y escritores; ante el clamor, el gobierno español no tuvo más remedio, como desagravio y para aplacar a los críticos, que darle una condecoración a Romero de Torres, adquirir uno de sus cuadros y nombrarlo su representante en Roma, donde se celebraba una exposición universal. Es imposible que López Velarde no se hubiera enterado de este enredo. Romero de Torres era amigo de casi todos los escritores notables de España, entre ellos algunos muy admirados por el mexicano. Además, a López Velarde le interesaba la pintura y escribió algunos artículos sobre su amigo, el malogrado pintor Herrán, que había ilustrado la portada de su primer libro. Por todo esto creo que no sólo tuvo noticias de Romero de Torres sino que debe de haber visto reproducciones de sus cuadros en las revistas de entonces.

Ángeles y Fuensanta fue pintado en 1909. Esta fecha prohíbe pensar en una influencia directa: el primer poema en que figura el nombre de Fuensanta es de 1908[1]. Pero el hecho de que López Velarde y Romero de Torres hayan escogido el mismo nombre de mujer para el mismo tipo femenino revela que estamos ante un verdadero *motivo* de la época. Ese nombre, como otros parecidos, era un talismán y un símbolo estético, sexual y espiritual. El origen andaluz del nombre me parece indudable. Nuestra Señora de la Fuente Santa evoca a otras vírgenes andaluzas, como la de las Angustias y la de la Salud. (Yo tuve dos tías, una gaditana y otra jerezana, que se llamaban Angustias y Salud; sus efluvios contradictorios mantenían el equilibrio psíquico de la familia...) El nombre de Fuensanta no es insólito en Andalucía; en otro cuadro famoso de Romero de Torres que es un homenaje a Valle-Inclán, *Flor de santidad*, el fondo es un paisaje urbano: una plaza con una columna coronada por la figura de San Rafael y, atrás, el palacio del marqués de la Fuensanta del Valle. Este cuadro es del mismo período del retrato de *Ángeles y Fuensanta* y fue reproducido en la contraportada de un libro, *Andalucía*, obra de un poeta también muy leído en esos años: Francisco Villaespesa. Al final de su vida Romero de Torres pintó otra Fuensanta –el nombre era un imán– pero en esta ocasión nada casta, el pelo cortado a lo *garçon*, los hombros desnudos. La misma modelo le sirvió para pintar *La niña del candil*, también de

---

1. *Elogio de Fuensanta*, publicado en *Kalendas*, revista de Lagos de Moreno, Jalisco. (*Nota del editor.*)

pelo corto, semidesnuda y sosteniendo, como ofrenda, una lámpara romana. Religión, erotismo y arqueología.

Fuensanta es un nombre de época. Como tantos otros, es una palabra en el río de palabras, imágenes, sentimientos e ideas que es nuestra cultura. La imaginación poética, movida por hondas necesidades psíquicas, la recogió de la tradición y la transformó en un símbolo. Fuensanta es una estrella de la constelación erótica de principios de siglo como lo fueron, para la generación siguiente, Molly y Nadja, astros funestos del erotismo poético de la primera postguerra. Todos estos nombres son, más que signos o símbolos, cicatrices. Un tatuaje verbal que dibuja el jeroglífico femenino de una generación. No es extraño que también el olvidado Symonds haya usado ese nombre. ¿Fue un inspirador de López Velarde −si es que no su máscara? Poco importa: Fuensanta es un nombre de nuestra tradición. De ahí que me parezca más fértil en asociaciones y resonancias la relación con Romero de Torres. Como López Velarde, el pintor fue familiar de las cortesanas y las vírgenes, los burdeles y los balcones de las señoritas. Los dos estaban enamorados de los usos y las artes de su pueblo y los dos buscaron vitalizar su inspiración por el regreso a las fuentes tradicionales. El mexicano cantó a las bailarinas y *cantaoras* de México y España con el mismo entusiasmo con que las pintó el cordobés. Los dos artistas, en fin, creyeron en los poderes de la carne, la sangre y el diablo tanto como en la gracia divina.

Hay un innegable parentesco entre el vocabulario estético de los dos artistas, uno en la pintura y otro en la poesía; también padecieron parecidas obsesiones y conversaron con los mismos fantasmas; en fin, ambos fueron artistas desiguales y parte de su obra está dañada por lo pintoresco y lo decorativo. A pesar de tantas semejanzas, son muy distintos. Romero de Torres vivió más tiempo y en un mundo más amplio, rico y variado que el de López Velarde. Fue más vasto y brillante; más vano y obvio también. El mexicano, opaco, escaso y titubeante, es más puro y secreto. Su voz, él lo dijo, tiene la vivacidad «sonámbula y picante de la canela». Además, en la poesía de López Velarde aparecen dos notas ausentes en la pintura de Romero de Torres: la invención estilística y el humor. El cordobés inventó poco y careció casi por completo de humor. Justamente, estas dos cualidades hacen de López Velarde, a pesar de sus caídas y desfallecimientos, un poeta realmente moderno. Su poesía no señala el fin del modernismo, como la de la mayoría de sus contemporáneos en América y en España, sino el comienzo de la nueva poesía. Algunos críticos hispanoamericanos lo ven como un poeta menor. Tal vez lo sea. Habría que añadir que la perfección y la intensidad de algunos de sus poemas le otorgan un lugar no sólo único sino extraño en la historia de nuestra poesía moderna: sí, López Velarde es un gran poeta menor. Aclaro a los suspicaces –a los agudos y a los romos– que la unión de estos dos contrarios adjetivos es frecuente en la historia de la poesía: Catulo es grande y menor al lado de Virgilio, Nerval lo es frente a Hugo.

México, 15 de febrero de 1987

El jinete del aire: Alfonso Reyes

A Manuel Calvillo

Un telegrama de México me anunció la muerte de Alfonso Reyes. La noticia me pareció irreal, como si anunciase la muerte de otra persona. Sabía que desde hacía años estaba enfermo y que sólo se aliviaba para volver a recaer; no sabía, o lo había olvidado, que la muerte, siempre esperada, es siempre inesperada. La última vez que lo vi, hace seis meses, la víspera de mi salida de México, me dijo: «Quizá no volvamos a conversar; ya me queda poco tiempo aquí». Y me señaló, con la mirada, sus libros. No podría ahora repetir mi respuesta; sin duda fue una de esas frases con las que, no sin hipocresía, a un tiempo tratamos de calmar la ansiedad de los enfermos y nuestro propio, secreto terror ante la muerte. Recuerdo que sentí una absurda vergüenza, como si mi salud fuese algo indiscreto y poco merecido. Reyes se dio cuenta de mi confusión, cambió el tema y alegremente me guió por las espesuras de la poesía hermética.

Admirable prueba de salud moral: en una época sorda a fuerza de gritar, un hombre enfermo, encerrado en su biblioteca, casi sin esperanzas de ser oído, se inclina sobre un texto olvidado y pesa imágenes y pausas, ritmos y silencios, en una delicada balanza verbal. Ante un mundo que ha perdido casi completamente el sentimiento de la forma, al grado de que la frase hecha, después de conquistar periódicos, parlamentos y universidades, se convierte en el medio de expresión favorito de poetas y novelistas, el amor de Reyes al lenguaje, a sus problemas y sus misterios, es algo más que un ejemplo: es un milagro. Pocas veces vi a Reyes tan lúcido, tan claro y relampagueante, tan osado y tan reticente y, en una palabra: tan vivo, como aquella noche en que me hablaba, entre una y otra toma de oxígeno, de las delicias y los peligros de Licofrón y Gracián. ¿Falta de humanidad, insensibilidad social, ausencia de sentido histórico? Yo diría: amor a la vida en un tiempo que venera no tanto a la muerte como a la *ausencia de vida*. El culto a la muerte es una superstición arcaica; nosotros, los modernos, adoramos la abstracción desangrada y el número informe: ni vida ni muerte. El amor, los amores de Reyes, eran distintos: amor a la forma, amor a la vida. La forma es la encarnación de la vida, el instante en que la vida pacta consigo misma.

No, no estamos hechos para la muerte, y Alfonso Reyes, «caballero andante de Mayo», el mes solar, como dice en uno de sus poemas, era el hombre menos dispuesto, filosóficamente, a morir. No porque se rebelase estérilmente contra la idea de la muerte sino porque morir no le parecía una *idea*, esto es, una razón, algo dueño de sentido. Nunca hizo de la muerte una filosofía, como tantos escritores de nuestra lengua. Más bien la veía como la negación, la definitiva refutación de la idea misma de filosofía. La aceptaba, no sin ironía, como una prueba más de la locura cósmica. En cierto modo, no le faltaba razón: la muerte es el fruto, la consecuencia natural de la vida y, así, no es un accidente; sin embargo, es el gran accidente, el único accidente. Y esto, ser contingente y necesaria, la hace aún más enigmática. La muerte es la contradicción universal.

Reyes, el enamorado de la mesura y la proporción, hombre para el que todo, inclusive la acción y la pasión, debería resolverse en equilibrio, sabía que estamos rodeados de caos y silencio. Lo informe, ya como vacío, ya como presencia bruta, nos acecha. Pero nunca intentó aherrojar al instinto, suprimir la mitad obscura del hombre. Ni en la esfera de la ética ni en la de la estética —menos aún en la política— predicó las virtudes equívocas de la represión. A la vigilia y al sueño, a la sangre y al pensamiento, a la amistad y a la soledad, a la ciudad y a la mujer, a cada parte y a cada uno, hay que darle lo suyo. La porción del instinto no es menos sagrada que la del espíritu. ¿Y cuáles son los límites entre uno y otro? Todo se comunica. El hombre es una vasta y delicada alquimia. La operación humana por excelencia es la transmutación, que hace luz de la sombra, palabra del grito, diálogo de la riña elemental.

Su amor por la cultura helénica, reverso de su indiferencia frente al cristianismo, fue algo más que una inclinación intelectual. Veía en Grecia un modelo porque lo que le descubrían sus poetas y filósofos era algo que estaba ya en su interior y que, gracias a ellos, recibió un nombre y una respuesta: los poderes terribles de la *hubris* y el método para conjurarlos. La literatura griega no le reveló una filosofía, una moral, un «deber ser» sino al ser mismo en su marea, en su ritmo alternativamente creador y destructor. Las normas griegas, dice Jaeger, son una manifestación de la legalidad inmanente del cosmos: el movimiento del ser, su dialéctica. Reyes escribió una y otra vez que la tragedia es la forma más alta y perfecta de la poesía porque en ella la desmesura encuentra al fin su tensa medida y, así, se purifica y redime. La pasión es creadora cuando encuentra su forma. Para Reyes la forma no era una envoltura ni una medida abstracta sino el instante de reconciliación en el que la discordia se transforma en armonía. El verdadero nombre de esta armonía es libertad: la fatalidad deja de ser una imposición exterior para convertirse en aceptación íntima y voluntaria. Ética y estética se enlazan en el pensamiento de Reyes: la libertad es un acto estético, es decir, es el momento de concordia entre pasión y forma, energía vital y medida humana; al mismo tiempo, la forma, la medida, constituyen una dimensión ética, ya que nos salvan de la desmesura, que es caos y destrucción.

Estas ideas, dispersas en muchas páginas y libros de Reyes, son la sangre invisible que anima su obra poética más perfecta: *Ifigenia cruel*. Quizá no sea innecesario recordar que este poema es, entre otras muchas cosas, el símbolo de un drama personal y la respuesta que el poeta intentó darle. Su familia pertenecía al *ancien régime*. Su padre había sido ministro de la guerra del gobierno de Porfirio Díaz y su hermano mayor, el jurista Bernardo Reyes, era un profesor universitario y un polemista político de renombre. Ambos fueron conservadores y enemigos del gobierno revolucionario de Madero. Su padre murió en el asalto al Palacio Nacional y su hermano, al triunfo de los revolucionarios, se refugió en España y desde allá no cesó de atacar al nuevo régimen. Así, la situación de Alfonso Reyes no era muy distinta a la de Ifigenia: el hermano le recuerda que la venganza es un deber filial; y rehusarse a seguir la voz de la sangre es condenarse a servir a una diosa sanguinaria –Artemisa en un caso, la Revolución mexicana en el otro. Ifigenia decide quedarse en Táuride y Reyes se pone al servicio del régimen revolucionario. Por supuesto, el poema es algo más que la expresión de este conflicto íntimo; visión de la mujer y meditación sobre la libertad, *Ifigenia cruel* es una de las obras más perfectas y complejas de la poesía moderna hispanoamericana.

Reyes escoge la segunda versión del mito. Como es sabido, en esta versión no se consuma el sacrificio de la virgen. En el momento en que Ifigenia debe morir en Áulide, para aplacar la cólera del viento, Artemisa substituye su cuerpo por el de una cierva y la conduce a Táuride. Allá la consagra sacerdotisa de su templo: Ifigenia debe inmolar a todos los extranjeros que llegan a la isla. Un día reconoce entre los extraños

Alfonso Reyes (1889-1959).

que un naufragio arroja a la costa, a Orestes. Vence el destino, la ley de la casta: los dos hermanos se fugan, no sin robarse la estatua de la diosa, y regresan al Ática. Reyes introduce un cambio fundamental en la historia, algo que no aparece ni en la obra de Eurípides ni en la de Goethe: Ifigenia ha perdido la memoria. No sabe quién es ni de dónde viene. Sólo sabe que es «un montón de cólera desnuda». Virgen sin origen, que «brotó como un hongo en las rocas del templo», desde el principio del principio atada a la piedra sangrienta, virgen sin pasado y sin futuro, Ifigenia es un ciego movimiento sin conciencia de sí, condenado a repetirse sin cesar. La aparición de Orestes rompe el hechizo; sus palabras penetran la pétrea conciencia de Ifigenia, que pasa gradualmente del reconocimiento del «otro» –el hermano desconocido y delirante, el semejante remoto siempre– al redescubrimiento de su identidad perdida. Para ser nosotros mismos, parece insinuar Reyes, es menester reconocer la existencia de los demás. Al recobrar la memoria, Ifigenia se recobra. Está en posesión de su ser porque sabe quién es: virtud mágica del nombre. La memoria le ha devuelto la conciencia; y al devolverle la conciencia, le otorga la libertad. No es ya la poseída por Artemisa, «al tronco de sí misma atada», ya puede elegir. Su elección –y aquí la diferencia con la versión tradicional es aún más significativa– es inesperada: Ifigenia decide quedarse en Táuride. Le bastan dos palabras («dos conchas huecas de palabras: *no quiero*») para cambiar en un instante vertiginoso todo el curso de la fatalidad. Por ese acto reniega de la memoria que acaba de recobrar, dice *no* al destino, a la familia y al origen, a la ley del suelo y de la sangre. Y más: se niega a sí misma. Esa negación engendra una nueva afirmación de sí. Al negarse, se elige. Y este acto, libre entre todos, afirmación de la soberanía del hombre, encarnación fulgurante de la libertad, es un segundo nacimiento. Ifigenia ya es hija de sí misma.

Escrito en 1923, el poema de Reyes no sólo se anticipa a muchas preocupaciones contemporáneas sino que encierra, en cifra, condensada en un lenguaje que participa de la dureza de la piedra y de la amargura del mar, artificioso y bárbaro a un tiempo, toda la evolución posterior de su espíritu. Todo Reyes –el mejor, el más libre y suelto– está en esta obra. Ni siquiera falta el guiño secreto, el aparte malicioso para el goce de los entendidos, el anacronismo y la señal de inteligencia hacia otras tierras y otros tiempos. Erudición, sí, pero también gracia, imaginación y dolorosa lucidez. Ifigenia, su cuchillo y su diosa, inmensa piedra labrada por la sangre, aluden simultáneamente a los cultos precortesianos y al «eterno femenino»; el soneto del monólogo de Orestes es un doble homenaje a Góngora y al teatro español del siglo XVII; la sombra de Segismundo oscurece a veces el rostro de Ifigenia; otras, la virgen pronuncia enigmas como la *Hérodiade* de Mallarmé o se palpa con el pensamiento como *La joven Parca*; Eurípides y Goethe, el libre arbitrio católico y los experimentos rítmicos del modernismo y hasta los temas mexicanos (universalismo y nacionalismo) y la querella familiar, todo se funde con admirable naturalidad. Nada sobra porque nada falta. Cierto, nunca volvió a escribir un poema de arquitectura tan sólida y aérea, tan rico de significaciones, pero sus mejores páginas en prosa son una apasionada meditación sobre el misterio de Ifigenia, la virgen libertad.

El enigma de la libertad es también el de la mujer. Artemisa es una divinidad pura y carnicera: es la luna y el agua, la diosa del tercer milenio antes de Cristo, la domadora, la cazadora y la hechicera fatal. Ifigenia es apenas una manifestación humana de esa deidad pálida y terrible que atraviesa los bosques nocturnos seguida de una jauría sanguinaria. Artemisa es un pilar, el árbol primordial, arquetipo de la columna como el bosque es el modelo mítico del templo. Ese pilar es el centro del mundo:

> En torno a ti danzan los astros
> ¡Ay del mundo si flaquearas, Diosa!

Artemisa es virgen e impenetrable: «¿Quién vislumbró la boca hermética de tus dos piernas verticales?». Ojos de piedra, boca de piedra –pero «las raíces de sus dedos sorben los cubos rojos del sacrificio, a cada luna». Peña, pilar, estatua, agua quieta, es también carrera loca del viento entre los árboles. Artemisa busca y rehúsa, alternativamente, la encarnación, el encuentro con el otro, adversario y complemento de su ser. El abrazo carnal es lucha mortal.

En la obra de Reyes el erotismo –en el sentido moderno del término– aparece siempre velado. La ironía modera el alarido; la sensualidad dulcifica el gesto terrible de la boca; la ternura transforma la garra en caricia. El amor es batalla, no carnicería. Reyes no niega la omnipotencia del deseo, pero –sin cerrar los ojos ante la naturaleza contradictoria del placer– busca de nuevo un equilibrio. Si en *Ifigenia cruel* –y en otros textos, algunos publicados y otros inéditos, como la farsa de Landrú– el deseo aparece revestido con las armas de la muerte, en los más numerosos y personales su temperamento cordial –melancolía, ternura, *saudade*– calma a la sangre y sus abejas. El epicureísmo de Reyes no es una estética ni una moral: es una defensa vital, un remedio viril. Pacto: no renuncia ni guerra sin cuartel. En un poema de juventud, bastante más complejo de lo que revela una primera lectura, dice que en sus imaginaciones identifica a la flor (que es una flor mágica: la adormidera) con la mujer y confiesa su temor:

¡Tiemblo, no amanezca el día
en que te vuelvas mujer!

La flor esconde, como la mujer, una amenaza. Ambas provocan sueño, delirio y locura. Ambas hechizan, es decir, paralizan el ánimo. Para librarse del cuchillo de la virgen Ifigenia y de la amenaza de la flor, no hay exorcismo conocido, excepto el amor, el sacrificio –que es, *siempre*, una transfiguración. En la obra de Reyes no se consuma el sacrificio y el amor es una oscilación entre la soledad y la compañía. A la mujer («trabada en la hora –libre aunque se da y ajena») la tenemos un instante en la realidad. Y siempre en la memoria, como nostalgia:

Mercedes, Río, mercedes
soledad y compañía,
de toda angustia remanso,
de toda tormenta orilla.

Pacto, acuerdo, equilibrio: estas palabras son frecuentes en la obra de Reyes y definen una de las direcciones centrales de su pensamiento. Algunos, no contentos con acusarlo de «bizantinismo» (hay críticas que, en ciertos labios, resultan elogios), le han reprochado su moderación. ¿Espíritu moderado? No lo creo, al menos de la manera simple con que quieren verlo las inteligencias simplistas. Espíritu en busca de equilibrio, aspiración hacia la medida; y también, gran apetito universal, deseo de abarcarlo todo, lo mismo las disciplinas más alejadas que las épocas más distantes. No suprimir las contradicciones sino integrarlas en afirmaciones más anchas; ordenar el saber particular en esquemas generales –siempre provisionales. Curiosidad y prudencia:

todos los días descubrimos que aún nos falta algo por saber y que, si es cierto que todo ha sido pensado, también lo es que nada se ha pensado. Nadie tiene la última palabra. Es fácil darse cuenta de las ventajas y riesgos de una actitud semejante. Por una parte, irrita a los espíritus categóricos, que tienen la verdad en el puño; por la otra, el exceso de saber a veces nos vuelve tímidos y nos quita confianza en nuestros impulsos espontáneos. A Reyes la erudición no lo paralizó porque se defendió con un arma invencible: el humor. Reírse de sí mismo, reírse de su propio saber, es una manera de aligerarse de peso.

Góngora decía: «No es sordo el mar: la erudición engaña». Reyes no siempre se libró de los engaños de esa erudición que nos hace ver en la novedad de hoy la locura de ayer. Además, su temperamento lo llevaba a huir de los extremos. Esto explica, quizá, su reserva ante esas civilizaciones y esos espíritus que expresan lo que llamaría la exageración sublime. (Pienso en el Oriente y en la América precolombina pero asimismo en Novalis y Rimbaud.) Siempre lamenté su frialdad ante la gran aventura del arte y la poesía contemporáneos. El romanticismo alemán, Dostoyevski, la poesía moderna (en lo que tiene de más arriesgado), Kafka, Lawrence, Joyce y tantos otros, fueron territorios que recorrió con valentía de explorador pero sin pasión amorosa. Y aun en esto temo ser injusto, pues ¿cómo olvidar su afición a Mallarmé, precisamente uno de los poetas que encarna con mayor lucidez la sed de absoluto del arte moderno? Tachado de tibieza en la vida pública, algunos señalan que en ocasiones su carácter no estuvo a la altura de su talento y de las circunstancias. Es verdad. Pero si es cierto que a veces calló, también lo es que nunca gritó como muchos de sus contemporáneos. Si no sufrió persecución, tampoco persiguió a nadie. No fue hombre de partido; no lo fascinó el número ni la fuerza; no creyó en los jefes; no publicó adhesiones ruidosas; no renegó de su pasado, de su pensamiento y de su obra; no se confesó; no practicó la «autocrítica»; no se convirtió. Y así, sus indecisiones y hasta sus debilidades –porque las tuvo– se convirtieron en fortaleza y alimentaron su libertad. Este hombre tolerante y afable vivió y murió como un heterodoxo, fuera de todas las Iglesias y partidos.

La obra de Reyes desconcierta no sólo por su extensión, sino por la variedad de los asuntos que trata. Nada más alejado, sin embargo, de la dispersión. Todo tiende a la síntesis, inclusive esa parte de su producción constituida por notas, apuntes y resúmenes de libros ajenos.

En una época de discordia y uniformidad –dos caras de la misma medalla– Reyes postula una voluntad de concierto, es decir, un orden que no excluya la singularidad de las partes. Su interés por las utopías políticas y sociales y su continua meditación sobre los deberes de la *intelligentsia* hispanoamericana tienen el mismo origen que su afición a los estudios helénicos, la filosofía de la historia y la literatura comparada. En todo busca el rasgo individual, la variación personal; y procura siempre insertar esa singularidad en una armonía más vasta. No obstante, concierto, acuerdo o equilibrio son palabras que no lo definen por entero: concordia le conviene mejor. La merece más. Concordia no es concesión, pacto o compromiso sino juego dinámico de los contrarios, concordancia del ser y lo «otro», reconciliación del movimiento y el reposo, coincidencia de la pasión y la forma. Oleada de vida, vaivén de la sangre, mano que se abre y se cierra: dar y recibir y volver a dar. Concordia, palabra central y vital. Ni cerebro, ni vientre, ni sexo, ni mandíbula: corazón.

La muerte es la única proposición irrefutable, la única realidad innegable. Al mismo tiempo, tal vez por el exceso de realidad que manifiesta, por esa brutalidad con que nos dice que la presencia es ausencia, la muerte infunde un aire de irrealidad a todo lo que vemos, sin excluir al mismo muerto que velamos. Todo está y no está. Nuestra realidad última no es sino una definitiva irrealidad. Podría decirse, modificando levemente un verso de Borges: *la muerte, minuciosa de irrealidad*. Reyes está aquí y no está. Lo veo y no lo veo. Como en su poema,

> Pasa el jinete del aire
> montado en su yegua fresca,
> y no pasa: está en la sombra
> repicando las espuelas.

Reyes cabalga aún. En la sombra relucen sus armas: la mano y la inteligencia, el sol y el corazón.

París, 4 de enero de 1960

«El jinete del aire: Alfonso Reyes» se publicó en *Puertas al campo*, México, Universidad Nacional Autónoma de México, 1966.

La poesía de Carlos Pellicer

Ramón López Velarde y José Juan Tablada son los iniciadores de la poesía moderna en México. Nuestro primer poeta realmente *moderno* es Carlos Pellicer. Cuando sus compañeros de generación aún se demoraban en la retórica de González Martínez o seguían encandilados por el esplendor del moribundo simbolismo francés, Pellicer echa a volar sus primeras y memorables imágenes, con la alegría de aquel que regresa a su tierra con pájaros nunca vistos. Pues eso eran aquellas imágenes: pájaros de las islas y los montes, pájaros salvajes misteriosamente posados en el hombro del poeta. Y todo con un aire de sencillez milagrosa:

> Aquí no pasan cosas
> de mayor trascendencia que las rosas

Ignoro si al escribir los poemas de *Colores en el mar* (1922), *Piedra de sacrificios* (1924) y *Seis, siete poemas* (1924), Pellicer conocía la poesía de Huidobro, el gran poeta que precisamente en esos años ardía en maravillosos fuegos y juegos de artificio que iluminaron con nueva luz la poesía de lengua española. No lo creo: su común afición por la imagen dotada de alas, su descubrimiento de la aviación poética –amor al que Pellicer sigue fiel: su último libro se llama *Práctica de vuelo*–, su alegría y su encantadora desfachatez para hablarle de tú a la poesía son notas más o menos presentes en los poetas en esos años. Casi todos ellos, directa o indirectamente, descienden –o mejor dicho: ascienden, pues su carrera poética es un vuelo– de Apollinaire, el «pájaro de lujo» que a principios de siglo decidió anidar a la mitad del cielo, entre los astros y la Tierra. En todo caso, la imagen del Pellicer de entonces era menos abstracta y geométrica, menos disparo, estrella o cohete y más chorro de agua, que la de Huidobro. La actitud del primer Pellicer está más cerca de la de Tablada, que en esos días escribía sus mejores haikús. Pero lo que en éste era arte de miniaturista, concentración, economía de medios, en Pellicer era el repentino y pródigo florecer de un temperamento incomparablemente más rico y poderoso. Muchos de sus poemas de esa época no son más que una prodigiosa sucesión de metáforas e impresiones visuales y sonoras.

A veces, sin embargo, el humor lo acerca al haikú; a un haikú que Tablada, más incisivo y menos espontáneo, nunca practicó:

> Por la tarde vendrá Claude Monet
> a comer cosas azules y eléctricas.

Tarde caliente, habitación en penumbra donde arde aún la luz del sol. Desde el principio, Pellicer fue un poeta solar: «todo lo que yo toque, se llenará de sol». Sol de América y Asia, sol tam-tam, sol que «madura entre los cuernos del venado», sol-fruto-corazón. Si la poesía mexicana es medio tono crepuscular, nadie menos mexicano que Pellicer. Por fortuna no es así y una de sus virtudes es habernos mostrado que, como lo creían los antiguos indios, un sol secreto arde en el pecho de jade de México. Ese sol es un corazón y un surtidor. No, México no es un volcán apagado sino un fuego subterráneo que de pronto se abre paso entre las capas de piedra, hueso, polvo y siglos y se eleva en una columna dorada. Esa columna se llama Tamayo en la pintura, Pellicer en la poesía. Mientras otros poetas de aquellos años iniciaban un largo y dramático viaje hacia los páramos de su propia conciencia, Pellicer sigue el camino del sol y se pone a nombrar las cosas de América:

> El caimán es un perro aplastado.
> Las garzas inmovilizan el tiempo.
> La serpiente se suma veinte veces.
> En una barca de caoba,
> desnudo y negro,
> baja por el río Quetzalcóatl.

Es el trópico: «nadie sabe qué hora es». Y el tiempo renace, «creado para soñar y ser perfecto». El tiempo: el ocio para nombrar las cosas, para devolverles su brillo y su vuelo. Todo lo que toca el poeta se llena de alas. Su poesía es el vuelo de una bandada de palabras, abriéndose paso ante la luz solar. Por el camino del sol, ¿adónde va el poeta? A ninguna parte: su viaje es un vagabundeo deslumbrado. Cuando se cansa, se posa en la chimenea de un gran barco anclado en Río o en Amsterdam:

> Unos enanos pintan una proa enorme.
> Desembarcan loros de Java
> gritando en portugués.
> Pasa una vaca poderosa
> con aretes y corsé.
>
> Nos veremos a las 7 en Kalverstraat.
> No puedo porque voy a la Sinagoga.
> Es falso: la Reina no abdicará.

El paisaje de la urbe moderna lo divierte y seduce. Su ojo fija a unos obreros que «desmoronan la altura a martillazos». Pero es insensible al drama de la ciudad y siente una instintiva desconfianza ante ese mundo de piedra, hierro y dinero. Sus ciudades son otras: Florencia, Constantinopla, Palemke, Jerusalén, Aviñón, los pequeño pueblos de México. Ni siquiera lo tientan las ruinas de Pompeya, «Atlantic City de otros días». El mundo moderno es absurdo, feo, rutinario, «oficial»:

> Los fonógrafos repiten lo que oyeron
> y los héroes van aún a caballo.

Frente a la fealdad de nuestra civilización, el poeta esgrime «las palabras iguales para salir del Mundo». ¿Para salir? Acaso sea más exacto decir: para recorrerlo, acariciarlo, cantarlo. Sí, el mundo existe y es hermoso: «Confesemos nuestra estupidez, alabemos nuestros sentidos, oíd, mirad, sentid». Sobre todo: mirad. El poeta tiene los ojos en las manos. El mundo que nos entrega es un mundo mejor que el nuestro: más fresco e inocente, ya sin polvo ni sangre ni odio, recién salido del baño, acabado de pintar, acabado de nacer.

A la inversa de Villaurrutia –que siempre tuvo la angustiosa sensación de sentirse mirado, «por mil Argos, por mí largos segundos»–, en la obra de Pellicer nunca aparece la mirada ajena. Es todo ojos y esos ojos están lanzados al exterior. No es un azar que su primer libro se llame *Colores en el mar* y que el de Villaurrutia ostente un título no menos revelador: *Reflejos*. Para Villaurrutia el mundo no tiene cuerpo ni substancia: es un reflejo, una mirada que nos refleja. Si la conciencia y el mundo son reflejo de un reflejo, lo único real es la muerte, que se convierte así en el objeto de la *reflexión* poética. En Pellicer casi nunca

Carlos Pellicer (1889-1977), por Diego Rivera.

aparece la conciencia y menos aún la reflexión. Con lo cual no quiero decir que carezca de vida interior o espiritual. Por el contrario, su poesía está animada –sobre todo a partir de *Hora de junio* (1937)– por un sentimiento que no es fácil encontrar en los poetas modernos: la humildad, el asombro, la alabanza al Creador y a la vida. Este sentimiento baña las estrofas de *Hora y veinte* (1927) y *Camino* (1929), se afirma en *Recinto* (1941) y *Subordinaciones* (1948) y culmina en los espléndidos sonetos religiosos de *Práctica de vuelo* (1956)[1]. Cántico devoto, nada intelectual, fe elemental de carpintero y artista, hecha del doble sentimiento franciscano de la hermandad de todas las criaturas y de la fidelidad al Creador. Confianza simple del corazón. Nada más lejos de la fe retorcida del intelectual o de la razonadora e inquisitorial del teólogo. Pellicer no razona ni predica: canta.

Cada poeta trae algo nuevo a la poesía. Uno de los grandes regalos que Pellicer nos ha hecho es el sol. El otro es el mar. Poetas de meseta y montaña como Othón, de lagos y ríos como Urbina, jardineros como Tablada, astrónomos como González Martínez, exploradores del tiempo y la conciencia como Jorge Cuesta, arquitectos de torres racionales en medio de los abismos nocturnos como sor Juana, en casi ninguno de nuestros poetas está presente el mar. Al menos con esa luz, esa vehemencia, esa insistencia de oleaje. Pellicer lleva de la mano al mar nocturno y al mar diurno, al mar resonante de fechas y batallas y al mar salvaje, sin nombre todavía. Se pasea por la costa nocturna «con tijeras podadoras de estrellas y de espumas», corta las flores de coral del árbol del mar, «sube a su país de imágenes» y en su torre enciende las viejas voces marinas. Ardiente constelación de luces rojas, verdes, azules. El pecho de piedra de México ya tiene un tatuaje de caracoles, frutos y aves marinas.

Pellicer no es un poeta de poemas sino de instantes poéticos. Por eso, aun en sus composiciones menos logradas, siempre es posible rescatar dos o tres versos sorprendentes e inolvidables. Esos hallazgos se producen con la naturalidad con que el peral da peras y rosas el rosal. Poeta fatal, su poesía poco o nada le debe a la conciencia crítica, aunque él profesa un inocente y supersticioso culto por la técnica, que lo

---

[1]. *Hora de junio* y *Práctica de vuelo* integran el núm. 22 de la serie «Lecturas Mexicanas» del FCE, México, 1984. *Recinto* y *Subordinaciones* son títulos de la colección «Letras Mexicanas», también del FCE, México, 1979. (*Nota del editor.*)

ha llevado a hacer de Díaz Mirón —su antípoda— uno de sus dioses mayores. No deja de ser asombroso que un poeta tan espontáneo y rico, tan habitado por la verdadera inspiración y la gracia poética, admire de tal modo al frío, retórico, tieso Díaz Mirón. En los últimos años, acaso por la influencia de sus compañeros de generación —todos ellos dotados de gran espíritu crítico—, se ha extendido entre nosotros una desconfianza exagerada ante los poderes de la inspiración. A fuerza de señalar sus peligros, se ha olvidado que el verdadero poeta es siempre un inspirado y se confunde a la inspiración con la facilidad. La facilidad es maestría, habilidad, recursos, don externo; la inspiración, manar interior, canto que brota de una herida, fatalidad. El poeta transmuta su fatalidad en imagen y así le otorga libertad. Esta transmutación puede ser de índole reflexiva, como en Villaurrutia, o mágica, según sucede con Pellicer, pero está marcada siempre con el sello de lo inevitable. La renovada aparición del nombre de Villaurrutia en estas páginas no ha sido buscada. Tampoco es accidental: ambos poetas, al mismo tiempo dueños y esclavos de sus dones, son un ejemplo de la libre fatalidad poética. Cada uno es rey de su mundo poético. Rey y prisionero, pues está condenado a no traspasar sus límites. Cuando Pellicer intenta penetrar en el reino de la noche, donde el insomnio multiplica a la conciencia en mil espejos que la repiten hasta anularla, incurre en la queja sentimental. Y otro tanto sucede con Villaurrutia: el *Canto a la primavera* fue una desafortunada tentativa por apropiarse de algo que no le pertenecía. Ese mundo de flores que cantan y de árboles que vuelan es el reino de Pellicer.

La imagen es el corazón de la poesía de Pellicer. Toda su obra es una luminosa metáfora. Ahora bien, un mundo de metáforas es un mundo mágico. Su poesía es magia, continua metamorfosis. Estas sucesivas transformaciones no entrañan, sin embargo, una verdadera transmutación. O dicho de otro modo: el poeta se transforma, pero no cambia, no *deviene*. Frazer distinguía entre la «magia por imitación» y la «magia por contagio»: la primera se funda en la similitud: *esto es como aquello*; la segunda, en la acción de contacto, la contigüidad o la simpatía: las cosas influyen unas sobre otras y se modifican mutuamente, según se acerquen o alejen entre ellas[1]. Así la «magia simpática» es de esencia erótica y constituye la raíz de la metáfora radical, que no com-

---

[1]. James G. Frazer, *La rama dorada*, México, FCE, 1944. (*Nota del editor*).

para sino funde los términos: *esto es aquello*. La magia de Pellicer pertenece a la primera especie; en su poesía hay vuelo, no «salto mortal» ni cambio de un estado a otro. La frase «Yo es otro», Pellicer no podría decirla. En su mundo falta la presencia de la gran Diosa que es vida y muerte, la experiencia de la noche primordial en cuyo seno los elementos se mezclan y el caos regresa para transformar y transmutar al hombre. Como los otros dos grandes poetas de su generación –Gorostiza y Villaurrutia– está condenado a ser él mismo. En el otro extremo de Neruda y los surrealistas, los poetas de *Contemporáneos* se muestran insensibles a la fascinación de la noche de místicos y románticos. Sólo que, a diferencia de sus compañeros, Pellicer no es un solitario: en toda su poesía late un hermoso sentimiento de fraternidad con la naturaleza y sus criaturas. No en balde es un devoto de San Francisco. Fraternidad no es comunión, mas por gracia de esta hermandad con la vida su obra no termina en un monólogo sino en un canto de alabanza a la creación.

Han pasado más de treinta años desde la aparición de su primer libro y su poesía sigue siendo un inagotable surtidor de alegrías verbales. Las combinaciones retóricas y melódicas en que a veces se obstina no le han hecho perder nada de su admirable espontaneidad. Cascada nocturna cayendo sobre la espalda de granito de la costa, sílabas azules, verdes y moradas del mar que entra a saco por los acantilados, frutos que estallan como astros, astros que se caen de maduros, flores que son pájaros, pájaros que son un collar de música en el cuello del sol. Hermano de la ceiba y del venado, de la estrella de mar y del colibrí, hijo mayor del Sol, Carlos Pellicer avanza desde los grandes ríos de Tabasco y llega a la meseta –sin acabar de llegar nunca– con su «voz de agua nueva». Gran bocanada de salud –el sabor del mar, el sabor del estío, el olor de la aurora bañándose en el agua todavía nocturna del río–, su poesía conserva intacto su inicial poder de entusiasmo.

Pellicer es el más rico y vasto de los poetas de su generación. Hay poetas más perfectos, más densos y dramáticos, más afilados y hondos: ninguno tiene su amplia respiración, su deslumbrada y deslumbrante sensualidad. No importa que en su obra la reflexión, la angustia, el drama del hombre o el diálogo erótico con el mundo ocupen un sitio muy reducido; en cambio, las otras potencias del espíritu, desdeñadas por el hombre moderno, lo inundan todo con su dichosa presencia. Su poesía es una vena de agua en el desierto; su alegría nos devuelve la fe en la alegría.

«Poeta del paisaje», han dicho. Pero su paisaje tiene sensibilidad y movimiento: es un estado de armonía dichoso y deslumbrante. En tanto que otros lo sufren o lo niegan, él, con un candor jubiloso, pretende ordenar al mundo. En los primeros tiempos este orden era el del juego; después fue un orden monumental, como si quisiera recordar a los toltecas y a los mayas. La alegría de la sorpresa desaparece para ceder el sitio a la unción del que contempla y ordena. Llamarlo «poeta del paisaje» es una media verdad. Su propósito es distinto al del simple paisajista. Cierto, en todo paisaje la naturaleza está sometida a una perspectiva y a un orden. En Pellicer el orden no tiene las dimensiones ni el sentido del paisaje habitual: nuestro poeta crea una arquitectura y una mitología con los elementos originales del mundo.

Todo poeta es un creador de mitos. Los mitos de Pellicer no hieren al sentimiento ni deslumbran a la razón. Las notas salientes de su poesía son la contemplación, la embriaguez de los ojos ante la grandeza del mundo; el humor –un humor que no tiene nada que ver con la ironía de la inteligencia sino que brota de la salud del espíritu, conforme con su limitación; el pasmo, el asombro y la queja patética frente a la pequeñez del hombre. Si continúa una tradición mexicana del paisaje, trascendiéndola; si, desde otro punto de vista –el menos interesante a mi juicio– se ostenta como la heredera del Darío de algunos poemas de *Cantos de vida y esperanza*, también es cierto que la poesía de Pellicer no pertenece tanto al pasado como al porvenir. La naturaleza, abandonada durante tanto tiempo por los poetas modernos, espera dormida, hablando en sueños. Pellicer nos ha dado a beber un agua nueva. Y como él mismo ha dicho: «El agua de los cántaros sabe de pájaros».

México, 1955

«La poesía de Carlos Pellicer» se publicó en *Las peras del olmo*, México, Universidad Nacional Autónoma de México, 1957.

Post-scriptum

RESTOS DE *ULISES*: VILLAURRUTIA Y PELLICER

La otra tarde, curioseando en los estantes de la librería de Orso Arreola –minúsculo jardín de letras en nuestro desierto urbano–, encontré unos números de la revista *Ulises* (1927-1928). Al hojearlos, descubrí algunas notas de Xavier Villaurrutia; el verbo descubrir no es inexacto: no las conocía o, lo que es lo mismo, las había olvidado. Me sorprendieron tanto que esa misma tarde, al regresar a mi casa, revisé el tomo de la edición facsímil de *Ulises* y de *Escala*, publicado en 1980 por el Fondo de Cultura Económica en su excelente colección «Revistas Literarias Mexicanas Modernas». (Este volumen, diré de paso, desmerece frente a los otros: las notas de presentación son menos que sucintas y la impresión es defectuosa.) Mi ligero examen se limitó a las colaboraciones de Villaurrutia. Advertí que la mayoría no han sido recogidas en las dos ediciones de sus Obras publicadas por el Fondo en 1953 y en 1966.

La más interesante entre ellas es una nota publicada en el número 2 de la revista (junio de 1927). Es una carta dirigida a un corresponsal ficticio, Oliver. No es gratuito ver en ese nombre extranjero una máscara o, más bien, un doble: Villaurrutia habla consigo mismo al hablar con Oliver. La carta es un comentario sobre *Hora y veinte* de Carlos Pellicer, publicado ese mismo año. *Hora y veinte* tiene un lugar central en la obra de Pellicer: la «hora» de ese libro es la de su encuentro consigo mismo. El comentario de Villaurrutia es interesante no sólo por lo que dice sino porque es el primero que sus compañeros de generación dedicaron a Pellicer, a pesar de que ya para entonces había publicado cuatro libros. Este silencio, da a entender Villaurrutia, provocó cierto malestar en Pellicer, sobre todo porque sabía que sus poemas, si no habían sido comentados por sus amigos, sí habían influido en ellos.

La nota de Xavier es una penetrante definición de la poesía de Pellicer e, indirectamente, una autodefinición de la suya. Ve en Pellicer a dos poetas: uno es un continuador del modernismo –del Darío «fatuo y ligero», del Nervo moralista y del Santos Chocano elocuente– pero el otro es un auténtico poeta moderno, un verdadero creador de nueva poesía. El segundo Pellicer no sólo «es un precursor de los poetas jóvenes que han llegado un poco después» sino que ha influido en varios de ellos. Alude probablemente, sin mencionarlo, a Torres Bodet. Pero en los demás del grupo también pueden encontrarse ecos de Pellicer, como lo reconoce Villaurrutia con nobleza: «Pellicer precede a los nuevos poetas de México y, a menudo, los supera, no en la calidad total pero sí en la riqueza de metáforas y en la sugestión del movimiento». Enseguida lo define: «poeta del pasaje, poeta del paisaje». Esta definición le sirve para distinguirlo de los otros poetas de su generación: «para Pellicer la poesía ha sido el viaje alrededor del mundo, en vez del viaje alrededor de nuestra alcoba que ha sido, hasta ahora, para nosotros...».

Por desgracia, Xavier no desarrolló su observación y prefirió demorarse en corteses reproches. Lamenta ciertos descuidos, ciertas prisas y, sobre todo, el «ideal americanista» y bolivariano de Pellicer, más afín al periodismo de combate que a la poesía. Curiosa reserva: se diría que Villaurrutia admiraba a Pellicer casi a pesar suyo. Tal vez por esto, aunque reconoció su originalidad poética, no acertó a definirla del todo. Me parece que la novedad de Pellicer, su modernidad, está en su visión del espacio como movimiento, es decir, como tiempo. Es «poeta de pasaje» porque sus paisajes pasan, suceden, transcurren. Son tiempo hecho espacio. Paisajes no de viajero –aunque él haya viajado mucho– sino paisajes viajeros. Espacios andantes. En algunos poemas de Apollinaire el espacio también camina y aún vuela pero se trata de espacios urbanos y psicológicos; los de Pellicer son ante todo visuales. Hay ejemplos tempranos de esta visión en movimiento: el poema inspirado por Curazao (*Estudio*, en *Colores en el mar*, 1920), los poemas aéreos de *Suite brasilera* (en *Piedra de sacrificios*, 1924), *La aurora* de *Seis, siete poemas* (1924) pero sólo hasta *Hora y veinte* (1927) Pellicer es plenamente dueño no de su voz sino de algo más preciso y precioso: sus ojos.

Enero, 1985

Muerte sin fin: José Gorostiza

Ciertas obras tienden a imponerse por su abundancia: el fluir de ritmos y palabras, parecido a la marcha de las grandes aguas desbordadas, acaba por vencer la resistencia que todo lector lúcido opone a la embriaguez verbal. Río de imágenes, serpiente de fulgores y obscuridades, el poema se abre paso, avanza y, de pronto, se echa a volar cubriendo con sus dos alas la conciencia adormecida. Sometidos, cerramos los ojos; la marea nos arrastra, una vez más vencen los poderes del principio: el sueño, la sangre, el delirio. La poesía vuelve a ser tam-tam, letanía, danza. Otras obras, en cambio, no acuden a la complicidad de las evidencias obscuras. En ellas la poesía es neta y esbelta, arma que da siempre en el blanco. El tiempo cesa de manar y se recoge en sí mismo, grano de electricidad. La comunión con lo real –fin último de toda poesía– se logra a través de la breve descarga de toda esa energía acumulada. Una frase basta para provocar la erupción. El poema no es sino «un minuto enardecido hasta la incandescencia». Su luz no se derrama: ha encontrado su forma.

La poesía de José Gorostiza pertenece a la segunda estirpe. Su obra, reducida hasta lo exiguo, es más silencio que voz. Sus únicos libros son *Canciones para cantar en las barcas* (1925) y *Muerte sin fin* (1939)[1]. En los catorce años que separan a estos dos libros Gorostiza ha publicado *Cuatro sonetos*, *Preludio* y alguna otra composición. Más tarde, en 1948, *Nocturno en Bogotá*. Las largas pausas que separan a cada uno de esos poemas no impiden su continuidad. Su obra es, con la de Jorge Guillén, la más inflexible y concentrada de la moderna poesía en español. Como en el caso del gran poeta castellano, es imposible hablar de «evolución»: todos sus poemas parecen escritos en un mismo tiempo. O, mejor, fuera del tiempo, en un tiempo que ya no transcurre, que sólo es. Pero aquí terminan las semejanzas entre Guillén y Gorostiza: mientras el primero es el poeta del ser en plenitud de ser –alta marea, dichoso acuerdo del mundo consigo mismo–, Gorostiza ve en el ser,

---

[1]. Publicados en la colección «Lecturas Mexicanas» del Fondo de Cultura Económica, México, 1983. (*Nota del editor.*)

compacto y apretado como un fruto de cristal, esa hendidura vertiginosa por donde se fuga y desangra.

La unidad de *Muerte sin fin* ha sido conseguida a través de muchos sacrificios y abstenciones, pero también gracias a la lucidez de un instinto poético que siempre ha sabido escoger el momento irrepetible de la auténtica inspiración. Gorostiza no es un orfebre, un trabajador del verso, sino un poeta que sabe callar y que sólo se expresa cuando, dentro de sí, el poema ha madurado y está próximo a estallar. Nada más lejos de la degradante concepción del poeta como «corredor de pruebas» de la inspiración que la actitud de Gorostiza ante el poema: *Muerte sin fin* es el fruto de catorce años de silencio y unas cuantas noches de fiebre. Gorostiza no es un poeta insensible a la fascinación de los poderes frenéticos; por el contrario, la premeditada utilización de esas fuerzas –instaladas en el centro mismo de su creación– otorga fatalidad a su poesía e impide confundirla con un inteligente ejercicio de retórica poética. Y en esto reside la ambigüedad de su obra. La ambigüedad –gozne sobre el que giran las puertas de todo poema– se expresa en esta poesía como claridad. A fuerza de transparencia la imagen tiende a hacer invisible la discordia interior. El carácter excepcional de su experiencia reside en que las fuerzas irracionales se vierten en formas cristalinas y abstractas. Bañada en su propia luz, la poesía de Gorostiza se aísla o se niega. La «dificultad» de *Muerte sin fin* reside en su claridad. Es cierto que esta circunstancia ha impedido su entera comprensión; también lo es que sin ella el poema no existiría.

En los primeros poemas de Gorostiza –*Canciones para cantar en las barcas*, *Sonetos*, *Preludio* –lo fugitivo e irrepetible constituye el tema del canto: el agua, el tiempo, la palabra misma. En lugar de consumirse en su propio fluir esos elementos aspiran a escapar de la destrucción realizándose en una forma: canción, soneto. Así, se precipitan hacia su propia congelación: el agua se vuelve cristal y la palabra, poema. En cierto sentido todo poema es una tumba. En Gorostiza la tumba es transparente:

> Los peces de colores juegan
> donde cantaba Jenny Lind.

Los gorgoritos de la cantante muerta se han convertido en unos coloridos peces de acuario. La sensación auditiva se congela y transforma en una inquietante imagen visual. Nada es menos ingenuo que

José Gorostiza (1901-1973).

las canciones juveniles de Gorostiza, consideradas por una crítica ingenua como respuesta instintiva de su sensualidad al reto del mundo. Instintiva o no –y yo creo sobre todo en el instinto del poeta, un instinto que ya contiene en sí a la experiencia–, la poesía juvenil de Gorostiza no es menos compleja que la de su madurez. La ambigüedad de sus primeros poemas no es distinta a la de *Muerte sin fin*: se trata de la misma turbadora transparencia. Ella nos permite atisbar lo que hay del otro lado del espejo: la muerte, que se está mirando en nosotros. En toda la obra de Gorostiza el elemento fluido –agua, sueño, palabra, tiempo: vida, en suma– es víctima de la fascinación de la forma. Una forma que es su propia imagen. Todo regresa hacia sí mismo, hacia ese instante de congelación en el que, para morir más cabalmente, nos fundimos con nuestra imagen. Porque la inmovilidad transparente de la forma es la muerte misma.

La crítica ha asociado el nombre de Gorostiza a los de Jorge Guillén y Valéry. Sí, pero también sería posible hablar del William Blake de *Canciones de inocencia y de experiencia*, en el que cada poema posee dos o más significados. Aunque acaso dos nombres griegos ilustren mejor los extremos que presiden esta obra transparente y vertiginosa: Heráclito y Parménides. Entre los polos que encarnan esos presocráticos se mueve la poesía de Gorostiza. *Muerte sin fin* señala uno de los momentos más tensos del diálogo entre substancia y forma. La substancia se adelgaza hasta hacerse vidrio impalpable, forma tan cristalina que ya no refleja sino su propio reflejarse. Entonces, cae, devorada por su claridad, como la luz que regresa a la luz.

En las primeras estrofas del poema el poeta «se descubre en el agua», esto es, en la substancia derramada, informe por naturaleza y que no es sino tiempo: mero transcurrir. Pero ese ser disperso –agua, tiempo– madura en una forma: la del vaso, la de la conciencia. La coincidencia entre forma y substancia se da como una maduración del tiempo. La conciencia, que es el fruto de estas bodas, se identifica con Dios. Es «el tiempo de Dios». Sólo que la divinidad no es más que «una máscara grandiosa que no difiere un rasgo de nosotros». Se trata, pues, de las nupcias ilusorias de la conciencia consigo misma. Dios-vaso, Dios-conciencia, Dios-máscara, condenado a amarse en nosotros, a mirarse morir en nosotros. Como el prestidigitador que extrae «largas cintas de cintas de sorpresas», Dios se deslumbra con vidas, amores, llagas, actos: muertes. Nunca descansa («el ritmo es su norma») y así, «irresponsable, eterno», se repite sin cesar y sin cesar se despeña en su muerte. Dios está enamorado de sí mismo pero no ve ni sabe de sí nada que nosotros no le mostremos: nuestra muerte, su muerte. Dios es conciencia pero esa conciencia se la damos nosotros. Y nosotros sólo somos conciencia de morir. Dios, inteligencia pura, en nosotros se ve morir infinitamente y sin descanso.

En la primera parte del poema asistimos a la creación y a la muerte de Dios. Un Dios que no nos crea, que sólo nos refleja, porque nada es –excepto conciencia de sí. Impasible se contempla y abisma en su contemplación. Al contemplarnos, nos descubre –es decir, descubre a la muerte, y se descubre: el vaso transparente que es Dios de pronto se deshiela y empieza a morir. En la segunda parte de *Muerte sin fin* se repite la misma operación alucinante, sólo que ahora no es Dios, sino la criatura, quien se contempla y cae. A la criatura no le basta cantar a su vaso, a su Dios. Sabe que ella es Dios, que ella es conciencia. Ella también es Narciso y quiere verse, quiere un ojo «para mirar al ojo que la mira». El agua «siente cuajar la máscara de espejos que el dibujo del vaso le procura», exactamente como el vaso experimenta, en la primera parte, «la muerte sin fin de su obstinada muerte». El agua se hace ojo, vaso, forma. Bodas estériles. Apenas puesta en pie, erigida en forma, el agua se despeña. Pues «la forma en sí misma no se cumple»; vacía, se vuelve reflejo de su reflejo. Para cumplirse, la forma debe volver a ser agua, tránsito, muerte. El vaso –y con él «la forma que lo sostiene»– cede a la condición del agua. El «tiempo de Dios», el momento de coincidencia entre forma y substancia, es también el momento del quebranto: la plena conciencia es la visión de la muerte. Y es que no hay forma y substancia, sujeto y objeto. No hay tales bodas alquímicas. No hay diálogo. El que duerme a nuestro lado es una sombra, un espectro: nuestra imagen. La forma, al contacto del agua, adquiere conciencia de sí, se reconoce en la materia informe y se despeña en ella. Y con la forma pura todas las formas particulares, todos los seres. Es el instante del regreso:

> Las estrellas entonces ennegrecen.
> Han vuelto el dardo insomne
> a la noche perfecta de su aljaba.

El poema de Gorostiza es un himno fúnebre. Canta la muerte de Dios, que regresa a lo obscuro. Canta también la muerte de la conciencia universal. Y la de cada uno de nosotros –«islas de monólogos sin eco». Muerte circular y eterna, porque es una muerte que no cesa de morir. El ser es un insaciable y jamás satisfecho apetito de morir.

Esta sumaria descripción del tema central de *Muerte sin fin* revela que el poema de Gorostiza no es sino una de las versiones modernas de la caída. La caída en sí misma de la conciencia y su Dios. Pero este tema no es el único de *Muerte sin fin*. Los significados de un poema –cuando se trata de un verdadero poema– son múltiples y, acaso, infinitos. De manera semejante a lo que, según Freud, ocurre con los sueños, en cada poema hay diversas capas de signos y sentidos, castillos de alusiones, *forest of mirrors*. Reducir el poema al discurso de espejos de la conciencia enamorada de sí misma no tiene otra utilidad que hacer más visible la ambivalencia de sus significados. El apetito vital y la conciencia que, al reflejarlo, lo paraliza, no son sino una de las parejas antagónicas que habitan *Muerte sin fin*. En estratos menos hondos otros diálogos prolongan la tensión.

Muerte sin fin es el poema de lo temporal, como su nombre mismo lo proclama, pero su lenguaje es resplandeciente, escultórico y abstracto. Es el poema de la palabra al mismo tiempo que de su destrucción. Himno, es también discurso; canto, es demostración; sátira, es elegía. Canta la muerte de la forma en versos de tal belleza formal que la glorifican. Es un poema filosófico que implica la muerte de la filosofía. Poesía intelectual –en el más alto de los sentidos–, proclama el triunfo de lo irracional; vitalista, el de la muerte. Las frases finales del poema muestran que la actitud del poeta no es muy diversa a la que adoptan los mexicanos en ciertos instantes de exaltación o depresión: «¡Vámonos a la ch...!». Pero el lenguaje –inclusive cuando acude a la canción– jamás es popular. Así, *Muerte sin fin* marca el apogeo de cierto estilo de «poesía pura» y, simultáneamente, es una burla de ese mismo estilo. (Y de otros muchos, contemporáneos. Es revelador que la crítica no haya reparado en los pasajes donde la perfección nos guiña el ojo y se vuelve mistificación: «El cordero Luis XV», la escena conyugal entre el vaso y el agua, etcétera.) En otros momentos la imagen, al reflejarse, hace signos grotescos y obscenos: la «flauta don Juan» da una «cachonda serenata» a la «Forma que, constelada de epítetos esdrújulos, rige con hosca mano de diamante...». El poema se mueve siempre en varios planos y no se canta a sí mismo sino para negarse en el mismo instante. Poesía y crítica de la poesía a un tiempo. Podría mencionar otros ejemplos de ambivalencia. Baste uno, quizá el más notable: *Muerte sin fin*, poema de la conciencia, poema de la forma, es un largo delirio razonado. La razón «sueña que su sueño se repite». A fuerza de ardientes o helados silogismos, crea el clima irreal del sueño, donde todo es posible y la muerte y la vida, la afirmación y la narración, se confunden: pesadilla lúcida e inacabable, «sueño de garza anochecido a plomo, que cambia de pie mas no de sueños», embriaguez helada y sonámbula.

El duelo mortal entre tantos gemelos adversarios –agua y vaso, sueño y razón, palabra y silencio, tiempo y forma– no se expresa como discordia dramática o como dilema de pensador sino como ambigüedad poética. De allí que ninguno de los contrarios resulte vencedor y que la muerte se destruya a sí misma, ya que es una muerte sin fin. Gracias a la imagen cada pareja enemiga coexiste, se entredevora y se recrea. La imagen resuelve en un juego de transparencias la querella, sin aniquilar a los antagonistas. Nuevamente la poesía –y precisamente aquella que pensábamos más insensible a la «razón de la sinrazón»– se revela como una operación capaz de aprehender, en un solo acto, los contrarios irreductibles de que está hecha la realidad. Y es que esos contrarios son irreductibles sólo para la conciencia que abstrae. La dialéctica del poema no es diversa a la de la realidad; simplemente recrea en otro plano la lucha de esas fuerzas que se aniquilan para renacer. (Los nombres de Heráclito y Parménides –sugeridos al iniciarse esta nota– vuelven fatalmente.) Ahora bien, el acto mediante el cual el poeta se apodera de los contrarios y los transmuta se llama imagen. *Muerte sin fin* es una *imagen*. Lo que la distingue de otras es ser imagen transparente, condenada a contemplarse sin jamás anegarse. *Muerte sin fin* es una máscara, mas es una máscara que se confunde con el rostro que oculta: al arrancarla, lo desollamos. Es la forma y la conciencia de la forma. En esto radican la grandeza, la originalidad y, asimismo, las limitaciones del poema.

Si se compara esta obra con creaciones de poetas contemporáneos –Vallejo, Borges, Neruda– se observará que todos ellos, como Gorostiza, son poetas del tiempo, poetas para quienes el hecho más importante de su vida es que «el tiempo pasa» –y nosotros con él. Pero los otros han creado sus poemas con palabras temporales, concretas, hechas de tiempo, fundidas al tiempo. El poema de Gorostiza, por el contrario, es un túmulo, una delgada columna transparente, que refleja la temporalidad sin fundirse a ella. Entre la temporalidad y el poema se interpone la conciencia del poeta. *Muerte sin fin* cierra un ciclo de poesía: es el monumento que la forma ha erigido a su propia muerte. Después de *Muerte sin fin* la experiencia del poema –en el sentido de Gorostiza– es imposible e impensable. Otras experiencias, otras muertes, nos esperan. *Muerte sin fin* es el reloj de cristal de roca de la poesía hispanoamericana: aislado y esbelto, canta el tiempo sin fin.

París, 20 de junio de 1951

«*Muerte sin fin*: José Gorostiza» se publicó en *Las peras del olmo*, México, Universidad Nacional Autónoma de México, 1957.

Xavier Villaurrutia en persona y en obra

«XAVIER» SE ESCRIBE CON EQUIS

Ya he contado cómo conocí a Xavier Villaurrutia en 1931. Viví fuera de México durante una larga temporada. A mi regreso de España, en 1938, Xavier y Octavio G. Barreda me invitaron a su tertulia, en el Café París. Hay que aclarar que el Café tuvo dos épocas. La primera, que yo no conocí, fue la de la calle de Gante. Lo frecuentaban Cuesta, Cardoza y Aragón, Xavier, Salazar Mallén, Pepe Gorostiza y, cuando estuvo en México, Artaud. El Café París de mi tiempo estaba en la calle 5 de Mayo. El grupo se reunía todos los días, salvo los sábados y los domingos, entre las tres y cuatro de la tarde. Los más asiduos eran Barreda, Xavier, Samuel Ramos, el pintor Orozco Romero, Eduardo Luquín y Celestino Gorostiza. No menos puntuales fueron dos españoles que llegaron un año más tarde: José Moreno Villa y León Felipe. También concurrían, aunque con menos frecuencia, José Gorostiza, Jorge Cuesta, Elías Nandino, Ortiz de Montellano, Magaña Esquivel y Rodolfo Usigli. A veces, ya al final de este período, se presentaba José Luis Martínez y, esporádicamente, Alí Chumacero. En una mesa distinta, a la misma hora, se reunían Silvestre Revueltas, Abreu Gómez, Mancisidor y otros escritores más o menos marxistas. Ya al caer la tarde llegaba otro grupo, más tumultuoso y colorido, en el que había varias mujeres notables –María Izquierdo, Lola Álvarez Bravo, Lupe Marín, Lya Kostakowsky– y artistas y poetas jóvenes como Juan Soriano y Neftalí Beltrán.

En nuestra mesa se discutía y se contaban chismes literarios y políticos: el significado de las palabras *happiness* y *democracy* en Whitman, el realismo fantástico y el socialista, el cante jondo y los versículos bíblicos... Durante una temporada nos dio por dar títulos de libros, levemente deformados, a personas y situaciones. Un escritor de pequeña estatura y que salía con una rubia de busto eminente se llamó de inmediato *Tartarín en los Alpes*. El bastón de El Caballero (el mismo de uno de los epigramas de Xavier) se transformó poco a poco en un órgano prensil como el «archibrazo» de Fourier. La saga de El Caballero y su Bastón contenía episodios memorables: con su Bastón El Caballero había sostenido el techo de su casa la noche del temblor y con su Bastón probaba todas las mañanas la temperatura de su baño.

Salíamos del Café París a la ya desde entonces inhospitalaria ciudad de México con una suerte de taquicardia, no sé si por el exceso de cafeína o por la angustia que todos, en mayor o menor grado, padecíamos. A veces con Moreno Villa y León Felipe o con Barreda, Xavier y José Luis Martínez –recién llegado de Guadalajara– paseábamos por la ciudad. Mientras Barreda anunciaba la muerte inminente de la literatura, Xavier, imperturbable, continuaba hablando de los poemas franceses de Rilke o, ante la cólera de León Felipe, de Whitman como poeta para *boy scouts*. Anochecía, los amigos se dispersaban y todas aquellas palabras inteligentes, apasionadas o irónicas se volvían un poco de aire disipado al doblar una esquina. Yo sentía que caminaba entre ruinas y que los transeúntes eran fantasmas. De esos años son los sonetos que llamé *Crepúsculos de la ciudad* en homenaje y réplica a Lugones pero, asimismo, a Xavier Villaurrutia:

> Yazgo a mis pies, me miro en el acero
> de la piedra gastada y del asfalto:
> pisan opacos muertos maquinales
> no mi sombra, mi cuerpo verdadero.

En 1938 la editorial Sur, de Buenos Aires, gracias a la intervención de Alfonso Reyes, publicó el libro central de Villaurrutia: *Nostalgia de la muerte*. José Bianco, el secretario de *Sur*, le había escrito a Xavier pidiéndole que encargase a algún escritor mexicano la nota que debería publicar la revista. Xavier me preguntó si yo quería escribirla. Asentí y así comenzaron mis colaboraciones en *Sur* y mi amistad con Bianco. Las reuniones en el Café París me llevaron a colaborar con Xavier y juntos emprendimos algunos trabajos literarios. Los más notables fueron la fundación de *El Hijo Pródigo* y *Laurel*, la antología de la poesía moderna en castellano. El editor y animador de *El Hijo Pródigo* fue Octavio G. Barreda. El primer consejo de redacción estuvo compuesto por Xavier, Alí Chumacero, Celestino Gorostiza, Antonio Sánchez-Barbudo y yo. Era la unión, como puede verse por esta lista, de dos generaciones, la de *Contemporáneos* y la nuestra, la de *Taller* y *Tierra Nueva*. Unos y otros coincidíamos en ciertas actitudes morales y estéticas que, más allá de los cambios literarios y políticos, han sido esencialmente las mismas que más tarde sostendrían la *Revista Mexicana de Literatura* (en sus dos épocas), *Plural* (el auténtico) y *Vuelta*. La situación de entonces no era muy distinta a la de ahora: *El Hijo Pródigo*, sobre todo en sus primeros números, fue una revista polémica que defendió, frente a la confusión entre arte y propaganda, la libertad de la imaginación.

Laurel provocó reacciones aún más violentas que *El Hijo Pródigo* pero no es ésta la ocasión para contar la historia de ese escándalo[1]. A mí se me ocurrió la idea de hacer la antología. Con ella quería mostrar la continuidad y la unidad de la poesía en nuestra lengua. Era un acto de fe. Creía (y creo) que una tradición poética no se define por el concepto político de nacionalidad sino por la lengua y por las relaciones que se tejen entre los estilos y los creadores. Es curioso, tanto a la generación de Xavier como a la mía, a pesar de haber profesado la doctrina del cambio y la ruptura –¿o por eso mismo?–, nos preocupó siempre la idea de continuidad. Hablé con Bergamín, que era el director de la Editorial Séneca, le propuse el libro y le dije que yo no podría hacerlo solo. Aceptó inmediatamente mi idea y me preguntó si había pensado en algún colaborador. No, no había pensado pero allí mismo se me ocurrió el nombre de Villaurrutia. También lo aceptó y enseguida sugirió los nombres de dos poetas españoles: Emilio Prados y Juan Gil-Albert. Dos generaciones de españoles y mexicanos: Villaurrutia/Prados y Gil-Albert/Paz.

Desde el principio Xavier dirigió nuestros trabajos. Todas las tardes Xavier y yo nos veíamos, a veces en la Biblioteca Iberoamericana que estaba en la calle de Luis González Obregón y otras en la Editorial Séneca. El trabajo consistió, primero, en escoger a los poetas que deberían figurar en la antología y, después, en elegir los poemas y escribir las notas biográficas y bibliográficas. Emilio Prados no asistía a las reuniones. Su colaboración se limitó a la selección de sus propios poemas. Gil-Albert estaba lleno de buena voluntad pero conocía apenas la poesía hispanoamericana, de modo que no pudo ayudarnos mucho en la selección de los poetas nacidos en América. En cambio, sí participó en la selección de los poetas españoles y en la de los poemas.

---

1. Véase «Poesía e historia: *Laurel* y nosotros», incluido en el tercer volumen –*Fundación y disidencia*– de las Obras Completas, México, Círculo de Lectores-Fondo de Cultura Económica, 1994.

Portada del primer número de la revista *El Hijo Pródigo*.

El título de la antología y el epígrafe de Lope (*presa en laurel la planta fugitiva*) se le ocurrieron a Bergamín. Al final, un poco antes de enviar los textos a la imprenta, Bergamín sugirió algunas supresiones (Larrea, Dámaso Alonso) que cometimos la debilidad de aceptar. También a última hora Villaurrutia y Bergamín decidieron, con la aprobación de Prados –ésa fue su única intervención–, eliminar al grupo de poetas jóvenes que formaban la cuarta sección de la antología (Miguel Hernández, Juan Gil-Albert, Luis Rosales, Lezama Lima, yo mismo y otros que no recuerdo). Me opuse y Gil-Albert conmigo. No nos hicieron caso. El prólogo de Xavier alude no sin ironía a este incidente: «Al primer grupo de poetas de esta antología han sucedido, al menos, puesto que una nueva y en formación se agita e impacienta, dos promociones...». Esos agitados e impacientes éramos nosotros. Pero Neruda no se indignó, como dijo después en el *Canto general*, por la exclusión de Miguel Hernández sino por la inclusión de Vicente Huidobro. Ahora, al cabo de tantos años, pienso que Bergamín y Villaurrutia tenían razón: salvo en el caso de Miguel Hernández, era prematura la inclusión de los poetas que en aquellos años éramos «los jóvenes».

A fines de 1943 dejé, por muchos años, México. Al principio Barreda y algunos otros amigos me escribieron. Después, nada. El gran silencio mexicano. De vez en cuando tenía noticias de Xavier, nunca directamente. Pero en 1949 publiqué *Libertad bajo palabra* y le envié un ejemplar. A los pocos meses recibí *Canto a la primavera y otros poemas* con una dedicatoria tan efusiva y generosa que todavía me conmueve. Entre las cosas buenas que me han ocurrido se encuentran esas líneas de Xavier. Pero a lo bueno siempre sucede lo malo. Una mañana de 1950 me encontré, en la Embajada de México en París, a Rufino Tamayo. Me saludó serio y me dijo: «¿Sabes la noticia? Murió Xavier Villaurrutia». Como ocurre con frecuencia en esos casos, oí las palabras de Rufino sin oírlas. No sentí nada. Unas horas después, ya a solas, me di cuenta de lo que significaban realmente. Pero hago mal en hablar de *significación*: la muerte no la tiene y esto es lo que nos deja indefensos ante ella. No podemos decir nada frente a la que dice nada. La muerte es la in-significación universal, la gran refutación de nuestros lenguajes y nuestras razones.

Durante esos años en París a veces pensaba en el regreso a México y me repetía, mentalmente, aquellos versos de Tablada dedicados a

López Velarde: «Qué triste será la tarde, / cuando a México regreses / sin ver a... X.V.». Terminé por regresar, nueve años más tarde. Un México distinto. Nuevos amigos: Carlos Fuentes, Jorge Portilla, Ramon y Anna Xirau, Elena Poniatowska, Jaime García Terrés. En alguna reunión encontré a Elías Nandino. Hablamos y recordamos a Xavier. Siempre generoso, al cabo de una semana recibí un paquete de su parte. Era un pequeño libro de pastas rojas. Lo abrí y descubrí que era el ejemplar de *Libertad bajo palabra* que yo había enviado a Xavier años antes. Xavier lo había mandado empastar y lo había anotado con cuidado. En la última página había escrito, con su letra clara y menuda, un poema de cuatro líneas, probablemente uno de los últimos que escribió: *Palabra*. Lo leo como un oblicuo comentario a mi libro –y a la poesía:

> Palabra que no sabes lo que nombras.
> Palabra, ¡reina altiva!
> Llamas nube a la sombra fugitiva
> de un mundo en que las nubes son las sombras.

Durante algunos años vi a Xavier dos o tres veces por semana. ¿Fui su amigo? Jamás nos tuteamos, nunca me invitó a su casa y él estuvo en la mía apenas dos o tres veces. Hablamos mucho y nada supe de su vida íntima ni él de la mía. Aunque era afrancesado, su reserva era española o, más exactamente, hispanoárabe. Es difícil que un musulmán nos invite a su casa. Lo mismo sucede (o sucedía) en España: los amigos se ven en el café. Guillermo de Torre cuenta su asombro y el de los jóvenes poetas españoles de entonces cuando Vicente Huidobro, durante su estancia en Madrid, en 1918, los invitó a su casa y los presentó con su mujer. La reserva de Xavier contrastaba con la jactancia de Novo. Mientras Novo hacía una suerte de ostentación de sus inclinaciones sexuales, Xavier defendía su vida privada. No creo que fuese hipocresía. No se ocultaba y era capaz de hacer frente a la condenación pública. Era discreto lo mismo en la vida real que en la literatura; su amor por las formas se reflejaba tanto en su manera de vestir como en sus endecasílabos. Pecado mortal: el brillo excesivo.

Xavier fue uno de los últimos representantes de cierta moral de la burguesía mexicana, hoy extinta por la doble erosión del «americanismo» y los *moeurs* aldeanos de la nueva plutocracia. Esa moral, hecha más de modales que de preceptos, más cerca de la estética que de la ética, puede resumirse en una palabra: decencia. El origen de las actitudes que designa *decencia* es triple: árabe, español e indio. Tres tradiciones jerárquicas, tres sociedades obsesionadas por el rango. Decencia es moral de clase media alta: recato, circunspección, preservación de la intimidad y, en el fondo, un gran orgullo y un gran miedo al qué dirán. No la honra a la española: el decoro.

Mi relación con Xavier fue, como la que mantuve con Cuesta, de índole intelectual. Mejor dicho: literaria. A Xavier no le interesaban tanto las ideas como a Cuesta y a mí. Sentía una invencible desconfianza ante todas las teorías, los sistemas y las escuelas. El horror que experimentaba ante el marxismo, el tomismo y otros sistemas se mitigaba y volvía impaciencia e ironía frente a escuelas y movimientos poéticos como el surrealismo. No era un hombre de ideas: era un hombre extraordinariamente inteligente que, por escepticismo, había decidido poner su inteligencia al servicio de su sensibilidad. No quiso pensar ni juzgar sino ahondar con lucidez en sus sensaciones y sentimientos. Voluntaria limitación que le dio, ya que no la verdadera riqueza espiritual, sí algo esencial y que no es fácil condensar en una frase. Al inclinarse sobre la complejidad de las sensaciones y las pasiones, descubrió que hay corredores secretos entre el sueño y la vigilia, el amor y el odio, la ausencia y la presencia. Lo mejor de su obra es una exploración de esos corredores.

Su escepticismo no sólo era hijo de la reflexión sino de su temperamento. Huía de los extremos y estaba fascinado por ellos. Continua oscilación entre estados de ánimo intensos y eléctricos, rozando con la exasperación, y otros de postración, inercia e indiferencia. Irritabilidad y melancolía, breves estallidos y letargos prolongados. Desasosiego, no sentirse firme en ninguna parte, pegar un salto e instalarse en una paradoja, habitar una afirmación suspendida sobre el vacío: no la duda intelectual sino la zozobra vital. Su descripción de la poesía de López Velarde le conviene admirablemente. No a su obra, a su temperamento. Es imposible reducir a una doctrina las actitudes vitales y espirituales de Xavier Villaurrutia. Una vez me dijo que era católico. Se apresuró a añadir: pero católico por fatalidad, por nacimiento, no por elección. Le respondí que entonces ya no era católico pues esa opinión suya equivalía a una elección. Asintió pero repuso: la libertad consiste en escoger nuestra fatalidad. Así pues, era católico por un accidente de nacimiento y por la libre aceptación de ese accidente. O sea: introducía dos herejías en su religión. Para él, por lo demás, el catolicismo no era tanto una doctrina y unas normas como una tradición y una forma de vida. No aceptaba los dogmas ni tampoco los rechazaba: los vivía, los sufría —sobre todo cuando los transgredía. Lo mismo en materia de moral que de estética, amaba la excepción, la singularidad. Pero las excepciones dependen de las reglas y cada violación es un homenaje a la norma. ¿Se daba cuenta de esa contradicción? No lo sé. Puedo decir, en cambio, que sus mejores poemas son la respuesta a ese conflicto. La respuesta y la resolución, no en términos morales sino estéticos y vitales.

La desconfianza de Villaurrutia frente a la inspiración lo llevó a desconfiar también de la abundancia. Es extraño: su enemiga no era la fecundidad sino la esterilidad. Además, lo sabía: no sólo pasó por largos períodos de aridez sino que ése es el tema de algunos de sus mejores poemas. A veces, en sus artículos de crítica, habla al pasar de su pereza; en sus conversaciones conmigo aludía a ella con frecuencia. En un poema que tiene por título, reveladoramente, una línea del Infierno —las palabras con que Francesca comienza su relato: *amor condusse noi ad una morte*— Xavier identifica al amor con esa pereza y a ésta con la muerte. El verdadero nombre de esa «indolencia» es *acidia*, ese mal del espíritu descrito por los teólogos y los médicos medievales y renacentistas. La enfermedad de los contemplativos y religiosos, la melancolía de Hamlet y la del ángel de Durero, la bilis —el humor negro— de Ficino, el *ennui* de Baudelaire.

El demonio del mediodía, que aparece en el momento en que el sol, por un instante, se detiene en el centro del cielo, era el que inspiraba, según los Padres de la Iglesia, las visiones de la acidia. El demonio medieval del mediodía se convirtió en el demonio romántico de la medianoche. Diurno o nocturno, las visiones que instila son eróticas y al mismo tiempo fúnebres; el melancólico, el «tenebroso» de Nerval, es el eterno viudo: su amor es una sombra y en su laúd brilla una constelación disputada por Saturno y por Isis. Poseído por imágenes alternativamente lascivas y luctuosas, el acidioso cae en un pasmo que interrumpen espasmos de furia y raptos de entusiasmo. El melancólico es irascible y es imaginativo. Por todo esto, es un error confundir a la acidia, enfermedad del espíritu y de los espirituales, con la simple pereza. La acidia paraliza a su víctima y, no obstante, no la deja reposar un momento. Estupor y angustia conjuntamente, es un orgullo que nos petrifica y una ansiedad que nos hace movernos sin cesar, una inmovilidad rota por ráfagas de actividad creadora. El acidioso no puede tocar a la realidad que tiene enfrente; en cambio, conversa con fantasmas y hace hablar a las piedras.

El trato con Xavier Villaurrutia no me hizo cambiar de ideas ni descubrir otras. Indiferente a la filosofía, la moral y la política –o demasiado pudoroso para tratar esos temas en una mesa de café– nuestras conversaciones giraban en torno a un poema, un libro, un autor. Siempre me ha gustado la poesía difícil, la poesía con secreto; Villaurrutia me mostró que los secretos, para serlo, deben ser compartidos. Compartir no es divulgar y el arte verdadero no está en la obscuridad sino en el clarobscuro. Siempre he creído en la inspiración: Villaurrutia me ayudó a distinguirla de la facilidad y a no confundirla con el procedimiento. Siempre me han atraído las palabras, criaturas dobles o triples; Villaurrutia me previno: hay que desconfiar de ellas. Hay que dejar caer una gota de duda en lo que se dice, la sombra de la incertidumbre debe acompañar a nuestras afirmaciones. La gran tentación de los poetas de nuestra lengua, por la índole misma del castellano y de la tradición española, es el verso rotundo, categórico. Villaurrutia me enseñó a leer los poemas con otros ojos; mejor dicho, me enseñó que la lectura de un poema no se hace sólo con los ojos sino con todos los sentidos y con el entendimiento. Las palabras, además de significado, tienen peso, color, sabor, olor. Tienen, sobre todo, sombras, ecos: con ellos el poeta erige instantáneas esculturas.

IMPREVISIONES Y VISIONES

Villaurrutia vivió inmerso en la vida literaria pero su obra es escasa, como si la mayor parte de sus horas las hubiera dedicado no a las letras sino a otras actividades. Aunque fue sobre todo un poeta lírico, sus poesías completas forman apenas un delgado volumen de unas cien páginas, una décima parte de su obra. El resto está compuesto por el teatro, la crítica y unos cuantos textos que se acercan, sin llegar a serlo realmente, a la novela y el relato. El teatro abarca la mitad de su producción en prosa. Fue su gran afición y, al final de su vida, su ocupación central. Admiro su constancia y me sorprende su obstinación.

¿Fue realmente lo que se llama «un hombre de teatro»? La respuesta, todos lo sabemos, es negativa. Sus obras están bien construidas, son inteligentes y algunas contienen pasajes admirables pero carecen de un elemento esencial: la teatralidad. Sin embargo, tienen un interés evidente: son un documento social. Es raro que nuestros críticos literarios con inclinaciones sociológicas no se hayan dado cuenta de que esas piezas, cualquiera que sea su mérito, son un retrato exacto aunque involuntario de la clase media mexicana del primer cuarto de este siglo. Me apresuro a aclarar: esas piezas son un documento más por lo que callan que por lo que dicen.

Villaurrutia dio a conocer primero sus piezas en un acto –las llamó *Autos profanos*– y después, ya más seguro de su oficio, compuso otras seis obras en tres actos. Todas las piezas –breves o largas, comedias o dramas– están regidas por la misma estética. Se inspiró en la tradición francesa: los grandes dramaturgos del siglo XVII y algunos modernos como Giraudoux y Lenormand; siguió asimismo, *hélas*, a los autores realistas de principios de siglo y al teatro de *boulevard*. Extraño: no le interesó el teatro de vanguardia o no supo –¿no quiso?– aprovechar sus hallazgos. Procuró observar las tres unidades –tiempo, lugar, acción– y dentro de esos límites mover a sus personajes. Sus obras están construidas con precisión pero conforme a una fórmula. Teatro correcto: si no hay caídas, tampoco hay invenciones. Las piezas breves son más bien insubstanciales aunque, eso sí, bien escritas. Cada personaje rivaliza con los otros en el arte de decir insignificancias distinguidas.

Las piezas en tres actos están bien construidas pero carecen de dimensión teatral: son al verdadero teatro lo que un dibujo es a un óleo. El motor de la acción no es la ambición, el poder o el dinero sino el deseo erótico en conflicto casi siempre con la moral social, es decir, con la familia. Las pasiones eróticas y los lazos familiares constituyen la doble fatalidad de este teatro. Una fatalidad que no sé si llamar inteligente pero que, en todo caso, es razonadora: sus personajes piensan en voz alta y, con frecuencia, como su autor, se complacen en oír lo que piensan. Teatro de situaciones más que de caracteres. Las pasiones nunca se desencadenan del todo y los conflictos, antes de resolverse, se disipan. Teatro psicológico sin conflictos de clase, generaciones o ideas. Es el mundo cerrado de las familias de clase media alta que conservaban todavía las maneras afrancesadas de comienzos de siglo. Mundo de papás y de hijas, mamás e hijos, cuñadas y hermanos. En un ángulo, discretos criados que nunca cometen una falta de lenguaje o de tacto. La figura que rige a esta sociedad hermética, minúsculo sistema solar, es el círculo. Natural y previsiblemente, en un momento del diálogo –recurso repetido en dos o tres ocasiones– un cínico observa que se trata de un círculo vicioso. No demasiado. El código de esas familias es el mismo de Villaurrutia: la decencia, el decoro, la reserva. Formas púdicas del orgullo. Los personajes hablan como los héroes de las comedias francesas pero su moral es tradicional, criolla, hispánica. Las pasiones que los sacuden son las que ponen en peligro la santidad del hogar y la integridad de la familia: el adulterio y, más insinuado que declarado, el incesto. Las alusiones a otras inclinaciones sexuales son más bien vagas.

El eje moral en torno al cual giran los personajes y que es el centro de casi todos los conflictos es la *legitimidad*. No es un accidente que una de estas obras tenga por título *La mujer legítima*, que la heroína de otra sea una hija natural y que el conflicto hamletiano de *Invitación a la muerte* sea el de un hijo ante una madre adúltera y un padre fantasmal. La legitimidad es la obsesión de las familias mexicanas. Claro, somos un país en el que cada señor que se respeta tiene una «casa chica». La costumbre se remonta al período novohispano. Todos los que han manejado los archivos parroquiales de los siglos XVII y XVIII no han dejado de advertir la frecuencia con que aparece en los libros la mención «hijo de la Iglesia», eufemismo con que se designaba a los bastardos. La costumbre no ha declinado y en México, como en el resto de Hispanoamérica, la proporción de hijos naturales es una de las más altas del mundo: otro de los rasgos premodernos de nuestro país.

Ni nuestros críticos literarios ni nuestros sociólogos se han detenido a pensar en el paralelo: la legitimidad también es el tema secreto de la historia de México, desde la Independencia. Mejor dicho, desde la fundación de México-Tenochtitlan. La sociedad azteca y la novohispana fueron sociedades en busca de la consagración de la legitimidad. Los señores aztecas, poseídos por la dolorosa conciencia de ser usurpadores o herederos ilegítimos, gobernaban en nombre de los verdaderos propietarios y reyes de la Tierra, los legendarios toltecas; se consideraban, como dijo Moctezuma a Cortés, «sus substitutos». La misma sospecha sobre la legitimidad de su dominación desveló a los españoles y de ahí las disputas sobre el derecho a la conquista y las doctrinas sobre la misión evangelizadora de la monarquía hispana. El México republicano también ha experimentado la misma duda. Se nos escapará el sentido profundo del ritual del 15 de septiembre, el Grito, si no advertimos que es una ceremonia dual: por una parte, es una resurrección simbólica de la nación mexicana y, por la otra, una consagración de la autoridad legítima. Más que una celebración democrática es una liturgia política impregnada de religiosidad.

Villaurrutia no percibió las conexiones históricas del tema y lo trató desde un punto de vista estrictamente tradicional y psicológico. Pero su pintura adolece de irrealidad. Describe un arquetipo que había perdido vigencia. La vieja familia criolla lo había aceptado, a fines de siglo, en el momento de su fascinación por París; la Revolución y la influencia norteamericana habían barrido el modelo francés. En la época en que Villaurrutia escribía ya no era así la familia burguesa mexicana ni sus maneras e ideales eran los que describen sus piezas. La familia mexicana era, y es, más ruidosa y vulgar, más sensual y ávida, más vital e imaginativa. Nadie habla entre nosotros como hablan los personajes de *La hiedra* o de *Parece mentira*, nadie dice «reñir» por «pelearse». Nuestro lenguaje es menos correcto; también es más rico y enérgico. Tampoco Celestino Gorostiza, el otro dramaturgo de *Contemporáneos*, a pesar de sus predilecciones realistas, *pudo oír* el lenguaje de los mexicanos. El único de esa generación que no sólo lo oyó sino que llegó a recrearlo y reinventarlo, a veces con gran felicidad, fue Rodolfo Usigli. En fin, Villaurrutia cerró los ojos ante los aspectos grotescos, absurdos o fantásticos de la realidad y construyó un teatro sin alas y sin garras. Ni realismo ni imaginación, ni crítica ni poesía. Sus personajes son sombras razonables y razonadoras que en ningún momento perciben su irrealidad. Fantasmas que nunca supieron que eran fantasmas.

Uno de los mexicanos más inteligentes y lúcidos de este medio siglo, lector de *El inmoralista* de Gide y traductor de *El matrimonio del cielo y del infierno* de Blake, un hombre que no tuvo miedo de enfrentar sus inclinaciones eróticas a una sociedad dominada por un machismo feroz y obtuso, un poeta hondo y alto a la vez, no vio o no quiso ver el mundo en que vivía. No quiso verse en ese mundo. Substituyó la realidad de México –brutal, sórdida, colorida: viva– por otra irreal y que no sólo era mediocre sino gris. ¿Ceguera? Más bien: conformismo. Los personajes de Villaurrutia pueden violar las reglas sociales pero jamás ponen en duda su validez. La crítica, en el sentido moral y filosófico, es una noción desconocida para ellos. Sería inútil recordarles otra palabra: rebeldía. Les habría quemado los labios. Sin embargo, a su manera, Villaurrutia fue un rebelde. ¿No es extraño? Su ceguera –llamémosla así– fue la de toda su generación, sin excluir al mismo Novo. Hubo que esperar hasta Carlos Fuentes y *La región más transparente* para que, al fin, apareciesen en nuestras letras el rostro y el habla de la burguesía mexicana.

Xavier fue un crítico impar: un ojo certero, un oído muy fino y una inteligencia a la vez penetrante y receptiva. Para ejercer la crítica no bastan los dones nativos, por más altos que sean; hace falta también la cultura. El trato frecuente con las obras artísticas y literarias no sólo nos pule sino que nos cambia al grado de que llegamos a adquirir una segunda naturaleza. Hay un instinto crítico, quiero decir, un instinto que no es natural pero que llega a fundirse con nuestros sentidos y se vuelve natural. Ese instinto se llama gusto y es, a un tiempo, el fundamento y el límite de la crítica. El fundamento porque sin el gusto, sin la relación afectiva con la obra, no es posible que se realice la experiencia estética; el límite porque todas las obras de arte que cuentan trascienden siempre el gusto de su época. Así, el gusto nos revela las obras y nos las oculta. Xavier tenía un gusto casi infalible pero sabía que el gran arte es aquel que está más allá del gusto.

La crítica, además de gusto, requiere imaginación. La función crítica, en un primer momento, consiste en separar y disociar los distintos elementos que componen la obra; después, hay que asociar esos elementos, ponerlos en relación unos con otros y con otras obras. En este segundo momento interviene la imaginación, la facultad analógica, que asocia, compara y descubre las correspondencias escondidas y las oposiciones significativas. Xavier era poeta y tuvo en alto grado la facultad de la imaginación crítica. Por último, la crítica exige desprendimiento y los mejores textos de Villaurrutia son ejemplo de generosidad y simpatía espiritual.

La cultura literaria de Xavier, especialmente la poética, era amplia y profunda. A su cultura plástica le faltó la experiencia de los grandes museos europeos. Sin embargo, las reproducciones, los libros y el trato con los pintores mexicanos y sus obras, suplieron en parte esta deficiencia. No fue un ensayista, en el sentido estricto de la palabra, es decir, en el sentido en que Reyes fue un gran ensayista: un autor de textos no sistemáticos sobre todos los temas imaginables. En cambio, sí lo fue en el sentido en que lo fueron Eliot, Auden o Paulhan. Los mejores ensayos de Reyes son, como los de Ortega o los de Valéry, obras de imaginación; los de Villaurrutia, por más luminosos que nos parezcan, dependen de la obra que analizan. En Villaurrutia, esencialmente poeta, la crítica desmonta las obras de imaginación; en Reyes, esencialmente ensayista, la crítica construye textos que, a su manera, son también obras de imaginación.

La influencia francesa fue decisiva en su evolución literaria y moral: Cocteau lo deslumbró, Gide lo liberó y lo justificó. Otra influencia no menos profunda que la de Gide sólo que reducida al ámbito de las ideas estéticas: Valéry. Otras admiraciones y lecturas francesas: Giraudoux, Morand. En lengua inglesa, además de Eliot, lo impresionó Santayana. Todos estos ensayistas contribuyeron a la elaboración de su poética, que fue una suerte de pacto entre sus inclinaciones clasicistas y sus impulsos románticos. No es accidental, así, que considerase a Baudelaire como la figura capital de la tradición moderna. Es el punto de convergencia entre el romanticismo y el clasicismo.

Es engañoso el espacio que ocupan en las *Obras*[1] los textos críticos. En realidad Xavier escribió unos cuantos ensayos; el resto son notas, muchas de encargo. Pero la media docena de ensayos que quedan cuentan entre los mejores de la crítica moderna en México. Su estudio más conocido y estimado, con justicia, es el dedicado a López Velarde. Por cierto, no sé por qué en la nueva edición de las *Obras* se ha omitido el título original: «El león y la virgen». Era una alusión a los signos astrológicos de López Velarde –unos signos en los que él creía[2]. Fiel a su idea de lo que debe ser la crítica –cuando el crítico es un poeta– Villaurrutia indica que «al tratar de explicar la complejidad espiritual de Ramón López Velarde, no hacía sino ayudarme a descubrir y examinar mi propio drama. Del mismo modo que de la novela se ha dicho que es un género autobiográfico, me parece razonable pensar que la crítica es siempre una forma de autocrítica». Poco se puede añadir a esta declaración de principios que es, asimismo, una confesión.

---

1. Título del libro de Villaurrutia editado por el Fondo de Cultura Económica en la colección «Letras Mexicanas» en 1966. (*Nota del editor.*)
2. Cf. mi ensayo sobre Ramón López Velarde: «El camino de la pasión» en este volumen y en *Cuadrivio*, México, 1965.

Más que un descubrimiento, el ensayo de Villaurrutia fue una resurrección: López Velarde yacía enterrado bajo las losas de una admiración obtusa y Xavier, al sacarlo a la luz, nos mostró no un cadáver embalsamado sino un poeta vivo. ¿El López Velarde de Villaurrutia se parece a Villaurrutia o al López Velarde real? Respondo sin vacilar que se parece a Villaurrutia porque ambos se parecen a Baudelaire. Son sus descendientes. Los tres poetas son hijos del sol. No del sol de Rimbaud sino del sol quemado de la Melancolía, el sol del demonio meridiano que es también el de los fantasmas de medianoche. Villaurrutia nos reveló la verdadera genealogía espiritual de un poeta que la provincia crítica mexicana se había obstinado en considerar un provinciano.

Los otros ensayos literarios de Xavier son más bien marginales. Ni descubren un nuevo autor ni aspectos desconocidos en una obra conocida; tampoco fundan una tradición. Sin embargo, entre los ensayos extensos hay uno que merece destacarse: «Introducción a la poesía mexicana». Este texto confirma, además, que «la crítica es una forma de la autocrítica». La idea general viene de Reyes, Henríquez Ureña y Castro Leal: la poesía mexicana tiene «un tono de intimidad, un tono de confesión»; nuestra poesía es reflexiva y meditativa; su color es el «gris perla»; su hora, el crepúsculo. Esta idea ha sido refutada varias veces y yo mismo, en 1942, vivo todavía Xavier, escribí un pequeño ensayo («Émula de la llama»[1]) para mostrar que esa visión mutilaba la realidad de nuestra poesía. Pero el ensayo de Xavier nos atrae por ser una autodescripción. En efecto, su poesía es apartada, solitaria, íntima, aristocrática. También es reflexiva y no sólo en el sentido psicológico sino en el físico: es una precisa y preciosa construcción de reflejos. Poesía que ama la forma y cuya contenida luminosidad es la del ópalo.

Entre las notas distintivas de la poesía mexicana que Xavier menciona se encuentra la continuidad. Es un rasgo que comparte con los otros poetas mexicanos. Su poesía, y él lo sabía, se inserta dentro de una tradición, la misma a la que pertenecen sor Juana y Othón, González Martínez y Tablada, Nervo y Pellicer. Es una tradición, como todas, hecha de rupturas y en la que, como en todas, las rupturas se vuelven enlaces. La conciencia de esta continuidad fue muy viva en la generación de Xavier y también en la mía. Una conciencia que no nos impidió sentirnos parte de la tradición moderna de Occidente. Creo

---

1. En este volumen, pp. 53-59.

que ésa fue (y es) la actitud de la generación que nos siguió. Me pregunto si los más jóvenes sienten lo mismo. Si no fuese así, sería un signo ominoso: querría decir que la identidad de México se ha agrietado. Repetiré lo que escribí hace años: «no me preocupa la rebelión contra la tradición: me inquietaría la ausencia de tradición».

Entre sus textos de crítica pictórica hay uno que fue muy celebrado en su tiempo: «José Clemente Orozco y el horror». A mí me parece un ejemplo de incomprensión. Didáctica, sarcástica, patética, la pintura de Orozco en sus momentos más intensos merece ser llamada terrible: nos impresiona, nos sobrecoge. Pero el horror es algo muy distinto. Pavor que nos inmoviliza, fijeza contradictoria –el respeto se alía al miedo y la fascinación al disgusto y a la náusea–, el horror es un sentimiento complejo que colinda con la experiencia de lo sagrado[1]. En Orozco hay terror, no horror. Xavier hubiera podido, en lugar de las líneas que cita de Baudelaire, recordar estas que expresan con gran lucidez lo que realmente es el horror:

> *J'ai peur du sommeil comme on a peur d'un grand trou,*
> *Tout plein de vague horreur, menant on ne sait où;*
> *Je ne vois qu'infini par toutes les fenêtres,*
> *Et mon esprit, toujours du vertige hanté,*
> *Jalouse du neant l'insensibilité...*

Entre el terror y el horror la oposición es del mismo género que la que enfrenta lo activo a lo pasivo, lo erguido a lo tendido, el miedo a la fascinación. No en balde Baudelaire dice que su espíritu ha sido hechizado por el vértigo. El horror es un vértigo, un vahído: sentimos un mareo y nos desplomamos. El horror es la caída, en el sentido teológico de la palabra. Nace con la sorpresa, es un asombro ante algo –ser u objeto– que nos espanta. Así, uno de los ingredientes del horror es lo insólito, lo nunca visto. El horror nos inmoviliza porque

---

1. He tratado el tema en *El arco y la lira* (1956), en el capítulo «La otra orilla», recogido en el primer volumen –*La casa de la presencia*– de las Obras Completas, México, Círculo de Lectores-Fondo de Cultura Económica, 1994 ; y en un ensayo, «Risa y penitencia», recogido en *Puertas al campo* (1966), en *México en la obra de Octavio Paz* (tomo III: *Los privilegios de la vista*, pp. 96-115) y en el séptimo volumen –*Los privilegios de la vista II*– de las Obras Completas.

está hecho de un sentimiento contradictorio: espanto y seducción, repulsión y atracción. El horror es una fascinación. El objeto que nos produce horror no es necesariamente amenazante ni peligroso, como en el caso del terror. Lo terrible, lo que causa pavor y terror, es activamente dañino y áspero. El rayo de Júpiter, la cólera de Jehová, el alfanje de Kali son terribles, no horribles. También son terribles Tamerlán, los temblores de tierra, los incendios, Hitler, una epidemia, Stalin. En el terror hay agresión, no fascinación. El terror es poder acumulado que de pronto se descarga y destruye todo lo que toca; el terror se manifiesta en el ataque y la reacción natural contra él es la huida o, si tenemos fuerzas y ánimo, la resistencia. El horror no nos ataca: es una presencia que nos paraliza; a la parálisis sucede el vértigo de la fascinación: el horror es un imán. Pero soy inexacto al hablar de presencia: el horror es una presencia que se revela ausencia. Es el anverso del ser. Por eso Baudelaire habla de un «gran hoyo». El terror es fálico y agresivo: es el Uno, el Jefe, el Dios padre justiciero o vengativo, siempre implacable. El horror es la inmovilidad, el gran bostezo del espacio vacío, es la matriz femenina y el agujero de tierra, la Madre universal y el gran pudridero, el Cero y su doble faz, la del nacimiento y la de la aniquilación. Ante el horror no nos queda el recurso de la huida ni el del combate sino la adoración o el exorcismo.

«Pintura sin mancha» es un ensayo memorable. Lo es por partida doble: por su forma y porque explora con felicidad las relaciones entre pintura y poesía. Pide que «los pintores hagan más poética su pintura como yo he querido hacer más plástica mi poesía». La identidad última entre poesía y pintura no se logra por la abolición de sus diferencias sino a través de ellas: «si el fin de la poesía es hacer pensar en lo impensable, acaso el objeto de la pintura no sea otro que hacer ver lo invisible... ¡Hacer ver lo invisible!... Operación mágica, operación religiosa, operación poética». Y concluye: «El denominador común de las artes es la poesía». Esta afirmación puede extenderse a su prosa, que, más de una vez, se acerca al poema. Se acerca aunque sin confundirse con él jamás. En el extremo opuesto a la de Novo, la prosa de Villaurrutia no es ni coloquial ni idiomática. Su ideal no es la naturalidad sino la geometría; la fluidez de su lengua no es la de los arroyos sino la del agua entre canales estrictos. Sobriedad y justeza en los adjetivos, sabia combinación de conceptos abstractos y expresiones concretas y materiales, ritmo amplio y sosegado, prosa que avanza en oleadas y que, simultáneamente, quiere seducir y convencer, Villaurrutia es uno de nuestros mejores prosistas pero su prosa, a pesar de su corrección y pureza, no es castellana sino francesa. Su modelo fue Baudelaire. En el poeta francés aprendió el secreto de esa frase sinuosa y nerviosa que parece reflexionar y volver sobre sí misma, sólo para avanzar y descubrir, en sus giros, un paisaje desconocido. Frase que se desenvuelve en espirales que terminan en una iluminación súbita. Prosa que, como el río que se curva, se desdobla en un pasaje, se contempla un instante –y prosigue. Prosa no como un espejo sino como una conciencia que explora al mundo y a sí misma.

EL DORMIDO DESPIERTO

Los primeros poemas de Villaurrutia aparecieron en revistas, en 1919, cuando tenía apenas 16 años. El modernismo agonizaba y Huidobro había ya publicado *Ecuatorial*, *Poemas árticos* y *El espejo de agua*. En México habían aparecido, ese mismo año, *Zozobra*, de López Velarde, y *Un día*, de Tablada. Pero Xavier, adolescente, se demoraba todavía en la poesía de la generación modernista. Sus maestros eran Lugones, González Martínez, Juan Ramón Jiménez y Amado Nervo. Leía también a los simbolistas franceses y en sus poemas de esos años hay más de un eco de Rodenbach y de Albert Samain. La evolución de Villaurrutia fue muy rápida y ya al final de este período escribía poemas bajo la doble influencia de López Velarde y Francis Jammes. Uno de esos poemas, *Tarde*, según cuenta el mismo Xavier, mereció el razonado elogio de López Velarde. Aunque los poemas de esta época son ejercicios e imitaciones, revelan varias cualidades que persistieron en su poesía posterior: un oído muy fino y sensible a la cadencia de la línea y al juego de los acentos y las sílabas; una sintaxis precisa y flexible; una imaginación plástica que hace de cada poema y aun de cada estrofa un pequeño universo de relaciones no sólo verbales sino visuales; un conocimiento instintivo de los límites, ese «saber hasta dónde se puede llegar», de modo que en esos poemas de juventud no hay ni sentimentalismos excesivos ni retorcimientos intelectuales. En suma, una conciencia de la forma poco frecuente en un poeta tan joven y dueño de una sensibilidad más intensa que extensa y más fina que poderosa.

Reflejos se publicó en 1926. Fue su primer libro. Eran los años de la vanguardia pero Xavier se mostró singularmente tímido y recogió de las nuevas maneras sobre todo las negaciones: *no* a la confesión sentimental y a la anécdota, reducción del poema a sus líneas esenciales, odio a las amplificaciones, preeminencia de la vista sobre el oído y preferencia por la rima asonante y el verso blanco. Hay ecos de López Velarde y, sobre todo, del Juan Ramón Jiménez de *Eternidades* y de *Piedra y cielo*. El parecido de algunos de estos poemas con los que por esos mismos años escribían varios poetas españoles y sudamericanos se debe, simplemente, a que todos ellos seguían la lección de Jiménez. A pesar de que hoy se deplora la influencia de Juan Ramón, pienso que fue benéfica: si no fue una pureza poética, como se creía en aquella época, sí fue una depuración retórica. La envarada y ataviada poesía hispánica se desnudó, se aligeró y se echó a andar. En *Reflejos* hay otras influencias y afinidades: *Suite del insomnio* revela una lectura atenta de Tablada y en *Aire* y *Cézanne* hay ecos de Carlos Pellicer. En todos los casos Villaurrutia transforma las influencias y escribe poemas muy personales y que sólo él podía haber escrito. Transmuta la vaga poesía de Jiménez en una construcción exacta, aérea y un poco seca; hace del fauvismo de Pellicer una geometría; infunde severidad y gravedad al haikai de Tablada.

Nostalgia de la muerte (1946) está dividido en tres partes: *Nocturnos*, *Otros nocturnos*, y *Nostalgias*. La unidad del libro es admirable: unidad de inspiración, tono y color. El título no me parece afortunado: es un *jeu d'esprit* forzado y artificioso. Pero uno de los libros capitales de la poesía moderna tiene un título aún más desdichado: *Las flores del mal*. La primera parte de *Nostalgia de la muerte*, excepto el añadido *Nocturno miedo*, contiene los poemas más arriesgados de Xavier. Doble descubrimiento: el de su tema y el de la poesía moderna. No creo que su tema haya sido la muerte, al menos exclusivamente. Y no lo creo, a pesar de lo que él dice y de que así lo declara el título de su libro, porque en esos poemas el tema de la muerte está asociado estrechamente al del sueño y ambos a la noche. La identificación entre el sueño y la muerte es uno de los tópicos de la poesía de Occidente. Al mismo tiempo, sobre todo desde el romanticismo, el sueño se ha identificado con la vida; el sueño no es la muerte sino la otra vertiente de la vida. El sueño es los sueños: las formas –absurdas y monstruosas en apariencia pero impregnadas de sentido– con las que la vida se manifiesta. Con el psicoanálisis, el sueño dejó de ser «la muda imagen de la muerte» de Quevedo para convertirse en la escritura jeroglífica del deseo. Cierto, entre los signos que el deseo dibuja, la muerte ocupa un lugar central. Erotismo y muerte son una pareja inseparable como la noche y el día, la vigilia y el sueño. La originalidad del romanticismo fue la de tratar de disolver, en la gran noche del origen, la oposición entre el amor y la muerte en una unidad anterior a la conciencia y a la misma existencia humana. En uno de sus *Himnos a la noche* Novalis alude explícitamente al «deseo de la muerte» como un deseo amoroso. Pero su muerte no es una caída en un sueño sin sueño como el de los paganos sino un regreso a un estado que no implica siquiera la abolición del cuerpo. Poesía literalmente eucarística:

> Un día todo será cuerpo,
> Un cuerpo único.
> Y la pareja bienaventurada
> Ha de bañarse en esa sangre celeste.

El surrealismo recoge, con una violencia magnífica de la que no están exentas ni la exasperación ni la desesperación, la visión romántica y los descubrimientos del psicoanálisis. Contradicción real y, por eso mismo, fecunda: en el onirismo surrealista se funden profecía y obsesión, videncia y perturbación psíquica, Novalis y Freud.

En el caso de Xavier Villaurrutia la revelación de la poesía del sueño estuvo ligada a su descubrimiento del surrealismo y de otros poetas modernos más o menos tocados por el onirismo. Pero la poesía inicial de Villaurrutia, según se ha visto, correspondía a una poética de la lucidez: el poeta no es el que oye el dictado del inconsciente sino el que guía a ese murmullo, lo somete a una forma y lo transforma en un lenguaje inteligible. Ese conflicto es el tema verdadero de los *Nocturnos*. Poesía habitada por una doble oposición: el sueño y la vigilia, la conciencia y el delirio. El epígrafe del poeta isabelino Michael Drayton define esa contradicción: *quemado en un mar de hielo, ahogado en uno de fuego*. La contradicción era existencial y verbal, vital y retórica. Quiero decir: su drama poético consiste en esa oposición y de ella proviene también la tensión de su lenguaje.

Villaurrutia tenía plena conciencia de la dualidad que lo habitaba. En una carta a Bernardo Ortiz de Montellano le dice: «el tema del poeta es el sueño..., pero es muy difícil abordarlo. O se le trata como los

Jorge González Durán, Xavier Villaurrutia y Octavio Paz
en el parque Díaz Mirón de Jalapa.

surrealistas lo hacen... o bien como un tema poético inventado o reinventado por el poeta lúcido, despierto». Su temperamento y su instinto lo inclinaban hacia la segunda manera: «sólo la mano de un vivo puede escribir el poema del sueño». Al final del prólogo de *Laurel*, en una recapitulación de la poesía de su generación que es asimismo un examen de la suya propia, indica que lo que distingue a estos poetas «es la corriente de irracionalismo, derivada de los movimientos poéticos franceses...». No obstante, si la poesía de algunos poetas «parece formarse en el abandono más puro, también la de otros, y en mayor intensidad, se forma en la atención más profunda». Esta última actitud –lo dice sin decirlo– es la suya: «conviene tener presente que, sin desdeñar la corriente de irracionalismo, antes bien asimilando las nuevas posibilidades y aportaciones de esta forma de libertad, otros espíritus se mantienen –aun dentro del sueño– en una vigilia, en una vigilancia constantes».

La revelación del sueño es inseparable de su descubrimiento de la poesía moderna. Villaurrutia siempre tuvo presente la «vigilancia» de Valéry mientras se abandonaba al fluir del inconsciente. Esta actitud lo acercaba a otro poeta francés que también está presente en los primeros *Nocturnos*: Jules Supervielle. Las parejas enemigas sueño/vigilia, hielo/llama, tiempo/eternidad y otras análogas, que son el centro del sistema poético de Villaurrutia, aparecen igualmente en Supervielle. Uno de sus libros más hermosos, seguramente leído y releído por Xavier, se llama *Le Forçat innocent*. Los nombres de Valéry y Supervielle suscitan inmediatamente otros. El primero: Cocteau. Fue muy leído y admirado por Xavier y algunos de sus temas –la rosa, los ángeles– provienen de este poeta pero me parece que su influencia se manifestó más en los desplantes y los tics que en la poesía.

En los primeros *Nocturnos* aparecen objetos, seres y materias –estatuas, sombras, muros, espejos, mármol, humo, esquinas, escaleras, calles desiertas– que recuerdan no tanto a los poetas como a un pintor: Chirico. El nombre de Chirico nos lleva de nuevo al sueño y al surrealismo. En Chirico no hay automatismo pictórico sino una visión en la que se yuxtaponen, enfrentan y coexisten distintas realidades y distintos tiempos. Esa es la atmósfera que a veces evoca Villaurrutia en los *Nocturnos*. Una «voz perdida incendiando una calle», una estatua que se levanta y grita sin gritar, un cielo que es un suelo que es un espejo que duplica no los cuerpos sino las palabras. Todo tiene, como en Chirico, una solidez casi mineral y, al mismo tiempo, la consistencia de los sueños. Cada poema es un dibujo de líneas precisas que evoca estados confusos y ambiguos:

> En medio de un silencio desierto como la calle antes del crimen
> Sin respirar siquiera para que nada turbe mi muerte
> En esta soledad sin paredes
> Al tiempo que huyeron los ángulos
> En la tumba del lecho dejo mi estatua sin sangre.

Era natural que en una poética de esta índole encontrase en los juegos de palabras un instrumento precioso. Villaurrutia confía a Ortiz de Montellano en la misma carta: «¿me creerá usted si le digo que no se hallará en mis poesías un juego de palabras inmotivado o gratuito?... Los uso no por juego sino por necesidad ineludible... Juego con fuego y a riesgo de quemarme». Los juegos de palabras han sido y son un recurso de la poesía en todas las épocas y en todas las lenguas. Es indudable que Villaurrutia se inspiró en el ejemplo de la poesía francesa moderna, aunque alguno de esos juegos, como el «afrentarán mi frente» de *Nocturno muerto*, aparece también en Lope de Vega. Desde el primer momento, los surrealistas experimentaron la atracción por los juegos de palabras; apenas si es necesario recordar el nombre de Rrose Sélavy, asociado no sólo a Marcel Duchamp sino a Robert Desnos, surtidor de maravillas fonéticas y semánticas. Hay un poema de Paul Éluard, dedicado precisamente a Chirico, que es imposible que no haya impresionado a Villaurrutia y en el que no es difícil encontrar una prefiguración de los *Nocturnos*. El poema pertenece al libro de título españolizante *Mourir de ne pas mourir* (1924), en que aparece otro poema (*L'amoureuse*) que Xavier tradujo años más tarde:

GIORGIO DE CHIRICO

> *Un mur dénonce un autre mur*
> *Et l'ombre me défend de mon ombre peureuse.*
> *Ô tour de mon amour autour de mon amour.*
> *Tous les murs filaient blanc autour de mon silence.*

Las indudables afinidades entre la poesía moderna francesa y algunos poemas de esta época de Villaurrutia dieron origen a la acusación de plagio. Recuerdo que hace unos 25 años todavía era frecuente oír a los críticos de café –brillante el ojo vengativo y la voz convulsa por el resentimiento– recitar un poema de Supervielle para condenar al desdichado Villaurrutia. El poema es el primero de una serie intitulada *Saisir* y pertenece a *Le Forçat innocent*. El parecido entre este poema y el *Nocturno de la estatua* es innegable, sobre todo al principio, pero el desarrollo y el desenlace no pueden ser más distintos. De nuevo, Villaurrutia se inspira en un poema ajeno y lo hace suyo. El poema de Supervielle, en alejandrinos rimados, tiene seis líneas y en las dos últimas asistimos a una metamorfosis: los objetos que toca la mano del poeta se vuelven pájaros; a su vez, esos pájaros regresan al punto de partida y se convierten en lo que fueron: calles, sombras, muros, manzanas, estatuas. El poema nos presenta un cambio que se resuelve en un no-cambio, en una vuelta a la situación original:

SAISIR

Saisir, saisir le soir, la pomme et la statue,
saisir l'ombre et le mur et le bout de la rue.
Saisir le pied, le cou de la femme couchée
Et puis ouvrir les mains. Combien d'oiseaux lâchés,
Combien d'oiseaux perdus que deviennent la rue,
l'ombre, le mur, le soir, la pomme et la statue.

El poema de Xavier tiene trece líneas, está en versos libres sin rima y a partir de la tercera línea la semejanza con el poema de Supervielle empieza a disiparse hasta desaparecer del todo en las siguientes. Los elementos del poema de Villaurrutia son muy distintos y hasta opuestos –fichas en lugar de pájaros– y su movimiento general consiste en una metamorfosis que se revela como una condenación: la estatua despierta sólo para decir que está muerta de sueño. El poema de Supervielle es crepuscular, el de Villaurrutia es un nocturno. Puedo mencionar otras oposiciones pero creo que la reproducción íntegra del poema mostrará la originalidad de Xavier y me ahorrará una demostración fastidiosa:

NOCTURNO DE LA ESTATUA

Soñar, soñar la noche, la calle, la escalera
y el grito de la estatua desdoblando la esquina.
Correr hacia la estatua y encontrar sólo el grito,
querer tocar el grito y sólo hallar el eco,
querer asir el eco y encontrar sólo el muro
y correr hacia el muro y tocar un espejo.
Hallar en el espejo la estatua asesinada,
sacarla de la sangre de su sombra,
vestirla en un cerrar de ojos,
acariciarla como a una hermana imprevista
y jugar con las fichas de sus dedos
y contar a su oreja cien veces cien cien veces
hasta oírla decir: «estoy muerta de sueño».

En la segunda sección de *Nostalgia de la muerte* se encuentran probablemente los mejores poemas de Villaurrutia. La forma es más amplia, el lenguaje más directo y los juegos de palabras cesan de ser prominentes. El verso roza el ritmo de la conversación, tal vez por la lectura del famoso ensayo de Eliot sobre «la música en la poesía». El *Nocturno en que habla la muerte*, el *Nocturno de los ángeles* (uno de los pocos poemas eróticos de Villaurrutia), el *Nocturno rosa* y el *Nocturno mar* representan la madurez, el momento más alto de su poesía. Hay dos poemas –ambos excelentes– que pertenecen a otro período: *Nocturno* y *Estancias nocturnas*. Como en *Nocturno miedo*, en ellos advierto, lo mismo en los metros que en el vocabulario y las imágenes, una vuelta a la tradición simbolista y, más concretamente, al Darío de los *Nocturnos*. Hay también una lejana e instantánea afinidad, desvanecida, apenas insinuada, con algunos poemas de Borges.

La tercera parte, *Nostalgias*, prolonga la dirección y el tono de los poemas de las dos primeras secciones pero sin superarlo. La novedad –salvo *North Carolina Blues*, poema encantador pero incidental y accidental– está en *Décima muerte*. Diez décimas estrictas: un mecanismo sonoro y conceptual que participa del juguete, el silogismo y el instrumento músico. Algunos juzgan que se trata de su mejor poema. No me lo parece. Admiro la factura, me sorprende el juego de las antítesis y las paradojas y me dan ganas de aplaudir al final de cada décima. Ese poema es un monólogo de teatro y podía haber sido escrito por un discípulo de Calderón. Es la retórica española de la muerte y no provoca en mí ni el escalofrío de *Nocturno en que nada se oye* ni la adhesión más plena y profunda de *Nocturno en que habla la muerte*.

Su tercer y último libro fue *Canto a la primavera y otros poemas* (1948). El descenso es manifiesto: la forma es menos rigurosa y la visión poética más fácil y superficial. ¿Vuelta al clasicismo? No: vuelta a un romanticismo sentimental. Pero unos cuantos poemas de este libro continúan la dirección iniciada por *Nocturno miedo*, *Nocturno* y *Estancias nocturnas*. Entre ellos hay algunos que se cuentan entre los mejores de Xavier, como *Amor condusse noi ad una morte*, el *Soneto de la granada* y el *Madrigal sombrío*. Alí Chumacero señala que hay un poema de Novo, *Amor*, que es el antecedente directo de *Amor condusse noi ad una morte*. Es cierto. Sin embargo, hay que agregar que el poema de Novo es puramente lírico, mientras que el de Villaurrutia, más amplio y complejo, posee una densidad poética, una complejidad moral y unas resonancias humanas que lo distinguen definitivamente del de Novo. Estos poemas reanudan los lazos con una tradición que alía la perfección de la forma a la amargura ante la edad y el horror frente a la existencia. Poemas que responden, sin responder jamás del todo, a dos preguntas, a dos dudas: ¿quiénes somos y en dónde estamos? Es justo que la obra de Xavier, que siempre se sorprendió ante el hecho prodigioso y simple de estar vivo, termine en esta doble interrogación. Esas preguntas son también una definición. Xavier pertenece a la clase de poetas y de hombres que más necesitamos hoy: no a los que afirman ni a los que niegan sino a los que dudan y se interrogan.

Se ha hablado de la influencia de Rilke. El mismo Villaurrutia cita su nombre en una conversación con José Luis Martínez (*Tierra Nueva*, marzo-abril de 1940). Lo conoció a través de versiones francesas, especialmente las de Maurice Betz. Según él mismo dice, le impresionaron sobre todo los *Cuadernos de Malte Laurids Brigge* y las *Cartas a un joven poeta*; confiesa, en cambio, su frialdad ante las *Elegías de Duino* y los *Sonetos a Orfeo*. La verdad es que el temperamento de Villaurrutia era muy distinto al de Rilke. Del poeta alemán procede casi seguramente la idea de la «muerte propia» pero la concepción rilkeana de la muerte es muy distinta a la de Villaurrutia. Para Xavier —latino, católico y mexicano— la muerte no era pretexto de vuelos metafísicos sino motivo de recogimiento y aceptación. A pesar de su amor por las letras francesas, su tradición era la hispánica, a un tiempo estoica y cristiana: la muerte es el fin de esta vida y, para los cristianos, el salto hacia la otra, la eterna. Heredero del romanticismo y el simbolismo, Rilke se enfrenta a la muerte pero no para aceptarla a la estoica ni para trascenderla a la cristiana sino para transformarla. La muerte no es un límite ni un tránsito sino una abertura; con ella y en ella comienza la gran metamorfosis que nos lleva a la unidad: la vida y la muerte son las dos caras de la misma realidad. La existencia humana, dice Rilke en una carta a un amigo, «vive en los dos reinos ilimitados» (la muerte y la vida) «y se nutre inagotablemente de ellos... no hay ni un más acá ni un más allá sino la gran unidad, hogar de los seres que nos sobrepasan, los Ángeles...»[1]. Alcanzar el estado angelical —o al menos vislumbrarlo— es el destino de los hombres y, particularmente, de los poetas. Nada más alejado de esta visión que la de Villaurrutia; su muerte no es abierta sino cerrada: una muerte que, al cerrarse, nos encierra. Jamás hubiera podido —ni, quizá, querido— escribir estas líneas de la *Primera elegía*:

> A veces los Ángeles no saben
> si andan entre los muertos o los vivos.
> La eterna marea arrastra todas las edades
> a través de los dos reinos
> y su suma las cubre y las confunde.

El tomo de las *Obras* de Xavier Villaurrutia, publicado en 1966 por el Fondo de Cultura Económica, tiene más de mil páginas. Sin embargo, para la mayoría de sus lectores, Villaurrutia es el autor de unos quince o veinte poemas. ¿Poco? A mí me parece mucho. Por esos poemas recordamos las obras teatrales y volvemos a leer los ensayos de crítica poética: queremos encontrar en ellos, ya que no el secreto de su poesía, sí el de la fascinación que ejerce sobre nosotros. Esa veintena de poemas cuentan entre los mejores de la poesía de nuestra lengua y de su tiempo. ¿El lugar que ocupa Villaurrutia en

---

1. Carta a W. von Hulewicz, citada por J. F. Angelloz en el estudio que precede a su introducción comentada de las *Elegías de Duino* y los *Sonetos a Orfeo* (París, 1943).

México y en Hispanoamérica corresponde a esta excelencia? Hay que contestar con franqueza: no. Villaurrutia no tiene una reputación continental y su poesía es poco leída. No es difícil entender la razón. Su poesía es una poesía solitaria y para solitarios, que no busca la complicidad de las pasiones que hoy tiranizan a los espíritus: la política, el patriotismo, las ideologías. Ninguna Iglesia, ningún partido y ningún Estado puede tener interés en propagar poemas cuyos asuntos —mejor dicho: obsesiones— son el sueño, la soledad, el insomnio, la esterilidad, la muerte. Incluso el erotismo, el gran fetiche de nuestro siglo frígido y cruel, aparece en sus poemas como una pasión secreta y cuyos atributos más visibles son la ira, la sequía, la impotencia, la aridez. Nada en esta poesía puede atraer a lectores que, como la mayoría de nuestros contemporáneos, reducen la vida, sin excluir a la de los instintos y el sexo, a categorías ideológicas. La poesía de Villaurrutia, no es antisocial sino asocial.

El gobierno mexicano, gran embalsamador y petrificador de celebridades, ha mostrado una soberana indiferencia ante la obra y la memoria de Villaurrutia. Tal vez haya sido mejor así: se ha salvado de la estatua grotesca y de la calleja con su nombre. (En México las grandes avenidas y las plazas pertenecen por derecho propio, iba a decir: por derecho de pernada, a los expresidentes y a los poderosos. Las calles de nuestras ciudades, como si fuesen reses, han sido herradas con nombres no pocas veces infames.) Tampoco la opinión pública mexicana —me refiero a los intelectuales y a los sabihondos— ha mostrado mucho amor por la poesía de Villaurrutia. Pero su caso no es excepcional: con parecido desdén miran nuestros letrados y semiletrados a Tablada, Pellicer, Gorostiza, Reyes, González Martínez y al mismo López Velarde. En realidad, al único artista que admiran al unísono nuestros burgueses y nuestros hombres públicos es a David Alfaro Siqueiros... La gloria de Villaurrutia es secreta, como su poesía. No lo lamento y él tampoco lo lamentaría. No pidió más mientras vivió: el fervor de unos pocos. En la época moderna la poesía no es ni puede ser sino un culto subterráneo, una ceremonia en la catacumba.

A Villaurrutia le preocupó siempre la oposición entre clasicismo y romanticismo. Estos términos no tenían para él una significación exclusivamente histórica y estilística sino vital y personal. La oposición entre ellos era su conflicto, su drama. Hay poetas poseídos por la unidad, como si la realidad y el lenguaje mismo fuesen emanaciones del Uno plotiniano, poetas del ser, no disperso en la multiplicidad sino resuelto en la esencia. Pienso en Jorge Guillén. Hay otros poetas para los que el mundo y el lenguaje son el oleaje de una substancia fecunda y confusa, anterior a la unidad, una substancia genésica, indistinta, rítmica. Pienso en Pablo Neruda. A la poesía de Xavier Villaurrutia no la define ni la unidad de la esencia ni la substancia plural sino la dualidad. Su poesía parte de la conciencia de la dualidad y es una tentativa por resolverla en unidad. Pero unidad que no destruye la dualidad sino que, al contrario, la preserva y en ella se preserva. Para Xavier el uno fue siempre dos.

La oposición entre clásico y romántico es una de las formas que asume la contradicción que lo habitaba. No es difícil encontrar otras en cada uno de sus poemas: soledad/compañía, silencio/ruido, sueño/vigilia, tiempo/eternidad, fuego/hielo, pleno/vacío, nada/ todo... Villaurrutia no se propuso en sus poemas la transmutación de esto en aquello –la llama en hielo, el vacío en plenitud– sino percibir y expresar el momento del tránsito entre los opuestos. El instante paradójico en que la nieve comienza a obscurecerse pero sin ser sombra todavía. Estados fronterizos en los que asistimos a una suerte de desdoblamiento universal. En ese desdoblamiento no somos testigos, como quería Nicolás de Cusa, de la coincidencia de los opuestos sino de su coexistencia. La palabra que define a esta tentativa es la preposición *entre*. En esa zona vertiginosa y provisional que se abre entre dos realidades, ese *entre* que es el puente colgante sobre el vacío del lenguaje, al borde del precipicio, en la orilla arenosa y estéril, allí se planta la poesía de Villaurrutia, echa raíces y crece. Prodigioso árbol transparente hecho de reflejos, sombras, ecos.

El *entre* no es un espacio sino lo que está entre un espacio y otro; tampoco es tiempo sino el momento que parpadea entre el antes y el después. El *entre* no está aquí ni es ahora. El *entre* no tiene cuerpo ni substancia. Su reino es el pueblo fantasmal de las antinomias y las paradojas. El *entre* dura lo que dura el relámpago. A su luz el hombre puede verse como el arco instantáneo que une al esto y al aquello sin unirlos realmente y sin ser ni el uno ni el otro –o siendo ambos al mismo tiempo sin ser ninguno. El hombre: dormido despierto, llama fría, copo de sombra, eternidad puntual... El estado intermedio, que no es ni esto ni aquello pero que está entre esto y aquello, entre lo racional y lo irracional, la noche y el día, la vigilia y el sueño, la vida y la muerte, ¿qué es?

El estado intermedio, en la poesía de Villaurrutia, designa un momento de extrema atención en el centro del abandono también más extremo: dormir con los ojos abiertos, ver con los ojos cerrados. El estado intermedio tiene otro nombre: agonía. También se llama duda. ¿De qué? Duda de ser pero también de no ser. El poeta duda, se mira en un espejo, se percibe como un reflejo, se ahoga en un resplandor. La duda es agonía: muerte y resurrección en un minuto largo como la creación y la destrucción de los mundos. El poeta es un fantasma y el eco de su grito al golpear contra el muro es un puño que golpea un pecho desierto, una página en blanco, un espejo empañado que se abre hacia una galería de ecos. No metáforas: visiones instantáneas del hombre *entre* las presencias y las ausencias. El *entre*: el hueco. Pausa universal, vacilación de las cosas *entre* lo que son y lo que van a ser.

El *entre* es el pliegue universal. El doblez que, al desdoblarse, revela no la unidad sino la dualidad, no la esencia sino la contradicción. El pliegue esconde entre sus hojas cerradas las dos caras del ser; el pliegue, al descubrir lo que oculta, esconde lo que descubre; el pliegue, al abrir sus dos alas, las cierra; el pliegue dice No cada vez que dice Sí; el pliegue es su doblez: su doble, su asesino, su complemento. El pliegue es lo que une a los opuestos sin jamás fundirlos, a igual distancia de la unidad y de la pluralidad. En la topología poética, la figura geométrica del pliegue representa al *entre* del lenguaje: al monstruo semántico que no es ni esto ni aquello, oscilación idéntica a la inmovilidad, vaivén congelado. El pliegue, al desplegarse, es el salto detenido antes de tocar la tierra –¿y al replegarse? El pliegue y el entre son dos de las formas que asume la pregunta que no tiene respuesta. La poesía de Villaurrutia se repliega en esa pregunta y se despliega entre las oposiciones que la sustentan:

> ¿Quién medirá el espacio, quién me dirá el momento
> en que se funda el hielo de mi cuerpo y consuma
> el corazón inmóvil como la llama fría?

México, 30 de septiembre de 1977

Este texto procede de *Xavier Villaurrutia en persona y en obra*, México, Fondo de Cultura Económica, 1978.

Gilberto Owen y la alquimia

En una entrevista reciente, Jaime García Terrés se quejaba, con razón, de la reserva de la mayoría de los críticos ante su libro *Poesía y alquimia: Los tres mundos de Gilberto Owen*[1]. La cicatería de la crítica mexicana es proverbial pero creo que en esta ocasión la reticencia se debe más a la timidez que a la envidia. Pocos entre nosotros están familiarizados con las ideas y temas que, con gran soltura, maneja García Terrés: la tradición hermética, la cábala, la alquimia, el esoterismo. Es lástima: la interpretación que nos ofrece García Terrés de la poesía de Owen no sólo es novedosa sino que nos revela a un poeta desconocido. El Gilberto Owen tradicional –ingenioso, *précieux* y apasionado, enamorado de los misterios sacros y de los juegos de palabras, pez volador entre Cocteau y Eliot– desaparece; en su lugar o, más bien, entre sus cenizas, mezcladas al confeti de no sé qué triste carnaval, se levanta otro poeta, del linaje de Blake y Nerval, Pessoa y Yeats. El Owen de García Terrés encarna entre nosotros la figura a un tiempo familiar y enigmática del poeta iniciado, el adepto de la *otra* religión de Occidente –la vieja religión de los astros que fascinó a los neoplatónicos de Florencia, nutrió a Spenser y a Ronsard, llevó al martirio a Giordano Bruno. Es natural que esta interpretación, brillante y temeraria, haya provocado la reacción, no menos apasionada, de un joven escritor, Aurelio Asiain. Su comentario, inteligente y lúcido en su misma vehemencia, apareció en la revista *Vuelta*.

La interpretación de García Terrés se funda en un minucioso análisis de *Simbad el Varado*. Es una composición dividida en 28 poemas, los 28 días de un febrero arquetípico, un Archifebrero. El estudio de García Terrés, poema por poema, es rico en asociaciones y, con frecuencia, es penetrante. Sin embargo, Asiain se queda con la interpretación de Tomás Segovia (*Actitudes*, 1970). Para este último, en el poema se entretejen tres historias: «el diario de una ruptura amorosa; la bitácora de una navegación que es toda ella naufragio; y finalmente,

---

[1]. México, Ediciones Era, 1980. Para la poesía de Owen véase *Obras*, 2.ª edición aumentada, México, Fondo de Cultura Económica, 1979. (*Nota del editor.*)

una versión al revés de la leyenda de Simbad, un Simbad varado, cuyo viaje es tan sólo al infierno de la inmovilidad». Esta descripción es bastante completa aunque quizá podría añadirse que la ruptura amorosa se bifurca y multiplica, como las islas fatales en las navegaciones legendarias. Pero la pluralidad de figuras femeninas —la novia adolescente, la amiga nunca tocada, la amante de ocasión, la esposa dejada, en una escala que recorre a todas las «claras mujeres» del mito y de la literatura— no agota la complejidad y la ambigüedad del erotismo de Owen. Sobre esto la crítica debería ahondar un poco más. Hay que señalar, por otra parte, que el tema del naufragio y el de la inmovilidad no son dos sino uno y el mismo. El héroe no muere ahogado: encalla en una tierra ajena y su poema es el diario de veintiocho días en el alto páramo de un extraño febrero. Porque Simbad el Varado es también Simbad el Exiliado. El motivo de la inmovilidad desemboca en el destierro y Simbad aprende la vieja máxima senequista: podemos cambiar de país pero no de alma. Por último: como en toda la tradición poética de Occidente, la búsqueda del amor se funde con la de la poesía. El diario de la inmovilidad —desamor, destierro y esterilidad poética— es también el relato de la transmutación en poema de esa triple condena.

Asiain acepta la legitimidad de las lecturas diferentes pero, precisamente por esto, rechaza la lectura de García Terrés: más que una lectura, le parece una «traducción en prosa» que, al fijar en un sentido privilegiado la pluralidad de sentidos del poema, lo inmoviliza. Ese significado último (el hermetismo alquímico), al abolir los otros sentidos, anula el movimiento del poema y lo convierte en doctrina o sistema. No estoy muy seguro de que Asiain tenga razón. En primer término, la interpretación hermética o alquímica no se fija en un significado unívoco: es una rotación de sentidos y asociaciones. En segundo término, la lectura de García Terrés no anula a las otras sino que las engloba y en algunos casos las enriquece. Owen poeta erótico, poeta de la poesía y poeta hermético: no tres poetas distintos sino tres aspectos de la misma *persona*.

La interpretación de Segovia y de Asiain mantiene la imagen familiar de Owen: un poeta intenso y escaso, típico de su momento y de su grupo. Sempiterno Pílades: así lo vieron sus amigos y contemporáneos y así nos lo entrega el memorable prólogo, agudo y justo, que escribió Alí Chumacero hace veintisiete años para la primera edición de sus poemas y prosas[1]. Gilberto Owen: el hermano menor de Villaurrutia (como él mismo se veía). La interpretación de García Terrés, sin apartar enteramente al poeta de su momento y de su medio, lo enlaza a otra tradición poética. Esa tradición, apenas necesito subrayarlo, es la corriente central, aunque subterránea casi siempre, de la poesía moderna de Occidente. La lectura de García Terrés, que no es exclusiva sino inclusiva, enriquece la figura poética de Owen y, en verdad, la transfigura.

No me convencen las razones de Asiain para rechazar la lectura de García Terrés: ¿me convence García Terrés? No siempre y nunca del todo. Por ejemplo: decir que el poema 2 (*El mar viejo*) representa «el guarismo de la dualidad, de la ruptura de la unidad primordial y sugiere repetición, ecos, espejos» es superponer el simbolismo del número a la realidad del texto. El poema habla de un mar (¿el de Sinaloa?) inmovilizado en el cielo del altiplano, en cuya transparencia el pez volador llamado alondra (el poeta) se ha hundido contando a sus muertos. En cambio, cuando García Terrés, al analizar el poema 20 (*Rescoldos del cantar*), dice que el *laberinto* del primer verso alude a los *ojos* del último verso del poema anterior y que el laberinto, el yunque y los martillos son partes anatómicas del oído, me estremezco y oigo, con los oídos mentales, en una suerte de iluminación embelesada, al «mar martillo que grita en yunques pitagóricos». Un auténtico descubrimiento. No es el único aunque es uno de los más notables. Pero otras veces la lectura de García Terrés me parece no tanto una interpretación como una superposición de sentidos. Mi desconfianza aumenta cuando recuerdo cuántas veces nos han engañado, por su misma facilidad y por su extraordinaria riqueza de asociaciones, las interpretaciones fundadas en el hermetismo. La razón es conocida: la alquimia, la cábala y las otras doctrinas afines son, tanto o más que visiones del mundo, sistemas de asociaciones y enlaces universales. Su modo de operación, su eje, es la analogía. Por esto, las interpretaciones fundadas en ellas resultan con frecuencia quiméricos ejercicios de la fantasía especulativa, como aquellas etimologías de la Antigüedad: en el *Cratilo* Sócrates encontraba el origen de «héroes» en «Eros».

La incertidumbre en que me deja muchas veces García Terrés no es

---

[1]. Owen, *Poesía y prosa*, México, Universidad Nacional Autónoma de México, 1953. (*Nota del editor*.)

la única razón que me prohíbe adherirme a su lectura. Hay otras, de más substancia. Las interpretaciones fundadas en la alquimia y el hermetismo son legítimas —y más: indispensables— cuando se trata de poetas que frecuentaron esas tradiciones y que incluso participaron en sus rituales y prácticas. Sabemos que Nerval fue familiar de los martinistas, que Hugo invocaba a los espíritus, que Yeats perteneció a la Orden del Alba de Oro, que Pessoa fue rosacruz. También sabemos que Rimbaud leía libros esotéricos en Charleville, que Darío y Nervo se interesaron en el orfismo y el pitagorismo, que Tablada era teósofo, que Breton nunca negó su *penchant* ocultista... ¿Y Owen? Como su generación, fue insensible a la fascinación de la *otra* religión de Occidente. Ni su vida, ni sus lecturas, ni su correspondencia, ni sus poemas, ni sus prosas nos ofrecen indicios de que alguna vez hubiese frecuentado la tradición esotérica. No comprendo por qué Asiain dice que «es indudable, o parece indudable, que Owen tuvo conocimiento de la alquimia, la gnosis y la tradición hermética». Lo contrario, justamente, es lo que parece (y es) indudable. Las poquísimas alusiones a estos temas que figuran en sus escritos son estrictamente literarias y aparecen en otros autores insospechables de esoterismo, de Juan Ramón Jiménez a Reyes y de Gide a Valéry. Como es sabido, Owen era un gran conversador; pues bien, en sus pláticas —a ratos largos monólogos— no figuraban nunca esos asuntos. En fin, hay algo más: Owen jamás perteneció a ninguna secta, logia o hermandad esotérica.

Los maestros de Owen —y de todos los poetas de *Contemporáneos*, con la excepción de Pellicer y Novo— fueron Juan Ramón Jiménez y Paul Valéry. Más tarde algunos de ellos —Owen y Montellano sobre todo— asimilaron la influencia de Eliot. Habría que agregar, además, otros dos nombres: el del moralista Gide y el del malabarista Cocteau. Todos estos poetas resistieron a la tentación del esoterismo y todos, salvo Cocteau, lo desdeñaron, juzgándolo un extravío, una debilidad o una curiosidad. Al final de su evolución, Juan Ramón Jiménez admiró a Yeats pero esto no lo convirtió en un lector de Jámblico, de los *Oráculos caldeos* y de la condesa de Blavatsky. Su religión —o más bien: su poética— era un panteísmo estetizante y narcisista. Los poetas de *Contemporáneos* abandonaron pronto esta poética inocua. Casi todos —Gorostiza, Villaurrutia, Cuesta, Owen— siguieron a Valéry. Profesaron el rigor y, también, las limitaciones de su estética, que veía en la poesía el juego gratuito y desinteresado del espíritu, una forma a un tiempo perfecta y vana. Eliot, el otro maestro de Owen, sí sintió la fascinación religiosa pero no en su forma esotérica: tras una breve (aunque intensa) atracción por el budismo, abrazó el cristianismo anglicano. Eliot reprocha a Blake no tanto su poesía como su pensamiento nutrido de cábala y hermetismo, que él llamaba desdeñosamente *mitología privada*. La actitud de los «Contemporáneos» no fue muy distinta. Villaurrutia tradujo *El matrimonio del Cielo y del Infierno* por las mismas razones que habían llevado a Gide, años antes, a traducirlo: por su valor explosivo en el dominio de la moral. No vieron en Blake al lector de Swedenborg sino al precursor de Nietzsche.

Los poetas de *Contemporáneos* profesaron un escepticismo inteligente. Algunos entre ellos sintieron el llamado de la religión y entonces abrazaron el catolicismo tradicional de México. En esto Owen no fue una excepción sino un caso típico. Es verdad que al final de su vida Jorge Cuesta sometió su cuerpo y su razón a pruebas que podrían recordar a la alquimia, como la ingestión de substancias químicas con el objeto de realizar una transmutación física y espiritual no sin analogías con un proceso de autodivinización. Pero Cuesta llevó a cabo estas experiencias como si se tratara de un experimento científico –era químico de profesión y le interesaba lo que ahora se llama «ingeniería genética»– y no como pasos de una iniciación magicorreligiosa. Así, ni siquiera su delirio último tuvo una tonalidad religiosa sino «científica». Es revelador que Owen, al hablar de los últimos días de Cuesta, se refiriese siempre a su «enfermedad». Esa actitud era también la de todos los amigos de Jorge. Recuerdo perfectamente mis conversaciones con Xavier Villaurrutia sobre esto. Si Cuesta hubiese sido un alquimista o un iniciado, se habrían referido en otros términos a los terribles incidentes del fin de su vida.

Es costumbre lamentar la suerte de la obra de Owen. Algunos, como Tomás Segovia, llegan a decir que hay que rescatarla no sólo del olvido del público sino de la condescendencia hipócrita de la minoría. Owen murió en 1952 y al año siguiente la Universidad Nacional publicó un volumen que reúne casi todos sus escritos. Es el mismo libro que ahora, con unas pocas cosas más, aparece en la colección «Letras Mexicanas» del Fondo de Cultura Económica. Atención inusitada: la obra poética de Tablada se publicó sólo veinte años después de su muerte (la prosa aún no se edita), todavía no contamos con un volumen que recoja la obra de Ortiz de Montellano, ni con una edición decente de Vasconcelos, ni... ¿para qué continuar? El interés que, desde su muerte, ha provocado Owen, es excepcional: figura en todas las antologías de poesía mexicana moderna: en la de Jorge Cuesta, en *Poesía en movimiento*, en las dos de Monsiváis y en el *Ómnibus* de Zaid; en todas ellas está representado con amplitud; no hay ningún estudio de conjunto de nuestra poesía moderna en el que no aparezca y en el que su poesía no sea vista con simpatía y con admiración; entre los ensayos y estudios sobre su obra –hablo sólo de los mexicanos– destacan los de Chumacero, Rojas Garcidueñas, Segovia y García Ponce; y ahora, para completar esta nómina impresionante: el libro de García Terrés.

Sobre este volumen quisiera agregar algo. La interpretación de García Terrés es atrevida, inteligente e imaginativa; puede o no conquistar nuestro asentimiento pero nos obliga a leer de nuevo a Owen y a revisar nuestros juicios y prejuicios sobre este poeta. Ésa es la misión del crítico: darle al lector ojos nuevos para que lea o relea la obra. Esta forma de la crítica, la más alta, equivale a una resurrección. El Owen de García Terrés no es el mío pero esto, al fin de cuentas, importa poco: es un Owen vivo y, en el mejor sentido de la palabra, fascinante.

México, octubre de 1980

«Gilberto Owen y la alquimia» se publicó en *Sombras de obras*, Barcelona, Seix Barral, 1983.

Agua de la memoria: Andrés Henestrosa

Al releer hoy las prosas y poemas del primer número de *Taller*[1], me sorprende la frescura de muchos de ellos. Pienso sobre todo en *Retrato de mi madre*, relato de Andrés Henestrosa: no tiene una arruga. La impresión que me ha causado su relectura me ha hecho recordar la emoción con que lo leí, por primera vez, una tarde en el Café París. Yo conocía a Henestrosa desde mis años en el bachillerato; llegaba, cargado de libros, a la esquina de la librería Porrúa, en la calle de Argentina (que antes se llamaba del Reloj) y nos deslumbraba con su ingenio. En esos años me había encantado su pequeño libro, *Los hombres que dispersó la danza*, colección de leyendas zapotecas. Después, Andrés había vivido en los Estados Unidos, creo que becado por la Fundación Guggenheim, y nuestro encuentro en el Café París era el primero tras varios años de no vernos. Le confié que preparábamos una revista y que buscaba textos para el primer número. Se me quedó viendo, sacó de una bolsa unas páginas y me las entregó diciéndome: «lee esto». Era un fragmento de una carta a una amiga norteamericana. Era también, para emplear la expresión de Reyes, un *arranque* de novela. Mi seducción fue instantánea. Le pedí que me diese esas páginas para el primer número y al día siguiente se las entregué a Solana.

En 1938 todos nosotros éramos principiantes y lo que escribíamos era casi siempre un balbuceo, aunque ese balbuceo no careciese de emoción y de profundidad en ciertos casos, como en los de Revueltas y Quintero Álvarez. Pero el relato de Henestrosa no parece escrito por alguien que comienza: revela esa maestría que sólo se adquiere en la madurez. Tampoco parece escrito hace cuarenta años. Dije antes que esas páginas no tienen una sola arruga: poseen la juventud sin edad de las obras que se acercan a la perfección. Un lenguaje nítido, nunca excesivo, a un tiempo reservado y tierno, sobrio y luminoso. Una prosa de andadura ligera, que nunca se precipita y nunca se retrasa: una prosa que llega a tiempo siempre. La historia, simple y contada con palabras transparentes, provoca en el lector una emoción en la que se alía lo más antiguo a lo más fresco, como oír un cuento

---

1. México, diciembre de 1938. (*Nota del editor*.)

de otra edad del mundo. Pocas veces la prosa moderna de nuestra lengua ha logrado tal fluidez de agua corriente. Agua para beber y agua para contemplar su fondo ondeante, no nuestros rostros interrogantes sino un paisaje que se entrelaza y desenlaza en vibraciones y centelleos: mujeres, hombres, niños, burros, bueyes, vacas, nubes, un árbol llameante en un llano quemado. El tiempo y sus apariciones: agua de la memoria.

México, febrero de 1983

«Agua de la memoria: Andrés Henestrosa» se publicó en *Sombras de obras*, Barcelona, Seix Barral, 1983.

Efraín Huerta

El poeta Efraín Huerta murió en los primeros días de febrero de 1982. Murió en un hospital de esta ciudad de México que, simultáneamente, inspiró algunos de sus más exaltados poemas de amor y algunos de sus sarcasmos más violentos. Se ha señalado muchas veces el lugar que ocupa la vida urbana en la poesía de Huerta. Es un rasgo que, al definirlo, lo define como un poeta plenamente moderno. Aunque la Antigüedad grecorromana conoció la poesía de la ciudad –apenas si es necesario recordar a Propercio– y aunque también los poetas renacentistas y barrocos la cultivaron con fortuna, sólo hasta Baudelaire la ciudad no reveló sus poderes, alternativamente vivificantes y nefastos. La modernidad comienza, en la literatura, con la poesía de la ciudad. Algunos poetas mexicanos –pienso en López Velarde y en Villaurrutia– percibieron y expresaron en líneas sobrecogedoras la seducción ambigua de la ciudad que, al afinar y pulir nuestra conciencia y nuestros sentidos, nos hace más sensibles, más lúcidos –y más vulnerables. Otro poeta, Renato Leduc, supo oír y recoger, como un caracol marino, el oleaje urbano; también supo transformarlo, con humor y melancolía, en breves e intensos poemas. Pero la ciudad de estos poetas era todavía una capital soñolienta, más francesa que yanqui y más española que francesa (y siempre «rayada de azteca»). A mi generación, que fue la de Efraín Huerta, le tocó vivir el crecimiento de nuestra ciudad hasta, en menos de cuarenta años, verla convertida en lo que ahora es: una realidad que desafía a la realidad... Con nosotros comienza, en México, la poesía de la ciudad moderna. En ese comienzo Efraín Huerta tuvo y tiene un sitio central.

Lo conocí cuando era estudiante de la Escuela Nacional Preparatoria. Era amigo de otros jóvenes que, como él, comenzaban a escribir: Rafael Solana, Carmen Toscano y alguno más. Leían a los poetas españoles de ese momento –García Lorca, Salinas, Alberti, Guillén– y también a los mexicanos: Pellicer, Villaurrutia, Novo, Torres Bodet. No tardaron en descubrir a Neruda, que fascinó a Huerta. Les interesaba más la literatura que la política, más la poesía que la novela y más la novela que el ensayo. No asistíamos a los mismos cursos pero, gracias a Rafael Solana y a Carmen Toscano, conocí a Huerta. Fuimos amigos y nunca dejamos de serlo. Lo fuimos tanto que me invitó a ser uno de los dos testigos de su primer matrimonio. Más tarde las pasiones políticas nos separaron y nos opusieron pero no lograron enemistarnos. Vi en él siempre al Efraín de nuestra adolescencia: al poeta apasionado e irónico, al amigo un poco silencioso y afable. En su trato Efraín era cortés y discreto, como buen mexicano. La violencia de algunos de sus poemas y epigramas contrastaba con su finura personal... El más inquieto de aquellos muchachos, Rafael Solana, fundó *Taller Poético*, una lujosa revista dedicada, como su nombre lo indica, exclusivamente a la poesía. Todos los poetas de entonces colaboramos en sus páginas, de Enrique González Martínez a Neftalí Beltrán. Después Solana nos invitó a Efraín Huerta, a Alberto Quintero Álvarez y a mí para, con él, emprender una nueva aventura: *Taller*, revista literaria. La historia de esta revista ha sido contada varias veces –y en versiones un poco distintas. No voy a repetirlas ahora. En 1941 apareció el último número de nuestra revista. Después, nos dispersamos.

Muy joven aún Efraín Huerta ingresó en el Partido Comunista de México. Era amigo de Enrique Ramírez y Ramírez y también de José Revueltas. En esos años comenzó a escribir poemas políticos en los que se esforzaba por ajustarse a los moldes estrechos del realismo socialista. Por fortuna, pocas veces lo conseguía enteramente, de modo que aun en sus poemas de propaganda hay líneas y fragmentos que son relámpagos de poesía. Nada más alejado de los gustos poéticos y del temperamento de Huerta que el didactismo de esa literatura doctrinaria. Curiosa o, más bien dicho, reveladora contradicción: en esos años en que estaba poseído por la certeza de participar en el «movimiento ascendente de la historia» (¿habrá conservado esa ilusión hasta el final?), escribía en uno de sus mejores poemas: «Nunca digas a nadie que tienes la verdad en un puño» (*La rosa primitiva*, 1950). Esta línea revela, una vez más, que el poeta acaba siempre por vencer al ideólogo. En su último período Efraín volvió a encontrar la vena de su juventud y compuso varios poemas notables, como *El Tajín* y la autoparodia *Juárez-Loreto*. También cultivó el epigrama, los *poemínimos*: breves, punzantes y, a veces, alados. A pesar de toda esta diversidad, fue ante todo un poeta lírico; sus obras mejores son poemas de amor y de las emociones y sentimientos que acompañan al amor: sensualidad, tristeza, celos, remordimientos, melancolía, júbilo. La ciudad fue para él historia, política, alabanza, imprecación, farsa, comedia, drama, picardía y otras muchas cosas pero, sobre todo, fue el lugar del encuentro y el desencuentro.

Termino esta nota apresurada y apesadumbrada con una observación: hay un Efraín Huerta poco conocido, oculto por lecturas más fervorosas que atentas. La violencia de muchos de sus poemas, sus sarcasmos y su afición a las expresiones fuertes han obscurecido un aspecto de su obra juvenil: la delicadeza, la melancolía, la reserva, el gusto por las geometrías aéreas y las gamas perladas y grises. En sus primeros poemas Huerta fue un poeta apasionado y contenido. No en balde su segundo libro se llama *Línea del alba* (1936). El título alude a indecisas lejanías y claridades tímidas que poco a poco, conforme la madrugada avanza, se precisan: casas, árboles, calles, gente. Al releer esos poemas de juventud –tenía apenas veintiún años– encontré una línea que, estoy seguro, no fue pensada sino *vista* en algún amanecer y cuya luz siempre lo acompañó: «alba suave de codos en el valle».

México, marzo de 1982

«Efraín Huerta» se publicó en *Sombras de obras*, Barcelona, Seix Barral, 1983.

Imágenes desterradas: Alí Chumacero

Querido Alí:

Hace días nuestro amigo el poeta Jorge González Durán me prestó, al fin, tu libro. Lo he leído con avidez pero sin prisa. No te voy a dar ahora un juicio sobre tu poesía. Ni me lo pides ni lo necesitas. Pero me asombra que –según leo en *Novedades*– se hable de una crisis de la poesía mientras se publican libros como *Imágenes desterradas* (Chumacero), *Perseo vencido* (Owen) y *Laurel del ángel* (Margarita Michelena). Todas ellas son obras que anuncian o presagian la inminente madurez de la poesía que hoy se escribe en México.

Mi sorpresa crece cuando llega a mis manos, hoy precisamente, la respuesta que dio Xavier Villaurrutia a esa encuesta. ¿Cómo es posible acusar a los jóvenes de «no saber cómo escribir lo que tienen que decir»? El reproche que se me ocurre ante tu poesía, como ante la de algunos otros, es justamente el contrario: acaso son demasiado dueños de su instrumento, acaso entre ustedes y su poesía la zona de azar y milagro se ha reducido más de lo necesario. Observo, por otra parte, que ésa es una nota constante en casi toda la buena poesía mexicana, desde sor Juana hasta el mismo Villaurrutia.

A veces esa maestría cede a la inspiración, para llamar con un nombre que confieso equívoco a lo que la generación anterior designaba con una frase no menos equívoca: las fuerzas irracionales. Casi siempre el resultado ha sido lamentable, como puede comprobarse con la lectura de nuestros poetas románticos. Pero en algunos casos el poeta se muestra capaz de sacar provecho de ese conflicto entre la palabra heredada y lo que por definición es inefable y crea nuevas formas y nuevos mundos poéticos. Eso ocurre cada vez que la crítica del lenguaje nos lleva a su recreación. Quiero decir, cada vez que el poeta tiene conciencia de la palabra, la única conciencia del poeta. Ésta fue, a mi juicio, la aventura de Díaz Mirón. Asimismo, las de López Velarde, Gorostiza, Villaurrutia y Pellicer.

En ocasiones esa desconfianza ante la palabra, de la que parte toda auténtica recreación poética, se expresa por un silencio total (Díaz

Mirón) o transitorio (Gorostiza). Otras, en cambio, el poeta se repite a sí mismo. Pues si es cierto que «todos empezamos a escribir un poco de memoria» también lo es que algunos terminan así una carrera que empezó bajo el signo de la búsqueda y la invención. La imitación de sí mismo es la más fácil, y la más estéril, de las influencias.

No deja de ser extraño que algunos de nuestros más intensos y admirados poetas hagan ahora un elogio de la «claridad» y que ya la obscuridad no les parezca un fatal y necesario equívoco entre la obra y el público. Renuncian así a la soledad, pero también a la poesía, que nunca es un compromiso con el público, sino búsqueda de comunión con el hombre que esconde cada lector.

No es ese el caso de *Responso del peregrino*, tu reciente poema. Sin cambiar sensiblemente lo que llamas los temas de tu poesía —como si el poeta tuviera «temas», algo que se escoge y no algo que se nos impone fatalmente—, inicias ahora una nueva aventura: la de recrear tu propio lenguaje. Y te arriesgas a enfrentar tus imágenes, siempre sometidas al fuego frío de tu inteligencia, a un lenguaje más vivo y fluido, si más perecedero: el de nuestro pueblo. En lugar de inmovilizarte en una forma que amenazaba, por su misma redondez, en convertirse en mausoleo o túmulo, te atreves a cambiar, a negarte. Prueba de vida, pues sólo los muertos son idénticos a sí mismos. El resultado ha sido sorprendente: tu poesía se vuelve de pronto un ser vivo, un objeto mágico, ambiguo y rico de sentidos. Pues si la poesía no es significación, no está tampoco ayuna de sentido.

No quiero terminar esta carta sin contradecir un poco tus opiniones recientes. Cuando J. P. Sartre habla de literatura *engagée*, cuida de hacer una distinción previa (*Situations II*, 1948): el poema no es literatura. La función literaria de la palabra reside en sus significaciones; por tanto, quiéralo o no el escritor, entraña un «compromiso». Pero la función poética de la palabra es diversa: el poeta la convierte en objeto, la desnuda de sus significados y la obliga a volverse sobre sí misma y adquirir otros valores, que son los del arte. La literatura, insinúa Sartre, no es un arte, en el sentido en que lo son música, pintura y poesía. ¿Cuál sería así la «responsabilidad» del poeta? Sartre no nos lo dice. Pero advierto que, al escribir su ensayo sobre Baudelaire, olvida u omite muy significativamente que ese personaje tan «inauténtico» es precisamente el autor de uno de los libros más auténticos del siglo XIX: *Las flores del mal*.

Ser poeta existencialista me parece una redundancia. Todo poeta, si lo es de verdad, es un hombre que cada vez que escribe se plantea auténticamente vida y muerte de manera concreta y personal: frente a frente. Tal es, quizá, el sentido de la creación poética, que extrae de la nada el lenguaje.

Un abrazo cordial de tu amigo que te admira,

Octavio Paz

París, septiembre de 1949

Alí Chumacero, poeta

Conocí a Alí Chumacero hace unos cuarenta años. Somos amigos desde entonces. Nuestra amistad ha resistido lo mismo a los codazos, pellizcos, dentelladas y zancadillas de la vida literaria que a las lejanías, las ausencias y los silencios. Incluso ha resistido a la ciudad de México, este gigantesco molino que sin cesar muele afectos y reputaciones hasta volverlos polvo desmemoriado. Al principio, cuando Alí llegó a México con José Luis Martínez y Jorge González Durán –los tres venían de Guadalajara aunque Alí es de Tepic–, lo veía a menudo, casi todos los días. Ahora nos vemos muy poco. Pero no lo siento lejos: aunque nos separan las distancias, los tropeles de autos y su fragor de motores jadeantes, el *polumo* y las otras devastaciones urbanas, sé que está cerca. A veces, sin necesidad de verlo ni de llamarlo por teléfono, hablo con él silenciosamente y releo *Responso del peregrino*, *Los ojos verdes*, *Salón de baile*, *Alabanza secreta* o algún otro poema de sus tres libros: *Páramo de sueños*, *Imágenes desterradas* y *Palabras en reposo*[1].

Libros breves, intensos y perfectos. En cada uno de ellos hay poemas que me seducen por su hechura estricta y por las súbitas revelaciones que entregan al lector, como si el poema fuese un objeto verbal construido conforme a las leyes de una geometría fantástica y que, al girar en el espacio mental, se entreabriese hacia territorios vertiginosos, masas de obscuridad y precipicios por donde la luz se despeña. Poemas memorables pero también versos y líneas que nos suspenden, nos entusiasman o nos obligan a recogernos en nosotros mismos, como esa «Pastora de esplendores» o esa «Petrificada estrella frente a la tempestad» o ese «tigre incierto» en cuyos ojos un «náufrago duerme sobre jades pretéritos», o ese «estanque taciturno» (admirable conjunción: el adjetivo transfigura al substantivo y le da una tonalidad saturnina).

Los poemas de Alí Chumacero son sucesos de la carne o del espíritu que ocurren en un tiempo sin fechas y en alcobas sin historia. Es el

---

1. Esta obra apareció en la colección «Letras Mexicanas» del Fondo de Cultura Económica, México, 1956 (2.ª ed., 1965) y volvió a salir en edición especial, con ilustraciones de Federico Cantú, en la colección «Tezontle», México, 1985. (*Nota del editor.*)

tiempo cotidiano de nuestras vidas cotidianas recreado por un oficio estricto que, en sus mejores poemas, se resuelve en un diáfano equilibrio. No encuentro mejor palabra para definir a este arte exquisito que la palabra *cristalización*. Alí Chumacero se sirve de los artificios más rigurosos y refinados para expresar situaciones que en otros poetas son meramente realistas. Su tentativa recuerda a las de dos poetas mexicanos que son dos polos de nuestra tradición. Uno de ellos es López Velarde, al que además se parece por la religiosidad –con frecuencia aguda conciencia del pecado– y por la predilección con que usa imágenes de la Biblia y de la liturgia católica. El otro es Salvador Díaz Mirón, al que lo une el culto a la forma cerrada, la afición por asuntos no poéticos y, en fin, la reserva orgullosa. Pero estos parecidos, apenas los examinamos de cerca, se disipan. Lo mismo sucede con otras afinidades. Todas ellas definen no tanto una influencia como un linaje poético. La obra de Alí Chumacero, como la de todos los poetas mexicanos de valía, es única, irrepetible y, sin embargo, simultáneamente, se inserta en una tradición.

Sus imágenes se bifurcan en asociaciones complejas, encadenadas en largas frases sinuosas, aunque bien vertebradas. Sus versos tienen la misma solidez y flexibilidad. Como casi todos los poetas de su generación, sus metros preferidos son los de once y siete sílabas, sin rima y libremente combinados. Huye de los versos rotundos y la música de su poesía es una monodia más cerca de la liturgia que del canto. La figura geométrica que podría representar tanto a su sintaxis como a su prosodia es la espiral. Poesía hecha de la «conspiración» –como decían los estoicos– de los cinco sentidos, singularmente los de la vista, el tacto y el olfato. Pero Alí nunca cierra los ojos: cada una de las imágenes de sus poemas ha sido sometida a una crítica lúcida. Doble y difícil lealtad: amor a la perfección y fidelidad a lo vivido. Estas dos notas, más que definir a su poesía, la acotan: dibujan el recinto cerrado que es cada poema suyo, crean el espacio secreto del rito. Los oficiantes son el sexo y la reflexión solitaria, las soledades juntas y la soledad de la mente poblada de fantasmas.

Extraordinaria revelación (extraordinaria y universal pues todos la hemos experimentado): hablamos siempre con fantasmas y nosotros mismos somos fantasmas. Sin embargo, Chumacero no viene del budismo sino del cristianismo: lo fascina la encarnación de las imágenes, no su disolución. Su cristianismo es el cristianismo desesperado de la conciencia moderna, en la que la ausencia divina hace más punzante la presencia del mal. Sólo aquel que ha perdido la certeza de la eternidad puede saber realmente el significado de la palabra *mortal*. Somos nosotros los modernos, no los condenados de la alegoría de Dante, los que hemos perdido la esperanza. La maestría de Alí Chumacero para expresar algunos de estos estados extremos se revela así como algo más que un rigor estético: su verdadero nombre es heroísmo moral. Metafísica de la ceniza, breve llamarada del alcohol, vegetaciones sexuales de la penumbra, espejo desierto –¿dónde cayeron las imágenes? ¿No queda nada? Quedan los monumentos cristalinos. Los fantasmas se han resuelto en formas que giran, pequeños sistemas solares hechos de ritmos y de ecos. Quedan las *palabras en reposo*.

México, 5 de octubre de 1980

«Alí Chumacero, poeta» se publicó en *Sombras de obras*, Barcelona, Seix Barral, 1983.

Corazón de León y Saladino:
Jaime Sabines y Juan José Arreola

Jaime Sabines es uno de los mejores poetas contemporáneos de nuestra lengua. Muy pronto, desde su primer libro, encontró su voz. Una voz inconfundible, un poco ronca y áspera, piedra rodada y verdinegra, veteada por esas líneas sinuosas y profundas que trazan en los peñascos el rayo y el temporal. Mapas pasionales, signos de los cuatro elementos, jeroglíficos de la sangre, la bilis, el semen, el sudor, las lágrimas y los otros líquidos y substancias con que el hombre dibuja su muerte –o con los que la muerte dibuja nuestra imagen de hombres.

La poesía de Sabines alcanzó probablemente en *Tarumba*, libro memorable de 1956, su mediodía. Un mediodía negro como un toro destazado a pleno sol. Poeta expresionista, encontró la «antipoesía» antes que Nicanor Parra y descubrió, con menos retórica y más fantasía, las violencias y los vértigos del prosaísmo muchísimo antes que el cardenal Ernesto. Humor como un puñetazo en la cara redonda de la realidad, pasión hosca de adolescente perpetuo, el disparo de la imagen y el secreto del silencio, una rara energía verbal no siempre bien dirigida pero fulminante al dar en el blanco, el cuerpo a cuerpo con el absurdo y su cadena irrefutable de sinrazones, una imaginación a un tiempo justa y disparatada, una sensibilidad a la intemperie y nadando a sus anchas en el oleaje contradictorio –dones admirables que nos hacían olvidar el sentimentalismo de ciertas líneas y la pose primitivista, «macha» y antintelectual de Sabines. Un poeta verdadero y un comediante disfrazado de salvaje.

Sí, Sabines es un extraordinario poeta, autor de impresionantes, inolvidables fragmentos y de muchos poemas completos. Entre ellos algunos son extensos. Esto último es lo más sorprendente. Es difícil, para un temperamento regido por la violencia contradictoria de las pasiones, construir obras que no sean espasmódicas y que vayan más allá del grito, la interjección o la eyaculación. A pesar de su fascinación por lo ciclópeo y lo gigantesco, el expresionismo es un arte de fragmentos y de obras intensas y breves. La relación contradictoria que une las abejas furiosas a las flores polícromas es del mismo género de la que une el expresionismo al impresionismo. Son dos manierismos de signo opuesto unidos por el mismo culto a la intensidad y la misma propensión a la diversidad y a la dispersión; ambos tienden a romper las formas y ambos se disipan en la atomización. Ni el uno ni el otro son arquitectos: la pasión expresionista y la sensación impresionista hacen estallar los grandes bloques pero los dos son incapaces de unirlos y de construir un edificio con ellos. Sin embargo, Sabines ha logrado escribir poemas de extensión y complejidad. Esas construcciones poéticas me asombran por tres cualidades poco comunes: la sencillez del trazo, la espontaneidad de la ejecución y la solidez de la forma.

En los últimos libros de Sabines no son infrecuentes los momentos de intensidad y los pasajes de real originalidad. Pero el poeta repite sus hallazgos y amplifica sus defectos. Peligros del tremendismo: a fuerza de dar en cada poema un do de pecho cada vez más recio, Sabines ha enronquecido hasta quedarse con un hilillo de voz. Peligros de la falsa barbarie: Sabines forcejea y con un vozarrón de sótano emite quejas, sentimientos débiles o de débil. Peligros del odio (real o fingido) a la inteligencia: Sabines profiere con acentos desgarrados de Isaías lugares comunes. La antirretórica es la más peligrosa de las retóricas. El último libro de Sabines se llama *Mal tiempo* y fue publicado en agosto pasado por la editorial Joaquín Mortiz. Esperamos el regreso de *Tarumba*.

La misma editorial Joaquín Mortiz acaba de publicar, casi al mismo tiempo que el de Sabines, otro volumen de las *Obras* de Juan José Arreola: *Bestiario*. Nada más alejado del genio extremoso de Sabines que el de Arreola. No obstante, en algo se parecen: los dos son autores de textos intensos y breves pero, asimismo, los dos han logrado escribir, con felicidad, obras de proporciones más amplias. Pienso en el gran poema que es la elegía de Sabines a la muerte de su padre y en *La feria*, la novela de Arreola, obra en la que la prodigiosa pirotecnia verbal se alía a la mirada, a un tiempo imparcial e irónica, de un historiador de las costumbres y las almas. A pesar de estas semejanzas, más bien externas, son dos personalidades muy distintas. Tanto que a veces, cuando pienso en ellos, se me presentan con los rasgos de dos héroes de mi adolescencia: Ricardo Corazón de León y el sultán Saladino. Dos prototipos de la cortesía y el valor, en el antiguo sentido de las dos palabras. Un día, frente a los muros de Acre, los dos soberanos deciden someterse a una prueba para saber quién es el mejor en el manejo de las armas. Corazón de León se acerca al enorme roble a cuya sombra ha levantando su tienda, empuña el hacha de combate y al primer golpe lo derriba; Saladino llama a un esclavo, le ordena que suspenda en el aire un hilo de seda, desenvaina el alfanje y lo corta en dos de un solo tajo. Si la prosa de Arreola recuerda, por su soltura y flexibilidad, al hilo de seda oscilando en el aire, por su concisión precisa y su velocidad evoca al acero del alfanje.

Bestiario apareció originalmente en 1959. La edición que ahora comento está compuesta de cuatro partes: *Bestiario, Cantos de Maldolor, Prosodia y Aproximaciones*. La última sección es nueva y consiste en un conjunto de ejemplares traducciones de Jules Renard, Milosz, Jouve, Michaux y una serie de admirables versiones de *Connaissance de l'Est*, más una curiosa traducción de una traducción de Claudel de un poema de Francis Thompson. Maestro en el arte imposible de la traducción, Arreola ha realizado estas versiones con esa *impersonalidad* que, para Eliot, es la señal de la gran poesía. No menos sino más impresionantes son las otras secciones. La materia prima de Arreola es la vida misma pero inmovilizada o petrificada por la memoria, la imaginación y la ironía. El artífice perfora la vida como si fuese una roca, la alija y la frota hasta convertirla en un trozo de agua sólida, una transparencia. Prosa ya sin peso ni substancia, prosa para ver a través de....

Arreola es un poeta doblado de un moralista y por eso también es un humorista. Los pequeños textos de *Bestiario* son perfectos. Después de decir eso, ¿qué podríamos agregar? No se puede añadir nada a la perfección. *Humor y amor* son vecinos fonéticos y gráficos. Hay en humor una *h* que es como una falta de ortografía de Dulcinea y una *u* que es como si, en plena escena del balcón, le naciese a Julieta una jiba entre los dos pechos. En *Cantos de Mal-dolor* el humor se venga del amor pero el amor hace que a veces el humor se desvíe hacia la sátira y la ironía. ¿Homenaje a Otto Weininger? Más bien, homenaje a la mujer: *Odi et Amo*. Y qué alivio que alguien se atreva a cubrir a la persona amada con todas esas alhajas envenenadas que son los textos de *Mal-dolor*. Aunque en *Prosodia* prevalece el elemento lúdico, no desaparece la tensión dramática. Los «falsos demonios» han sido vencidos y Arreola prosigue su lucha con el Ángel. Ese Ángel ¿es el lenguaje o la imposible santidad? Tal vez sea la sabiduría —no menos imposible. No, tampoco es la sabiduría. Es la locura, otra versión del loco amor. Libro de seres «que odian y aman desdoblándose en hombres y mujeres, con atributos animales y angélicos, de juguete y cosa». Libro de amor hasta la cólera —cólera que se concentra y endurece hasta la piedra —piedra labrada por la escritura, piedra que habla.

México, octubre de 1972

«Corazón de León y Saladino: Jaime Sabines y Juan José Arreola» se publicó en *In/mediaciones*, Barcelona, Seix Barral, 1979.

La verde lumbre: Rubén Bonifaz Nuño

Para Caillois la piedra era música mineralizada. Sin embargo, lo que distingue al poema de todas las otras formas y organismos es precisamente lo contrario: la animación, el movimiento. El poema es un organismo rítmico, una forma en perpetuo movimiento. El poema está hecho de aspas de aire que, al girar, emiten torbellinos de sonidos que son remolinos de sentidos. Pero el poema no es ni música ni idea. El sentido del poema está más allá del sentido y su música no se agota en el sonido. Las ideas bailan, los sonidos piensan. Vasos comunicantes: oímos al poema con los ojos, lo pensamos con los oídos, lo sentimos con la mente. Poesía es ver y oír, pensar y sentir, todo junto. O más bien: es unir en un solo giro, en un oleaje rítmico, el sentir y el pensar... Pensaba todo esto (y al pensarlo lo sentía) al leer un pequeño libro que acaba de publicar Rubén Bonifaz Nuño: *Tres poemas de antes* (Ediciones de la Universidad, MCMLXXVIII). Cada uno de estos tres poemas está compuesto, a su vez, por cuatro sonetos y tres cortas composiciones en endecasílabos y heptasílabos.

Primera alegría: esos poemas son formas sensibles que podemos ver, tocar y oír. Sobre todo *oír*. La poesía es un arte oral y olvidarlo, como lo olvidan algunos jóvenes poetas, es traicionarla. El tema de los poemas de Bonifaz Nuño es el tiempo y el amor, ambos fugitivos y recurrentes. La brevedad de la vida y la perennidad de la palabra: temas de Horacio y de Ronsard, temas de antes y de mañana, temas de ahora. A la manera del que acerca a su oído, repetida maravilla, una caracola, leo los límpidos poemas de Bonifaz Nuño y oigo, al través de cada verso y cada estrofa, los pasos del tiempo que pasa y regresa y vuelve a pasar. Al oírlos, veo cada uno de esos poemas como un árbol que arde, llama verde, en la transparencia del otoño:

> El corazón, que sabe, lo quisiera
> decir: es sólo un sueño que persiste;
> fue sólo anuncio del otoño triste
> la verde lumbre de la primavera.

México, abril de 1979

«La verde lumbre: Rubén Bonifaz Nuño» se publicó en *Sombras de obras*, Barcelona, Seix Barral, 1983.

Las manchas del sol: Jaime García Terrés

Un gran meteorito cayó en el mar Egeo en 467 antes de Cristo. El filósofo Anaxágoras, testigo del suceso, pensó que este bloque ígneo se había desprendido del sol y que éste no era sino una masa de hierro al rojo blanco, probablemente del tamaño del Peloponeso. El sol dejó de ser un dios pero para convertirse en un objeto no menos admirable: una gigantesca bola de hierro ardiente colgada en la bóveda del universo. Más tarde, al comenzar del siglo XVI, con la invención del telescopio, Galileo y otros astrónomos descubrieron, casi al mismo tiempo, las manchas solares. El centro de las manchas es el más obscuro y se llama umbra; la periferia, más clara, es la penumbra. Las manchas son enormes: las más chicas tienen un diámetro de cientos de kilómetros y el de las grandes es superior al de nuestro planeta. Pero las manchas del sol no son manchas; son obscuras sólo en relación con la fotósfera que las rodea y, en realidad, son más brillantes que el hierro derretido por la imaginación de Anaxágoras. Las manchas crecen y decrecen con un ritmo que recuerda a la dilatación y contracción del pecho humano. Este ritmo respiratorio, por decirlo así, dura once años terrestres. Palpitación del espacio celeste.

La propiedad esencial de las manchas del sol es un campo magnético. Los astrónomos suponen que las manchas del sol influyen en las tormentas magnéticas terrestres. Un campo magnético es una región en equilibrio inestable, un teatro donde se representa un drama cósmico: los elementos, movidos por las fuerzas de atracción y repulsión del magnetismo, se unen y separan, se abrazan y combaten. El primer espectador de esta danza fue Heráclito, que advirtió el doble juego de las semejanzas y las diferencias: los contrarios se abrazan, los semejantes se repelen. Las tormentas magnéticas son alteraciones del equilibrio; los elementos no saben, literalmente, qué hacer, chocan entre ellos, destruyen al que aman, se precipitan en brazos de su enemigo. Simpatía y odio inmoderados que nos llevan a la destrucción del otro o de nosotros mismos. Los protagonistas de esas tempestades terrestres no son únicamente los elementos físicos sino los seres vivos y muy especialmente los hombres y las mujeres. Todos danzamos y, a veces, perdemos el compás, movidos por el magnetismo universal de las pasiones y su doble ritmo de atracción y repulsión.

El primer acierto del libro en que ha reunido Jaime García Terrés su obra poética, es su título: *Las manchas del sol.* Este título, además, describe el carácter de su aventura poética. Para García Terrés las manchas solares son emblemas o metáforas o alegorías –como se quiera– de la naturaleza humana. Tal vez, incluso, del pecado original: marcas de nacimiento. Máculas que son marcas, marcas que son signos, signos que son destinos. ¿Quiénes leen esos signos, a un tiempo brillantes y sombríos como las manchas del sol? Los filósofos, los teólogos, los psicólogos, los moralistas pero, sobre todo, los poetas. En un poema reciente, *Datos para una biografía desconcertada*, dice García Terrés, entre piadoso y sarcástico:

>   atribuyeron al azar su ego
>   en crisis y a las manchas
>   del sol sus contratiempos vacuos.

Y agrega enseguida: pero «conoció intensos fulgores de dicha». La poesía es el arte de las metamorfosis o, quizá, el arte de ver a través de la metamorfosis: las sombras son luminosas y los contratiempos, dicha solar. Ver a través de los cambios pero también ver a través de los sueños: para García Terrés la poesía es oniromancia. En uno de los mejores poemas de la última sección de su libro (*Parte de vida*) se ve a sí mismo como la pesadilla que sueña «una mente inescrutable». El poeta es lúcido y no se resigna a ser «jirón de sueño» sino «más bien el vendaval de la vigilia». El poeta quiere despertar a la mitad del sueño de la mente que nos sueña y, con los ojos abiertos en el centro del sueño universal, aprender a descifrar el lenguaje de los astros y los átomos, en el que riman las catástrofes con los nacimientos y los combates con los abrazos:

>   ¿Qué nos quieres decir con esas tumbas,
>   con cada reventar de cada estrella?
>   ¿Me responde tu voz cuando pregunto
>   o es el eco furtivo de la mía?

Nunca lo sabremos. Nunca sabremos con quién hablamos, si con nosotros mismos o con el otro que nos sueña. Todos somos personajes en este teatro de las atracciones y las repulsiones en el que, la misma pieza, una y distinta –drama, comedia, tragedia, sainete– se repite desde el principio mientras allá arriba arden, se apagan y vuelven a encenderse las manchas del sol. Entonces, ¿sólo somos personajes, máscaras, ficciones? García Terrés nos responde y se responde:

>   Yo soy el otro
>   yo
>   del poeta.
>   El oscuro

También podría haber dicho: yo soy una mancha del sol. Y al decirlo, convierto mis sílabas en fulgor y escritura. Como todos, vengo de allá y, como todos, voy hacia allá:

> Y mi larva de voz –ahora mismo–
> al cabo de sufrir metamorfosis álgidas,
> dispuestas en el vago corretear del tiempo:
> viene a desembocar, tiniebla al rojo vivo,
> entre las hondas huellas de las manchas del sol.

La voz del poeta desanda el camino y regresa al origen. La mancha de sol se transforma en un campo magnético hecho de llamadas y respuestas, una conversación en la que las sílabas danzan, combaten y se abrazan: un poema.

México, a 21 de septiembre de 1988

«*Las manchas del sol*: Jaime García Terrés» se publicó en *La Gaceta*, 216, México, Fondo de Cultura Económica, diciembre de 1988.

Islas y Puentes: Ramon Xirau

En un poema que es una burla del insularismo y el provincianismo de su patria, el poeta inglés Charles Tomlinson imagina que hay, en la Luna, «una ciudad de puentes donde todos sus habitantes se dan cuenta de que comparten un privilegio: un puente no existe por sí mismo. Rige espacios vacantes». Nosotros los hispanoamericanos somos menos afortunados que los habitantes de esa ciudad: entre México-Tenochtitlan y Buenos Aires hay muchas ciudades y cada una de ellas está separada de las otras no sólo por la inmensidad física sino por la indiferencia y su gemela, la ignorancia. En cuanto a España: nos separa de ella, más que el Atlántico y los siglos, esa suprema forma de ignorancia e indiferencia que se llama olvido. En el interior de cada país y de cada ciudad se repite el fenómeno de la incomunicación. Regiones, clases, generaciones, sexos, individuos: islas, islotes y peñascos perdidos en los mares de la inercia, el desapego, el menosprecio, el rencor. Horizonte de espacios vacantes: los puentes son raros en la América hispana y en España. Alguna vez José Luis Cuevas llamó a México «el país de la cortina de nopal». La frase puede extenderse al resto de nuestros países. Cierto, las cortinas de los otros no son de cactos pero también, como la nuestra, son espinosas.

La situación no es nueva: aquel que quiera tener una idea de lo que fueron las relaciones literarias e intelectuales en un momento de esplendor de nuestra literatura no tiene sino que leer los poemas injuriosos que se intercambiaron Góngora, Quevedo y Lope de Vega. Nuestros grandes autores –con poquísimas excepciones, como Cervantes y Rubén Darío– son figuras centrífugas, exclusivistas, polémicas. Unos viven aislados en su cueva devorando los despojos de sus enemigos, otros son jefes de banda. Cíclopes y caudillos, Polifemos y Tamerlanes. Muchas veces he lamentado la ausencia de una auténtica tradición crítica entre nosotros, lo mismo en el campo de las letras que en el de la filosofía y la política. La pobreza intelectual de nuestra crítica está en relación inversa a su violencia y ferocidad. La sátira de Quevedo no es menos eficaz, hiriente y cruel que la de Swift y Voltaire pero es más un desahogo pasional que una pasión intelectual. Quevedo es memorable por la perfección verbal de su furia, no por la profundidad o la verdad de sus ideas. El aislamiento hispánico empieza por ser un defecto moral y termina por ser una falla intelectual. ¿Por qué nuestros filósofos o historiadores de la cultura no han explorado este tema?

Nos hacen falta obras-puentes y hombres-puentes. Nos hace falta un pensamiento crítico que, sin ignorar la individualidad de cada obra y su carácter único e irreductible, encuentre entre ellas esas relaciones, casi siempre secretas, que constituyen una civilización. Creo apasionadamente en la literatura moderna de nuestra lengua pero me rehúso a verla como un conjunto de obras aisladas y enemigas. No: Borges no substituye a Reyes, Rulfo no desaloja a Martín Luis Guzmán, Luis Cernuda no destrona a Federico García Lorca, Gabriel García Márquez no borra a Ramón del Valle-Inclán, Onetti no pone fuera de combate a Cabrera Infante ni Bioy Casares anula a Juan Benet. Hace poco, queriendo exaltar a Neruda, un excelente escritor dijo que con él empezaba la literatura hispanoamericana. ¿Por qué crear el desierto en torno a un gran poeta? No es necesario, para afirmar a Neruda, enterrar a Martí, Darío, Lugones, López Velarde, Vallejo, Huidobro. La historia terrorista de la literatura no es sino una caricatura de la visión terrorista de la historia que hoy envenena a muchos espíritus. Nuestro siglo ha convertido a las ideologías en explicaciones totales del pasado y el futuro, la eternidad y el instante, el cosmos y sus suburbios. Esas ideologías chorrean sangre. También chorrean tinta y bilis. Entre los intelectuales y los escritores son máscaras tras las que gesticula el eterno pedante que «acecha lo cimero con la piedra en la mano». Naturalmente, no pretendo que el crítico ignore o disminuya las diferencias y antagonismos entre las obras: ya sabemos que las relaciones realmente significativas no son las relaciones de afinidad sino las de oposición. Pero estas oposiciones se despliegan en el interior de una lengua y una tradición. Los antagonismos forman un sistema de relaciones o, para decirlo con la imagen del comienzo: construyen una arquitectura de puentes.

Este largo preámbulo sólo ha tenido un objeto: subrayar la importancia moral e intelectual de la obra de Ramon Xirau. Esa importancia consiste, ante todo, en que Xirau es un hombre-puente. A semejanza de esas construcciones prodigiosas de la ingeniería moderna, sus ensayos son un puente que une no a dos sino a varias orillas. En primer término: puente entre sus dos vocaciones más ciertas y profundas, la poesía y la filosofía. Ramon Xirau es un excelente poeta en catalán y, en castellano, es un luminoso crítico de poesía. El crítico se alimenta de las intuiciones y visiones del poeta; a su vez, el poeta se prueba a sí mismo en las reflexiones del pensar filosófico. La obra de Xirau filósofo sustenta la obra de Xirau poeta, que, por su parte, inspira la obra de Xirau critico. Confluencia de tres direcciones de la sensibilidad y del espíritu. La crítica de Xirau es el puente entre la filosofía y la poesía, esas dos hermanas que, según Heidegger, viven en casas contiguas y que no cesan de abrazarse y de querellarse. Dos hermanas por las que no pasan los años y que desde el principio del principio están enamoradas del mismo objeto. Un objeto elusivo y alusivo, que continuamente cambia de forma y de nombre. Un objeto que es siempre el mismo.

Puente entre poesía y filosofía, la obra de Ramon Xirau también comunica a dos idiomas: el catalán y el castellano. Nuestra cultura será siempre una cultura mutilada si olvida al portugués y al catalán. El primero nos une, simultáneamente, con Gil Vicente y con Machado de Assis, con Pessoa y con Guimarães Rosa. El segundo con Ausias March y Maragall, con Brossa y Pere Gimferrer. Dos idiomas y dos tierras: México y Cataluña. Nuestro país de montañas y altiplanos vive cara a las constelaciones y da la espalda al mar; Cataluña, en cambio, es la región marítima por excelencia, la más mediterránea, liberal, cortés y civil –para no decir civilizada– de las Españas. En Cataluña estuvo a punto de nacer –mejor dicho: nació pero fue estrangulada por el centralismo, el dogmatismo y el absolutismo– una versión distinta de la civilización hispánica. Una versión más moderna: liberal, tolerante, democrática. En Cataluña y su cultura hay unas semillas de libertad y de crítica que debemos todos, mexicanos e hispanoamericanos, rescatar y defender. Ramon Xirau es hombre-puente, entre otras cosas, por ser un catalán de México.

La filosofía y la poesía, Cataluña y México: he nombrado algunas orillas. Debo mencionar otras: el pensamiento de Xirau es un puente entre diversas generaciones poéticas –modernismo y postmodernismo, vanguardia y poesía contemporánea– y entre obras y personalidades opuestas o distantes: sor Juana Inés de la Cruz y Xavier Villaurrutia, Vicente Huidobro y José Gorostiza, los poetas concretos del Brasil y Marco Antonio Montes de Oca y José Emilio Pacheco. La conferencia de esta noche es un notable ejemplo de su capacidad para descubrir, en las diferencias, las afinidades y para construir, con las afinidades, puentes conceptuales por los que el espíritu puede transitar sin despeñarse. Incluso podemos reclinarnos sobre el pretil y contemplar el vertiginoso paisaje que huye. El paisaje es fugitivo porque está hecho de tiempo: palabras y frases que se asocian y disocian, aparecen, desaparecen, reaparecen. Lo que vemos desde el puente es un fluir verbal que refleja este mundo y otros vistos o imaginados por el poeta. Mundos en perpetua rotación: ¿cómo no ver que el paisaje poético que nos muestra Xirau está más cerca de la astronomía que de la geografía y más cerca de la música que de la astronomía? La visión desde el puente se resuelve en concierto: los acuerdos son acordes.

Sería presuntuoso tratar de hacer un comentario crítico de lo que Ramon Xirau ha dicho esta noche sobre Enrique González Martínez, José Juan Tablada y Alfonso Reyes. Ha iluminado un paisaje y nos ha mostrado aquello que no aparece a primera vista y que es misión del crítico descubrir: la geografía oculta sobre la que descansa el paisaje visible. Mi asentimiento es casi total, mínimas mis discrepancias. Cierto, para mí la «modernidad» –palabra que, como si fuese mercurio, se nos escapa cada vez que intentamos definirla– abarca toda la era moderna, desde mediados del siglo XVIII hasta nuestros días. Llamo «vanguardia» a lo que Xirau llama «modernidad», es decir, el período que se inicia un poco antes de la primera guerra mundial y ahora expira ante nosotros. (Un pequeño paréntesis: vivimos no sólo el fin de la vanguardia sino el de la modernidad. Creo firmemente en el fin, no del arte, sino de la *idea* de *arte moderno*; creo en el fin, no del hombre, sino de la Edad Moderna, inventora del tiempo lineal y progresivo de la historia, lanzada a la conquista del futuro.) Tampoco estoy muy seguro de que Enrique González Martínez no haya sido siempre un modernista. González Martínez otorgó una conciencia –más ética que estética, dice con acierto Xirau– al modernismo mexicano, le dio gravedad espiritual, lo hizo meditativo y contemplativo pero no alteró su lenguaje ni cambió lo que podríamos llamar su sintaxis simbólica. Aunque cambió los símbolos –el búho en lugar del cisne– dejó intactos el sistema y sus emblemas. Xirau pasa tal vez demasiado de prisa sobre un problema apasionante, aunque, es verdad, rebasa la crítica poética propiamente dicha: las relaciones de los tres poetas con el *Ancien Régime* y con la Revolución mexicana. A pesar de que este tema se aleja un poco de la perspectiva de Ramon Xirau, me gustaría que él –o algún otro– alguna vez lo abordase.

Quisiera ahora trazar, por mi parte, otro puente hacia Ramon Xirau. Un puente de amistad, reconocimiento y admiración al poeta y al crítico. En una sola persona dos dones diferentes: saber componer una estrofa y saber oírla. Como dice el poema sánscrito: «es rara la unión de dos virtudes en una sola substancia –una clase de piedra produce oro, otra sirve para probarlo».

México, 26 de febrero de 1974

Respuesta al discurso de ingreso de Ramon Xirau en el Colegio Nacional de México. Se publicó en *In/mediaciones*, Barcelona, Seix Barral, 1979.

La paloma azul: Manuel Durán

Manuel Durán —poeta y, además, uno de nuestros mejores ensayistas jóvenes— me envía un pequeño volumen de poemas: *La paloma azul*[1]. Durán pertenece a un grupo de jóvenes escritores, víctimas de un doble equívoco. En 1939, casi niños, llegaron a México; desde entonces viven entre nosotros. ¿Son mexicanos o españoles? El problema me interesa poco; me basta con saber que escriben en español: la lengua es la única nacionalidad de un escritor. Pero nuestros críticos se obstinan en considerarlos como extranjeros y omiten sus nombres y sus obras en estudios y antologías mexicanos. Los de España, más soberbios y tajantes, ignoran hasta su existencia. Así, talentos tan claros como el poeta Tomás Segovia o el crítico Ramon Xirau viven en una especie de limbo, dos veces huérfanos de tierra, dos veces desterrados. El nacionalismo nos ha vuelto provincianos y, espiritualmente, tacaños. Y la tacañería nos empobrece a todos los de habla española. Pero no nos asombremos demasiado: la moral de la época es contagiosa. Hasta un hombre tan generoso como Max Aub encontró no sé qué intrincadas razones para no ocuparse de ellos en los dos libros que ha consagrado a la nueva poesía española[2].

El primer libro de Durán se llamaba, si no recuerdo mal, *La ciudad asediada*[3]. Este que ahora publica puede verse como una continuación de aquél y, en cierto sentido como su crítica. El tema de ambos libros es la ciudad. En el primero un adolescente —inteligente, irónico, entusiasta— descubre la ciudad; en el segundo, un hombre maduro se enfrenta a la soledad, el vacío y la vulgaridad de la urbe moderna. Algunos de sus primeros poemas, concisos como un epigrama, oscilaban entre la abstracción y el humor, entre Kandinsky y Klee. Cito con intención los nombres de estos dos grandes pintores porque los mejores poemas de Durán me dieron la sensación de *leer* un cuadro (las relaciones entre la pintura y la poesía no han sido del

---

1. Colección «Tezontle», México, Fondo de Cultura Económica, 1959. (*Nota del editor.*)
2. Fui injusto con Max Aub: en su excelente *Antología de la poesía mexicana* aparecen estos poetas.
3. Colección «Tezontle», México, Fondo de Cultura Económica, 1954. (*Nota del editor.*)

todo exploradas entre nosotros). *Gouaches, collages,* grabados, todo en pequeño formato: la frase como una línea que no insiste, frasehumo; la ironía, delgada como un verde sinuoso; la imagen como un amarillo que florece de pronto. Economía y refinamiento, pero también frescura, espacio: aire libre.

En su segundo libro Durán abandona el humor y la tinta china, por decirlo así, y se entrega, en sus momentos menos felices, a cierto expresionismo que, a mi juicio, no le va del todo a su genio. En otros poemas el peso de la reflexión rompe, para mi gusto, la delicada balanza del poema. El exceso de ideas es tan peligroso como la falta de ideas. En el primer libro había poemas demasiado tenues; en el segundo hay algunos escritos con caracteres demasiado gruesos.

Dicho esto (y había que decirlo), creo que *La paloma azul* completa y ahonda *La ciudad asediada*. Quizás es un libro más libro, en el buen sentido, cada vez menos frecuente, de esta palabra. Como en sus primeros poemas, hay el mismo asombro y el mismo desencanto; la misma nostalgia ante el prodigio que siempre está a punto de acaecer y que nunca acaba de realizarse del todo; la misma sensación de soledad ante las cosas y los hombres; la misma melancolía. Pero también hay ira y piedad y pasión indignada –todo dicho con sobriedad y elegancia de alma, sin ademán descompuesto de «salvador del mundo» o de «Gran Hermano de los hombres» (trajes preferidos por muchos poetas recientes). Poesía de solitario que no hace profesión de soledad ni busca una comunicación equívoca y equivocada. Poesía sin anzuelo redentor. Y por eso, sin proponérselo, sin «denunciar» (palabra policiaca), el libro de Durán posee, *además* de valor poético, un valor crítico: nuevo testimonio de la suerte del hombre en un mundo regido por el poder, el dinero y el apetito material. Mundo de la propaganda, al fin resuelto en ruido: todos hablan y nadie sabe lo que dice. Al poeta –al hombre de palabras– no le queda más recurso que «desenterrar el hueso del silencio» y roerlo. No hay orgullo al hablar del poeta como el «hombre de palabras». También podría decir: hombre sin oficio ni beneficio. El poeta, el artista, es un hombre como los otros –cuando los otros recuerdan que son hombres.

Sin pena ni gloria, título de uno de los poemas de Durán, es una frase que define muy bien nuestra situación. La gloria y con ella la pena, su otra cara, han huido del mundo. Ni cielo ni infierno, ni vida ni muerte. Todo se nos ha ido evaporando y la realidad misma se nos ha vuelto un juego de espejos rotos. Primero nos quedamos sin el más allá y el más acá; ahora estamos a punto de perder el aquí. El ayer se derrumbó, el porvenir se cierra, el presente se desvanece. A mi lado una voz impersonal me recuerda los triunfos de la técnica y la conquista del espacio. Sí, pero hay *otro* infinito que conquistar: el de nuestro propio ser...

Y basta: no deseo discutir. Volvamos mejor a la realidad, es decir, a la poesía, al amor, a la amistad, a la pintura, a todo aquello que nos dé un vislumbre, así sea fugitivo, de la verdadera vida. Volvamos al libro de Durán, a la paloma azul, a la paloma verde, al astro diminuto que estalla en la página blanca y se transmuta en una mancha de vino, en una flor de sangre.

París, 1959

«*La paloma azul*: Manuel Durán» se publicó en *Puertas al campo*, México, Universidad Nacional Autónoma de México, 1966.

Respuestas a *Cuestionario* – y algo más: Gabriel Zaid

¿Cuántos nuevos escritores han aparecido en México durante los últimos años? Muchos, si se cuentan los libros publicados por jóvenes y primerizos; poquísimos, si se piensa que una literatura no consiste en el número de libros publicados sino leídos. Sin lectores no hay literatura. Cierto, la lectura no es la única forma del reconocimiento: la prohibición es otra (Sade) y otra más la incomprensión (Góngora, Joyce). Pero los lectores de Sade y los que gozan descifrando el *Polifemo* son también, aunque secreto, un público. Mejor dicho: son un público dentro del público, son la anormalidad que confirma en su normalidad al lector común y corriente. Debo agregar que, minoritario o popular, el reconocimiento no se da nunca sin algún equívoco. El caso de Gabriel Zaid es un ejemplo. Es uno de los nuevos escritores mexicanos, quiero decir, es un autor que desde hace unos pocos años es leído, comentado y discutido. Sus artículos y ensayos sorprenden, hacen pensar, intrigan y, a veces, irritan. Zaid es un escritor que no quiere seducir al lector sino convencerlo, que jamás lo adula y que no teme contradecirlo. Habla bien del público mexicano que un escritor así sea leído y estimado. Conciso, directo y armado de un humor que va del sarcasmo a la paradoja, Zaid satisface una necesidad intelectual y moral del lector mexicano, hastiado de la inflación retórica de nuestros ideólogos, truenen desde lo alto de la pirámide gubernamental o prediquen desde los púlpitos de la oposición. En un país donde la incoherencia intelectual corre pareja con la insolvencia moral, el método de reducción al absurdo –el favorito de Zaid– nos devuelve a la realidad. A esta realidad nuestra, a un tiempo risible y terrible. Pero la fama de Zaid como crítico de la sociedad puede ocultarnos a otro Zaid, más esencial y secreto: el poeta.

En mayo de 1976 apareció *Cuestionario*[1], un volumen que reúne sus tres libros de poesía –*Seguimiento*, *Campo nudista* y *Práctica mortal*– más las publicaciones sueltas y los inéditos. *Práctica mortal* (1973) fue

---

1. México, Fondo de Cultura Económica. (*Nota del editor.*)

un libro compuesto por unos pocos poemas nuevos y una selección de los anteriores. En el prólogo de *Cuestionario*, Zaid explica que no concibió *Práctica mortal* como una antología sino como una obra nueva. La novedad consistió en la ordenación de los poemas en distintas series y grupos: «un poema se vuelve otro poema según el conjunto del cual forma parte», del mismo modo que «una palabra cambia de sentido según el contexto». Ahora Zaid reúne sus poemas –sin excluir a ninguno ni desechar las variantes de cada uno– y le propone al lector un juego: colaborar en la «creación» de un nuevo libro. (Tal vez habría sido más exacto decir elaboración o combinación pero ¿en dónde están las fronteras entre estas tres palabras?) El lector puede intervenir de cuatro maneras: escogiendo los poemas que más le gusten y señalando aquellos que no le agraden o no le interesen; ordenando los poemas en un conjunto o en varios conjuntos; modificando los poemas; escribiendo otros.

Zaid parte del reconocimiento de algo indudable: no hay «poema en sí», cada poema se realiza en la lectura. De ahí que cada poema sea, simultáneamente, siempre el mismo y otro siempre. El principio general es justo pero se me han ocurrido dos objeciones al juego que nos propone Zaid. La primera (parcial) es la siguiente: no todas las lecturas tienen el mismo valor. La lectura es un arte y por eso los grandes críticos, artistas a su manera, son también y ante todo buenos lectores. La crítica es, como la traducción, lectura creadora, reproducción que inventa aquello mismo que copia. Me imagino que, ante las distintas proposiciones que Zaid recibirá de sus lectores, tendrá que escoger las que le parezcan mejores: el autor recobra la iniciativa. Segunda objeción: no hay que confundir la lectura con la escritura. Por más «creadora» que sea la lectura, no es lo mismo escribir un poema que leerlo. Por eso no me atrevería nunca a proponerle a Zaid un nuevo poema: el lector no puede, en ningún caso, substituir al autor. No es un suplente sino un cómplice. Dicho esto, procuraré contestar a las tres primeras preguntas de su cuestionario.

Zaid es un poeta escaso, sea porque escribe poco o porque se exige mucho. Cualquiera que sea la causa, esterilidad o rigor, su escasez es asimismo excelencia. No sólo son poquísimos los poemas de su libro que no me gustan sino que tampoco me arriesgaría a desechar esos pocos. La razón: en una obra como la de Zaid, hecha de poemas que principian y terminan en ellos mismos –breves, totales, autosuficientes–, todas las composiciones, incluso las que son en apariencia insignificantes, cumplen una función y tienen un lugar. En un poeta frondoso, suprimir es podar; en un poeta estricto, cercenar. Zaid debe publicar todos sus poemas, sin más orden que el único posible: el cronológico —salvo una sección aparte con los circunstanciales— y sin las duplicaciones que estorban la lectura de *Cuestionario*. Como en todas las obras humanas, en la suya hay defectos (pocos): lo que no hay es repetición ni confusión. A veces Zaid es difícil —por exceso de concentración— y otras demasiado simple —por exceso de escrúpulos— pero nunca es cansado. Sus lectores jamás sentimos que sobre algo en sus libros.

La misma razón que me impide suprimir o agregar poemas me prohíbe proponer un orden distinto. No hay evolución en su poesía: hay variedad. La unidad no es la serie de poemas sino el poema aislado. Sí, es fácil agrupar poemas afines en conjuntos, sólo que los poemas así ordenados están unidos por semejanzas de forma y tema, no por la trama de su desarrollo. Aunque hay series de poemas religiosos, eróticos y satíricos, dentro de cada serie los poemas son individuales, poseen perfecta independencia y viven por sí solos. Cada poema es un instante total, único y autónomo. No la unidad de la sucesión como en el poema épico y sus episodios o en la novela y sus capítulos sino la del conjunto de aforismos y la del manojo de cuentos. Cada aforismo es un pensamiento aislado y cada cuento nos cuenta una historia diferente.

Queda por contestar el tercer punto: ¿qué poemas corregiría? Cambiamos sólo aquello que podemos mejorar, no aquello que es inmejorable —sea por su perfección misma o por su imperfección congénita. La mayoría de los poemas de Zaid me gustan tanto que no cambiaría en ellos ni una coma; por la razón contraria, tampoco tocaría a los pocos que me dejan frío. Así, sólo modificaría unos cuantos, suprimiendo una línea en éste y cambiando un adjetivo en aquél. Dije: *unos cuantos*; preciso: no más de tres.

Los primeros poemas de Zaid, como los de todos los poetas, fueron ejercicios. En casi todos hay ecos de algunos poetas de generaciones anteriores. Pienso, sobre todo, en el delicioso Gerardo Diego, presente en la *Fábula de Narciso y Ariadna*, *Pecera con lechuga* y *Piscina*. Las primeras composiciones de Zaid son afortunadas y en ellas están ya casi todas las cualidades que después distinguirían a su poesía: la economía, la justeza del tono, la sencillez, la chispa repentina del humor y las revelaciones instantáneas del erotismo, el tiempo y el otro tiempo que está dentro del tiempo. Maestría precoz, excepcional en la poesía contemporánea: si el virtuosismo fue el pecado de los poetas modernistas, la incompetencia técnica es el de los contemporáneos. La poesía es *physis* más que idea y la torpeza verbal la lesiona en su facultad vital: la sensibilidad, el poder de sentir. El poeta sordo e insensible, que no oye el ritmo del lenguaje y que no percibe el peso, el calor y el color de las palabras, es un medio-poeta. Zaid no sólo dominó pronto las formas cultas de la tradición poética sino que frecuentó también las formas que, inexactamente, llamamos populares; quiero decir: se aventuró en esa corriente de poesía tradicional, muchas veces anónima, a la que debemos algunos de los poemas más simples y refinados —estos adjetivos no son contradictorios— de nuestra lengua. Entre los poemas de este período de iniciación hay algunos que no es fácil olvidar: *Canción de ausencia*, *Penumbra* y, sobre todo, el admirable *Alba de proa:*

> Navegar,
>
>   navegar.
> Ir es encontrar.
> Todo ha nacido a ver.
> Todo está por llegar.
> Todo está por romper
> a cantar.

En el primer libro de Zaid (*Seguimiento*, 1963) hay una sección entera compuesta de textos en prosa: *Poemas novelescos*. No ha vuelto a insistir en el género y ésta es la diferencia principal entre ese libro y los siguientes. Los poemas en prosa de Zaid son más filosóficos que novelescos. En ellos dialogan su razón y su pasión, su doble inclinación por lo preciso y su sed de infinito. Comprendo por qué llama «novelescos» a esos textos: su tema es el encuentro —o el desencuentro— con el otro, la otra y la otredad. El encuentro es novelesco porque implica una acción y una trama, una biografía; es metafísico porque sus verdaderos protagonistas son la necesidad y la casualidad, la gracia y la libertad. Los poemas novelescos de Zaid no cuentan lo que pasa, como en las verdaderas novelas, sino lo que podría pasar —y que acaso está pasando ahora mismo: el encuentro de alguien con alguno o alguna o ninguno. Estos textos son claves para comprender mejor los otros poemas de Zaid pero no son tan felices como sus composiciones en verso. Por eso, sin duda, buen crítico de sí mismo, no ha insistido en el género.

Otra diferencia entre *Seguimiento* y *Campo nudista* (1969), su segundo libro: la aparición de un lenguaje más libre y suelto, salido directamente de la conversación. Zaid se salva, casi siempre, de la confusión en que han incurrido la mayoría de los que, cansados de los clisés de la «poesía poética», han acudido al prosaísmo. Esta confusión —ni el mismo Cernuda se escapó del todo— consiste en el uso y abuso de la prosa razonante y moralizante; por huir de la canción pegajosa, caen en el editorial. Nadie *habla* así. El lenguaje *escrito* de esos poetas no es menos artificial que los gorgoritos que reprueban. El defecto de Zaid es el contrario: a veces, muy pocas, es obvio y aun brutal. (Cf. los poemas 87, 94, 96, 115.) Son caídas no en la prosa escrita sino en las facilidades y truculencias de la lengua vulgar. No obstante, el resultado ha sido, en general, vivificante y la poesía de Zaid ha ganado con su inmersión en el idioma coloquial. Lo han ayudado, además, la reticencia y la brevedad: ambas han evitado que se enrede con los preceptos y los conceptos, los discursos y las arengas. Al prosista sólo en situaciones extremas y en casos aislados le es lícito recurrir a la elipsis y a la insinuación. El poeta, en cambio, nunca debe decirlo todo: su arte es evocación, alusión, sugerencia. La poesía de Zaid está hecha de pausas y silencios, omisiones que dicen sin decir.

La sátira cobra importancia a partir de *Campo nudista*. Zaid es un hombre lúcido, independiente y que dice lo que piensa y siente. Además, es ingenioso: no es raro que sus epigramas den casi siempre en el blanco. Carece de veneno y esto lo distingue de casi todos los poetas satíricos de nuestra lengua, desde el abuelo Quevedo. Entre nosotros, la misma sor Juana mostró en ocasiones mala intención. En la época modernista fueron memorables los epigramas de Tablada, chispeantes como sus haikús, pero su genio no era satírico realmente sino burlesco. Después apareció Salvador Novo, un maestro del género. Tuvo mucho talento y mucho veneno, pocas ideas y ninguna moral. Cargado de adjetivos mortíferos y ligero de escrúpulos, atacó a los débiles y aduló a los poderosos; no sirvió a creencia o idea alguna sino a sus pasiones y a sus intereses; no escribió con sangre sino con caca. Sus mejores epigramas son los que, en un momento de cinismo desgarrado y de lucidez, escribió contra sí mismo. Esto lo salva. Zaid escribe desde sus ideas, mejor dicho: desde sus creencias e ideales. Como la de los grandes romanos, su sátira contiene un elemento moral y filosófico. La sátira política de Zaid conquista mi adhesión y le ha dado una justa notoriedad pero yo, lo confieso, prefiero sus epigramas eróticos y aún más sus visiones de la vida cotidiana. Visiones que son versiones del antiguo tema de la naturaleza caída, como en *Claro de luna*:

>Fieras desnudas que la noche amamanta.
>Cebras cerrando las persianas.
>Panteras tristes en torno de su jaula.
>Gemelos en el canguro de la cama.
>Búhos: cada uno su lámpara.

La sátira cambia los signos de valor del lirismo: el más se vuelve menos. La sátira es una exageración verbal que opera como una disminución de la realidad. La operación, llevada a su extremo, produce una suerte de revaloración terrible. Moralidad: menos con menos da más. *Cuervos* es un ejemplo notable:

>Tiene razón: para qué.
>Se oye una lengua muerta: *paraké*.
>*Un portazo en la noche: paraqué*.
>Ráfagas agoreras: volar de paraqués.
>Hay diferencias de temperatura
>y sopla un leve para qué.
>Parapeto asesino: para qué.
>Cerrojo del silencio: para qué.
>Graznidos carniceros: pa-ra-qué, pa-ra-qué.
>Un revólver vacía todos sus paraqués.
>Humea una taza negra de café.

En la sátira se cruzan las tres direcciones cardinales de la poesía de Zaid: el amor, el pensamiento y la religión. Nuestra insensibilidad ante lo espiritual y lo numinoso ha alcanzado tales proporciones que nadie, o casi nadie, ha reparado en la tensión religiosa que recorre a los mejores poemas de Zaid. Su desesperación, su sátira y su amargura son, como sus éxtasis y sus entusiasmos, no los del ateo sino los del creyente. Poesía de la inminencia, siempre elusiva y jamás realizada, de la aparición. Revelaciones de la ausencia divina pero en sentido contrario al del ateísmo moderno y más bien como una suerte de negativo fotográfico de la presencia. Zaid se vuelve contra sí mismo:

> No busques más: no hay taxis.
> ¿Y quién ha visto un taxi?
> Los arqueólogos han desenterrado
> gente que murió buscando taxis,
> mas no taxis. Dicen
> que Elías, una vez, tomó un taxi
> mas no volvió para contarlo...

Dios es invisible por definición y lo que vemos al verlo, dicen los budistas y algunos neoplatónicos, es literalmente nada. La literatura mística habla más de los estados de privación de la presencia que de las escasas y momentáneas visiones. No ver es lo habitual en los hombres pero nosotros hemos hecho de este no-ver una prueba y una certidumbre: si no vemos a Dios es porque Dios no existe. Ante una situación parecida los neoplatónicos extraían una conclusión diametralmente opuesta: no se puede decir del Uno ni siquiera que es porque el ser implica el no-ser y el Uno está antes de la dualidad. *El Uno está antes del ser*. Aunque Zaid es cristiano, su poesía viene de una tradición más ancha y que comprende al neoplatonismo y al budismo como sus extremos complementarios: de la percepción instantánea de la plenitud del ser a la contemplación, igualmente instantánea, de la vacuidad de todo lo que es. Sí, de veras, no hay taxis. No obstante, nos movemos, algo nos transporta, vamos hacia allá. ¿Vamos o venimos? Esta pregunta es, quizá, el núcleo de la experiencia: allá es aquí y aquí es otra parte, siempre otra parte. Sentimiento de la extrañeza del mundo: pisamos una tierra que se desvanece bajo nuestros pies. Estamos suspendidos sobre el vacío. En *El arco y la lira* me pregunté una vez y otra vez si esta experiencia era religiosa, poética, erótica. Las fronteras son inciertas. Esta experiencia –cualquiera que sea la forma que asuma– aparece en todos los tiempos; la revelación de nuestra otredad radical es tan antigua como la especie y ha sobrevivido a todas las catástrofes de la historia, del paleolítico inferior a Gulag, de las quejas de Gilgamesh al descubrir su mortalidad a las montañas de ceniza de Dachau y Auschwitz. Estar en este mundo como si este mundo, sin dejar de ser lo que es, fuese al mismo tiempo otro mundo:

Una tarde con árboles,
callada y encendida.

Las cosas su silencio
llevan como su esquila.

Tienen sombra: la aceptan.
Tienen nombre: lo olvidan.

Poema de tranquila hermosura y de sobrecogedora verdad. Hay una versión anterior con dos versos más, con los que terminaba el poema: «Y tú, pastor del Ser, / tú la oveja perdida». Zaid suprimió estas dos líneas porque, sin duda, quiso eliminar toda interpretación filosófica o religiosa. La experiencia pura. Creo que hizo bien... Este poema es un ejemplo de transfiguración de la realidad por la visión poética que, a su vez, no es sino la instantánea percepción del fluir del mundo. Presentación de la realidad como presencia transhumana, indeciblemente próxima e irremediablemente ajena, más allá de los nombres –más allá de la historia. ¿Cómo reconciliarse con esa tarde y esos árboles que todo lo aceptan y todo lo ignoran? Uno de los caminos es la aceptación de lo inaceptable:

Clara posteridad
de tranquilos cipreses
que entre las tumbas blancas
hacen clara la muerte.

Huele el aire llovido.
Sol y ramas benignas.
Pájaros desprendidos
acercan las colinas.

No eran sombras sombrías,
¡oh sol mediterráneo!
las que en tierra pedían
mis huesos y mi cráneo.

Tiempo, presencia, muerte: amor. Poeta religioso y metafísico, Zaid es también –y por eso mismo– poeta del amor. En sus poemas amorosos la poesía opera de nuevo como una potencia transfiguradora de la realidad. Esa transfiguración no es cambio ni transformación sino desvelamiento, desnudamiento: la realidad se presenta tal cual. El colmo de la extrañeza es que las cosas sean como son. La realidad de la presencia amada es una realidad contaminada por el tiempo; los cuerpos que amamos, sin perder su realidad, de pronto nos revelan la otra vertiente:

> Olía a cabello tu cabello.
> Estabas empapada. Te reías,
> mientras yo deseaba tus huesos
> blancos como una carcajada
> sobre el incierto fin del mundo.

Una de las imágenes predilectas de la poesía erótica es la de la barca, asociada a la mujer amada y a veces también a la pareja. Son inolvidables las canciones en que Lope compara su amor a una barquilla navegando por mares borrascosos, entre los escollos de los desdenes y los temporales de los celos y las rivalidades eróticas. En la poesía alemana la barca es símbolo del amor trágico: Loreley, los amantes suicidas... Zaid prolonga estas imágenes y traza, pequeña obra maestra, un cuadro en el que la barquilla es una adolescente en las márgenes del sueño:

MAIDENFORM

> Barquilla pensativa,
> recostada en su lecho,
> amarrada a la orilla
> del sueño.
> Sueña que es desatada,
> que alza velas henchidas,
> que se desata el viento
> que desata las vidas.

Poco a poco esta nota se ha convertido en una breve antología de Zaid. No podía ser de otro modo. Cuando la poesía alcanza cierto grado de intensidad y diafanidad, alcanza también una suerte de realidad deliciosa y aterradora: las palabras dejan de significar y tienden a ser las cosas mismas que nombran. Del Zaid aprendiz pasamos al Zaid satírico, religioso, metafísico, erótico: todos ellos se conjugan en el Zaid autor de unos cuantos poemas ante los cuales poco puede decirse –salvo repetirlo, *re-citarlo*. La poesía es el *resplandor último* de las cosas tocadas por el lenguaje. Es la memoria y es el olvido, el fin del lenguaje y su precaria supervivencia:

> La luz final que hará
> ganado lo perdido.
>
> La luz que va guardando
> las ruinas del olvido.
>
> La luz con su rebaño
> de mármol abatido.

Cambridge, Mass., 26 de diciembre de 1976

«Respuestas a *Cuestionario* –y algo más: Gabriel Zaid» se publicó en *In/mediaciones*, Barcelona, Seix Barral, 1979.

Marco Antonio Montes de Oca

A veces recibo cartas de amigos –poetas, pintores– que se quejan de la indiferencia de la crítica frente a sus creaciones. No les falta razón, sobre todo si se piensa en los elogios extravagantes o en las vehementes condenaciones –unos y otras ruido y confusión– que suscita toda obra en la que, de esta o aquella manera, se adulan los gustos de la mayoría (desde el «inmoralismo» epidérmico de la pornografía hasta el «moralismo» del arte social). La independencia es pecado que no perdona el mundo moderno, dividido en sectas vindicativas y partidos omniscientes. Ayer, la distinción era una virtud, una suerte de elegancia moral a la que todos aspiraban; hoy, algo peligroso que la prudencia aconseja ocultar. Ser diferente es exponerse al examen del psiquiatra; ser disidente, condenarse al destierro (exterior o interior). Las ideas dividen a los hombres pero todos están unidos por el mismo horror a la obra realmente original.

En Hispanoamérica, además, ya sea por timidez, cobardía, asco o desdén, hace mucho que los escritores abandonaron el ejercicio de la crítica, que ha caído en manos de periodistas, cronistas de radio y televisión, agentes de publicidad y censores morales y religiosos. El arte ya forma parte de la actualidad; y son los criterios de la actualidad –el comercio y la política, es decir, la compraventa y la propaganda– los que sirven para juzgarlo. Una obra es buena si se vende o si su «mensaje» ayuda a mi partido. La «sensación» y la «utilidad» son los dos valores supremos de la crítica contemporánea. Poco o nada podemos hacer contra esta situación –excepto, claro está, recordar que las cosas grandes o, por lo menos, las que de veras cuentan, las que un día contarán, nacen y crecen en silencio. La obscuridad es propicia a la gestación. Soledad y silencio, como dos alas que se juntan, como un párpado que se cierra, protegen el monólogo ardiente del poeta, el soliloquio del filósofo, el diálogo del pintor con las formas.

Por otra parte, la aparición en México de varios novelistas, pintores y poetas de indudable valía muestra que, como el desierto al cacto, la hostilidad de un ambiente favorece a veces la creación artística. Durante más de quince años, entre 1935 y 1950, estuvimos dominados por la impura alianza del nacionalismo y de un realismo más o menos socialista; sin embargo, al final de ese período surgieron las obras de Juan Rulfo, Jaime Sabines y Juan José Arreola. Hoy los jóvenes, aunque con las dificultades inherentes a todo creador, encuentran un aire más despejado. Uno de estos jóvenes se llama Marco Antonio Montes de Oca y acaba de publicar su primer libro: *Delante de la luz cantan los pájaros*[1]. Este título es casi una definición de la poesía de Montes de Oca. Pero hago mal en llamarlo definición; más exacto sería decir: enunciación. Con esta frase el joven poeta enuncia –y aun: anuncia– su programa poético, lo que obscuramente se propone decirnos. En apariencia, nada más tradicional: el canto del poeta se compara desde hace mucho con el de los pájaros; asimismo, nada más natural que los pájaros –y por lo visto los poetas– canten a la hora del alba, cuando la luz nace, o al mediodía, cuando la luz triunfa. Pero Montes de Oca no dice que los pájaros cantan en la luz sino delante: ¿en la sombra, en otra luz? No lo sabemos. El título, tan claro a primera vista, plumas sonoras y picos luminosos, de pronto se transforma en un enigma centelleante.

La poesía no es un «más allá» ni un «más acá», pero siempre es un *más*. La experiencia del poeta –amor, odio, tristeza, hambre, júbilo, angustia– no es distinta a la de los otros hombres y, además, es otra cosa. Ese *además*, esa *otra cosa*, es lo que distingue al poema del relato, la crónica, la anécdota o el discurso. El libro de Montes de Oca es una tentativa por internarse en ese *más* donde luz y sombra se funden. Búsqueda de las fuentes del canto, peregrinación hacia las raíces del árbol que habla. El poeta camina por un paisaje indeciso, donde todo es engaño y apariencia, donde todo se transforma sin cesar en su contrario: el follaje en un millón de ojos, la columna en un mendigo leproso, el bosque en un cementerio de veleros y catedrales quemadas. Todo lo que tocamos se desvanece. Ilusión y amenaza. La realidad se esconde bajo muchas máscaras. La realidad está más allá, siempre más allá. Nunca la voz del poeta es completamente suya, nunca los labios son en verdad los labios. Entre el poeta y su palabra, entre la imagen y la realidad, hay siempre una zona de ausencia. ¿Qué hacer? Iluminar la tiniebla; acribillar la nada; dar forma a lo que todavía oscila entre ser

---

1. Fondo de Cultura Económica, colección «Letras Mexicanas», México, 1959. (*Nota del editor.*)

nube, pájaro o mujer: conjurar a la realidad para que al fin encarne. Cantar, decir. Y Montes de Oca dice:

> Canto hasta donde me alcanza la voz,
> Sigo cantando hasta que mi largo perjurio
> Acierte a ser otra vez juramento.

Ese «largo perjurio» no es sino la distancia, el espacio que se abre entre la voz del poeta y ese más allá inasible. Todo poema es una tentativa por transformar en «juramento» —es decir, en forma sellada y para siempre viva— la voz dispersa de los hombres. Empresa destinada al fracaso —y de ahí que la actividad del poeta sea, simultáneamente, un largo perjurio y un instantáneo juramento. Montes de Oca posee una conciencia muy clara de los poderes y limitaciones (perjurio y juramento) de la palabra. Por eso canta «hasta donde le alcanza la voz», o sea: hasta perder el habla. Como el cohete generoso que se ennegrece a medida que ilumina la noche, en sus más altos momentos su canto es un extraño y suntuoso *Himno a tientas*, título del último de sus poemas y hermosa definición de su libro.

Algunos críticos le reprochan su riqueza de imágenes, reparo tan absurdo como el de criticar la esbeltez en el chopo o la blancura en la nieve. No me extrañan los juicios adversos. Tras años de anemia parnasiana es natural que la explosión verbal de Montes de Oca —con todas sus caídas y faltas de gusto, lo admito, pero también con toda su fresca y admirable energía— parezca un escándalo. La salud es escandalosa en un sanatorio. Por lo demás, según se ha visto, Montes de Oca sabe que su riqueza es pobreza: «Una astilla de silencio atraviesa para siempre los amargos labios del poeta». Las palabras son malas conductoras de poesía y por eso pugna, en una lucha de la que no siempre sale vencedor, por convertir cada palabra en imagen, es decir, por transformarla en *otra cosa*. En juramento: consagración de la realidad por la palabra, de la palabra por la imagen. Como todo poeta auténtico, «hace de tripas, corazón». Actitud también escandalosa en un mundo donde muchos hacen tripas de su corazón.

No, la poesía nunca es excesiva. Los numerosos aciertos de Montes de Oca no me cansan; me cansa cuando desfallece, cuando se repite y, sobre todo, cuando substituye la expresión original por lugares comunes de la filosofía o de una moral religiosa que yo encuentro conformista. En suma, cuando predica («la vieja paz de Dios y la nueva de los hombres»); cuando filosofa («lo externo y mi ser son aguas del mismo río»); o cuando insiste en expresiones abstractas o pintorescas («exponer las verdades de mi reino», «el divino fórceps», «la viruela de la lluvia picotea la faz del charco»[1], etc.). No son las faltas de gusto (¿qué es el gusto?) sino la rigidez del sistema lo que, a mi parecer, estorba la visión. Una arquitectura de cemento –lo que llaman el fondo o contenido– recubierta por una vegetación salvaje. Por mi parte, me quedo con las hojas y flores delirantes, con las fieras de topacio y el águila «más alta que su vuelo». No me alimento de ruinas presentes o futuras. En fin, si es verdad que a veces Marco Antonio Montes de Oca me cansa, también lo es que, con más frecuencia, me deslumbra. Para saludar la aparición de su libro no encuentro otra frase que este verso suyo: «La creación está en pie».

París, 10 de agosto de 1959

«Marco Antonio Montes de Oca» se publicó en *Puertas al campo*, México, Universidad Nacional Autónoma de México, 1966.

---

1. ¡Pero esa imagen es sorprendente, como lo son casi todas las de Montes de Oca! (*Nota de 1986.*)

Cultura y natura: José Emilio Pacheco

La tendencia innata del hombre es pensar en parejas contradictorias. El hombre está siempre entre un Sí y un No, un Esto y un Aquello. Toda la antropología de Lévi-Strauss se funda en la oposición entre naturaleza y cultura, no como realidades aisladas sino en continua comunicación. La sociedad, a imagen del universo, es un sistema de oposiciones y mediaciones. Lo mismo sucede con los temperamentos poéticos. Por ejemplo, la poesía de José Emilio Pacheco se inscribe no en el mundo de la naturaleza sino en el de la cultura y, dentro de éste, en su mitad en sombra. Cada poema de Pacheco es un homenaje al No; para José Emilio el tiempo es el agente de la destrucción universal y la historia es un paisaje de ruinas. Podría suponerse que este *parti pris* lo convierte en un Doctor Pangloss al revés, empeñado en demostrar que vivimos en el peor de los mundos posibles. Por fortuna no siempre es así. Puesto que todos somos dobles, una y otra vez irrumpe en sus poemas la voz del Sí. En el número 342 de *Cuadernos Hispanoamericanos*, Pacheco publica tres intensos, breves poemas que son una ilustración de lo que digo. Transcribo el primero, a un tiempo delicada y poderosa construcción verbal:

HOMENAJE

Con esta lluvia
el mundo natural
penetra
en los desiertos de concreto

Escucha
su música veloz

Contrapunto de viento y agua

Única eternidad que sobrevive
esta
    lluvia
        no
            miente

Pacheco exalta la victoria de la naturaleza (la lluvia) sobre la cultura (la ciudad) pero, al exaltarla ¿no la transfiere, no la convierte en palabra o, como él dice, en «música veloz, contrapunto de viento y agua»?

México, abril de 1979

«Cultura y natura: José Emilio Pacheco» se publicó en *Sombras de obras*, Barcelona, Seix Barral, 1983.

La innumerable respuesta: Homero Aridjis

¿Qué le pedimos a la poesía? Las respuestas a esta pregunta son innumerables. No sólo cada uno de nosotros la responde de una manera distinta sino que las respuestas cambian con los años, las horas, el lugar, los estados de ánimo. Pero esa inmensa variedad de respuestas es ilusoria: en el fondo todos le pedimos lo mismo. ¿Qué es? Lo sabemos pero no sabemos decirlo: por eso le damos tantos nombres. Por eso, también, nos satisfacen tantas respuestas diferentes.

Hace unos días recibí un pequeño libro, titulado *Exaltation of Light* (1981), que contiene poemas de Homero Aridjis, traducidos por Eliot Weinberger. En uno de los primeros poemas encuentro una primera respuesta a mi pregunta:

> Hay un río
> que corre al mismo tiempo que este río
> la mirada lo atraviesa
> como ave que se hunde
> en un espacio blanco
>
> a cada instante se va al olvido
> con seres y flores del jardín terrestre
> y palabras que suben a lo alto
> dichas aquí

La poesía es un río: no este que vemos ni aquel que oímos adentro, en la memoria, sino un río que es éste y aquél, no se parece a ninguno de los dos y es idéntico a los tres. Un río de palabras que son de aquí, como las peras y las naranjas del jardín terrestre, y que son de allá, como las frutas transparentes del olvido. La poesía es simultáneamente un reconocimiento y un desconocimiento –un viaje entre lo uno y lo otro:

> Buenos días a los seres
> que son como un país
> y ya verlos
> es viajar a otra parte

La poesía es un viaje ¿adónde? A ninguna parte, como el viaje interminable de ese perro precolombino poseído por el ánima del difunto:

>Por el hocico
>el muerto entra al perro
>como un carbón helado
>que lo sacude entero
>
>y el perro
>con el muerto en las entrañas
>al trote al infinito
>camina sin parar
>y nunca llega

La poesía es el vaivén entre lo visto: el perro, y lo no visto: el alma. También es salir de lo esperado y entrar en lo inesperado, como en este sorprendente poema:

PELUQUERÍA

>El domingo en la mañana
>los campesinos entran
>solemnemente a la peluquería
>a esperar su turno
>y después de un rato salen
>con el sombrero en la mano
>y expresión de que les han cortado
>pasto en la cabeza.

Salgo de la lectura de este poema con la misma expresión de los campesinos.

México, 1981

«La innumerable respuesta: Homero Aridjis» se publicó en *Sombras de obras*, Barcelona, Seix Barral, 1983.

Poesía para ver: Ulalume González de León

La antigua división entre pintores coloristas y pintores dibujantes puede aplicarse a los poetas, aunque no de una manera literal. El color es una intensidad y una temperatura: hay colores vehementes y colores tímidos, cálidos y fríos, secos y húmedos. El color también se oye: detonaciones del rojo, tambores graves de los ocres, verdes agudos. La visión del pintor colorista es táctil y musical: oye y toca los colores. Algo semejante ocurre con algunos poetas; para ellos el lenguaje es una materia en perpetuo movimiento, como el color: una vibración, un oleaje, una marea rítmica que nos rodea con sus millones de brazos y en la que nos mecemos y nos ahogamos, renacemos y remorimos. Para otros poetas el lenguaje es una geometría, una configuración de líneas que son signos que engendran otros signos, otras sombras, otras claridades: un dibujo. Ulalume González de León pertenece a esta segunda familia; para ella el lenguaje no es un océano sino una arquitectura de líneas y transparencias. Cierto, sus poemas son, como los de todos los verdaderos poetas, objetos hechos de sonidos –quiero decir: son construcciones verbales que percibimos tanto con los oídos como con la mente– pero el ritmo poético que los mueve no es un oleaje sino un preciso mecanismo de correspondencias y oposiciones. Al oírlos, los vemos: son una geometría aérea. No obstante, si queremos tocarlos, se desvanecen. La poesía de Ulalume no se toca: se ve. Poesía para ver.

Los objetos, purificados por la visión intelectual, se adelgazan hasta convertirse en un trazado de líneas. Las «hojas verdes del jardín donde escribo», por una operación de química a un tiempo visual y espiritual, se transforman en «las hojas blancas en que estoy escribiendo» y de esas hojas no vegetales «nace otro jardín». Ese jardín súbito no está hecho de follajes sino de sonidos que se vuelven escritura, arquitecturas mentales que se desvanecen. Los tres versos que he citado describen la poética de Ulalume con economía y sencillez. El poema se llama *Jardín escrito* y está compuesto por apenas diecisiete versos. El punto de partida es el acto de escribir: hay un jardín recordado que suscita, en la página y en el oído mental, un jardín imaginado. Entre el jardín que recordamos y el jardín que inventamos hay un espacio deshabitado. Sólo un elemento persiste: el viento. Fuerza impalpable, presencia sin cuerpo, el viento sopla sobre las hojas blancas donde Ulalume inventa las hojas verdes de un jardín mental. El viento barre las hojas. Operación desconcertante: si los ojos nos sirven para ver, la imaginación nos sirve para borrar lo que ven los ojos. ¿Poética de la desaparición? En otro poema (*Cuarto final*) hay alguien (¿ella misma?) que mira, en la luz que entra en su cuarto, los muros de otro cuarto. El agente de la desaparición no es ahora el viento sino la luz. Ante esa claridad cruel no nos queda más recurso que cerrar los párpados «para no ver que ya no vemos a la luz». ¿Cerramos los ojos para ver o para no ver?

La memoria no sólo es el agente que provoca las apariciones sino que, aliada a la imaginación, es la fuerza que causa las desapariciones. No quiero decir que la función de la memoria sea, para Ulalume, olvidar, sino que la memoria inventa pasados quiméricos que inmediatamente la lúcida mirada del poeta disipa. Así, ¿la visión se resuelve en no visión, el no ver es el verdadero ver? A la manera de la teología negativa, ¿el conocimiento poético es la suprema ignorancia? Más bien: poesía para ver –pero no realidades sino ideas, no ideas sino formas, ondulaciones, ecos. Ver lo que queda de las ideas, lo que queda de la realidad. En *Lugares*, poema de luces cruzadas, aparece un árbol, no sé si real o inventado, presencia recordada o convocada. El árbol silenciosamente avanza como un poco de viento y, a medida que crece su presencia, disminuye la del que lo contempla:

> Él llega –árbol entero
> yo de mí mismo falto
> La memoria nos cambia de lugares
> sin movernos de nuestro sitio

La memoria no sólo nos cambia de lugares sino que, alternativamente, nos da y quita realidad: el árbol inventado es cada vez más real y el poeta que lo nombra se adelgaza más y más hasta ausentarse de sí mismo. No es ya sino la sombra del árbol sobre la página. En la poesía de Ulalume la memoria y la fantasía se funden en una operación en apariencia contradictoria y que se despliega en dos movimientos. El primer movimiento es una crítica de los objetos y de los ojos que miran esos objetos: la memoria rescata al objeto sólo para que los ojos, al contemplarlo, lo incendien y lo reduzcan a cenizas. En el segundo movimiento, el viento –aire, inteligencia, respiración mental– sopla sobre esas cenizas y las dispersa. En su lugar aparece, instantánea e intocable, una forma diáfana.

La poética de la desaparición se despliega en su contrario: la aparición. Pero ¿qué es lo que vemos? No la realidad vista ni la realidad imaginada o recordada. Vemos una tercera realidad que, aunque no podemos describir, está ahí, quieta frente a nosotros, como las frondas movidas por el viento invisible que sopla entre las hojas –ni blancas ni verdes ya– que cubre la escritura del poeta. Una realidad sin espesor, sin cuerpo ni sabor, más forma que idea, más visión que forma. Los ojos ven pero sus visiones se disipan, minadas por la imaginación, que no es –como la memoria– sino una de las formas que asume el tiempo. El poeta no ve las formas visibles en que se condensa este mundo ni las que están más allá de este mundo (Ulalume no es mística); el poeta ve al tiempo mismo en el momento de su desvanecimiento. Por un instante el tiempo se entreabre, muestra su fondo vacío, se cierra otra vez y desaparece. El tiempo se interna en sí mismo. La poesía no es ni puede ser sino el parpadeo del tiempo, el signo que nos hace el tiempo en el momento de su desaparición. Durante ese momento que es también el de su aparición, ¿vemos al tiempo?, ¿vemos a la realidad tal cual es? Imposible saberlo. Tal vez nos vemos a nosotros mismos. Plotino decía que hay un momento de la meditación contemplativa en el que el «ojo interior» deja de percibir los objetos; entonces, en esa anulación de la vista, el que contempla se ve a sí mismo: *tú te has vuelto visión*.

México, 19 de marzo de 1978

«Poesía para ver: Ulalume González de León» se publicó en *In/mediaciones*, Barcelona, Seix Barral, 1979.

Adrede de Gerardo Deniz:
Composiciones y descomposiciones

Algunos –no cito sus nombres porque, aunque son muchos, son ninguno– decretaron hace algunos años que la novela, al fin, ha desplazado a la poesía y que esto es un signo de la madurez de la literatura hispanoamericana. Una necedad, pero una necedad repetida con voz estentórea y en corro. Apenas si vale la pena señalar que las fronteras entre novela y poesía son más y más difíciles de trazar y que todas las buenas novelas contemporáneas, lo mismo en nuestra lengua que en las otras, se distinguen de las tradicionales precisamente por su tendencia a configurarse como construcciones (o destrucciones) verbales: objetos análogos, no idénticos, al poema. La novela y la poesía han cambiado mucho en este medio siglo: cada vez se parecen menos a lo que fueron y cada vez se parecen más entre ellas. Por eso algunos críticos europeos y norteamericanos, a la inversa de nuestros pericos, han decidido que la novela, invadida por la poesía, se muere. No, lo que ha muerto es cierta concepción de la novela. En realidad la novela es un género poético y ha vivido siempre en relación con las otras formas poéticas en verso o en prosa, del poema hermético a la leyenda popular y de la adivinanza infantil al relato épico. La novela se alimenta de poesía. En cuanto a la situación hispanoamericana: en los últimos años, de una manera *astronómica* –tanto por la regularidad de su aparición como por su brillo– se han publicado varios libros de poesía, unos escritos por jóvenes y otros por poetas de mi generación, de verdad excepcionales. Cierto, no es fácil que perciban esas obras todos esos que confunden el negocio editorial con la literatura. Confusión lamentable pero natural: el sistema de publicidad ha desalojado en nuestras tierras a la crítica. En México, además, ocurre algo peor: casi ninguno de los que se ocupan de temas literarios en periódicos y revistas puede perder mucho tiempo con los libros de poesía, atareados como están en denunciar y condenar –en nombre de los guerrilleros, la clase obrera, los pueblos del mundo y el presidente Mao– a los escritores y artistas independientes... desde las páginas de *Excélsior*, *Novedades*, *El Heraldo*, *El Universal*, *Tiempo* y otras publicaciones igualmente «radicales».

Con la lucidez que distingue al verdadero poeta del poetastro, Guillermo Sucre recientemente definía así su último libro de poemas: «*La mirada* es un libro sin *mensaje* y dispuesto a no tenerlo: a ser marginal y aun marginalmente marginal». En otros términos: el mensaje del poema no está fuera del lenguaje sino en el lenguaje mismo. El libro que acaba de publicar Gerardo Deniz –su primer libro– es también, en este sentido, marginal[1]. Y por eso mismo, como el de Sucre, central. Al margen de la publicidad: en el centro del lenguaje. La paradójica marginalidad central de la poesía no es la única ni la principal dificultad que ofrece el volumen de Gerardo Deniz. Hay otras dos particularidades que pueden confundir al lector no prevenido: la primera es que *Adrede*, a pesar de no tener más de ciento veinte páginas, contiene poemas escritos durante los últimos quince años; la segunda es la extraordinaria densidad verbal de las secciones finales del libro. Sobre lo primero: un espíritu apresurado, al leer las primeras páginas de *Adrede*, podría dudar de la originalidad de su autor; es un riesgo fácil de evitar: basta con proseguir la lectura. La segunda particularidad nos enfrenta a obstáculos formidables. En esta nota me limitaré únicamente a describirlos de una manera general.

Sea por fidelidad a su pasado poético o por otra razón, Deniz decidió incluir en su libro selecciones de sus distintos períodos, desde 1955 hasta 1969. El libro puede leerse como un itinerario poético, desde los primeros poemas –ejercicios que nos sorprenden por su impecable perfección pero no son sino eso: ejercicios– hasta el intrincado y prodigioso tejido verbal de los poemas finales. En los textos del principio Deniz nos revela sus aficiones y admiraciones o, más exactamente, se sirve de ellas para, simultáneamente, ocultarse y revelarse. Unos poetas escogen como máscara al héroe o al personaje que admiran: don Juan, Childe-Harold, Odiseo, Igitur, el Maestro Kung Fu. Para otros, la máscara es impersonal: no un nombre sino una obra. A este segundo grupo pertenece Deniz. Sus admiraciones: *Soledades*, *Anábasis* y otros pocos textos más de la poesía universal y de la hispanoamericana. Las composiciones del comienzo son brillantes imitaciones de esas obras; al mismo tiempo, son ya signos que indican la dirección que no tardaría en seguir su poesía. Esos poemas pueden verse como ceremonias de iniciación, ritos de pasaje, signos de entrada en otro

1. *Adrede*, México, Joaquín Mortiz, 1970.

mundo: su mundo. El libro de Deniz debería leerse como se recorre un camino que en sus comienzos pasa por lugares conocidos, aunque transformados por una luz particular; a medida que discurrimos por esos fugaces paisajes que la lectura disipa, los engañosos parecidos se convierten en diferencias paulatinamente más profundas y evidentes hasta que nos damos cuenta de que nos hemos internado en una tierra desconocida y en la que se habla un lenguaje distinto al nuestro. Cambio de lenguaje: cambio de mundo.

(El párrafo anterior, sin ser falso, puede ser engañoso: la verdad es que ningún poeta *sigue* un camino. Hay un momento en que el poeta no tiene más remedio que inventar, conforme avanza, su camino. Algo así como la escala de Wittgenstein que, al llegar el último travesaño, debemos arrojar al aire. Cada línea, cada estrofa, cada poema: hendeduras en la maleza verbal. En la maleza o en el desierto: es lo mismo. Y no nos espera un mundo al final del camino. Ni el camino tiene fin ni el poeta es descubridor de mundos: el caminar inventando su camino es todo su mundo. Mundo en perpetua gestación: una palabra convoca a otra, la repite, forman una frase que a su vez se repite en otra y así se borra. Mundo en perpetua destrucción.)

El libro de Deniz, como su título lo dice muy claramente, es una colección de poemas escritos con deliberación y propósito. ¿Cuál propósito? A primera vista: la poesía es cosa (coso) de palabras. Para Deniz la realidad, aun la más inmediata, posee las propiedades del lenguaje. El mundo visto como un texto (a ratos insensato y casi siempre ilegible). La preeminencia de la palabra no implica ningún intelectualismo: estamos ante una poesía en la que reina la sensación y en la que todo, sin excluir a las ideas y a las nociones de la ciencia, posee la consistencia, el espesor y la temperatura de los objetos físicos. Lenguaje macizo. Condensaciones verbales en el otro polo de las constelaciones de signos de Mallarmé. Continuo ir y venir del objeto-palabra a la palabra-objeto. Ejemplo: «los infinitivos clavados como insectos pacíficos». La sensualidad verbal no está reñida con la exactitud de geómetra (o de maestro albañil): «por el hilo del descenso / llega otra vez a la almohada el perfil seguro». Precisión y economía en la visión insólita: «El mar, vendimiador de ojos». No todos los enlaces verbales son tan felices. A veces las palabras saltan como dómines envarados sueltos en una playa; otras son mujeres un poco (mucho) obesas cargadas de talismanes turcos, tibetanos, sogdianos, beritenses. Gangas del arte, sirtes del mucho haber leído. Pero en cada página hay recompensas, como ésta, más cerca de Ingres que de Matisse: «los serrallos de la luz»; o ésta: «Es muy temprano, prueba endeble de la redondez de la tierra». Y ahora algo un poco más difícil, como una muestra de lo que nos acecha a mitad del camino: «Pero este mundo de trenes y escarabajos es un mundo de trenes y escarabajos, / sin embargo, / nagara». Se trata de Kobayashi Issa, corregido y reescrito por Ducasse-Deniz[1]. Este pasaje es una de las primeras apariciones del sarcasmo, una bestia que pulula en la segunda mitad del libro. Una *blague* perversa: el Jayarvaman de la página 69 no es el de Bayón pero entonces ¿quién es? En la página 109 vemos al sentido guiado por el sonido como un ciego por un borracho: «El alifrit está frito, nadie frota». No, nada humorístico: el método del profesor Brea y de su ayudante, el doctor Pluma.

Podría mostrar otros trofeos de mis cacerías en tierras de Deniz pero prefiero advertir que esa fauna y esa flora viven en incesante metamorfosis. A Deniz no le pasa nada que sea distinto de lo que nos pasa a todos los hombres pero lo que les pasa a las palabras con Deniz –eso es el cuento y la cuenta de su canto. Un canto en el que cada poema es una construcción rigurosa y, sin embargo, suelta, fluida. Como dijo el maestro Hilarión Eslava de la música, la poesía es «el arte de combinar los sonidos con el tiempo». Los sonidos y los sentidos. Estrofas como una bahía hipnotizada por la luz, himnos sardónicos, dísticos salvados de las depredaciones del olvido, colusiones semánticas, conjunciones descabelladas pero nunca incoherentes (de pronto irrumpen en el poema esos conocidos de New Jersey, los Kalikak, y también, más adelante, los heterocistos, *those peculiar and mystifying heterocysts*), alevosas geometrías, redes que nos entregan atados de pies y manos a enigmas amenazantes o deliciosos o cínicos o transparentes. Enigmas insignificantes porque a estas alturas de la lectura admitimos que «el mundo, al menos éste, se vuelve una tela de juicio y el Ser / la hipóstasis de un verbo auxiliar, la Historia / tan discutible como el penúltimo empalado del Bósforo, / y la Poesía / un mercado de sustancias pegajosas». La realidad es cosa de palabras pero el discurso del hombre –las hazañas, las leyes, las ciudades, el amor, las tumbas, los

---

1. «Este mundo-de-rocío / es un mundo de rocío, sin embargo… / sin embargo…». *Mundo-de-rocío*: fórmula budista para indicar la impermanencia de este mundo, que dura lo que una gota de rocío; *Nagara*: «sin embargo».

poemas– no es sino un vicio de dicción. A medida que el lenguaje de Deniz adquiere la densidad de la piedra, la frescura de la lluvia, la impiedad del hierro, la ferocidad del ácido prúsico, la piedra, la lluvia, el hierro y el ácido se vuelven signos dudosos: palabras, palabras, palabras. ¿Canto o improperio, himno o vejamen?

En un primer movimiento, Deniz pasa de los ejercicios retóricos a un lenguaje denso como las congregaciones de las nubes, espléndido como las confederaciones del mármol y el mar. Composiciones. En un segundo movimiento, esas aglomeraciones de sonidos y sentidos pierden la compostura: la cólera afrenta a los frentes, la estupidez babea entre las barbas, los senos se arrugan y las panzas se hinchan, mal de San Vito de la estrofa, se declara la lepra en la página, infección del lenguaje por las significaciones sórdidas, por el sinsentido común, la *realité rugueuse* es vana como una nuez, el poema es una suntuosa enfermedad sintáctica. Descomposiciones. Unas y otras, composiciones y descomposiciones, construidas *adrede* y regidas por una misma ley. De lo sublime a lo grotesco. Un grotesco imperturbable, impertérrito, sublime: Calderón traducido por Buster Keaton. Entonces, ¿con qué nos quedamos? Entre la realidad de la palabra y la irrealidad del mundo –¿o es al revés?– debemos escoger... El dilema es falso: el poeta nunca escoge. Frente al mundo que se derrumba, la palabra se construye hasta que ella también, contagiada de (ir)realidad, se derrumba a su vez. Con las piedras de esas demoliciones el mundo se reconstruye. El sarcasmo de Gerardo Deniz es el arte de abrir los ojos en la mitad del derrumbe. El arte de la descomposición corrige los extravíos de la composición y la cura de ilusiones. En este mundo-tomadura-de-pelo la poesía etcétera, etcétera..., sin embargo... nagara. Issa tenía razón.

Cambridge, 5 de agosto 1970

«*Adrede* de Gerardo Deniz: Composiciones y descomposiciones» se publicó en *El signo y el garabato*, México, Joaquín Mortiz, 1973.

Los dedos en la llama: José Carlos Becerra

La preparación de *Poesía en movimiento*[1] me llevó a explorar un territorio de cambiante geografía: la poesía que escribían en aquellos años los (entonces) jóvenes. En los primeros meses de 1966 José Emilio Pacheco me anunció el envío de un manuscrito de un amigo suyo, José Carlos Becerra. Ese centenar de páginas me conquistó inmediatamente. Si no era difícil oír en aquellos poemas los ecos de otras voces, tampoco lo era percibir, a través de las ajenas, la voz de un verdadero poeta. Confieso que me interesó más el *tono* de esa voz que lo que decía. Es un fenómeno frecuente: muchas veces nos emociona más el acento del poeta que lo que llaman su «mensaje». Solamente cuando el poeta se realiza –quiero decir: cuando el poeta desaparece en la transparencia de la obra– la emoción del lector es total: el sentido es ya indistinguible de lo sentido. Escribí a José Emilio para decirle mi alegría ante la aparición de ese nuevo poeta mexicano que él me había revelado. Chumacero y Aridjis coincidieron con nuestra opinión y Becerra fue uno de los poetas jóvenes incluidos en *Poesía en movimiento*. Fue el primer reconocimiento público de su obra, algo así como la declaración de su mayoría de edad poética. Las antologías son el equivalente moderno de las ordalías y las otras pruebas de los antiguos ritos de pasaje.

En noviembre del mismo año recibí una carta de Becerra en la que, con juvenil exageración, me daba las gracias por unas frases entusiastas que yo le había dedicado en el prólogo de nuestro libro. Al año siguiente estuve en México una temporada y entonces lo conocí. Me sorprendieron su calor, su capacidad para admirar y maravillarse, la inocencia de su mirada y sus facciones un poco infantiles. A veces la pasión centelleaba en sus ojos y lo transformaba. Hombre combustible, el entusiasmo lo encendía y la indiferencia lo apagaba.

Lo volví a ver en 1970, en Londres. Me visitó en el hotelito donde parábamos Marie José y yo. Hablamos toda la tarde: la situación

---

1. *Poesía en movimiento, México, 1915-1966*, selección y notas de Octavio Paz, Alí Chumacero, José Emilio Pacheco y Homero Aridjis, México, Siglo XXI, 1966. (Véase también en este volumen, páginas 112-135.) (*Nota del editor.*)

de México, la carencia de instrumentos intelectuales y críticos de aquellos que, precisamente, representan el sector crítico de la sociedad mexicana, los cambios en su poesía (me había enviado unos días antes el manuscrito de su última colección de poemas), la tradición tántrica y la pintura contemporánea, sincronía y diacronía en las cocinas de Yucatán y Oaxaca, las memorias de Nadezha Mandelstam, qué se yo. Decidimos cenar juntos los tres –Marie José, Becerra y yo– en un restaurante chino de King's Road. Allí nos encontramos por casualidad con Michael Hamburger, que se sentó con nosotros. La conversación giró hacia Paul Celan y la poesía alemana, de ahí a Hölderlin y de Hölderlin a las relaciones entre locura y poesía. Marie José y yo les contamos nuestro descubrimiento de esa mañana en la Tate Gallery: la pintura precisa y alucinante de Richard Dadd, un pintor romántico que en 1842, en un acceso de furor –en el sentido antiguo de la palabra: mal sagrado– mató a su padre. Lo encerraron en un manicomio. Allí pintó lo mejor de su obra y allí murió. José Carlos lo oía todo con los ojos brillantes. Descubría al mundo –y el mundo lo descubría. Salimos ya tarde, caminamos todavía un largo trecho y nos despedimos con grandes abrazos.

A los pocos días salió de Londres rumbo a España. Desde allí me escribió pero yo ya no pude contestarle: un amigo me llamó por teléfono para avisarme que el joven poeta había muerto en un accidente de automóvil. Guardo cuatro cartas suyas. Las cuatro efusivas, desbordantes. José Carlos Becerra era un temperamento cordial, insólito en el altiplano mexicano, región de emociones soterradas y cortesías espinosas[1]. He hablado de ecos literarios. Max Jacob decía: «en materia de estética nadie es nunca profundamente nuevo. Las leyes de lo bello son eternas y los más violentos innovadores se les someten sin darse cuenta –se les someten a su manera y ahí está el interés». Eternas o no, esas leyes se expresan en lo que llamamos la tradición; la misión de cada poeta es continuar esa tradición pero, como dice Max Jacob, *a su manera*. Cada obra nueva es la continuación y la violación, homenaje y profanación, de los modelos anteriores. En el caso de Becerra los ecos que aparecen en sus poemas son los de las voces de Paul Claudel y de Saint-John Perse.

---

1. Estas cuatro cartas fueron excluidas de *El otoño recorre las islas*, el volumen póstumo que recoge la poesía y la correspondencia de Becerra. [Número 10 de la segunda serie de «Lecturas Mexicanas», México, SEP-Era, 1985.] (*Nota del editor.*)

Es curiosa esa tardía aparición de Claudel, casi medio siglo después, en la obra de un joven mexicano. Pero un Claudel ya lejos del original, leído probablemente en traducción y con los ojos de los sucesores de Claudel, de Saint-John Perse a los sucesores de los sucesores de Perse. Maestros peligrosos: la poesía de Claudel, aunque se extiende como una enorme masa líquida hacia los cuatro puntos cardinales, está atada a sí misma por una cohesión a un tiempo difusa e invencible: cada gota se une a otra gota hasta hacer de los océanos una «gota única»; la poesía de Perse es como uno de sus árboles preferidos, el baniano: higuera de raíces aéreas que descienden para ascender de nuevo hasta convertir un solo árbol en una arboleda siempre verde y en la que perecen estrangulados todos los árboles extraños. Becerra no se ahogó en Claudel ni se ahorcó entre las ramas y las hojas de Perse. Más tarde atravesó las cavernas de estalactitas de Lezama Lima –y salió con vida.

En el libro central de Becerra (*Relación de los hechos*), el versículo no es un instrumento de celebración de los poderes del mundo y del espíritu, como en Claudel, ni tampoco, como en Perse, de una épica fantástica en la que las pasiones humanas poseen la feracidad y la ferocidad de las fuerzas naturales. No el mundo sino el yo: la marea verbal mece al joven poeta que, en un estado de duermevela, se dice a sí mismo más que a la realidad que tiene enfrente. Como sucede con la mayoría de los poetas jóvenes, Becerra no veía el mundo sino a su sombra en el mundo. Corrió tras ella, la vio disiparse entre sus manos y tropezó con la realidad.

Las dos primeras partes de *Relación de los hechos* son la narración de esa correría y de ese tropiezo. Nostalgia: el poeta se vuelve hacia su pasado en busca de ese instante en que *realmente* fue. Pero la *otra orilla* del tiempo no está allá sino aquí. Recordar es imaginar: «Extraño territorio que la mirada encuentra en su propia invención / invisible creación de los hechos». El pasado no existe en sí: nosotros lo inventamos. La derrota de la memoria es la victoria de la poesía, como lo expresa esta imagen nítida: «el otoño y el grillo se unen en la victoria del polvo». El pasado que la memoria pierde, la poesía lo salva. Becerra define de manera admirable en una línea la naturaleza alucinante de esta operación en la que cada derrota es un triunfo y cada triunfo un fracaso: «esta llamarada donde me quemo los dedos al escribir dudando de lo que digo». La certidumbre se alimenta de la duda –mejor dicho, la duda es la prueba, la llama donde se quema la certidumbre.

El encuentro con la realidad produjo los que, para mí, son los mejores poemas de Becerra. Me refiero a los que figuran en las secciones finales de *Relación de los hechos* y, sobre todo, a los que escribió después. En esas composiciones el carácter nostálgico y juvenil de su poesía encuentra al fin su objeto, su verdadero tema. No el «verde paraíso» de la infancia, no el trópico y sus prestigios contradictorios (iguanas, ceibas, mayas, olmecas), no la poesía *engagée*, sino lo cotidiano maravilloso: la ciudad, su ciudad.

La realidad exterior e interior de Becerra, a un tiempo el escenario y la materia de sus actos y de sus sueños, no era la naturaleza sino la ciudad. La real y la imaginada, confluencia de épocas y lugar de aparición de lo inesperado. La ciudad, teatro de todas las mitologías. Mexico City, la Gran Tenochtitlan, en cuyas avenidas se cruzan los espectros de Moctezuma (manto de plumas ajadas) y Juárez (chaqué apolillado) con las imágenes radiantes –puro *nylon*– de Batman, Mandrake y Narda. La capital y sus poetas: López Velarde la ve como una ciudad muerta en el «más muerto de los mares muertos» y sobre la que «llovíznan gotas de silencio»; Villaurrutia mira a su sombra caminando por calles «desiertas como la noche antes del crimen»; para Becerra es la contaminación de la realidad tradicional por la mitología de la era industrial, de los *comics* a las hecatombes que anuncian los titulares de los periódicos. La poesía moderna, había ya dicho Apollinaire, está en «los prospectos, los catálogos y los carteles que cantan a gritos». La gran ciudad es lo cotidiano maravilloso pero también es lo horrible, lo terrible... y lo cotidiano a secas. Miles de presencias que se resuelven ¿en qué? Como el Dios de los teólogos y la Nada de los metafísicos, la ciudad es la Gran Ausente.

El versículo claudeliano era demasiado amplio y pesado para lo que quería decir Becerra: su experiencia de joven en la gran ciudad. Tal vez debería haber escogido un verso más corto y nervioso, menos atado por la elocuencia, menos discursivo. Un verso que, como los trozos de la culebra, hubiese podido saltar, unirse a los otros fragmentos y volver a separarse. Una composición poética hecha de la superposición y el enfrentamiento de imágenes y frases. Coexistencia de realidades y visiones contrarias en un fragmento de tiempo y en el breve espacio de una página.

Becerra buscó esa nueva forma; los poemas de la última sección de este libro (*Cómo retrasar la aparición de las hormigas*) son la historia de su búsqueda. El verso se hace más corto y los temas colindan con esa zona donde el absurdo se alía a lo sórdido y lo fantástico a lo atroz. El humor se extiende y ocupa casi todo el poema. Un humor amargo, rabioso y que no ha aprendido a reírse de sí mismo. Más que humor: sarcasmo, befa. La poesía contra el poema: el poeta Becerra en lucha contra sí mismo. Pero la violencia, para ser más que un gesto o un desahogo, necesita ser exacta; el joven poeta, en su nueva manera, no logró despojarse enteramente de la vaguedad de su poesía anterior.

La experiencia no fue del todo negativa. A pesar de que el resultado fue muchas veces incierto, en algunos momentos aparece un nuevo Becerra. La «suntuosidad negra» de sus poemas juveniles se concentra en un lenguaje metálico, más hecho para perforar la realidad que para celebrarla. En *El ahogado* traza con unas cuantas palabras, a la manera de las líneas-ganchos y las líneas-garfios de José Luis Cuevas, la imagen de lo informe:

>   un gancho de hierro
>   y se jala,
>   su expansión lo desmiente al subir
>   el agua que le chorrea
>   lo
>   mueve
>   de
>   los
>   hilos
>   de su salida al escenario
>
>   en el muelle los curiosos
>   miraban ese bulto
>   donde los ojos de todos esperaban
>   el pasadizo extraviado del cuerpo
>
>   gota a gota el cuerpo caía
>   en el charco de Dios,
>   alguien pidió un gancho de hierro
>   para subirlo,
>   cuidado –dijo uno de los curiosos–
>   la marea lo está metiendo debajo
>   del muelle,

>   un gancho de hierro
>   había que sujetarlo con un gancho
>   había que decirle algo con un gancho
>   mientras el sucio bulto flotante
>   caía
>   gota
>   por
>   gota
>   desde la altura donde lo desaparecido
>   iba a despeñar una piedra sobre nosotros.

José Carlos Becerra murió en plena búsqueda, pero nos ha dejado un puñado de poemas que son algo más que los signos de una búsqueda: una obra. Esos poemas lo revelan como un hombre que vivió cara a la muerte y que, frente a ella, quiso rescatar los misterios del tiempo humano y oír «el rumor de los cuerpos encontrados en la memoria, en el chasquido de la nada».

México, 21 de agosto de 1973

Prólogo a *El otoño recorre las islas*, volumen que recoge la obra poética de Becerra (1961-1970), publicado por Era, México, 1973. Este prólogo se publicó posteriormente en *In/mediaciones*, Barcelona, Seix Barral, 1979.

PROTAGONISTAS Y AGONISTAS: NARRADORES

Las *Páginas escogidas* de José Vasconcelos

Se trata, indudablemente, de uno de los libros más importantes para la cultura iberoamericana de los publicados el año que acaba de transcurrir. El solo nombre de Vasconcelos suscita, en cualquier mexicano de nuestro tiempo, una serie de adhesiones y repulsiones, de cóleras y simpatías, que lo hacen el escritor más vivo de México. Ninguno como él está tan hundido en el tiempo, en la duración; otros hablan «desde la historia», desde los futuros libros de historia literaria (con derecho, sin duda); él, por el contrario, habla, a veces sin ton ni son, desde el instante mismo. La literatura no es un sillón, parece decirnos, ni un sitio cómodo; es un arma, un instrumento, tanto de amor como de pelea. No sólo pretende seducir sino que muchas veces, deliberadamente, se complace en desagradar. «Hay que saber nadar contra la corriente.» Y Vasconcelos es un magnífico nadador.

No vale la pena, en una nota apresurada, anotar cuidadosamente lo que otro compañero suyo de generación ha llamado «simpatías y diferencias». Son muy profundas; Vasconcelos provoca en nosotros –y digo nosotros porque pienso en este momento en casi todos los jóvenes mexicanos– una seducción y una admiración tan grandes que sería inútil negarlas, una admiración y una simpatía, entendámonos, que no nos hacen olvidar, sino que avivan, por el contrario, todas nuestras profundas diferencias. ¡Dichoso el escritor que sabe mover de tal modo pasiones encontradas y que suscita, junto a la crítica inflexible, una amistad que no consiente otro adjetivo que el de *encarnizada*! Un escritor así es un escritor con discípulos, quiero decir, con interlocutores. Los libros de Vasconcelos provocan un diálogo, mientras otros sólo consiguen un silencio de aprobación. Pero no es éste el momento de expresar nuestra parte del diálogo; algún día, quizás, podré escribir ese ensayo encarnizado que pienso. Ensayo en carne viva; en la carne viva de mi juventud, a la que Vasconcelos conmovió no sólo como hombre sino también como escritor. (En una época un grupo de políticos estudiantiles hicieron una profesión del «vasconcelismo». Confieso que nunca he sido vasconcelista, aunque a los quince años haya gritado: «¡Viva Vasconcelos!». Después se vio que aquellos incondicionales del hombre, del político, no lo eran tanto; su admiración era de tal naturaleza que no consentía dudas, ni reservas, ni condiciones; por eso, a última hora, lo pudieron abandonar sin remordimiento.)

Antonio Castro Leal es el autor de la selección y del prólogo. El prólogo me parece de lo mejor que ha escrito Castro Leal y, sin duda, lo más exacto que se ha escrito sobre Vasconcelos; nada enturbia la magnífica prosa de Castro Leal, ni siquiera el temblor de una simpatía que, apresurada, la crítica torna en justicia. Es, en suma, un modelo en su género. La selección no nos parece tan acertada. Sale perdiendo en ella el Vasconcelos novelista –el gran novelista de su propia vida: «todo lo que no es autobiográfico es académico». Y, además, hay un cierto desorden, atribuible, nos dicen, al editor. (¿Hasta cuándo los escritores mexicanos estarán a merced de semejantes personas? Y, a pesar de todo, habrá que agradecerle que publique los libros; los demás libreros se reducen a enriquecerse sin publicar.)

Al releer estas *Páginas escogidas* de Vasconcelos ¡cuántos recuerdos, cuántas incitaciones nos asaltan! Pero no se trata de eso, ni siquiera de juzgar al libro sino, tan sólo, de señalar su aparición. (Al ver el triste papel, los horribles colores, las erratas, etc., se tiene que pensar, inevitablemente, en la edición que acaba de hacer José Bergamín de la obra de Machado; ¿cuándo podremos hacer algo semejante con los nuestros? Mas, ¿para qué digo esto? ¿Cuándo podremos publicar sin angustia, libres de cualquier resentido burócrata metido a dictador de la cultura, supremo dispensador de los premios a la virtud perrunoliteraria? ¿Cuándo –¡oh, México!– país de licenciados, generales y muertos de hambre?)

Diré, por último, la sensación que se tiene después de leer el libro de Vasconcelos. Este hombre ha creado, con palabras, las cosas de América. Mejor dicho, les ha dado voz. En Vasconcelos hablan los ríos, los árboles y los hombres de América. No siempre hablan como debieran; el ímpetu elocuente nubla, en ocasiones, las cosas, pero a cambio de eso ¡cuántos vivos relámpagos, cuántas páginas serenas, quietas, y arrebatadas, como la danza lenta, casi invisible, de las nubes en el cielo del Valle! Vasconcelos es un gran poeta, el gran poeta de América; es decir, el gran creador o recreador de la naturaleza y los hombres de América. Ha sido fiel a su tiempo y a su tierra, aunque le hayan desgarrado las entrañas las pasiones. La obra de Vasconcelos es la única, entre las de sus contemporáneos, que tiene ambición de grandeza y de monumentalidad. Quiso hacer de su vida y de su obra un gran monumento clásico, como sus maestros; quizá el monumento no sea clásico sino dinámico. (No en balde es el creador de una filosofía dinámica.) Pero palpita en él, al mismo tiempo que el arrebato, la pasión del orden, la pasión del equilibrio; sus mejores páginas sobre estética son aquellas en que habla del ritmo y de la danza: entiende el orden, la proporción, como armonía, como música o ritmo. Hay en su obra una como nostalgia de la arquitectura, de la arquitectura musical, sobre todo. (Cosa extraña en un filósofo: no es un buen psicólogo.) Pasará el tiempo y de su obra quedarán, quizá, unas enormes ruinas, que muevan el ánimo a la compasión de la grandeza y, ¿por qué no?, alguna humilde, pequeña veta, linfa de agua pura, viviente, eterna: la de su ternura, la de su humanidad. Su autenticidad, tanto como su grandeza, es testimonio de su viril, tierna, apasionada condición, y esta condición es lo que amamos en él, por encima de todo.

México, 1941

«Las *Páginas escogidas* de José Vasconcelos» se publicó en la revista *Taller*, XII, México, enero-febrero de 1941.

Novela y provincia: Agustín Yáñez[1]

Refugio del sabio, prisión del adolescente, madriguera de topos o de víboras, emblema de la inocencia, la avaricia o la envidia, la provincia es una de las obsesiones de la literatura moderna. La oposición entre la vida de corte y la de aldea no es nueva; pero lo que fue un ejercicio de retórica, esmaltado de máximas estoicas o epicúreas, para los escritores de la Antigüedad y sus descendientes renacentistas y barrocos, se ha transformado en una experiencia desgarradora para los modernos. Yves Bonnefoy señala que este movimiento de péndulo en la vida de Rimbaud, que lo lleva a fugarse de Charleville y a regresar, es una clave de su poesía: «En la obra de Rimbaud resuenan las letanías de una contra-adoración… ¿Por qué esta cólera parecida a la fascinación?». En efecto, el secreto de esta seducción, hecha de repulsión y atracción, reside en que la provincia pone a prueba nuestra libertad. Refugio, hay que poblar su soledad con nuestros pensamientos; prisión, hay que destruirla. Yo agregaría algo más, pensando no tanto en los poetas como en los novelistas: la vida provinciana es naturalmente novelesca –a condición de que sea vista desde la ciudad. La provincia es la invención novelesca por excelencia de la ciudad porque la contemplamos como un espacio cerrado y suficiente, es decir, como el lugar privilegiado en donde las cosas secretas ocurren a los ojos de todos. La provincia es teatro, coso de toros, tribunal. Ningún hecho escapa a la mirada o al juicio del vecino. Todo está expuesto, todo implica un riesgo. La vida íntima y la pública se afrontan cada día en el mercado, el templo, el café. En las ciudades nadie sabe nada de nadie precisamente porque todo sucede en público. Los citadinos vivimos en espacios que nos anulan: la tierra de nadie de la calle y la catacumba del departamento. En ambos sitios abolimos la mirada ajena. Mundo completo, cerrado y abierto a la mirada del espectador, la provincia es el lugar del juicio.

No es extraño que dos de las mejores novelas de la nueva literatura mexicana sucedan en la provincia. Una es *Pedro Páramo*, de Juan Rulfo, que apareció en francés en 1958. La otra es *Al filo del agua*, de

---

1. A propósito de la edición francesa de *Al filo del agua*. (*Nota del editor.*)

Agustín Yáñez, publicada este año[1]. Yáñez es uno de los escritores mexicanos que con mayor decisión se han enfrentado a un conflicto (falso a mi juicio) que desde hace años preocupa a los hispanoamericanos: la pretendida oposición entre el universalismo (o cosmopolitismo) de la literatura moderna y la realidad local. ¿Se puede ser moderno sin dejar de ser de su tierra? La obra de Joyce, el más irlandés de los irlandeses (hasta en sus fobias), el más cosmopolita de los modernos (hasta convertir a Dublín en Babel), cancela la disputa. En realidad, Joyce no quiso ser ni irlandés ni moderno: estaba condenado a serlo. Su obra es el cumplimiento de esa condena y, además, su liberación: algo que no puede encerrarse ni en lo irlandés ni en lo moderno.

El nombre de Joyce no es una intrusión accidental: vino a mi memoria porque, si no me equivoco, fue un ejemplo decisivo para Agustín Yáñez. Digo ejemplo y no influencia, aunque haya sido lo uno y lo otro, porque lo determinante no fue la asimilación de ciertos procedimientos sino la actitud ante la realidad: tradición católica y realismo descarnado; gusto por los fastos del lenguaje y por los laberintos de la conciencia; avidez de los sentidos y sabor de ceniza en los labios; y, en fin, cierta ferocidad amorosa ante el lugar natal.

La novela de Yáñez no es una descripción de una aldea de Jalisco hacia 1910 sino una tentativa por penetrar en ciertas zonas brumosas del hombre, ahí donde la humildad se confunde con la soberbia, la castidad se transforma en lujuria, la piedad en crueldad. En suma, se

---

[1]. Después de Juan Rulfo, autor de una de las pocas «obras maestras» de la literatura latinoamericana, la mayoría de los novelistas y cuentistas mexicanos prefieren explorar el tema de la ciudad. Al menos los más osados. Pienso en Carlos Fuentes, cuyos grandes dones me harían recordar el genio *extenso* de Diego Rivera si el autor de *La muerte de Artemio Cruz* no fuese también el de *Aura* y otros concentrados, admirables relatos y cuentos; en José Revueltas, no menos dramático e intenso que Orozco –y más lúcido–; en Juan García Ponce, al que unos cuantos personajes le bastan para suscitar un mundo; en José de la Colina, pasión, fantasía y algo poco frecuente: una prosa viva y exacta, una de las mejores de su generación; en Sergio Fernández, el más riguroso, el más afilado también; en Juan Vicente Melo... Y sin embargo, en los últimos años han aparecido dos novelas notables con tema provinciano. Una de ellas es *La feria*, de Juan José Arreola, creación verbal que no me parece inferior a las invenciones de Queneau. La otra novela es una obra de verdad extraordinaria, una de las creaciones más perfectas de la literatura hispanoamericana contemporánea: *Los recuerdos del porvenir*, de Elena Garro (1965). (*Nota de 1972*.)

trata de una nueva versión del viejo diálogo entre la religión y el erotismo. La aldea de Yáñez es como una fruta del desierto, por fuera espinas y cáscara resistente, por dentro carne jugosa y fresca. Y la forma en que el novelista nos descubre ese mundo cerrado tiene cierto parecido con el arte de abrir uno de esos frutos, operación delicada y penosa que exige cautela y cuchillo. Muchas murallas –unas materiales, otras impalpables– separan a la aldea del exterior. Malos caminos, montañas: lejanía geográfica; ausencia de noticias, atraso intelectual: lejanía espiritual. Si el aislamiento físico defiende al pueblo de los extraños, la Iglesia lo preserva de los enemigos del alma: mundo, demonio y carne. Esas murallas son intangibles: las de cada conciencia. La aldea está sola, frente a Dios y la muerte. En sus delirios solitarios, hombres y mujeres convocan a los fantasmas terribles: soberbia, envidia, avaricia –y a la todopoderosa lascivia. La vida es una larga agonía, marcha a tientas al borde siempre del abismo. Nadie olvida que su cama es lecho de muerto.

Oscilante entre todas esas fuerzas contrarias, demasiado impaciente, demasiado vivo para resignarse al diálogo sin fin con las imágenes gesticulantes de sus sueños, el delirio de los hombres y mujeres desemboca en la violencia. Sólo ella abre las puertas del contacto quemante. Violación o mutilación: en un caso, la fiebre mística se transforma en furor erótico y, más tarde, en autocastración; en otro, la pasión contenida se desvía y se cumple en un crimen gratuito. Para la mayoría, el paso de la obsesión solitaria a la confesión pública consiste en el rito alucinante de los «ejercicios espirituales»: dos semanas de retiro en un teatro macabro, en el sentido medieval de la palabra, durante las cuales los penitentes se azotan y confiesan a gritos sus pecados, mientras desfilan ante sus ojos representaciones de la Pasión, la Crucifixión o las escenas de martirio de algún santo. Inclusive los asesinos salen de la cárcel o de sus escondrijos (las autoridades cierran los ojos), para pasar quince días de penitencia y contrición. Mundo donde lo imaginario desaloja a la vida real. Mejor dicho: mundo en el que sólo es real el delirio. Para satisfacer y atemorizar, alternativamente, a los espíritus exaltados por la continencia y el deseo, la Iglesia despliega los fastos de la gloria y de la perdición eternas. La vida transcurre en un teatro grotesco y sublime que paraliza los sentidos y trastorna el juicio. Realismo de espectros: las llagas reales, las penas irreales. Hay una atmósfera de feria sangrienta, flamenca y española, en ese ritual grandioso y aterrador que Yáñez describe con una mezcla de nostalgia y reprobación. Pero hay un momento en que no bastan las pompas y los horrores; la verdad brota como una erupción: la riña, el rapto, el trance obsceno en el altar, el parricidio y, en fin, la rebelión popular. Un incendio real consume las glorias y terrores de la imaginación.

La novela de Yáñez es moderna y tradicional. Por una parte, utiliza casi todos los procedimientos contemporáneos, desde el «simultaneísmo» hasta el *collage* y el monólogo interior; por la otra, su lenguaje suntuoso y lento, a veces demasiado rico y pesado como una joya barroca, prolonga una de las corrientes más poderosas de la prosa española, la que va de Quevedo a Valle-Inclán. La materia novelesca posee la misma ambigüedad: historia social, relata el despertar de la conciencia histórica en un pueblo apartado; crónica de la vida de un grupo de hombres y mujeres, nos vuelve a contar el cuento siempre nuevo de la sangre, del deseo que destruye o nos destruye, de la ganancia que es pérdida y del extravío que nos rescata. El tema central, insoluble, es el combate y la complicidad de religión y erotismo, grandes poderes sombríos que sin cesar se afrontan y se abrazan, que mutuamente se alimentan y se entredevoran. No pueden vivir separados y sólo se abrazan para aniquilarse.

París, 1961

«Novela y provincia: Agustín Yáñez» se publicó en *Puertas al campo*, México, Universidad Nacional Autónoma de México, 1966.

Cristianismo y revolución: José Revueltas

DOS NOTAS: PRIMERA (1943)

Cuando cesó la lucha armada y principió lo que se ha dado en llamar «la etapa constructiva de la Revolución mexicana», dos formas diversas de expresión artística, la novela y la pintura, se inclinaron con avidez hacia el pasado cercano. Los resultados de esta seducción han sido la «Escuela Mexicana de Pintura» y la «novela de la Revolución». Durante los últimos veinte años la novela ha servido para expresar, más que las tentativas literarias de sus autores, sus nostalgias, esperanzas y desilusiones revolucionarias. Pobres de técnica, estas obras son más pintorescas que descriptivas, más costumbristas que realistas. Los novelistas de la Revolución, y entre ellos el gran talento miope de Azuela, cegados por el furor de la pólvora o por el de los diamantes de los generales, han reducido su tema a eso: muchas muertes, muchos crímenes y mentiras. Y un escenario superficial de pueblos quemados, selvas delirantes o desiertos impíos. Así han mutilado la realidad novelística –la única que cuenta para el verdadero novelista– al reducirla a una pura crónica o cuadro de costumbres. Relatos y crónicas han sido todas las «novelas de la Revolución», sin excluir las de Mariano Azuela. (Valéry Larbaud decía que Martín Luis Guzmán le recordaba a Tácito; ¡extraño elogio para un novelista!)

La generación posterior casi no ha intentado la novela. Compuesta por un grupo de literatos, poetas y ensayistas, ha mostrado un cierto asco, cuando no desdén, por las realidades que los cercan. La novela ha sido la Cenicienta de estos escritores, formados bajo el signo de la curiosidad y la evasión. Después de ellos sí han existido tentativas aisladas: las del más reciente grupo de escritores mexicanos (Juan de la Cabada, Efrén Hernández, Rubén Salazar Mallén, Andrés Henestrosa, Rafael Solana, Francisco Tario). Casi todos ellos revelan una decidida afición por ese género difícil y estricto que es el cuento. Así como a la generación de los muralistas ha sucedido, en la pintura, un grupo de jóvenes que la benévola crítica yanqui ha llamado de los «pequeños maestros», estos nuevos prosistas mexicanos, sucesores de los «novelistas de la Revolución», se han distinguido, sobre todo, en la composición de pequeños cuentos y relatos. Un libro de Juan de la Cabada, *Paseo de mentiras*, reúne en sus breves páginas algunos cuentos y una novela corta que lo hacen, hasta ahora, el más interesante y enigmático de todos; una novela, *Camino de perfección*, y muy especialmente unos cuentos agrios y ásperos hacen pensar que Rubén Salazar Mallén posee también el talento necesario para dotar a México de una verdadera novela.

El más ambicioso y apasionado –el más joven, también– es José Revueltas (27 años, afiliado desde los 14 al Partido Comunista; sus ideas políticas le han valido conocer varias veces las cárceles del país, en la época del presidente Rodríguez). José Revueltas ha publicado una primera novela, *El luto humano*, que ha sido premiada en un concurso nacional. Antes había escrito algunos cuentos misteriosos y balbuceantes, una novela corta, *El quebranto*[1], y un relato, *Los muros de agua*, en el que cuenta la vida de una colonia penal del pacífico. (Allí estuvo preso durante dos años, cuando aún no cumplía los veinte.) La novela de Revueltas ha provocado, al mismo tiempo, los más encendidos elogios y las críticas más acerbas. Algún crítico marxista lo ha acusado de «pesimismo»; otros entusiastas, en cambio, no han vacilado en citar a Dostoyevski.

El luto humano relata una dramática historia: un grupo de campesinos inicia una huelga en un «Sistema de Riego» fundado por el gobierno de la Revolución mexicana. La huelga y la ausencia de agua hacen fracasar el propósito gubernamental y se inicia el éxodo. Sólo tres familias se obstinan en permanecer en esa tierra desierta. Un día el río, seco hasta entonces, crece desmesuradamente y una inundación aísla, en una azotea, a los personajes de la novela. El alcohol, el hambre y los celos acaban con ellos. La novela principia cuando el río crece y termina en el momento en que los zopilotes se disponen a devorar a los moribundos. Todos estos acontecimientos ocurren en unos cuantos días. Pero la novela apenas alude a lo que hacen realmente los campesinos para escapar de la inundación; Revueltas prefiere decirnos qué piensan, qué recuerdan y qué sienten. Con frecuencia substituye a sus personajes; en su lugar, nos expone sus propias

---

1. No llegó a publicarse íntegra (sólo el primer capítulo: *Taller*, número 11, abril de 1939) pues Revueltas perdió el manuscrito.

dudas, su fe y su desesperanza, sus opiniones sobre la muerte o sobre la religiosidad mexicana. La acción se interrumpe cada vez que uno de los personajes, antes de morir, hace un resumen de su vida... Una constante preocupación religiosa invade la obra: los mexicanos, piadosos por naturaleza y enamorados de la sangre, han sido despojados de su religión, sin que la católica les haya servido para satisfacer su pétrea sed de eternidad. Adán, un asesino que se cree encarnación de la Fatalidad, y Natividad, un líder asesinado, simbolizan, muy religiosamente, el pasado y el futuro de México. Entre ellos se mueven los rencorosos mexicanos actuales y sus quietas mujeres representan la tierra, sedienta de agua y de sangre, bautismo que combina, junto a los ritos de fecundación agraria, el antiguo de los aztecas y el de los cristianos. En las últimas páginas el autor intenta convencerse a sí mismo —más que al lector— de que mediante un mejor aprovechamiento de los recursos naturales y una mejor distribución de la riqueza, esta religiosidad sin esperanzas, este ciego amor a la muerte, desaparecerán del alma de México. La novela, como se ve, está contaminada de sociología, religión e historia antigua y presente de México. Otro tanto ocurre con su lenguaje, a ratos brillante, a ratos extrañamente torpe.

Estos defectos condenan a la obra, pero no a su autor. Porque, extrañamente, el lector se siente contagiado por la fascinación de que es víctima el novelista. Revueltas siente una especie de asco religioso, de amor hecho de horror y repulsión, hacia México. Seguramente Revueltas no ha escrito una novela, pero, en cambio, ha hecho luz dentro de sí. Seducido por los mitos de México tanto como por sus realidades, él mismo se ha hecho parte de ese drama que intenta pintar. Dotado de talento, de fuerza imaginativa, de vigor y sensibilidad nada comunes —y devorado por una prisa que no le permite, por lo visto, reparar en sus defectos—, José Revueltas puede escribir ahora una novela. Pues en esta tentativa se libra de todos sus fantasmas, de todas sus dudas y de todas sus opiniones. Como ocurre con gran parte de la pintura mexicana, que muestra un gran vigor que muchas veces queda fuera de la pintura, fuera del cuadro, Revueltas ha acumulado toda su gran potencia plástica y adivinatoria, pero sin que haya logrado aplicarla a su objeto: la novela. ¿Qué es, en resumen, lo que reprocho a Revueltas? Le reprocho —y ahora me doy cuenta— su juventud; pues todos esos defectos, esa falta de sobriedad en el lenguaje, ese deseo de decirlo todo de una vez, esa dispersión y esa pereza para cortar las alas inútiles a las palabras, a las ideas y a las situaciones, esa ausencia de disciplina –interior y exterior– no son sino defectos de juventud. De cualquier modo Revueltas es el primero que intenta entre nosotros crear una obra profunda, lejos del costumbrismo, la superficialidad y la barata psicología reinantes. De su obra no quedará, quizá, sino el aliento: ¿no es esto suficiente para un joven que apenas se inicia, y nos inicia, en la misión de crearnos un mundo imaginativo, extraña y turbadoramente personal?

Este texto se publicó en la revista *Sur*, Buenos Aires, julio de 1943.

SEGUNDA (1979)

Al releer la nota arriba transcrita, desenterrada por Luis Mario Schneider en un viejo *Sur*, sentí inmediatamente la necesidad de aclararla, rectificarla y prolongarla. Es la crítica de un principiante a otro principiante; además, es demasiado tajante y categórica. Mi disculpa es que esos defectos son frecuentes entre los jóvenes. Al final le reprocho a Revueltas su juventud y esa censura es perfectamente aplicable a mis opiniones de entonces. La juventud no justifica otros errores. Por ejemplo, en el primer párrafo condeno a los novelistas de la Revolución mexicana. Fue una tontería: entre ellos hay dos escritores excelentes, Martín Luis Guzmán y Mariano Azuela. Ambos fueron maestros en su arte. La prosa de Martín Luis Guzmán, nítida como la de un historiador romano, posee una suerte de transparencia clásica: su tema es terrible pero él lo dibuja con pulso tranquilo y firme. Azuela no fue «un gran talento miope»; tampoco fue torpe: fue un escritor lúcido, dueño de sus recursos y que exploró muchos caminos que después otros han recorrido. Pero cuando yo escribí mi nota sobre *El luto humano* (1943), la novela de la Revolución se había transformado de movimiento en escuela: la invención era ya receta. En este sentido no me equivoqué: la aparición de *El luto humano*, publicada unos años antes que *Al filo del agua* (1947), fue una ruptura y un comienzo. Con la novela de Revueltas, a pesar de sus imperfecciones, se inició algo que todavía no termina.

Mi análisis de *El luto humano* es demasiado rápido. Señalo con severidad excesiva las impericias del narrador y la frecuencia con que su voz suplanta a la de sus personajes. Esos defectos se deben, en parte al menos, a la dificultad y a la novedad de aquello que se proponía decir Revueltas y que, años más tarde, logró decir con mayor felicidad. El joven novelista deseaba utilizar los nuevos procedimientos de la novela norteamericana (la presencia del Faulkner de *Palmeras salvajes* es constante) para escribir una crónica, a un tiempo épica y simbólica, de un episodio que le parecía dotado de ejemplaridad revolucionaria. El propósito era contradictorio: el realismo de Faulkner (quizá todo realismo) implica una idea pesimista del hombre y de su destino terrestre; a su vez, la crónica épica de Revueltas está minada, por decirlo así, por el simbolismo religioso. Los campesinos luchan por la tierra y el agua pero el novelista sugiere continuamente que esa lucha alude a otra lucha que no es enteramente de este mundo. Aunque mi nota subraya la religiosidad de Revueltas, no describe su carácter paradójico: una visión del cristianismo *dentro* de su ateísmo marxista. Revueltas vivió el marxismo como cristiano y por eso lo vivió, en el sentido unamunesco, como agonía, duda y negación.

Al hablar de la religiosidad del pueblo mexicano, menciono el «rencor», palabra inexacta. Lo atribuyo a la gran catástrofe de la Conquista, que arrebató a los indios no sólo su mundo sino el otro: sus dioses y sus mitologías. Sin embargo, al abrirles con la llave del bautismo las puertas del cielo y del infierno, el catolicismo les dio paradójicamente la posibilidad de reconciliarse con su antigua religión. Tal vez Revueltas pensó que, «en un plano histórico más elevado», el marxismo revolucionario cumpliría frente al cristianismo la misma función que éste había desempeñado ante las religiones precolombinas. Esta idea explicaría la importancia del simbolismo cristiano en la novela. Además, le fascinaron siempre las creencias y los mitos populares. Un amigo me ha contado que una vez, medio en broma y medio en serio, se le ocurrió celebrar un rito matrimonial no ante el altar de la Virgen de Guadalupe sino ante la diosa Coatlicue del Museo. Recuerdo también que la noche de la masacre de Corpus Christi de 1971, reunidos varios amigos en casa de Carlos Fuentes, mientras se discutía qué podíamos hacer, Revueltas se me acercó y con una sonrisa indefinible me susurró al oído: «¡Vámonos todos a bailar ante el Santo Señor de Chalma!». Una frase revela a un hombre: «el ateísmo», me dijo una vez André Breton, «es un acto de fe». Las *ocurrencias* de Revueltas eran oblicuas confesiones.

José Revueltas (1914-1976).

Al final de mi nota apunto la verdadera significación de *El luto humano*: «Revueltas no ha escrito una novela pero ha hecho luz en sí mismo». Hoy diría: esa obra fue un paso en su peregrinación, verdadero viacrucis, hacia la luz. Y aquí brota la pregunta central, a la que Revueltas se enfrentó con valentía desde su primer relato, *El quebranto*, y que nunca dejó de hacerse: ¿qué luz, la de *aquí* o la de *allá*? Tal vez aquí es allá, tal vez las revoluciones no son sino el camino que recorre el aquí hacia el allá. La actividad de Revueltas parece estar inspirada, secretamente, por esta idea. Fue militante revolucionario, novelista y autor de ensayos filosóficos y políticos. Como militante fue un disidente que hizo con idéntica pasión la crítica del capitalismo y la del «socialismo» burocrático; la misma dualidad se observa en sus novelas, cuentos y ensayos. Así, por una parte, hay una gran unidad entre su vida y su obra: es imposible separar al novelista del militante y a éste del autor de textos de crítica filosófica, estética y política; por la otra, esa unidad encierra una fractura, una escisión. Revueltas estuvo en continuo diálogo –o más exactamente: en permanente disputa– con sus ideas filosóficas, estéticas y políticas. Su crítica a la ortodoxia comunista fue, simultáneamente, autocrítica. Su caso, claro, no es único; al contrario, es más y más corriente: la disidencia de los intelectuales marxistas es una de las expresiones, quizá la central, de la crisis universal de esa doctrina. Pero hay algo que distingue a las dudas y a las críticas de Revueltas de las otras: el tono, la pasión religiosa. Y hay más: las preguntas que una y otra vez se hizo Revueltas no tienen sentido ni pueden desplegarse sino dentro de una perspectiva religiosa. No la de cualquier religión sino precisamente la del cristianismo.

Para los occidentales la oposición entre ateísmo y religión es insalvable. No lo ha sido para otras civilizaciones: en su forma más estricta y pura, el budismo es ateo: como todos los seres, sin excluir a los hombres y al Buda mismo, los dioses son burbujas, reflejos de la vacuidad. El budismo es una crítica radical de la realidad y de la condición humana: la verdadera realidad, *sunyata*, es un estado indefinible en el que ser y no ser, lo real y lo irreal, cesan de ser opuestos y, al fundirse, se anulan. Así, la historia no es sino fantasmagoría, ilusión –como todo. De ahí también que la religiosidad budista sea esencialmente contemplativa. En cambio, para el cristianismo la encarnación de Jesús y su sacrificio son hechos a un tiempo sobrenaturales e históricos. La revelación divina no sólo se despliega en la historia sino que ella es el lugar de prueba de los cristianos: las almas se ganan y se pierden aquí, en este mundo. El marxista Revueltas asume con todas sus consecuencias la herencia cristiana: el peso de la historia de los hombres.

El nexo entre el cristianismo y el marxismo es la historia; uno y otro son doctrinas que se identifican con el proceso histórico. La condición de posibilidad del marxismo es la misma que la del cristianismo: la acción sobre este mundo. A su vez, la oposición entre el marxismo y el cristianismo se manifiesta aquí en la Tierra: para cumplirse y cumplir su tarea el hombre revolucionario tiene que desalojar a Dios de la historia. El primer acto revolucionario es la crítica del Cielo. La relación entre marxismo y cristianismo implica, simultáneamente, un vínculo y una ruptura. El budismo –en general todo el pensamiento de Oriente– ignora o desdeña a la historia. Al mismo tiempo, inmerso en la atmósfera de lo divino, rodeado de dioses, desconoce la noción de un Dios único y creador. El ateísmo oriental no es realmente ateo; en un sentido riguroso, sólo pueden ser ateos los judíos, los cristianos y los musulmanes: los creyentes en un Dios único y creador. Bloch dijo con mucha razón: «Sólo un verdadero cristiano puede ser un buen ateo; sólo un verdadero ateo puede ser un buen cristiano».

El marxismo cristiano de Revueltas sólo es inteligible desde la doble perspectiva que acabo de esbozar. En primer lugar, la idea de la historia concebida como un proceso dotado de un sentido y una dirección; en segundo lugar, el ateísmo irreductible. Ahora bien, entre historia y ateísmo se abre una nueva oposición: si Dios desaparece, la historia deja de tener sentido. El ateísmo es trágico porque, según lo vio Nietzsche, es negación del sentido. Para Dostoyevski, si no hay Dios todo está permitido, todo es posible; pero si todo es posible, nada lo es: la infinidad de posibilidades las anula y se resuelve en imposibilidad. Del mismo modo: la ausencia de Dios hace pensable todo; pero todo es igual a nada: el todo y la nada no son pensables. El ateísmo nos enfrenta a lo impensable y a lo imposible; por eso es aterrador y, literalmente, insoportable. También por eso hemos instalado en el hueco de Dios otras divinidades: la Razón, el Progreso. Estos principios bajan a la Tierra, encarnan y se convierten en los secretos actores de la historia. Son nuestros Cristos: la nación, el proletariado, la raza. En la novela de Revueltas el hombre antiguo se llama Adán, como nuestro padre; y el hombre nuevo, el Cristo colectivo, se llama Natividad. La historia del Hijo del Hombre comienza con el Nacimiento y culmina con el Sacrificio; la Revolución obedece a la misma lógica. Esa lógica es racional, «científica»: el materialismo histórico; y es sobrenatural: la transcendencia. Lo «científico» es explícito; lo sobrenatural, implícito. La transcendencia divina desaparece pero, subrepticiamente, a través de la acción revolucionaria, continúa operando. Pues, como decía el mismo Bloch, la Revolución es «transcender sin transcendencia».

La enemistad entre marxismo y cristianismo no desaparece nunca del todo pero se atenúa si los términos cambian de posición. Para el cristianismo los hombres somos los hijos de Adán, el hijo de Dios. En el origen está Dios, que no sólo es el dador del sentido sino el creador de la vida. Dios está antes de la historia y al final de ella: es el comienzo y es el fin. Para un marxista cristiano como Bloch o Revueltas, Dios no puede estar antes; en verdad, Dios no existe: la realidad original y primordial es el hombre, mejor dicho, la sociedad humana. Sólo que el hombre histórico es apenas hombre; para realizarse, para ser hombre de veras, el hombre debe pasar por las pruebas de la historia, debe vencerla y transformar su fatalidad en libertad. La Revolución hace hombres a los hombres –y más que hombres: el porvenir del hombre es ser Dios. El cristianismo fue la humanización de un Dios; la Revolución promete la divinización de los hombres. Brusco cambio de posiciones: Dios no está antes sino después, no es el creador de los hombres sino su creatura. Bloch cambia la frase bíblica y dice: «Yo soy el que seré« (Ernst Bloch: *L'Athéisme dans le christianisme*, París, Gallimard, 1978).

Revueltas nunca formuló sus ideas con la claridad de Bloch pero el *temple* de sus escritos y de su vida corresponde a esta visión agónica y contradictoria del marxismo y del cristianismo. Por supuesto, él llegó a estas actitudes independientemente y por su propio camino. No fue la filosofía la que lo guió sino su experiencia personal. En primer lugar, la religión de su infancia; en seguida, su interés por la vida popular mexicana, toda ella impregnada de religiosidad; en fin, su temperamento filosófico y poético. Esto último fue decisivo: Revueltas se hizo preguntas filosóficas que el marxismo –como lo han reconocido, entre otros, Kolakowski y el mismo Bloch– no puede contestar, salvo con lugares comunes cientistas. En realidad, esas preguntas sólo tienen respuestas metafísicas o religiosas. La metafísica, después de Hume y de Kant, nos está vedada a los modernos. Así, Revueltas acudió intuitiva y personalmente, en un movimiento de regreso a lo más antiguo de su ser, a las respuestas religiosas, mezcladas con las ideas y esperanzas milenaristas del movimiento revolucionario. Aunque le apasionó la filosofía, fue sobre todo un artista creador. Su temperamento religioso lo llevó al comunismo, que él vio como el camino del sacrificio y la comunión; ese mismo temperamento, inseparable del amor a la verdad y al bien, lo condujo al final de su vida a la crítica del «socialismo» burocrático y el clericalismo marxista.

El marxismo se ha convertido en una ideología y hoy opera como una pseudorreligión. La transformación de una filosofía en ideología y de ésta en religión no es un fenómeno nuevo: lo mismo sucedió con el neoplatonismo y el gnosticismo. Tampoco es nueva la transformación de una religión en poder político y la del sacerdocio en burocracia clerical: el catolicismo ha conocido esas perversiones. La peculiaridad histórica del comunismo consiste en que no es realmente una religión sino una ideología que opera como si fuera una ciencia, la Ciencia; asimismo, no es una Iglesia sino un partido que no se parece a los otros partidos sino a las órdenes y cofradías militantes de los católicos y los mahometanos. Los partidos comunistas comienzan como pequeñas sectas pero apenas crecen se convierten en Iglesias cerradas. (Uso el plural porque en el movimiento comunista los cismas y las escisiones proliferan.) Cada Iglesia se cree poseedora de la verdad universal; esta pretensión no sería peligrosa si las burocracias que rigen a estos grupos no estuviesen movidas por una voluntad de dominación y proselitismo igualmente universales. Cada miembro de cada Iglesia es un misionero y cada misionero un inquisidor en potencia. La religiosidad de Revueltas estaba muy alejada de estos fanatismos ideológicos; sus verdaderas afinidades espirituales se encuentran del otro lado, cerca de los cristianos primitivos, los gnósticos del siglo IV o los rebeldes y revolucionarios protestantes de la Reforma. Dentro de la Iglesia católica habría sido un hereje como lo fue dentro de la ortodoxia comunista. Su marxismo no fue un sistema sino una pasión, no una fe sino una duda y, para emplear el vocabulario de Bloch, una esperanza.

Vivir consigo mismo no fue, para Revueltas, menos difícil que convivir con sus camaradas comunistas. Durante años trató de ser un militante disciplinado y cada tentativa culminó con ruptura y expulsión. La dialéctica hegeliana le sirvió para aplazar la ruptura definitiva; como tantos otros, se dijo que el mal es una artimaña de la historia para mejor cumplirse, que la negación es un momento del proceso que inevitablemente se transforma en afirmación, que los tiranos revolucionarios son tiranos para defender a la libertad y que –como lo probaron en el siglo XVII los teólogos españoles y en el XX lo han confirmado brillantemente el procurador Vishinski y los bolcheviques procesados en 1936 y 1938– los culpables son inocentes y los inocentes culpables. Enigmas de la voluntad divina o de la necesidad histórica. La justificación del mal comenzó con Platón; en sus retractaciones y abjuraciones, Revueltas no hizo sino seguir una tradición de más de dos mil años. Según el neoplatónico Proclo, la materia misma «es buena, a pesar de ser infinita, obscura e informe». (Para los antiguos la infinitud era una imperfección pues carecía de forma.) Pero los recursos de la dialéctica se agotan mientras que el mal crece sin cesar. Al final Revueltas tuvo que afrontar la realidad del bolchevismo y su propia realidad. No resolvió este conflicto –¿quién lo ha resuelto?– pero tuvo el valor de formularlo y pensarlo. Vivió con lealtad su contradicción interior: su cristianismo ateo, su marxismo agónico. Muchos elogian la entereza con que padeció cárceles y estrecheces por sus ideas. Es verdad, pero hay que recordar, además, que Revueltas practicó otro heroísmo, no menos difícil y austero: el heroísmo intelectual.

Su obra es desigual. Algunas de sus páginas parecen, más que textos definitivos, borradores; otras son notables y le otorgan un sitio aparte y único en la literatura mexicana: *Los días terrenales*, *Los errores*, *El apando* y, sobre todo, los cuentos de *Dios en la Tierra* y *Dormir en tierra* muchos de ellos admirables. Pero la excelencia literaria de estas obras, con ser de veras considerable, no explica enteramente la atracción que ejerce su figura. En nuestro mundo todo es relativo, el bien y el mal, el placer y la pena. Aunque la mayoría se contenta, unos cuantos se rebelan y, poseídos por un dios o por un demonio, piden *todo*. Son los sedientos y los hambrientos de absoluto. No se me pida que lo defina: el absoluto es por definición indefinible. Revueltas padeció esa hambre y esa sed; para saciarlas fue escritor y fue revolucionario. Si busco entre los mexicanos modernos un espíritu afín, tengo que ir al campo ideológico opuesto y a una generación anterior: José Vasconcelos. Como Revueltas, fue un temperamento pasional pero incapaz de someter su pasión a una disciplina, un escritor de corazonadas y adivinaciones, abundante y descuidado, a ratos torpe y otras luminoso. Para ambos la acción política y la aventura metafísica, la polémica histórica y la meditación fueron vasos comunicantes. Unieron la vida activa con la vida contemplativa o, mejor dicho, especulativa: en sus obras no hay realmente contemplación desinteresada –para mí la suprema sabiduría– sino meditación, reflexión y, en los momentos mejores, vuelo espiritual. La obra de Vasconcelos es más vasta y rica que la de Revueltas, no más honda e intensa. Pero lo que deseo destacar es que pertenecen a la misma familia anímica. Son lo contrario de Reyes, que hizo de la armonía un absoluto, y de Gorostiza, que adoró a la perfección con un amor tan exclusivo que prefirió callar a escribir algo indigno de ella.

A pesar de su parentesco espiritual, Vasconcelos y Revueltas caminaron por caminos opuestos. Nutrido en Plotino y creyente en su misión de filósofo coronado, Vasconcelos se sentía enviado de lo alto: por eso fue educador; Revueltas creía en los apóstoles rebeldes y se veía como un enviado del mundo de abajo: por eso fue un revolucionario. El espiritualista Vasconcelos jamás dudó; no lo tentó el diablo, espíritu de la negación y patrono de los filósofos: lo tentaron el mundo (el poder) y la carne (las mujeres). Vasconcelos confesó que había deseado a la mujer de su prójimo y que había fornicado con ella pero nunca aceptó que se hubiese equivocado. Los únicos pecados que confesó el materialista Revueltas fueron los del espíritu: dudas, negaciones, errores, mentiras piadosas. Al final se arrepintió e hizo la crítica de sus ideas y de los dogmas en que había creído. Vasconcelos no se arrepintió; exaltó la humildad cristiana sólo para mejor cubrir de invectivas a sus enemigos; Revueltas, en nombre de la filosofía marxista, emprendió un examen de conciencia que San Agustín y Pascal habrían apreciado y que me impresiona doblemente: por la honradez escrupulosa con que lo llevó a cabo y por la sutileza y profundidad de sus análisis. Vasconcelos terminó abrazado al clericalismo católico; Revueltas rompió con el clericalismo marxista. ¿Quién fue, de los dos, el verdadero cristiano?

México, D. F., 12 de abril de 1979

«Cristianismo y revolución: José Revueltas» se publicó en *Hombres en su siglo y otros ensayos*, Barcelona, Seix Barral, 1984.

Paisaje y novela en México: Juan Rulfo

No sé si los nacionalistas en literatura hayan advertido que nuestras novelas dan una imagen más bien pobre y superficial de la naturaleza mexicana. En cuanto al paisaje urbano: apenas si existe. En cambio, en algunas de las mejores páginas de dos novelistas de lengua inglesa, D. H. Lawrence y Malcolm Lowry, aparecen nuestras montañas y cielos con toda su sombría y delirante grandeza, con toda su inocencia y frescura también. En *La Serpiente Emplumada* y en otros libros de cuentos y crónicas, la prosa de Lawrence refleja los más ligeros e imperceptibles cambios de la luz, la sensación pánica ante la lluvia desencadenada, el horror de la noche del altiplano, la pulsación del cielo a la hora del atardecer, acorde con la respiración del bosque y el latido de la sangre en el cuerpo femenino. En *Bajo el volcán* –la terrible novela de Malcolm Lowry– los jardines de Cuernavaca, las flores y las plantas, los lejanos volcanes y la barranca verde y enmarañada –verdadera «boca del infierno»– surgen bañados por una luz de primer día de la creación. ¿Primero o último? Quizá ambas cosas: la novela transcurre el Día de Muertos de 1939 y durante las doce horas de ese día el héroe se pasea por un paisaje alucinado, que es también un laberinto y un purgatorio, seguido por un perro, el acompañante de los muertos según egipcios y aztecas.

El verdadero tema de *Bajo el volcán* es la antigua historia de la expulsión del Paraíso; el de *La Serpiente Emplumada*, la construcción de un espacio mágico –es decir, de una naturaleza que ha recobrado su inocencia– para celebrar la reconciliación del Cielo y la Tierra, del cuerpo y el alma, del hombre y la mujer. La visión de ambos novelistas no se apoya en el paisaje; el paisaje es el que se sustenta en la visión poética. El espíritu sostiene a la piedra y no a la inversa. El paisaje no aparece como fondo o escenario; es algo vivo y que asume mil formas; es un símbolo y algo más que un símbolo: un interlocutor y, en fin, el verdadero protagonista del relato. Un paisaje no es la descripción de lo que ven nuestros ojos sino la revelación de lo que está atrás de las apariencias visuales. Un paisaje nunca está referido a sí mismo sino a otra cosa, a un más allá. Es una metafísica, una religión, una idea del hombre y el cosmos.

Si el tema de Lowry es la expulsión del Paraíso, el de la novela de Rulfo (*Pedro Páramo*) es el regreso. Por eso el héroe es un muerto: sólo después de morir podemos volver al edén nativo. Pero el personaje de Rulfo regresa a un jardín calcinado, a un paisaje lunar, al verdadero infierno. El tema del regreso se convierte en el de la condenación: el viaje a la casa patriarcal de Pedro Páramo es una nueva versión de la peregrinación del alma en pena. Simbolismo (¿inconsciente?) del título: Pedro, el fundador, la piedra, el origen, el padre, guardián y señor del Paraíso, ha muerto; Páramo es su antiguo jardín, hoy llano seco, sed y sequía, cuchicheo de sombras y eterna incomunicación. El Jardín del Señor: el Páramo de Pedro. Rulfo es el único novelista mexicano que nos ha dado una imagen –no una descripción– de nuestro paisaje. Como Lawrence y Lowry, no nos ha entregado un documento fotográfico o una pintura impresionista sino que sus intuiciones y obsesiones han encarnado en la piedra, el polvo, el pirú. Su visión de este mundo es, en realidad, visión de *otro mundo*.

México, 1960

«Paisaje y novela en México: Juan Rulfo» se publicó en *Corriente alterna*, México, Siglo XXI, 1967.

Una novela de Jorge Ibargüengoitia

Escrita con gran economía verbal pero asimismo con fluidez, *Las muertas*, de Jorge Ibargüengoitia, es un ejemplo más de que el artificio supremo consiste en conquistar la naturalidad. Pero naturalidad no quiere decir superficialidad. La historia que cuenta esta novela es un sucedido real y que provocó los comentarios de la prensa mundial. Ibargüengoitia, sin inventar nada o apenas nada, hace del relato de esos hechos no una crónica periodística ni un estudio de sociología criminal sino una obra de arte. Lo consigue por el método de composición que escogió y por la desenvoltura no exenta de rigor con que lo aplica: la división de la historia en distintos segmentos temporales y la exposición de cada uno de ellos por un protagonista distinto. El lector no tiene la sensación de que el autor lo guía sino de que ambos, autor y lector, están frente a algo que poco a poco se despliega hasta dibujar unas figuras irreconocibles y abominables pero que, al final, no hay más remedio que aceptar que son las de la realidad misma. Al acabar el libro, respiramos y, no sin hipocresía, nos decimos: *¡Parece mentira!*

La historia que nos cuenta Ibargüengoitia no sólo no es verosímil, a pesar de ser real, sino que nos parece increíble. *Las muertas* pone de nuevo en el tapete el tema tradicional de la irrealidad de la realidad. Es el tema novelístico por excelencia, la pregunta que se hicieron, sin contestarla nunca, lo mismo Cervantes que Dickens, Balzac que Joyce: ¿los molinos de viento son gigantes o son molinos? La novela de Ibargüengoitia es una variación más del tema inacabable, el primero y el último, el verdadero y único tema del arte literario: la naturaleza esencialmente misteriosa de los seres humanos. El hombre, los hombres, son un problema, un misterio. En el arte de la novela la pregunta sobre la realidad o irrealidad de la realidad se presenta como la descripción de esa zona donde el mal se distingue difícilmente del bien, el crimen de la inocencia. Esta indefinición, que es la que hace hombres a los hombres, es la que da realidad a la atroz irrealidad de *Las muertas*.

Los personajes de la novela de Ibargüengoitia están lejos de tener la complejidad de los de Dostoyevski o de Proust. Son personajes simples y, en apariencia, de una sola pieza. Ninguno de ellos duda, ninguno reflexiona, ninguno se pregunta quién es o por qué es como es.

Sus actividades mentales están al servicio de sus pasiones y necesidades inmediatas. Su religión se reduce a unas cuantas supersticiones; su moral, a unos pocos prejuicios. Pecan con frecuencia y con la misma facilidad se absuelven. Sin embargo, estos rústicos no son menos enigmáticos que un Raskólnikov o una Odette de Crécy. Serafina, la madrota ¿es una criminal o una apasionada? ¿La pasión la lleva al crimen? ¿O el verdadero nombre de esa pasión es pasividad? Las pasiones mandan pero no pueden codificarse. Las pasiones son indefinibles y cambiantes. La psicología es una ciencia ilusoria; la única psicología verídica es la de los novelistas y dramaturgos, que no formula leyes y que se contenta con evocar, sugerir, insinuar, describir. Además, las pasiones –la avaricia de Arcángela, la sexualidad de Serafina– están enlazadas a las instituciones, las clases y los poderes sociales. El lazo entre la pasión íntima y las circunstancias exteriores es un verdadero nudo que estrangula a los hombres. Los antiguos llamaban a ese nudo destino, fatalidad. En el mundo moderno la fatalidad es social y así la novela de Ibargüengoitia es, simultáneamente y sin proponérselo, el relato de un crimen y el retrato de un México, uno entre los muchos que componen nuestro país.

Al leer ciertos pasajes de *Las muertas*, precisamente los más crueles y terribles, no podemos evitar la risa. El humorista es siempre un moralista. Serio como Buster Keaton, Ibargüengoitia nos hacer reír. La risa es una defensa contra lo intolerable. También es una respuesta al absurdo. Una respuesta no menos absurda. Pues lo verdaderamente cómico es que todo sea como es; la maldad es doblemente terrible porque no tiene pies ni cabeza. Si aceptamos que la realidad es dudosamente real y que, además, es absurda y, por lo tanto, risible, ¿cómo podríamos decir que Serafina es culpable o que Arcángela es criminal? Jorge Ibargüengoitia es uno de los mejores novelistas hispanoamericanos y *Las muertas* es una de sus mejores novelas.

México, 1974

«Una novela de Jorge Ibargüengoitia» se publicó en *Sombras de obras*, Barcelona, Seix Barral, 1983.

Josefina Vicens: *El libro vacío*

Querida amiga:

El sábado pasado recibí tu libro. Muchas gracias por el envío. Lo acabo de leer. Es magnífico: una verdadera novela. Simple y concentrada, a un tiempo llena de secreta piedad e inflexible y rigurosa. Es admirable que con un tema como el de la «nada» –que últimamente se ha prestado a tantos ensayos, buenos y malos, de carácter filosófico– hayas podido escribir un libro tan vivo y tierno. También lo es que logres crear, desde la intimidad «vacía» de tu personaje, todo un mundo –el mundo nuestro, el de la pequeña burguesía. ¿Naturalismo? No, porque las reflexiones de tu héroe, siempre frente a la pared de la nada, frente al muro del hecho bruto y sin significación, traspasan toda reproducción de la realidad aparente y nos muestran la conciencia del hombre y sus límites, sus últimas imposibilidades. El hombre caminando siempre al borde del vacío, a la orilla de la gran boca de la insignificancia. Y aquí deseo anotar una reflexión al vuelo: literatura de la gente insignificante –un empleado, un ser cualquiera–, filosofía que se enfrenta a la no-significación radical del mundo y situación de los hombres modernos ante una sociedad que da vueltas en torno a sí misma y que ha perdido la noción de sentido y fin de sus actos: ¿no son éstos los rasgos más significativos del pensamiento y el arte de nuestro tiempo? ¿No es esto lo que se llama «el espíritu de la época»?

Rescatar el sentido de la historia (personal o social, vida íntima o colectiva), enfrentar la creación a la muerte, la ruina, el parloteo y la violencia: ¿no es una de las misiones del artista? Eso es lo que tú has realizado en *El libro vacío* (más allá de las imperfecciones o debilidades que los diligentes críticos encuentren en tu obra). Pues, ¿qué es lo que nos dice tu héroe, ese hombre que «nada tiene que decir»? Nos dice: «nada»; y esa nada –que es la de todos nosotros– se convierte, por el mero hecho de asumirla, en todo: en una afirmación de sí mismo y, aún más, en una afirmación de la solidaridad y fraternidad de los hombres. Y así, un libro «individualista» resulta fraternal, pues cada hombre que asume su condición solitaria y la verdad de su propia nada, asume la condición de los hombres de nuestra época y puede participar y compartir el destino general.

Y ahora quiero confiarte algo personal: la imposibilidad de escribir y la necesidad de escribir, el saber que nada se dice aunque se diga todo y la conciencia de que sólo diciendo nada podemos vencer a la nada y afirmar el sentido de la vida, yo también, a mi manera, lo he sentido y he procurado expresarlo en muchos textos de *¿Águila o sol?* y en algunos poemas de otros libros. No digo esto por vano afán de precisión literaria sino por el simple placer de señalar una coincidencia. Ahora que reina en tanto espíritu la discordia y la ira divisoria, es maravilloso descubrir que coincidimos con alguien y que realmente hay afinidades entre los hombres. Creo que los que saben que nada tienen lo tienen todo: la soledad compartida, la fraternidad en el desamparo y en la búsqueda.

Gracias de nuevo por *El libro vacío*, lleno de tantas cosas, tan directo y tan vivo.

Afectuosamente,

Octavio Paz

México, septiembre de 1958

La máscara y la transparencia: Carlos Fuentes

El primer libro de Carlos Fuentes fue un delgado volumen de cuentos: *Los días enmascarados* (1954). El título prefigura la dirección de su obra posterior. Alude a los cinco días finales del año azteca, los *nemontani*: «cinco enmascarados / con pencas de maguey», había dicho el poeta Tablada. Cinco días sin nombre, días vacíos durante los cuales se suspendía toda actividad –frágil puente entre el fin de un año y el comienzo de otro. En el espíritu de Fuentes, sin duda, la expresión tiene además un sentido de interrogación y de escarnio: ¿qué hay detrás de las máscaras? El vaso de sangre del sacrificio prehispánico, el sabor de la pólvora la madrugada del fusilamiento, el agujero negro del sexo, las arañas peludas del miedo, las risotadas del sótano y la letrina. Después de este libro extraño, Fuentes ha publicado cinco novelas, una *nouvelle* macabra y perfecta a un tiempo –como lo exige el género: la geometría es la antesala del horror– y otra colección de cuentos[1]. Su primera novela, *La región más transparente*, parece una respuesta a los cuentos juveniles; la transparencia se opone a la máscara. Primera visión moderna de la ciudad de México, este libro fue una doble revelación para los mexicanos: les mostró el rostro de una ciudad que, aunque suya, no conocían y les descubrió a un joven escritor que desde entonces no cesaría de asombrarlos, desconcertarlos e irritarlos. El centro secreto de la novela es un personaje ambiguo, Ixca Cienfuegos; aunque no participa en la acción, de alguna manera la precipita y es algo así como la conciencia de la ciudad. Es la otra mitad de México, el pasado precolombino enterrado pero vivo. También es una máscara de Fuentes, del mismo modo que México es una máscara de Ixca. La literatura como máscara del autor y del mundo. No obstante, lo contrario es igualmente cierto: Ixca es una conciencia. La literatura como crítica del mundo y del propio autor. La novela gira en torno a esta dualidad: la máscara y la conciencia, la palabra y la crítica, Ixca y el México moderno, Fuentes e Ixca.

---

1. Las novelas son: *La región más transparente* (1958), *Las buenas conciencias* (1959), *La muerte de Artemio Cruz* (1962), *Zona sagrada* (1967) y *Cambio de piel* (1967). La *nouvelle* es *Aura* (1962) y el libro de cuentos, *Cantar de ciegos* (1964).

El eje invención verbal y crítica del lenguaje rige toda la obra de Fuentes, con la excepción de *Las buenas conciencias*, intento poco afortunado de regreso al realismo tradicional. Cada una de sus novelas se presenta como un jeroglífico; al mismo tiempo, la acción invisible que las anima es una apasionada, tenaz tentativa por descifrar ese jeroglífico. Cada signo emite otro signo: la ciudad de México nos remite a Ixca, éste a Artemio Cruz (el anti-Ixca, el hombre de acción) y así sucesivamente, de novela a novela y de personaje en personaje. Fuentes interroga a esos signos y los signos lo interrogan: el autor es otro signo. Escribir es la incesante interrogación que los signos hacen a un signo: el hombre; y la que ese signo hace a los signos: el lenguaje. Tarea interminable y que el novelista debe recomenzar una y otra vez: para descifrar un jeroglífico se vale de signos (palabras) que no tardan en configurar otro jeroglífico. La crítica destruye la mentira de las palabras con otras palabras que, apenas pronunciadas, se congelan y se convierten de nuevo en máscaras. En el nivel más aparente, la dualidad se manifiesta como crítica moral o política y como nostalgia de una edad heroica. La descripción de la sociedad contemporánea de México es una crítica cruel (y justa) del mundo que ha creado nuestra Revolución, pero la violencia misma de esa crítica engendra inmediatamente la evocación de otra realidad: los años encendidos de la lucha armada. La crítica se vuelve creación de un mito y el mito está amenazado siempre por la crítica.

El ascenso social del revolucionario y su consecuente degradación moral es un tema constante de la novela moderna, desde Balzac. *La muerte de Artemio Cruz* es la historia del revolucionario que se corrompe. Su caída insensiblemente adquiere una tonalidad mítica. Así pues, Fuentes no se propone ilustrar con un nuevo ejemplo los orígenes revolucionarios de la burguesía conservadora sino que está fascinado por su personaje, como antes lo estuvo por Ixca, el superviviente de la edad prehispánica. Descifrar a Cruz será exorcizarlo. Su agonía es el desciframiento. El moribundo revive su vida: el enamorado, el guerrillero, el aventurero político, el hombre de negocios... El niño y el adolescente acechan su muerte porque creen que ella será la revelación de lo que está detrás de la realidad, en el otro lado; el viejo agonizante busca en su vida pasada el indicio de lo que es verdaderamente, ese momento inmaculado que le permitirá ver de cara a la muerte. Estas oposiciones no se manifiestan una detrás de otra sino simultáneamente. Fuentes suprime el antes y el después, la historia como tiempo lineal: no hay sucesión, todos los tiempos y los espacios coinciden y se conjugan en este instante en que Artemio Cruz interroga a su vida. Cruz muere indescifrado. Mejor dicho: su muerte nos enfrenta a otro jeroglífico, que es la suma de todo lo que fue –y su negación. Hay que volver a empezar.

El mundo no se presenta como realidad que hay que nombrar sino como palabra que debemos descifrar. La divisa de Fuentes podría ser: *dime cómo hablas y te diré quién eres*. Los individuos, las clases sociales, las épocas históricas, las ciudades, los desiertos, son lenguajes: todas las lenguas que es la lengua hispanomexicana y otros idiomas más. Una enorme, gozosa, dolorosa, delirante materia verbal que podría hacer pensar en el barroquismo del *Paradiso*, de José Lezama Lima, si es que el término barroco conviene a los escritores modernos. Pero el vértigo que nos producen las construcciones del gran poeta cubano es el de la fijeza: su mundo verbal es el de la estalactita; en cambio, la realidad de Fuentes está en movimiento y es un continuo estallido. Aquél es la acumulación, la petrificación, una inmensa geología verbal; éste es el desarraigo, el éxodo de las lenguas, sus encuentros y sus dispersiones. La tierra y el viento.

Por su cosmopolitismo, Fuentes podría parecerse a Cortázar, el más lúcido y radical, valga la contradicción, de nuestros desarraigados: inclusive cuando escribe en argentino porteño, la ironía conserva la distancia entre el escritor y el habla. El cosmopolitismo hispanoamericano de Cortázar es el producto extremo de un proceso de abstracción y depuración: una cristalización; el de Fuentes es una yuxtaposición y combinación de distintos idiomas dentro y fuera del español. Vuelto sobre sí mismo, el lenguaje de Cortázar es un juego reflexivo que obliga al lector a caminar sobre un filo cada vez más delgado y tajante hasta que lo enfrenta a un espacio vacío: anulación del lenguaje, salto hacia el silencio. En Fuentes no hay metafísica de la palabra: hay erotismo verbal, violencia y delicia, encuentro y explosión. El alambique y el cohete.

El cuerpo ocupa un lugar central en el universo de Fuentes. El frío, el calor, la sed, la urgencia sexual, la fatiga, las sensaciones más inmediatas y directas; y las más refinadas y complejas: las combinaciones del deseo y la imaginación, los desvaríos y las alucinaciones de los sentidos, sus errores y sus adivinaciones. La pasión erótica es cardinal y, por lo tanto, lo es también la imaginación, su doble implacable. En otros dos notables novelistas hispanoamericanos, uno de su misma generación y el otro de la precedente, Gabriel García Márquez y Adolfo Bioy Casares, el amor es, asimismo, una pasión soberana. En el mundo de García Márquez el amor es el poder genésico que reina como una presencia obscura, impersonal y todopoderosa: es el mundo del primer día o, más exactamente, la noche primordial. El tema de Bioy Casares no es cósmico sino metafísico: el cuerpo es imaginario y obedecemos a la tiranía de un fantasma. El amor es una percepción privilegiada, la más total y lúcida, no sólo de la irrealidad del mundo sino de la nuestra: corremos tras de sombras pero nosotros también somos sombras[1]. A la inversa de García Márquez, para Fuentes los hombres y las mujeres no son meras proyecciones del deseo: son sus cómplices y sus enemigos. A semejanza de Bioy Casares, los fantasmas no son menos reales que los cuerpos, sólo que esos fantasmas encarnan: los tocamos y nos tocan, nos desgarran. El cuerpo es verdadero y la revelación que nos ofrece es inhumana, sea animal o divina: nos arranca de nosotros mismos y nos arroja a otra vida, o a otra muerte, más plena.

Los cuerpos son jeroglíficos sensibles. Cada cuerpo es una metáfora erótica y el significado de todas estas metáforas es siempre el mismo: la muerte. Por el amor Fuentes se asoma a la muerte; por la muerte, al territorio que antes llamábamos sagrado o poético y que en nuestros días carece de nombre. El mundo moderno no ha inventado palabras para designar a la otra vertiente de la realidad. No es extraña la obsesión de Fuentes por el rostro arrugado y desdentado de una vieja tiránica, loca y enamorada. Es el antiguo vampiro, la bruja, la serpiente blanca de los cuentos chinos: la señora de las pasiones sombrías, la desenterrada. El erotismo es inseparable del horror y Fuentes se sobrepasa a sí mismo en el horror: el erótico y el grotesco. En muchos pasajes de sus novelas y en casi todos sus cuentos se despliega con una suerte de alegría feroz. Si no es lo sagrado, es algo no menos violento: la profanación. Un humor en el que coinciden tres herencias –la

---

1. De paso: a pesar de que este autor ha escrito dos novelas, *La invención de Morel* y *El sueño de los héroes*, que pueden llamarse sin exageración perfectas (¿o por eso mismo?), nuestra crítica las ha desdeñado o, lo que es peor, las ha leído mal y visto en ellas únicamente dos afortunadas variaciones de la literatura fantástica.

inglesa, la española y la mexicana– y que no es intelectual sino físico, sexual, visceral. Un humor más allá de la ironía, del absurdo y de la sátira, casi sublime en su exageración paródica –un humor que no merece otro adjetivo que el de encarnizado. Carnal, corporal, ritual e incongruente como un sacrificio azteca en Times Square. Si la crueldad es la otra cara de la ternura, Fuentes no es ni tierno ni cruel: es pasional e imaginativo.

Algunos críticos europeos han dicho que la segunda mitad de nuestro siglo verá la aparición de la literatura latinoamericana (en sus dos ramas: la brasileña y la hispanoamericana), tal como su primera mitad vio el surgimiento de la angloamericana y el final del XIX el de la rusa. No confío mucho en este género de profecías; además, creo que estas tres literaturas, por más excéntricas que parezcan, sólo son inteligibles dentro del contexto de la europea. Por otra parte, la literatura contemporánea tiende a ser mundial. Podemos deplorarlo o no, pero es un hecho que las antiguas oposiciones históricas entre nación y nación, o entre las distintas civilizaciones, poco a poco se evaporan. Los nuevos antagonismos son otros y se manifiestan *dentro* de la comunidad mundial: conflictos entre la sociedad industrial y el Tercer Mundo, querella de generaciones en el seno de la primera. Así pues, no me inquieta saber si resultará o no cierta la profecía sobre el futuro de la literatura de América Latina. En cambio, me fascinan y exaltan las obras de unos cuantos poetas y novelistas latinoamericanos: no son una promesa sino una presencia. Entre esas obras se encuentra la de Fuentes. Está en el mediodía de sus dones y aún no ha dicho su palabra final. Pero yo sé que la máscara se volverá transparente y preciosa, no como el cristal de roca sino como el agua.

Delhi, 1967

«La máscara y la transparencia: Carlos Fuentes» se publicó en *Corriente alterna*, México, Siglo XXI, 1967.

La pregunta de Carlos Fuentes

En dos ocasiones me ha tocado recibir a Carlos Fuentes. La primera fue hace más de veinte años, en París; la segunda, esta noche en el Colegio Nacional. ¿Somos los mismos que se encontraron por primera vez una tarde del verano de 1950 en una casa de la Avenida Victor Hugo? ¿Los mismos que al día siguiente fueron a una galería de la Place Vendôme para ver una exposición de Max Ernst, recién vuelto de Arizona?

Desde hace mucho sospecho que el yo es ilusorio. La creencia en la identidad personal es como una jaula fantástica. Una jaula vacía: adentro no hay nadie. El prisionero es irreal pero la jaula es real, aunque sus barrotes estén hechos de las especulaciones de la psicología y la historia, esas dos quimeras. Quizá la creencia en la identidad personal es un recurso de nuestra nadería para dar un poco de verosimilitud a nuestro descosido y discontinuo transcurrir. Pues no existimos: transcurrimos. Nos amedrenta esta manera de pensar porque, al extirpar una ilusión, extirpa también a la realidad que la sustenta; si el yo fuese realmente ilusorio y nuestros nombres no designasen sino apariencias, fantasmas en perpetuo cambio, el mundo también sería insubstancial, un tejido de impresiones y sensaciones evanescentes. Si yo no soy yo, el mundo tampoco es el mundo. Esta idea despuebla a la realidad, la hace irrespirable. Por poco tiempo: las invenciones de la memoria, más allá de su error o de su verdad, no tardan en hacerla otra vez habitable y transitable. Las sensaciones reinventan al mundo y el mundo reinventa al yo.

La memoria es nuestro bastón de ciego en los corredores y pasillos del tiempo. No nos devuelve esa pluralidad de personas que hemos sido pero abre ventanas para que veamos –no tanto a la intocable realidad como a su imagen. Las imágenes de la realidad que nos entregan la memoria y la imaginación son reales, incluso si la realidad no es enteramente real. No, no era irreal aquella ciudad de París anclada, por decirlo así, en el golfo inmenso y casi inmóvil de un caliente día de verano, ni era irreal el terciopelo rojo de aquel sofá en que estaba sentado un muchacho mexicano llegado hacía apenas unas horas de Ginebra, alto y flaco, nervioso, vestido de azul, el pelo castaño, la frente vasta, el mentón enérgico, los lentes gruesos, ni eran irreales las preguntas y comentarios que disparaba sin cesar con voz bien timbrada y ademanes rápidos, poseído por una avidez de conocer y tocar todo –una avidez que se manifiesta en descargas intelectuales y emotivas que, por su intensidad y frecuencia, no es exagerado llamar eléctricas. Desde el primer día Carlos Fuentes me pareció un espíritu fascinado por los hombres y sus pasiones. Al verlo y oírlo recordé unos versos de Quevedo que, a mi juicio, definen la desesperación lúcida del poeta más que el orgullo insensato del pecador: «Nada me desengaña, / el mundo me ha hechizado». Entusiasmo, capacidad para asombrarse, frescura de la mirada y del entendimiento –dones sin los cuales no hay imaginación creadora ni fertilidad poética– pero asimismo poder mental para convertir todas esas sensaciones e impresiones en objetos verbales a un tiempo sensibles e ideales: cuentos, novelas. La avidez de aquel muchacho no sólo era sensualidad sino curiosidad intelectual, ansia por conocer. Movido contradictoriamente por deseo e ironía (su entusiasmo siempre fue lúcido), Carlos Fuentes interrogaba al mundo y se interrogaba a sí mismo. Lo interrogaba con los sentidos y con la imaginación, con las yemas de los dedos y con las redes impalpables de la inteligencia.

¿Qué relación hay entre aquel muchacho que conocí en 1950 y el escritor que ahora tengo la suerte y la alegría de recibir en esta casa? La interrogación es el hilo que une al Fuentes de ayer con el de hoy. A lo largo de estos veinte años Fuentes no ha cesado de preguntar y preguntarse. Novelas, cuentos, piezas de teatro, crónicas, ensayos literarios y políticos: la obra de Fuentes es ya una de las más ricas y variadas de la literatura contemporánea en nuestra lengua. Sin embargo, a pesar de la diversidad de los géneros y los temas, la pregunta siempre es la misma. Cada uno de sus libros es una tentativa de respuesta pero la pregunta renace continuamente de cada respuesta. Sería presuntuoso intentar definirla o describirla siquiera. Es una pregunta muy vasta y tiene muchas ramificaciones. Me limitaré a señalar una de sus características, para mí la central: la pregunta de Fuentes no se refiere tanto al enigma de la presencia del hombre sobre la Tierra como a la índole y al sentido, no menos enigmáticos, de las relaciones entre los hombres. La literatura universal sólo tiene dos temas: uno es el diálogo del hombre con el mundo; el otro es el diálogo de los hombres con los hombres. La pregunta de Fuentes se abre, se cierra y se vuelve a abrir en el ámbito del segundo tema. En verdad, más que una pregunta es un cuerpo a cuerpo con la realidad, a veces un combate y otras un abrazo erótico. Por eso las dos notas extremas de su obra, trátese del novelista o del ensayista, del autor de los libros de imaginación o del crítico de nuestra realidad social, son el erotismo y la política. ¿Cómo se hacen, deshacen y rehacen los lazos eróticos y los lazos sociales? La alcoba y la plaza pública, la pareja y la multitud, la muchacha enamorada en su cuarto y el tirano agazapado en su madriguera. Doble fascinación: el deseo y el poder, el amor y la revolución. Sus libros están poblados por enamorados y por ambiciosos. El autor de *Aura* es también el de *La muerte de Artemio Cruz*. La isla y la ciudad. Fuentes podría decir como André Gide: «Los extremos me tocan».

No es raro que Fuentes —por la brillantez de sus dones, la resonancia de su obra y la índole de la pregunta que se hace y nos hace— haya provocado la irritación, la cólera y la maledicencia. Escritor apasionado y exagerado, ser extremoso y extremista, habitado por muchas contradicciones, exaltado en el país del *medio tono* y los *chingaquedito*, paradójico en la república de los lugares comunes, irreverente en una nación que ha convertido su historia trágica y maravillosa en un sermón laico y ha hecho de sus héroes vivos una asamblea de pesadas estatuas de yeso y cemento, Fuentes ha sido y es el plato fuerte de muchos banquetes caníbales. Pues en materia literaria —y no sólo en ella: en casi todas las relaciones sociales— México es un país que ama la carne humana. Salvo unas cuantas excepciones, no tenemos críticos sino sacrificadores. Enmascarados por esta o aquella ideología, unos practican la calumnia, otros el «ninguneo» y todos un fariseísmo a la vez productivo y aburrido. Las bandas literarias celebran periódicamente festines rituales durante los cuales devoran metafóricamente a sus enemigos. Generalmente esos enemigos son los amigos y los ídolos de ayer. Nuestros antropófagos profesan una suerte de religión al revés y sus festines son también ceremonias de profanación de los dioses adorados la víspera. No les basta con comerse a sus víctimas: necesitan deshonrarlas. No obstante, tras cada ceremonia de destrucción, Fuentes reaparece más vivo que antes. ¿El secreto de sus resurrecciones? Un arma mejor que el arco mágico de Arjuna: la risa. Fuentes sabe reírse del mundo porque es capaz de reírse de sí mismo. La risa dispersa a los caníbales y destroza sus flechas envenenadas. Después de la risa, el escritor vuelve a sí mismo y a su pregunta. Esta noche, una vez más, Fuentes desplegará ante nuestros ojos su interrogación, siempre la misma y siempre distinta. Se pregunta ¿qué es la novela y qué significa escribir novelas? y la novela le responde con otra pregunta: ¿qué son los hombres, esas criaturas que sólo alcanzan plena realidad cuando se transforman en imágenes?

México, noviembre de 1972

«La pregunta de Carlos Fuentes» se publicó en *In/mediaciones*, Barcelona, Seix Barral, 1979.

Encuentros de Juan García Ponce

La obra de Juan García Ponce es una de las más vastas de la literatura mexicana contemporánea. También es una de las más variadas: novelas, cuentos, teatro, ensayos, crítica de arte y de literatura. A la diversidad de los géneros hay que añadir la de los territorios que explora: el erotismo y la polémica intelectual, la crítica de pintura y la metafísica, la especulación literaria y la reflexión moral, las descripciones naturalistas y las reticencias que dicen sin decir, el relato lineal y el simbólico. García Ponce ha escrito con generosidad e inteligencia sobre los pintores y escritores de su generación; asimismo, ha dedicado estudios penetrantes a figuras tan distintas como Musil y Klossowski, Lezama Lima y José Bianco. Su pensamiento crítico, sus descubrimientos y sus entusiasmos, sus negaciones y sus afirmaciones han ejercido una influencia vivificante en la literatura y el arte de México desde hace más de veinte años; sin embargo, aunque numerosos, sus ensayos no son sino prolongaciones y reflexiones al margen de su actividad central: la prosa de imaginación. García Ponce es sobre todo un narrador y su obra crítica depende de sus ficciones novelísticas. No es un ensayista que redacta novelas sino un novelista que escribe ensayos.

Dentro de sus ficciones los cuentos ocupan un lugar aparte. No porque sean de naturaleza distinta a las novelas; a pesar de la variedad de formas y de tentativas, el tema de García Ponce es *uno* y está presente, explícito o implícito, en todas sus narraciones. La diferencia entre novela y cuento no es de substancia, sus cuentos dicen lo mismo que sus novelas pero con otra voz y con otra entonación. Son recodos en donde la corriente impetuosa parece aquietarse; sin cesar de correr, murmura en voz más baja y lenta. El remolino, por un instante, se inmoviliza y entonces, límpida, la prosa calla: confidencia sin palabras. En todos los cuentos de García Ponce asistimos al gradual desvelamiento de un secreto pero las palabras, al llegar al borde de la revelación, se detienen: el núcleo, la verdad esencial, es lo no dicho. Al escribir esto pienso sobre todo en ese pequeño libro que se llama *Encuentros*, publicado en 1972 y que ahora el Fondo de Cultura Económica ha tenido la buena idea de volver a editar. Está compuesto por dos cuentos cortos, *El gato* y *La plaza*, y un relato más extenso, casi una *nouvelle*: *La gaviota*. Los tres textos cuentan entre los mejores de García Ponce. Podemos decir de ellos, sin exagerar, que son tres *precipitados*, en el sentido químico de la palabra, de sus fábulas, sus invenciones y sus obsesiones.

A pesar de la extrañeza de su asunto, *El gato* es el cuento que con mayor fidelidad se ajusta a la manera habitual de García Ponce. (Tal vez por eso escribió después otra versión, más extensa y explícita, con mayor riqueza psicológica, pero menos misteriosa.) Una pareja encuentra a un gato o, más bien, el gato la encuentra. Ellos aceptan con naturalidad la presencia de ese intruso en sus juegos eróticos; casi insensiblemente, el animalito se convierte en un talismán: sin «la fija mirada de aquellos entrecruzados ojos amarillos sobre su cuerpo desnudo», ni ella puede entregarse a él ni él la desea realmente. Su pasión depende de un tercero: una pequeña presencia animal, enigmática como el deseo y que, como él, viene de lo obscuro y los lleva a lo desconocido. El tema de *La plaza* es también el de un encuentro, no con un enviado del mundo del deseo sino con el tiempo mismo. Un hombre viejo busca el tiempo pasado, su tiempo, en una plaza de la ciudad de provincia donde ha vivido toda su vida; lo busca al final del día, cuando la sombra desciende sobre los árboles y los últimos transeúntes abandonan las arcadas, pero lo que encuentra es una felicidad infinita y sin nombre: un tiempo más vasto, un tiempo que no pasa aunque esté pasando siempre.

Las dos experiencias, la del gato –signo del deseo– y la del anochecer en la plaza –anulación de los signos– nos enfrentan a un misterio que ha sido tradicionalmente el tema de las meditaciones de los filósofos y la substancia de las visiones de los místicos. García Ponce no es creyente pero en sus textos más logrados hay un momento en que su sensibilidad colinda con una zona magnética; es más fácil sentir la fascinación de esos pasajes que definirlos: se trata de una suerte de arrobo religioso que no es inexacto llamar *quietista*. En otro escritor mexicano, José Revueltas, advierto también una vena de religiosidad sólo que de sentido distinto e incluso contrario: el cristianismo marxista de Revueltas es activo y se realiza en el sacrificio; la religiosidad de García Ponce es erótica y estética: la vía contemplativa.

La gaviota es una obra singular. En primer término por su asunto: es la historia del encuentro de dos adolescentes en una playa de la costa mexicana. Las historias de adolescentes no abundan en las literaturas hispánicas. No se ha reparado bastante en la sequedad y rigidez de nuestros clásicos: el adolescente típico de las novelas españolas no es un Dedalus, un Gran Meaulnes, un Werther o un Tom Sawyer sino un Lazarillo de Tormes o un Guzmán de Alfarache. Un antihéroe, un pícaro. Calixto y Melibea podrían ser la excepción pero los dos ya están hechos y formados cuando se enamoran: no se descubren a sí mismos al descubrir al amor. El mundo en que se mueven los dos adolescentes de García Ponce es un mundo aparte, en el sentido social: ambos pertenecen a la alta clase media. La muchacha, además, es una extranjera. Pero el aislamiento de los dos muchachos no es sólo social sino psicológico. Su pasión los aísla de sus compañeros de juegos y esa misma pasión, como el gato a los amantes del primer cuento, los lleva a descubrir una realidad violenta y sobrecogedora: la de sí mismos.

El relato está escrito en una prosa que fluye pausada como el correr idéntico de días felices, con remansos de sombras, claridades súbitas y vibraciones secretas. Luz sobre el mar: palpitación de olas, pechos, espaldas, vientres, muslos. Mundo regido por dos sentidos: el tacto y la vista. Ambos son los servidores del deseo. La presencia de la naturaleza es constante, a veces como placer (ver y tocar, ser visto y ser acariciado) y otras como enigma terrible (¿qué hay detrás de las formas, qué esconde esa mirada?). Hay un momento inolvidable: el episodio de los dos muchachos en el cementerio del pequeño puerto, al lado del mar, tendidos en la hierba y espiando, bajo la noche estrellada, la aparición de los fuegos fatuos sobre las tumbas. El deseo de los dos adolescentes tiene algo de vegetal: crece, madura, se abre. Es una cristalización, no en el sentido de Stendhal sino en el de Lawrence: no es un sentimiento sino un instinto, algo en lo que no interviene la cabeza sino la sangre. La revelación final es instantánea y atroz: el sexo es violencia, sangre, destrucción. Los niños dejan de ser niños al revolcarse en el polvo empapado por la sangre de la gaviota asesinada por el muchacho. ¿El goce es inseparable del crimen?

Hay una palabra que aparece con frecuencia en los escritos de García Ponce: inocencia. Sin embargo, en casi todas sus novelas y cuentos la inocencia está siempre aliada a esas pasiones que llamamos malas o perversas: la crueldad, la ira, la lujuria, los delirios de la imaginación exasperada y, en fin, toda esa gama de placeres que reprobamos y que, al mismo tiempo, nos fascinan. Se trata de inclinaciones que son casi siempre irresistibles, como lo dice Racine en un bien medido alejandrino: *Quel que soit vers vous le penchant qui m'attire*. ¿Cómo puede ser inocente el amor si invariable y fatalmente contiene, en mayor o menor grado, una dosis de perversidad? El beso mismo es una perversión oral, nos advierten los psicoanalistas. Pero la palabra inocencia no es realmente un término moral ni científico sino religioso: la inocencia es una plenitud de ser, del mismo modo que el pecado es una falta. La inocencia es abundancia, el pecado es carencia. Lawrence lo sabía perfectamente y, al hablar de sus novelas, en una carta a un amigo, le dice que todas ellas giran en torno al enigma de la sexualidad «y han sido escritas desde la profundidad de mi experiencia religiosa».

En el caso de García Ponce hay que unir a la experiencia religiosa otros dos elementos: la mirada y el espectáculo. En sus novelas la vista es el sentido rey, como lo fue entre los filósofos de la Antigüedad. La mirada percibe la ambigüedad esencial del universo y descubre en esa ambigüedad no la dualidad de la moral sino la unidad de la visión religiosa: todo es uno y uno es todo. ¿Teología unitiva o estética de *voyeur*? Una y otra: entre las posiciones lascivas de Julio Romano y los ejercicios espirituales de Santa Catalina de Siena, el relato se vuelve alternativamente ceremonia libertina y misterio sacro. El teatro fue una de las primeras pasiones de García Ponce; pronto lo abandonó pero vive dentro de sus novelas. No sólo, como podría suponerse, por la forma en que se sirve de los diálogos sino por la manera en que están construidos ciertos episodios: el texto se vuelve una suerte de foro y el lector, convertido en espectador, contempla o, más exactamente, *mira* la acción. En algún caso (por ejemplo, en la versión ampliada de *El gato*) se tiene la impresión no de asistir a un teatro sino de espiar por la cerradura: los «cuadros vivos» de la pornografía transformados en un ritual de signos que se asocian y separan para formar, literalmente, figuras de un lenguaje irreductible a la palabra. Los cuerpos se enlazan como signos, forman frases –y *dicen*. Pero ¿qué dicen? A esta pregunta trata de responder toda la obra de García Ponce. Pregunta desesperada y quizá sin respuesta: la inocencia se mira, no se piensa ni se dice.

México, 1979

«*Encuentros* de Juan García Ponce» se publicó en la revista *Vuelta*, 31, México, junio de 1979.

El signo y el garabato: Salvador Elizondo

El título de un ensayo reciente de Carlos Fuentes podría servir como definición, preliminar y provisional, de la actividad literaria de Salvador Elizondo: *La palabra enemiga*. Fuentes afirma, con razón, que la literatura no es ni puede ser sino adversaria del actual estado de cosas del mundo. (Y México, hay que repetirlo todos los días, no es sólo parte del mundo: es el mundo que nos tocó en el reparto de este mundo partido por fronteras, clases, castas y jefes.) Palabra enemiga, palabra crítica, la literatura se despliega como una interrogación que, en cierto momento extremo de su distensión, se vuelve sobre sí misma y se repliega: palabra crítica de la escritura, enemiga de sí misma. Dentro de esta perspectiva que es la de la literatura contemporánea mundial, la tentativa de Salvador Elizondo se inscribe en una vía aún más arriesgada y solitaria. Su crítica de la realidad y del lenguaje no parte de la razón o de la justicia sino de una evidencia inmediata, directa y agresiva: el placer. Zona secreta, apenas frecuentada por los escritores de nuestra lengua. Si esta osadía es excepcional, más lo son el rigor con que construye sus fabulaciones novelescas y la penetración de su mirada. Puede parecer inusitada la mención de estas cualidades en una obra cuyo tema, mejor dicho: cuya obsesión, es el placer. No lo es. Cierto, el rigor es una virtud que pertenece más bien a la esfera de la moral; y la penetración es una facultad intelectual. Pero la naturaleza del placer es doble o triple: es la satisfacción imaginaria del instinto animal y la respuesta física a una necesidad psíquica, la irrupción brutal del cuerpo y sus humores en el convivio filosófico y el paulatino desvanecimiento del falo y la grupa en el lecho del libertino. El placer es riguroso, como los ejercicios del ascetismo; y es penetrante, como el pensamiento. Elizondo asume esa exigencia; sus obras son el relato de una incursión (una penetración) en esa región que es, por definición, el dominio de lo ininteligible: la «noche obscura del alma» y la noche, no menos obscura, del cuerpo.

La palabra placer es una de las más peligrosas del idioma. Las grandes explosiones populares, revoluciones o motines, son estallidos de placer. Cernuda lo dijo con claridad:

Abajo, estatuas anónimas,
Sombra de sombras, miseria, preceptos de niebla;
Una chispa de aquellos placeres
Brilla en la hora vengativa.
Su fulgor puede destruir vuestro mundo.

También las fiestas, los sacrificios y otras ceremonias públicas fueron (y son) erupciones del deseo. Pero estos excesos, inclusive si son cíclicos como lo eran las bacanales y las orgías de los antiguos, no agotan la potencia transgresora del placer. Por debajo de la superficie de la historia pública, el placer perpetuamente crea asociaciones clandestinas y cultos subterráneos. Ése es el mundo de las dos novelas que hasta ahora ha publicado Elizondo. En la primera (*Farabeuf o La crónica de un instante*, 1965), el joven escritor mexicano describe un ritual erótico que es, al mismo tiempo, una operación de cirugía, una conspiración político-religiosa y una ceremonia de magia adivinatoria. La segunda (*El hipogeo secreto*, 1968) es el relato de un rito de iniciación en una secta místico-filosófica, un rito que es, de nuevo, un sacrificio erótico, ahora aliado al acto de escribir una novela. Es la tradición de la novela filosófica de Sade: el castillo y la catacumba, en lugar de la Academia o el Pórtico. También es la tradición de la novela gótica y, más lejos en el tiempo, la renacentista y neoplatónica de los laberintos y las alegorías, como el famoso *Hypnerotomachia Poliphili* de Francesco Colonna. Elizondo recoge esa herencia y la de algunos escritores franceses modernos, en especial la de Georges Bataille. Pero su sentido de la construcción novelística es muy distinto al del autor de *L'Expérience intérieure* y sus fabulaciones están más cerca de la literatura fantástica que de otras corrientes.

Aunque la estructura de las novelas de Elizondo es compleja, no lo son los elementos que las constituyen. Los personajes son signos y sus asociaciones y disociaciones, regidas por una suerte de lógica combinatoria que es también la de las afinidades corporales y mentales, producen un número limitado de situaciones que, a lo largo de cada novela, se repiten casi exactamente. Ese «casi», coeficiente de incertidumbre, es el origen del sentimiento de angustia que experimenta el lector. Los personajes-signos son una cofradía al margen de la vida diaria, una comunidad clandestina. La sociedad secreta es una sociedad dentro de la sociedad. Por una parte, es la otra cara, la oculta, de la sociedad; por la otra, su negación. Por lo primero, es lo prohibido –y de ahí que las dos novelas de Elizondo sean la exploración de un enigma a un tiempo atroz e insignificante. Por lo segundo, la sociedad secreta encarna o prefigura, según el caso, una inversión de los valores sociales, un poner arriba lo que está abajo y abajo lo que está arriba –y de ahí que esas obras de ficción sean también tentativas de subversión, no en el nivel político o social sino en una capa más profunda y que no sé si llamar religiosa. El nivel de las creencias: lo excelso y lo abyecto, lo venerable y lo inmundo. Las dos novelas suceden –si es que la palabra «suceder» es aplicable a la descripción de un instante que recomienza sin cesar y que jamás acaba de pasar, un acontecimiento que nunca acontece del todo– en un espacio cerrado, lejos del mundo. Ese sitio apartado es el lugar de la *operación*, en los varios sentidos de la palabra: la operación de cirugía y la operación lógica, la alquímica y la literaria (la «obra magna» y la obra novelesca). Todas estas operaciones son metáforas de otra: la operación erótica que, a su vez, es una metáfora ¿de qué? Las novelas de Elizondo son el asedio a ese ¿de qué?

Como la muerte y como la risa, dice Bataille, el placer niega al trabajo y a la razón, a las jerarquías y a los valores. Su crítica no es intelectual sino pasional y está fundada en un relativismo radical: no hay más absoluto que el deseo ni más eternidad que la del instante. A diferencia de la risa –que es una suspensión del juicio, un negarse a decidir entre eso y aquello, porque los dos extremos nos parecen absurdos, risibles– el placer es una elección instantánea y, en este sentido, una afirmación. Asimismo, a diferencia de la muerte –que es la respuesta definitiva y universal, aunque indescifrable, a todos los afanes de los hombres– el placer es una pregunta que se repite sin cesar: ¿qué hay detrás del instante, qué hay detrás del cuerpo que enlazamos y nos enlaza? El placer está condenado a la dialéctica, por decirlo así. Cada uno de sus movimientos es una pregunta –y cada respuesta es una negación. Esta condenación filosófica es, quizá, el origen de la literatura erótica: su mundo es el de la imaginación. No hay una realidad erótica propiamente dicha porque el erotismo es, por su naturaleza misma, representación imaginaria. Así, en un extremo colinda con la filosofía: es una crítica de la realidad; en el otro colinda con la imaginación: puebla el espacio real y deshabitado con sus fantasmas.

El erotismo es una fábula filosófica: alegoría del desengaño o danza de la muerte. Uno de los poquísimos poetas realmente eróticos de la literatura moderna en español, López Velarde, dice que el placer es una escritura:

> Voluptuosa melancolía:
> en tu talle mórbido enrosca
> el Placer su caligrafía
> y la Muerte su garabato.

La escritura del placer se *enrosca* como una víbora o una liana –como una interrogación. Es una pregunta que estrangula o que, al menos, inmoviliza a su objeto. Y la respuesta a esa pregunta, si es que efectivamente la muerte es una respuesta, es un *garabato*: un signo no sólo indescifrado sino indescifrable y, por tanto, *in-significante*. Así pues, la traducción de este signo (que es la marca de nuestra mortalidad) nunca puede ser literal. Por eso Elizondo no escribe ni ensayos de filosofía ni tratados de erotología. Escribe novelas: metáforas de una realidad que siempre se nos aparece, ella misma, como signo, como metáfora.

Farabeuf es una obra construida en torno de dos series paralelas de signos que se reflejan unos a otros y cuyas combinaciones producen imágenes y situaciones semejantes, aunque en cada ocasión ligeramente distintas. Una de las series está constituida (mi lista no es completa) por tres signos que pertenecen al mundo chino: una célebre y terrible fotografía tomada en Pekín, en 1905, en la que se ve al condenado sufrir el atroz suplicio llamado *Leng T'che*; el ideograma *liú* (muerte); y los hexagramas del *Libro de las mutaciones* (*I Ching*), antiguo tratado de adivinación. Hay una analogía sorprendente, sugiere Elizondo, entre la forma del ideograma *liú*, los hexagramas del *I Ching* y la forma hexagonal que el novelista advierte en la disposición de los verdugos en torno al eje del ajusticiado. Estos signos son una suerte de espejo contradictorio en el que se reflejan los de la serie occidental. Por ejemplo, Elizondo insinúa que la víctima es una mujer y, así, que el suplicio es una analogía inversa del de Cristo. La contrapartida occidental es la siguiente: las operaciones quirúrgicas del doctor Farabeuf, un cuadro de Tiziano (*El amor profano y el amor sagrado*) y la adivinación por medio de la *ouija*. Estos signos se enlazan con otros, subsidiarios, que producen varios textos y una sola situación: una historia de amor y una conspiración político-clerical, un paseo a la orilla del mar de una pareja y una sórdida aventura de Farabeuf con una monja-espía-enfermera... Todos estos signos confluyen en el ideograma *liú*, que es muerte que es tortura que es rito erótico que es sacrificio religioso que es descabellada tentativa por cristianizar a China que es experiencia médica de un ilustre profesor de cirugía que es una tortura que es una ceremonia erótica que es el paseo de una pareja por la paya durante el cual una mujer encuentra una estrella de mar que es el suplicio *Leng T'che* que es la crucifixión que es el ideograma *liú*...

Severo Sarduy ha dedicado a *Farabeuf* una nota muy aguda[1]. El poeta y novelista cubano se sirve de la clásica distinción de Saussure entre significante y significado para intentar desentrañar la metáfora o ideograma central: «Elizondo quiere probar que todo significante –la novela en su totalidad y, en particular, el signo *liú*, que la condensa– no es más que cifra, escritura de una idea, es decir, ideograma. ¿De qué realidad es jeroglífico cada letra, qué esconde y ausenta cada signo?». Me atrevo a responder: cada jeroglífico nos remite a otro, cada signo responde con otro signo; y todas las presencias y los signos se funden en el *garabato* de López Velarde. Ésa es la realidad original, la fuente y el fin de todas las metáforas. Y esa realidad es indescifrable.

La segunda novela de Elizondo es, por una parte, la reiteración de la anterior y, por la otra, su metáfora: un volver a inclinarse sobre el enigma del signo muerte-placer y, al mismo tiempo, una obra distinta e independiente. Las diferencias entre una y otra no son únicamente formales. En la primera novela, una baraja de signos que designan a los personajes produce, al combinarse, las situaciones; en la segunda, personajes y situaciones son *efectivamente* signos: las palabras y las letras de un libro. Ese libro se llama *El hipogeo secreto*, una novela en la que el lector lee que un escritor llamado Salvador Elizondo está escribiendo una novela en la que describe la búsqueda –por un grupo de personajes entre los que figura la mujer con la que habla o sueña o hace el amor el autor mientras escribe la novela– de un santuario secreto en el que debe consumarse un rito erótico de iniciación ¿filosófico-religiosa? en el que la víctima es esa misma mujer y que consiste en la unión del garabato y de la caligrafía, del signo muerte y el signo placer, es decir, de la escritura de la novela y el acto sexual... En

---

[1] «Del Yin al Yang», en la revista *Mundo Nuevo*, número 13, julio de 1967.

Farabeuf el signo era espacial y estático; en *El hipogeo secreto* el ideograma chino se transforma en un río de signos: tránsito de lo espacial a lo temporal, de la fijeza al cambio. Y hay más: al escribir que escribe, Elizondo *se escribe*, se vuelve un signo entre los signos, un accidente entre los accidentes que es toda escritura. Por una inversión de la perspectiva habitual, el autor deja de ser el dueño de las combinaciones de su obra y es una combinación más, uno de los productos de su novela. Se abre así un abismo: el acto de escribir, convertido en escritura *dentro* de la escritura, pierde de pronto todas sus referencias; la escritura no es lo que escribe el hombre, porque el hombre es ya escritura, ya es personaje también. La referencia no está ya del lado del hombre sino del otro lado: el lado de la escritura abierta hacia la no-significación. Como diría Sarduy: la pregunta sobre el ideograma escritura-erotismo-muerte pasa ahora del nivel del significado al del significante. Al extirpar el significado, el signo se vuelve *garabato*. La crítica de la escritura por la escritura es el eslabón que cierra la cadena placer-muerte. Elizondo se enfrenta, y nos enfrenta, a una nueva pregunta: ¿qué significa el sacrificio, la destrucción de los signos? Pero esta pregunta, ¿no es la misma del principio? La Misma del Principio...

Delhi, 6 de agosto de 1968

«El signo y el garabato: Salvador Elizondo» se publicó en *El signo y el garabato*, México, Joaquín Mortiz, 1973.

Manual del distraído: Alejandro Rossi

> *El filósofo sistemático y el moralista son naturalezas incompatibles. El moralista sonríe y así desconcierta al otro... Si se hubiesen conocido, Descartes y La Rochefoucauld no se habrían soportado.*
>
> SAINTE-BEUVE

El título del precioso libro de Alejandro Rossi: *Manual del distraído*, me recuerda el de un pequeño libro de poemas que leí cuando era muchacho: *Manual de espumas*, del poeta Gerardo Diego. Parecido ilusorio: aunque los dos libros se presentan, con un guiño, como manuales, un instante de reflexión revela que hay entre ellos una real y profunda diferencia. El título del libro del poeta español es una afirmación lanzada al aire como una moneda. Metáfora a un tiempo brillante y superficial: el mundo reducido a un manual y el manual a lo más seductor, inestable y efímero: la espuma. Hermosa insolencia de la poesía de esos años, que no conoció la duda y cuya mirada ante el mundo se condensó, casi siempre, en un Sí jubiloso o en un No tajante. Diego afirma con resolución algo evanescente, la espuma; Rossi nos enfrenta a una disyuntiva quizá sin respuesta: entre *manual* y *distracción* no hay contradicción sino inconexión. El título de Diego es una imagen que, apenas dicha, se desvanece como la espuma al retirarse la ola de la playa; el de Rossi nos enfrenta a una interrogación que, simultáneamente, nos hace sonreír y nos estremece.

Las invenciones, las reflexiones, las divagaciones y los relatos de Rossi expresan su sorpresa ante la naturaleza paradójica de la realidad. Frente a la diversidad de situaciones, personas y pareceres que nos ofrece este mundo, ¿qué hacer y qué decir? El filósofo Rossi, curado no de la filosofía sino de sus quimeras, no intenta reducir esta abigarrada e inconstante variedad a un sistema o a una teoría. Tampoco pretende describirla, tarea infinita e ingrata: cambios, repeticiones, cacofonías, tedio, pesadilla. Para salir de su predicamento, el filósofo Rossi llama al vagabundo Rossi. ¿Y qué le propone el distraído? Ni un tratado ni un poema: un manual. Según nuestros diccionarios, un manual es un libro que contiene, abreviadas, nociones esenciales de una materia o de un arte. Doble dificultad: la materia de Rossi es la realidad de este mundo inestable e imprevisible; a su vez, el autor del manual es un distraído: ¿cómo puede el distraído redactar ese conjunto de reglas, principios y preceptos que es o debe ser todo manual?

Entre el manual y la distracción hay una hendedura. Por ella se desliza, sonriente e intrépido, el escritor Alejandro Rossi. ¿Es un filósofo o un distraído? Por la penetración y la agudeza de la mirada es un filósofo o, más bien, un moralista de la estirpe de Montaigne. Por la ligereza y la elegancia de la escritura, por la felicidad de sus frases, por los vericuetos en los que se arriesga sin extraviarse, por las minucias que lo detienen y por la irónica perplejidad con que sigue a una sombra o se deja perseguir por otra, es un distraído. Equidistante de la abstracción y de la contracción, el distraído no es un indiferente; al contrario, se siente atraído por las diez mil cosas que, según los chinos, componen este universo. El distraído se pasea por el mundo y, de vez en cuando, susurra unas palabras. ¿Habla a solas? No, conversa con un interlocutor invisible. Al regresar de su paseo, el distraído desaparece o, más exactamente, se disipa, vuelto brisa, murmullo –¿espíritu? El interlocutor encarna: es un hombre que escribe, lento y aplicado, en una clara y pequeña habitación. A veces se detiene, alza el rostro y mira por la ventana unos follajes y un muro ocre. Sopla un vientecillo; sobre el muro danzan, ligeras, las sombras del follaje. Escritura del viento, escritura de la distracción. Las sombras se transforman en signos, los signos en ensayos, retratos, cuentos dibujados con humo.

Perplejidades, descubrimientos, sorpresas, decepciones, hallazgos del distraído: el mundo es insólito y es cotidiano. El viento sopla otra vez, los follajes oscilan, la escritura del muro se convierte en un charco de luz. El distraído murmura: parpadeo solar, abrir y cerrar de ojos del tiempo. Sonríe, se inclina sobre el papel, se detiene y lee lo que ha escrito. Sabe que, más tarde, otros lectores repetiremos su gesto: leemos y, poco a poco, seducidos por las ondulaciones de la prosa y la sutileza del pensamiento, nos internamos por las espesuras y los descampados, las divagaciones y las evocaciones de la distracción. Vamos de la sorpresa a la duda, de la decepción al hallazgo y, de pronto, al doblar la página, sonreímos. El mundo no deja de ser enigmático y terrible pero nosotros somos un poco más sabios. Si no somos mejores, aprendemos a sonreír.

Entre nuestra perplejidad y la obstinada realidad de este mundo, que sólo es y nunca nos dice qué es, la distracción ha tendido un puente: la prosa de Rossi. Un puente colgante. Abajo, temible y seductora, abismo y caricia, la realidad nos mira y se mira, cambia sin cesar y nunca deja de ser ella misma. El puente se mece sobre un precipicio. Alejandro Rossi, los ojos abiertos y el pulso tranquilo, traza con mano ligera la espiral del vértigo.

México, a 25 de abril de 1988

Texto redactado para la presentación de la quinta edición del libro del Alejandro Rossi, *Manual del distraído*, efectuada el 25 de abril de 1988.

DÍTONO

Silvestre Revueltas (1889-1940)

Silvestre Revueltas, todos lo recuerdan, era, físicamente, de la misma estirpe de Balzac y Dumas. (En lo espiritual era otra cosa; nada menos ciclópeo que su delicada, penetrante, aguda música, dardo o estilete.) Se parecía mucho al segundo y tenía del primero la mirada tierna, el ademán poderoso, la generosa corpulencia y la íntima finura que dicen tuvo Balzac. Con ese cuerpo, con esa noble cabeza y ese rostro asombrado de dios, Neptuno de la música, se erguía frente a la orquesta, frente al mar de los sonidos, como un humano monumento devastado por todas las olas, padre de las olas y vencedor de ellas; luchando contra invisibles elementos, desataba las obscuras e infernales potencias de la música, que duermen en el silencio, y las sometía a su poder, llevándolas a un silencio más alto y tenso del que salieron. Muchos, al dirigir la orquesta, parecen magos; otros, simples prestidigitadores. Silvestre no era un mago ni tampoco un embaucador. El espectáculo que involuntariamente ofrecía era mucho más patético que las maravillas de la magia y las sorpresas de la habilidad. Silvestre sacaba de sí mismo, de su entraña, cada nota, cada sonido, cada acorde. Los extraía de su corazón, de su vientre, de su cabeza, de un bolsillo insondable de sus pantalones –como ese objeto mágico que siempre llevamos con nosotros, único confidente de nuestro tacto angustiado, obscuro resumen de las mil muertes y nacimientos de cada día. O brotaban de sus ojos, de sus manos, del aire eléctrico que creaba en torno suyo. Silvestre era, al mismo tiempo, la cantera, la estatua y el escultor.

A pesar de su corpulencia y de su espíritu vasto y generoso, no ha creado una música de grandes proporciones. Había una íntima contradicción en su ser. Su música, irónica, burlona, esbelta –flecha y corazón al mismo tiempo–, era un prodigioso y delgado instrumento para herir. Un arma y una entraña simultáneamente. Silvestre no se defendía de la música, como no se defendía de la vida. Aguzaba la punta de su música como el sacerdote aguza la hoja del cuchillo, porque él era el sacrificador y la víctima. Había encontrado el punto misterioso en que el arte y la vida se tocan y se comunican, el nervio tenso de la creación.

Era tierno en ocasiones; en otras, áspero y reconcentrado. A pesar de su leyenda, Silvestre no amaba el desorden ni la bohemia; era, por el contrario, un espíritu ordenado. A veces, exageradamente ordenado. Puntual, exacto, devorado casi por ese afán de exactitud, se presentaba siempre con anticipación a las citas y se apresuraba a cumplir con las comisiones o encargos que le daban. Esa preocupación por el orden era un recurso de su timidez y una defensa de su soledad. Porque era tímido, silencioso y burlón. Amaba la poesía y a los poetas y su gusto era siempre el mejor. No tenía placer en las compañías ruidosas; era un solitario y un hosco defensor de su soledad. Después de aquellas temporadas de orden absoluto y exasperante, de ensimismada concentración, se desbordaba en un ansia de comunión, de amor. Entonces su humor negro se convertía en blanco, como la negra ola al besar la playa. Humor blanco, espuma de la vida. Y el silencio reconcentrado se volvía un mágico surtidor de imágenes. Temporadas de locura, de alegría, de infierno. Silvestre, como casi todos los hombres verdaderos, era un campo de batalla. Jamás se hizo traición y jamás traicionó la verdad contradictoria, dramática, de su ser. En Silvestre vivían muchos interlocutores, muchas pasiones, muchas capacidades, debilidades y finuras. «Sólo quien de una manera simple considera a los sentimientos puede afirmar que hay sentimientos simples.» Esta riqueza de posibilidades, de adivinaciones y de impulsos es lo que da a su obra ese aire de primer acorde, de centella escapada de un mundo en formación. Su obra es el presentimiento de una gran obra. Quizá no pudo expresarse del todo, quizá la presión interior era excesiva. No era fácil ordenar elementos tan ricos y dispares. Mas en esa obra dispersa hay cierto tono inconfundible y único. Un elemento la rige: no la alegría, como creen algunos, ni la sátira o la ironía, como piensan los demás, sino la piedad. La alegre piedad frente a los hombres, los animales y las cosas. Por la piedad la obra de este hombre, tan desnudo, tan indefenso, tan herido por el cielo y los hombres, se sobrepasa y alcanza una significación espiritual.

El nombre de Silvestre Revueltas resuena dentro de mí como un gran cohete de luz, como una aguda flecha que se dispersara en plumas y sonidos, en luces, en colores, en pájaros, en humo pálido, al chocar contra el desnudo corazón del cielo. Era como el sabor del pueblo, cuando el pueblo es pueblo y no multitud. Era como una feria de pueblo: la iglesia, asaeteada por los fuegos de artificio, plateada por la cascada de aguas resplandecientes, fortaleza inocente y cándida, humeante ruina que gime en los sonidos, en los ayes de la cohetería agónica; el mágico jardín, con su fuente y su kiosko con la música heroica, desentonada y agria; y los cacahuetes, en pirámides, junto a las naranjas, las jícamas terrestres y jugosas y las cañas de azúcar, con sabor a estrella líquida y tierra inocente, plantadas militarmente, como fusiles o lanzas, en las orillas de las calles. Y era como el silencio de una obscura y desierta calle, en un barrio de la ciudad, poblada de pronto por gritos angustiosos. Y como el rumor de una vecindad y la gracia de la ropa puesta a secar, bajo el cielo altísimo y las nubes que giran, lentamente. Y era también como el silencio del cielo, que calla ante nuestras preguntas y nos vela su destino.

Enero de 1941

«Silvestre Revueltas (1889-1940)» se publicó en la revista *Taller*, XII, enero-febrero de 1941; y, posteriormente, en *Las peras del olmo*, México, Universidad Nacional Autónoma de México, 1957.

Carlos Chávez (1899-1978)

En 1920 Carlos Chávez tenía 21 años. Era casi de la misma edad del siglo. Su infancia y su adolescencia fueron las del terrible despertar de nuestra época: la primera guerra mundial, revoluciones, fin de antiguos imperios, nacimiento de nuevos Estados. Su juventud coincidió con ese gran período creador de las artes que, lo mismo en Europa que en México, hoy podemos ver como una suerte de maravillosa respuesta de la imaginación humana a las pérdidas y calamidades de la década anterior. La juventud de Carlos Chávez fue la juventud del arte del siglo XX. Un arte pasional y lúcido, irónico y sonámbulo, irreverente, enamorado de la geometría y fascinado por las quimeras y los espectros del inconsciente, un arte desgarrado entre los extremos como la época misma, dividido entre dos espejismos igualmente poderosos: el arcaísmo y el futurismo, el tam-tam de los primitivos y los prodigios de la era industrial.

El siglo XX nacía en las visiones y las creaciones de sus artistas. México era parte de ese nacimiento universal. Quizá por primera vez en nuestra historia, nuestra situación coincidía, en algunos aspectos, con la de Occidente: vivíamos unas vísperas. Todos los artistas de ese momento sintieron, obscuramente, que asistían a un nacimiento y que sus obras eran un fragmento de ese ser colectivo e imaginario que se llama «el arte de una época».

La Revolución mexicana había sido una explosión popular, más revelación del inconsciente que construcción ideológica, más revuelta instintiva que crítica y utopía. La Revolución había destruido un México pero nos había hecho entrever otro, desconocido. Un México a un tiempo milenario y recién nacido. Había que hacer o, más exactamente, rehacer la imagen de ese México apenas desenterrado y cuyas facciones todavía no acababan de formarse. Ésa fue la tarea a la que se enfrentó la generación de Carlos Chávez y en la que él fue una de las figuras centrales. Fue una de las generaciones más brillantes en la historia de nuestras artes: el pintor Rufino Tamayo, los poetas José Gorostiza, Carlos Pellicer, Xavier Villaurrutia, los ensayistas Cuesta y Ramos y otros pocos más.

¿Descubrir a México o inventar a México? Las dos operaciones son una y la misma: la realidad que descubre cada artista es suya y únicamente suya, de modo que es una verdadera invención; a su vez, esa invención corresponde de alguna manera a la realidad real y, así, es un descubrimiento. La invención de México por Carlos Chávez: título de un capítulo de la historia de la cultura moderna de nuestro país. Esa invención requería, como previa condición, un descubrimiento: ¿qué lenguaje podría expresar a México? Realidades nuevas o desconocidas piden lenguajes también nuevos, no usados. El lenguaje para decir al México nuevo, milenario y recién nacido, no podía ser el de la tradición académica sino el nuevo idioma de las artes. El nacionalismo de Carlos Chávez, como el de toda su generación, pasó por un cosmopolitismo: el del arte europeo. Para decir a México tuvo que conquistar, asimilar y transformar el lenguaje musical del siglo XX, tal como aparecía en las obras de Schönberg, Stravinsky, Satie, Poulenc, Varèsse. No sin dificultades y descalabros, lenta pero seguramente, Carlos Chávez creó su propio lenguaje musical. Un lenguaje muy moderno pero profundamente enraizado en la gran tradición de la música de Occidente y, asimismo, lo bastante sensible y flexible para recoger los ritmos precolombinos y la corriente popular.

La obra de Chávez disipa, con brillo y para siempre, ese falso dilema entre nacionalismo y cosmopolitismo que ha provocado tantas polémicas ociosas. Para descubrir a México tuvo primero que descubrir un lenguaje universal: el lenguaje del arte moderno. Entre nacionalismo y cosmopolitismo no hay verdadera oposición: son aspectos complementarios de la misma operación creadora. La obra de Carlos Chávez es una obra que sólo él, un mexicano del siglo XX, podía haber escrito. México: una circunstancia, una tierra, un pasado; el siglo XX: un horizonte abierto a otras tierras y otros mundos. La operación creadora de Chávez puede verse como la traducción de México a un lenguaje universal o como la traducción del mundo a nuestro lenguaje. Traducción de México y traducción del mundo: dos momentos del mismo proceso que se resuelve en esa obra única que es la música de Carlos Chávez.

He hablado del artista Carlos Chávez pero el otro Chávez, el educador, el gran animador de arte, es una figura no menos impresionante. Acción y creación: el artista fue también un organizador y el personaje privado se desdobló en hombre público. Chávez no fue un ideólogo ni un artista político: al contrario, creyó siempre en la libertad del arte. No puso el arte al servicio de esta o aquella idea: fue un servidor del arte y su política consistió en servirlo. No mencionaré aquí toda su inmensa labor, desde la fundación, en 1928, de la Orquesta Sinfónica de México, su paso inolvidable por Bellas Artes y sus conciertos-conferencias en el Colegio Nacional hasta sus últimas actividades, por las que sufrió, bajo la careta de la ideología, los ataques de la mediocridad. No ha sido el único ni será el último. Sólo diré que, como educador y animador, su obra fue la de un civilizador. Es comparable, dentro del dominio del arte, a la de Vasconcelos en el campo más vasto de la educación y cultura popular.

La acción de Chávez continuó una tradición mexicana viva desde finales del siglo pasado: la renovada tentativa de los artistas y escritores mexicanos por poner nuestro país al día. De Gutiérrez Nájera a Tablada, de Reyes a los poetas de *Contemporáneos* y de éstos a los de mi generación, los artistas mexicanos han tratado siempre de abrir ventanas para que penetre en nuestro cerrado país un poco de aire de otras tierras y un poco de luz de otros mundos. En este aspecto la acción de Chávez fue admirable. En 1930 yo tenía quince años y cada semana asistía, con varios amigos, a los conciertos del teatro Hidalgo –la galería costaba veinte centavos– para oír a Chávez dirigir la Orquesta Sinfónica de México. Así oímos por primera vez a Bach y Beethoven, a Ravel y Debussy, a Stravinsky y a Schönberg. Aquellos conciertos fueron para nosotros una verdadera iniciación: Chávez nos armó caballeros andantes del arte.

Las cualidades del artista son contradictorias: sensibilidad, imaginación, gusto, sentido de las formas y las proporciones, pasión, inspiración. Todas estas facultades son opuestas y su acción puede ser nefasta si no hay una voluntad central que las ordene. El arte es, ante todo y sobre todo, querer, voluntad. El artista, en primer término, tiene que aprender a decir *No* al mundo exterior y a sus tentaciones y exigencias. Sin concentración no hay arte y la concentración se logra en la soledad y el recogimiento. El artista debe estar en el mundo y convivir con los hombres pero, simultáneamente, debe quedarse solo, ser un anacoreta. Además, el artista no combate únicamente contra las atracciones y distracciones del mundo sino contra sí mismo. Debe enfrentarse a sus desfallecimientos, a su pereza, a sus dudas. El artista debe trabajar durante las veinticuatro horas del día, incluso cuando duerme: los sueños son la materia prima de la obra de arte. Por último, el artista debe dar la cara a su doble, a su fantasma, a ese intruso que tiene su rostro, habla con su voz y aparece en todos sus insomnios.

Freud llamaba sublimación a esta operación que transmuta en ideas e imágenes nuestros impulsos y pasiones. La sublimación es sacrificio y el artista es, por destino y elección, el gran sacrificador de sí mismo. Chávez fue un artista excepcional porque fue una voluntad excepcional. Alquimia espiritual, el arte de Carlos Chávez es sublimación y sacrificio: asimismo, es transfiguración. La música prefigura un orden justo: el mundo de los acordes es el mundo de la concordia. En la música de Chávez percibimos la aspiración hacia esa otra música total. Ahora, en el momento de decirle adiós, no encuentro nada mejor que repetir unos cuantos versos de fray Luis de León, en los que alude a esa música ya no física sino espiritual. Carlos Chávez: por tu música, «el aire se serena y viste de hermosura y luz no usada»; Carlos Chávez, tu música

> traspasa el aire todo
> hasta llegar a la más alta esfera,
> y oye allí otro modo
> de no perecedera
> música, que es de todas la primera.

México, 1978

«Carlos Chávez (1899-1978)» se publicó en la revista *Vuelta*, 23, octubre de 1978.

Índice alfabético

Este índice incluye nombres de autores y personajes reales (EN VERSAL), de divinidades y de personajes míticos y literarios (en redonda), de obras literarias y artísticas, poemas y revistas (*en cursiva*) y de artículos, partes de obras, etc. («en redonda y entre comillas»). Tras las obras se citan los nombres de los autores (entre paréntesis).

A

ABREU GÓMEZ, Emilio: 250.
ACUÑA, Manuel: 41.
«*Adrede* de Gerardo Deniz: Composiciones y descomposiciones» (Paz): 333-337n.
Adrede (Deniz): 333-334, 334n.
Actitudes (Segovia): 278.
Adán (el bíblico): 165, 361.
Adán: 356, 360.
adiós, El (López Velarde): 208, 211.
ADUANERO ROUSSEAU, El (véase Rousseau, Henri).
A ella (Díaz Mirón): 55.
«Agua de la memoria: Andrés Henestrosa» (Paz): 284-285n.
Águeda: 193, 222.
¿*Águila o sol?* (Paz): 118n, 370.
águila y la serpiente, El (Reyes): 61.
AGUSTÍN, San: 364.
ahogado, El (Becerra): 342.
Aire y Cézanne (Villaurrutia): 267.
Alabanza secreta (Chumacero): 292.
ALAIN, Émile-Auguste Chartier: 88.
ALARCÓN (véase Ruiz de Alarcón).
Alba de proa (Zaid): 315.
ALBERTI, Rafael: 66, 99, 107-108, 181, 286.
«Alcance: *Poesías* de José Juan Tablada» (Paz): 119n, 163-165.
ALEIXANDRE, Vicente: 66, 88, 91.
Al filo del agua (Yáñez): 350, 350n, 357.
«Alí Chumacero, poeta» (Paz): 292-294n.
Almaide d'Entremont: 221.
ALTAMIRANO, Ignacio Manuel: 18, 41-42.
alumno Törless, El (Musil): 97.
ALONSO, Dámaso: 253.
ALVARADO, José: 69, 96, 98.
ÁLVAREZ BRAVO, Dolores: 250.

Amor (Novo): 273.
Amor condusse noi ad una morte (Villaurrutia): 97, 273.
Amor místico y amor profano (Valle-Inclán): 222.
amor profano y el amor sagrado, El (Tiziano): 387.
Amour et l'Occident, L' (Rougemont): 209n.
Amoureuse, L' (Éluard): 270.
Anábasis (Jenofonte): 334.
ANAXÁGORAS: 301.
Andalucía (Villaespesa): 223.
ANDERSON IMBERT, Enrique: 123, 123n.
Ángeles: 222.
Ángeles y Fuensanta (Romero de Torres): 222.
ANGELLOZ, J. F.: 274n.
«Antevíspera: *Taller* (1938-1941)» (Paz): 94-111n.
Anthologie de la poésie mexicaine (Paz): 52n.
Anthology of Mexican Poetry, An (Paz): 52n.
Antología (Cuesta): 123.
Antología de la poesía francesa moderna (Díez-Canedo y Fortún): 178-179.
Antología de la poesía mexicana (Max Aub): 309n.
Antología de la poesía mexicana (Castro Leal): 61.
ANTONIO, Marco: 92.
apando, El (Revueltas): 363.
APOLLINAIRE, Wilhelm Apolinaris de Kostrowitzky, llamado Guillaume: 47, 63, 76, 123, 173n, 234, 242, 341.
Aproximaciones (Arreola): 297.
A quien corresponda (Hernández Campos): 127.
ARAGON, Louis: 82, 122.
Arcángela: 368.

408 Índice alfabético

arco y la lira, El (Paz): 118n, 264n, 318.
ARETINO, Andrés: 78.
ARIDJIS, Homero: 115-116, 122, 129-130, 133, 136, 328-329n, 338, 338n.
ARJUNA: 157, 378.
ARREOLA, Juan José: 127, 295-298n, 323, 351n.
Artemio Cruz: 372-373.
Artemisa: 228-230.
A Sara (López Velarde): 196.
Asela (Zepeda): 132.
ASIAIN, Aurelio: 278-281.
Athéisme dans le Christianisme, L' (Bloch): 361.
AUB, Max: 309, 309n.
AUDEN, Wystan Hugh: 262.
A una estepa del Nazas (Othón): 42.
Aura (Fuentes): 351n, 371n, 378.
Aurélia: 212.
Aurora, La (Pellicer): 242.
Autos profanos (Villaurrutia): 258.
AZORÍN (pseudónimo de José Martínez Ruiz): 175, 178.
AZUELA, Mariano: 16, 24, 354, 357.

B

BACH, Johann Sebastian: 402.
BACHELARD, Gaston: 84.
bailarín, El (López Velarde): 180.
Bajo el volcán (Lowry): 365.
BALBUENA, Bernardo: 36-37.
BALZAC, Honoré de: 16, 367, 372, 397.
BAÑUELOS, Juan: 131-132.
Barandal: 69, 71, 96.
BARREDA, Octavio G.: 25, 74, 109, 250-251, 253.
BARTRA, Agustí: 131.
BASHŌ Matsuo (pseudónimo de Matsuo Munefusa): 157.
BASSOLS, Narciso: 77.
BATAILLE, Georges: 385.
Batman: 341.
BAUDELAIRE, Charles: 59, 65, 90, 157, 166-168, 174, 179-180, 182, 213-214, 256, 262-266, 286, 290.
BAYÓN, Damián: 336.
Beatriz: 210, 212.
Beatus ille (Díaz Mirón): 55.
BECERRA, José Carlos: 132-133, 136, 338-343n.
BEETHOVEN, Ludwig van: 402.
BELTRÁN, Neftalí: 95, 99, 116, 116n, 250, 287.
BELLO, Andrés: 16.
BENDA, Julien: 19, 84.
BENET, Juan: 305.
BENÍTEZ, Fernando: 25.
BENN, Gottfried: 125.
BERCEO, Gonzalo de: 112.
BERDIAEV, Nikolái: 104.
BERGAMÍN, José: 72-73, 80, 97, 99, 252-253, 348.
BERIA, Lavrenty Pavlovich: 67.
Bestiario (Arreola): 296-297.
«Bestiario» (Arreola): 297.
BETZ, Maurice: 273.
BIANCO, José: 251, 380.
Biblia: 293.
Biombo (Torres Bodet): 64, 123.
BIOY CASARES, Adolfo: 305, 374.
Blanco (Paz): 118n.
BLAKE, William: 65-66, 131, 245, 278, 282.
BLAVATSKY, Elena Petrovna Hahn-Hahn, condesa de: 281.
BLOCH, Ernst: 360-362.
BONAPARTE (véase Napoleón).
BONIFAZ NUÑO, Rubén: 125-126, 299-300n.
BONNEFOY, Yves: 350.
BORGES, Jorge Luis: 61, 87-88, 92, 118-119, 178-179, 183, 233, 248, 272, 305.
BORRÁS, Tomás: 220.
BRETON, André: 82-83, 89, 106-107, 122, 281, 358.
BROSSA, Joan: 306.
BRUNO, Giordano: 89, 278.
BUDA (título honorífico de Siddhārtha Gautama): 86, 119, 359.

buenas conciencias, Las (Fuentes): 371n-372.
BUÑUEL, Luis: 106.
BYRON, George Gordon, lord: 16, 43.

C

CABADA, Juan de la: 99, 354-355.
caballero de la yerbabuena, El (Tablada): 164.
CABRERA INFANTE, Guillermo: 305.
Cada cosa es Babel (Lizalde): 136.
CAGE, John: 128.
CAILLOIS, Roger: 105, 299.
Caín: 203.
CALDERÓN DE LA BARCA, Pedro: 91, 100, 142, 273, 337.
Calixto: 382.
CALVILLO, Manuel: 127, 226.
CALLEJA, el padre Diego: 148, 153.
Calligrammes (Apollinaire): 47, 173n.
Cambio de piel (Fuentes): 371n.
Camino (Pellicer): 237.
«camino de la pasión: Ramón López Velarde, El» (Paz): 172-192, 262n.
Camino de perfección (Salazar Mallén): 355.
CAMPANELLA, Giovanni Domenico, llamado Tommaso: 89.
campanero, El (López Velarde): 209.
Campo nudista (Zaid): 312, 316.
CAMPOS, Julieta: 25.
CAMPOS, Rubén M.: 219.
Canción de ausencia (Zaid): 315.
Canciones de inocencia y de experiencia (Blake): 245.
Canciones para cantar en las barcas (Gorostiza): 58, 243-244.
candil, El (López Velarde): 183, 217.
Cantar de ciegos (Fuentes): 371n.
Canto a la primavera y otros poemas (Villaurrutia): 238, 253, 273.
Canto de amor de J. A. Prufrock (Eliot; trad. Usigli): 100-101.
Canto general (Neruda): 253.

Cantos de Mal-dolor (Arreola): 297.
CANTÚ, Federico: 292n.
Cantos de vida y esperanza (Darío): 174, 240.
Capilla del Rosario: 61.
CARDENAL, Ernesto: 106n, 295.
CÁRDENAS, Lázaro: 78.
CARDOZA Y ARAGÓN, Luis: 82-83, 98-99, 250.
«Carlos Chávez (1899-1978)» (Paz): 400-403n.
CARLOS EL TEMERARIO: 86.
CARRILLO DE SOTOMAYOR, Luis: 100.
Carta atenagórica (sor Juana Inés de la Cruz): 144.
Cartas a un joven poeta (Rilke): 273.
Cartas inéditas (Villaurrutia): 77n.
casa de la presencia, La (Paz): 106n, 118n.
CASO, Alfonso: 75.
CASO, Antonio: 71.
CASTAÑÓN, Adolfo: 26.
CASTELAR, Emilio: 16.
CASTELLANOS, Julio: 65.
CASTELLANOS, Rosario: 126-127.
CASTRO, Fidel: 110.
CASTRO LEAL, Antonio: 21, 54, 61-65, 67, 99-100n, 263, 348.
CATALINA DE SIENA, Santa: 383.
Catálogo del Museo Julio Romero de Torres (M. Valverde y Piriz): 221.
CATULO, Cayo Valerio: 121, 225.
CELAN, Paul: 339.
CERNUDA, Luis: 66, 81, 87, 91, 99, 305, 316, 384.
CERVANTES SAAVEDRA, Miguel de: 304, 367.
CERVANTES, Francisco: 134, 136.
CÉSAR, Cayo Julio: 92.
ciudad asediada, La (Durán): 127, 309-310.
Claire d'Ellébeuse: 221.
Claro de luna (Zaid): 317.
clasicismo mexicano, El (Cuesta): 18.
CLAUDEL, Paul: 297, 339-340.
Coatlicue: 358.

COCTEAU, Jean: 75, 121, 262, 269, 278, 281.
COLBERT, Jean-Baptiste: 79.
COLINA, José de la: 26, 351n.
COLONNA, Francesco: 385.
Colores en el mar (Pellicer): 234, 236, 242.
Comme toi-même (Rougemont): 210n.
Cómo retrasar la aparición de las hormigas (Becerra): 341.
Complaintes (Laforgue): 168.
comunión de los fuertes, La (Caillois): 105.
CONFUCIO: 79.
Connaissance de l'Est (Claudel): 297.
Contemporáneos: 18, 18n, 64-66, 69, 74-75, 77, 82-83, 85, 88, 95, 101, 103, 110, 173, 239, 251, 260, 281-282, 402.
«*Contemporáneos*» (Paz): 69-93n.
CORAZÓN DE LEÓN, Ricardo: 295-298n.
«Corazón de León y Saladino: Jaime Sabines y Juan José Arreola» (Paz): 295-298n.
CORAZZINI, Sergio: 22.
CORONEL URTECHO, José: 106n.
CORREA, Eduardo J.: 220.
Corriente alterna (Paz): 29, 366n, 375n.
CORTÁZAR, Julio: 118, 373.
CORTÉS, Hernán: 191, 259.
COSÍO VILLEGAS, Daniel: 75.
Coup de dés jamais n'abolira le hasard, Un (Mallarmé): 118.
COURBET, Gustave: 92.
CRANACH, Lucas: 196.
Cratilo (Platón): 280.
Crepúsculos de la ciudad (Paz): 251.
Cripta (Anderson Imbert): 123.
«Cristianismo y Revolución: José Revueltas» (Paz): 354-364n.
CRISTO (véase tb. Jesucristo, Jesús e Hijo del Hombre): 38, 86, 104, 144, 230, 301, 360.
CRISTOBALINA, doña: 100.
Crítica del reino de los cielos (Cuesta): 73.

CROMWELL, Oliver: 16.
CRUZ, sor Filotea de la (pseudónimo de Manuel Fernández de Santa Cruz).
CRUZ, sor Juana Inés de la: 15, 19, 39-41, 91, 100, 144-155n, 237, 263, 289, 306, 316.
Cruz y Raya: 83-84.
Cuaderno San Martín (Borges): 178.
Cuadernos del Valle de México: 96.
Cuadernos de Malte Laurids Brigge (Rilke): 273.
Cuadernos Hispanoamericanos: 326.
CUADRA, Ángel: 110.
Cuadrivio (Paz): 29, 219n, 262n.
Cuarto final (González de León): 331.
Cuatro sonetos (Gorostiza): 243.
Cuauhtémoc: 191.
CUEVAS, José Luis: 304, 342.
Cuervos (Zaid): 317.
CUESTA, Jorge: 18-21, 35, 43, 65, 71-75, 77-79, 81-84, 88-90, 92, 99, 107, 117, 123, 237, 250, 255, 281-283, 400.
Cuestionario (Zaid): 312-314, 321n.
«Cultura y natura: José Emilio Pacheco» (Paz): 326-327n.
CUSA, Nicolás de: 276.

CH

Chambre double, La (Baudelaire): 180.
CHÁVEZ, Carlos: 400-403n.
CHESTOV, Léon: 97.
Chilam-Balam: 61.
CHIRICO, Giorgio de: 122, 182, 269-270.
CHUMACERO, Alí: 115, 125, 136, 250-251, 273, 279, 283, 289, 292-294n, 338, 338n.

D

DADD, Richard: 339.
Damiana: 175.
DANTE ALIGHIERI: 210, 213, 294.

DANTON, Georges-Jacques: 16.
D'ANNUNZIO, Gabriele: 16.
DARÍO, Rubén (pseudónimo de Félix Rubén García Sarmiento): 43-45, 89, 113-114, 240-241, 272, 281, 304-305.
Datos para una biografía desconcertada (García Terrés): 302.
de abajo, Los (Azuela): 16.
Décima muerte (Villaurrutia): 272.
Dedalus: 382.
DEBUSSY, Claude: 402.
«dedos en la llama: José Carlos Becerra, Los» (Paz): 338-343n.
Delante de la luz cantan los pájaros (Montes de Oca): 323.
DELGADO, Feliciano: 221.
Del Yin al Yang (Sarduy): 388n.
DENIZ, Gerardo: 333-337n.
Dentro de una esmeralda (Díaz Mirón): 55.
derrota de la palabra, La (López Velarde): 212.
DESMOULINS, Camilo: 16.
DESNOS, Robert: 270.
Destierro (Torres Bodet): 123.
destrucción o el amor, La (Aleixandre): 88.
día, Un (Tablada): 64, 158, 163-164, 183, 266.
días enmascarados, Los (Fuentes): 371.
días terrenales, Los (Revueltas): 363.
Día trece (López Velarde): 205.
DÍAZ, Porfirio: 164, 166, 228.
DÍAZ MIRÓN, Salvador: 17, 24, 43, 55, 64, 166, 193n, 238, 289-290, 293.
Dibujos sobre un puerto (Gorostiza): 64.
DICKENS, Charles: 16, 367.
DIEGO, Gerardo: 314, 390.
DIESTE, Rafael: 102.
DÍEZ-CANEDO, Enrique: 178-179.
Dios: 38-39, 56, 59, 144, 151, 185, 207, 210, 217, 220, 245-247, 265, 318, 325, 341-342, 352, 360-361.
Dios en la Tierra (Revueltas): 363.
Discurso de las liras (Neruda): 100.
Divina Comedia (Dante): 209, 213.

divino Narciso, El (sor Juana Inés de la Cruz): 147, 149.
doctor Pluma, el: 336.
don de febrero, El (López Velarde): 172, 205.
DONNE, John: 86, 90.
Dormir en tierra (Revueltas): 363.
DOSTOYEVSKI, Fiódor: 185, 232, 355, 360, 367.
DRAYTON, Michael: 268.
DUCASSE, Isidore (pseudónimo de –véase tb.– Lautréamont): 336.
DUCHAMP, Marcel: 118, 270.
Dulcinea: 297.
DUMAS, Alexandre: 16, 397.
DURÁN, Manuel: 127, 309-311n.
DURERO, Alberto: 256.

E

Ecuatorial (Huidobro): 266.
ECHEGARAY, José: 220.
«Efraín Huerta» (Paz): 286-288n.
Elegías de Duino (Rilke): 273, 274n.
Elegías romanas (González Rojo): 98.
Elías: 318.
ELIOT, Thomas Stearns: 22, 63, 76, 81-82, 87, 89-90, 100-101, 106, 108, 169, 183, 262, 272, 278, 281-282, 297.
ELIZONDO, Salvador: 90, 384-389n.
Elogio de Fuensanta (López Velarde): 223n.
ÉLUARD, Paul: 82, 132, 270.
«Émula de la llama» (Paz): 53-59n, 263.
Enciclopedia: 94.
Encuentros (García Ponce): 380, 383n.
«*Encuentros* de Juan García Ponce» (Paz): 380-383n.
Epístola a Fuensanta (Symonds): 220.
Epitafios (Villaurrutia): 92.
epopeya nacional, La (Tablada): 164.
ERNST, Max: 376.
Eros: 186, 280.
errores, Los (Revueltas): 363.

Escala: 241.
ESLAVA, Hilarión: 177, 336.
espejo de agua, El (Huidobro): 266.
espiga amotinada, La (Bañuelos, Oliva, Shelley, Zepeda, Labastida, Bartra): 130.
Essais de linguistique générale (Jakobson): 122n.
Estancias nocturnas (Villaurrutia): 272-273.
«Estela de José Juan Tablada» (Paz): 156-162n.
ESTRADA, Genaro: 96.
Estudio (Pellicer): 242.
Eternidades (Jiménez): 267.
Eugenides, Mr.: 76.
EURÍPIDES: 230.
Eva: 165.
«Evangelio»: 211.
Exaltation of Light (Aridjis, trad. E. Weinberger): 328.
Examen: 77-78.
Excélsior: 77-78, 333.
Expérience intérieure, L' (Bataille): 385.
Experiencia de la muerte (Landsberg): 84.
éxtasis de la montaña, Los (Herrera y Reissig): 174.

F

Fábula de Narciso y Ariadna (Gerardo Diego): 314.
fantasma, El (Díaz Mirón): 55.
Fantôme de nuées, Un (Apollinaire): 76.
Farabeuf: 387-388.
Farabeuf o La crónica de un instante (Elizondo): 385, 387-389.
FAULKNER, William: 358.
FELIPE, León: 67, 99-101, 250-251.
FERNÁNDEZ, Macedonio: 118.
FERNÁNDEZ, Sergio: 351n.
FERNÁNDEZ DE SANTA CRUZ, Manuel: 144.
FERNÁNDEZ GRILLO, Antonio: 219.

feria, La (Arreola): 296, 351n.
feria, La (Tablada): 161, 163-165.
FERREL, José: 97.
Fervor de Buenos Aires (Borges): 178.
FICINO, Marsilio: 89, 256.
figón, El (Tablada): 165.
Filis: 150.
«Filosofía y Poesía» (Zambrano): 97.
Flor de santidad (Valle-Inclán): 223.
FLORES, Ángel: 41, 101.
flores del mal, Las (Baudelaire): 167, 267, 290.
Florilegio (Tablada): 163.
Forçat innocent, Le (Supervielle): 269.
FORTÚN, Fernando: 22, 178-179.
FOURIER, Charles: 131, 250.
«Fragmentos de Juan Ruiz de Alarcón sobre el amor y las mujeres» (Castro Leal): 100.
FRAIRE, Isabel: 132-133.
FRANCE, Anatole: 16.
FRANCISCO DE ASSIS, San: 239.
FRANCO, Francisco: 102.
Francesca: 256.
FRAZER, James G.: 238, 238n.
FREUD, Sigmund: 84, 104, 247, 268, 403.
Frida Kahlo (Novo): 121.
Fuensanta: 166, 175, 193-196, 201-203, 208-212, 215, 217, 219-224.
FUENSANTA DEL VALLE, marqués de la: 223.
FUENTES, Carlos: 24, 254, 261, 351n, 358, 371-379n, 384.
Fuentes de Fuensanta. La Ascensión de López Velarde (Noyola): 176n, 206n.
Fundación y disidencia (Paz): 98n, 108n, 252n.

G

GABRIEL Y GALÁN, José María: 175.
Gaceta, La: 303n.
Galathée: 169.

GALILEO, Galileo Galilei, llamado: 301.
GAMBETTA, Léon: 16.
GAOS, José: 84.
GARCÍA LORCA, Federico: 66, 88, 91-92, 96, 113, 181, 286, 305.
GARCÍA MÁRQUEZ, Gabriel: 305, 374.
GARCÍA PONCE, Juan: 90, 283, 351n, 380-383n.
GARCÍA TERRÉS, Jaime: 126, 254, 278-280, 283, 301-303n.
GARCILASO DE LA VEGA: 36, 112.
GARIBALDI, Giuseppe: 16.
GARIBAY K., Ángel: 61.
GARRO, Elena: 351n.
gato, El (García Ponce): 381, 383.
GAUTIER, Théophile: 92.
gaviota, La (García Ponce): 381.
GAYA, Ramón: 98-99, 109.
Generaciones y semblanzas (Paz): 23, 26, 29.
GENET, Jean: 100.
Genoveva: 188.
gesticulador, El (Usigli): 24, 61.
GIDE, André: 72, 74, 81, 104, 262, 281-282, 378.
GIL-ALBERT, Juan: 98, 109, 252-253.
«Gilberto Owen y la alquimia» (Paz): 278-283n.
Gilgamesh: 318.
GIMFERRER, Pere: 306.
Giorgio de Chirico (Éluard): 270.
GIRAUDOUX, Jean: 258, 262.
glosa incompleta, La (Novo): 63.
GOETHE, Johann Wolfgang: 74, 89, 229-230.
Golfo de México (Reyes): 120.
GÓMEZ DE LA SERNA, Ramón: 82, 183.
GÓMEZ MORÍN, Manuel: 75.
GÓNGORA Y ARGOTE, Luis de: 23, 36, 38-40, 60, 91, 112, 149, 153, 182, 188, 230, 232, 304, 312.
GONZÁLEZ BLANCO, Andrés: 22, 176-179.
GONZÁLEZ BLANCO, Pedro: 178-179.

GONZÁLEZ DE LEÓN, Ulalume: 170, 174, 330-332n.
GONZÁLEZ DE MENDOZA, José María: 173n.
GONZÁLEZ DURÁN, Jorge: 289, 292.
GONZÁLEZ MARTÍNEZ, Enrique: 19, 45, 55-57, 64-65, 95, 114, 120, 123, 157, 166, 179, 193n, 234, 237, 263, 266, 275, 287, 307.
GONZÁLEZ ROJO, Enrique: 74, 98.
GOROSTIZA, Celestino: 74, 250-251, 260.
GOROSTIZA, José: 41, 55, 58, 61, 64-65, 71, 74-77, 79, 82, 84-85, 87-92, 102n, 114, 117, 124, 184, 193n, 239, 243-245, 247-250, 275, 281, 289-290, 306, 364, 400.
GOZZANO, Guido: 22.
GRACIÁN, Baltasar: 226.
Gran Meaulnes: 382.
GRECO, Doménikos Theotokópoulos, El: 60, 92, 155.
GUERRERO, Enrique: 95, 99.
GUEVARA, fray Miguel de: 38.
GUILLÉN, Jorge: 87, 113, 243, 245, 276, 286.
GUIMARÃES, Rosa: 306.
GUTIÉRREZ NÁJERA, Manuel: 24-25, 44, 62, 64, 113, 402.
Guzmán de Alfarache: 382.
GUZMÁN MARTÍN, Luis: 24, 305, 354, 357.

H

HAMBURGER, Michael: 339.
Hamlet: 256.
Héctor: 23.
HEIDEGGER, Martin: 83-84, 87, 104, 306.
HENESTROSA, Andrés: 96, 284, 285n, 354.
HENRÍQUEZ UREÑA, Pedro: 21, 37, 53-54, 64, 120, 165, 263.
HERÁCLITO: 245, 248, 301.

Heraldo, El: 333.
heraldos negros, Los (Vallejo): 178.
HERDER, Johann Gottfried von: 181.
Hermana marica (Góngora): 188.
HERNÁNDEZ, Efrén: 69-71, 99, 354.
HERNÁNDEZ, Miguel: 102, 253.
HERNÁNDEZ CAMPOS, Jorge: 127-128.
Hérodiade (Mallarmé): 230.
HERRÁN, Saturnino: 223.
HERRERA, Fernando de: 36.
HERRERA PETERE, José: 98.
HERRERA Y REISSIG, Julio: 168, 174.
hiedra, La (Villaurrutia): 260.
HIJO DEL HOMBRE (véase tb. Cristo, Jesucristo y Jesús): 360.
Hijo Pródigo, El: 25, 108n, 110-111, 251-252.
hijos del limo, Los (Paz): 81, 106n, 108n.
Himno a tientas (Montes de Oca): 324.
Himnos a la noche (Novalis): 268.
hipogeo secreto, El (Elizondo): 385, 388-389.
Histoire d'O, L' (Réage): 198.
Historia de la literatura hispanoamericana (Anderson Imbert): 123n.
Historia de México (dirc. de Cosío Villegas): 100n.
HITA, Arcipreste de: 100, 120.
HITLER, Adolf: 87, 104, 107, 265.
HÖLDERLIN, Friedrich: 339.
Hombres en su siglo y otros ensayos (Paz): 29, 364n.
hombres huecos, Los (Eliot): 101.
hombres que dispersó la danza, Los (Henestrosa): 284.
Homenaje (Pacheco): 326.
Homenaje y profanaciones (Paz): 118n.
HOMERO: 7, 23, 46, 156.
HORACIO FLACO, Quinto: 299.
Hora de España: 84, 98-99, 109.
Hora de junio (Pellicer): 237, 237n.
Hora y veinte (Pellicer): 237, 241-242.
Horloge, L' (Baudelaire): 180.

Hormigas (López Velarde): 183.
HUERTA, Efraín: 66, 82, 95, 97, 108, 125, 286-288n.
Hugh Selwyn Mauberley (Eliot): 183.
HUGO, Victor: 16, 43, 92, 225, 281.
HUIDOBRO, Vicente: 107, 113-114, 118, 124, 165, 183, 234, 253-254, 266, 305-306.
HUIZINGA, Johan: 86.
HULEWICZ, W. von: 274n.
HUME, David: 361.
HUSSERL, Edmund: 84.
HUXLEY, Aldous: 71-72.
Hypnerotomachia Poliphili (Colonna): 385.

I

IBÁÑEZ, Sara de: 100.
IBARGÜENGOITIA, Jorge: 25, 367-368n.
ICAZA, Francisco A. de: 44.
I Ching (véase tb. *Libro de las Mutaciones*): 118, 128, 387.
Idilio (Díaz Mirón): 55.
Idilio salvaje (Othón): 42, 166, 193n.
Ifigenia: 228-231.
Ifigenia cruel (Reyes): 46, 120, 185, 228, 230-231.
Igitur: 334.
IGNACIO DE LOYOLA, San: 148.
Imágenes desterradas (Chumacero): 289, 292.
«*Imágenes desterradas*: Alí Chumacero» (Paz): 289-291.
imaginero, El (Molinari): 178.
INGRES, Jean-Auguste-Dominique: 336.
In/mediaciones (Paz): 29, 298n, 321n, 332n, 343n, 379n.
inmoralista, El (Gide): 260.
«innumerable respuesta: Homero Aridjis, La» (Paz): 328-329n.
Insomnio (Tablada): 159.
Intersecciones (Tablada): 163.

«Introducción a la historia de la poesía mexicana» (Paz): 35-52n.
invención de Morel, La (Bioy Casares): 374n.
Invitación a la muerte (Villaurrutia): 259.
IONESCO, Eugène: 100.
ISAACS, Jorge: 16.
Isaías: 296.
Isis: 256.
«Islas y puentes: Ramon Xirau» (Paz): 304-308n.
Isolda: 212.
Issa: 337.
IZQUIERDO, María: 96, 250.
Ixca Cienfuegos: 371-372.

J

J. A.: 105.
JACOB, Max: 121, 339.
JAEGER, Hermann: 227.
JAKOBSON, Roman: 122n.
JAIME AUGUSTO (véase Shelley).
JÁMBLICO: 281.
JAMMES, Francis: 22, 178, 221, 266.
Jardín escrito (González de León): 330.
jardines interiores, Los (Nervo): 175.
jarro de flores, El (Tablada): 64, 158, 164.
Jayarvaman: 336.
Jehová: 265.
JESUCRISTO (véase tb. Cristo, Jesús e Hijo del Hombre): 144.
JESÚS (véase tb. Cristo, Jesucristo e Hijo del Hombre): 359.
JRUSHEV, Nikita: 83.
JIMÉNEZ, Juan Ramón: 45-46, 99, 103, 113, 175, 181, 184, 266-267, 281.
«jinete del aire: Alfonso Reyes, El» (Paz): 226-233n.
«José Clemente Orozco y el honor» (Villaurrutia): 264.
José de Arimatea (López Velarde): 180.

«Josefina Vicens: El libro vacío» (Paz): 369-370.
JOUVE, Pierre-Jean: 297.
joven Parca, La (Valéry): 230.
JOYCE, James: 232, 312, 351, 367.
JUANA INÉS DE LA CRUZ, sor (véase Cruz).
Juan, don: 160, 247, 334.
JUAN DE LA CRUZ, San: 38, 60.
JUÁREZ, Benito: 341.
Juárez-Loreto (Huerta): 287.
Julieta: 297.
Júpiter: 151, 265.

K

KAFKA, Franz: 232.
Kalendas: 223n.
Kali: 265.
Kalikac, los: 336.
KANDINSKY, Vasili: 309.
KANT, Immanuel: 361.
KEATON, Buster: 337, 368.
KLEE, Paul: 309.
KLOSSOWSKI, Pierre: 380.
KOBAYASHI Issa: 336.
KOLAKOWSKI, Leszek: 361.
KOSTAKOWSKY, Lya: 250.
KOSTROWITZKY, Albert: 173n.
KUNG Fu: 334.

L

LABASTIDA, Jaime: 131-132.
LABÉ, Louise: 40.
laberinto de la soledad, El (Paz): 24.
LAFORGUE, Jules: 22, 48, 112, 124, 168-169, 179-182.
lágrima, La (López Velarde): 183.
Landrú: 231.
LANDSBERG, Pablo Luis: 84.
LARBAUD, Valéry: 45-46, 120, 354.
LARREA, Rafael: 253.
Lascas (Díaz Mirón): 43, 55, 166.

Laura: 151.
Laurel: 98n, 100n, 108n, 251-252n, 269.
Laurel del ángel (Michelena): 289.
LAUTRÉAMONT, Isidore Ducasse, llamado conde de: 97, 121-122.
Lazarillo de Tormes, el: 382.
LAZO, Agustín: 65.
LEDUC, Renato: 123-124, 286.
LEIRIS, Michel: 122.
«lenguaje de López Velarde, El» (Paz): 166-171n.
LENORMAND, Henri-René: 258.
«león y la virgen, El» (Villaurrutia): 262.
LEÓN, fray Luis de: 38, 403.
Letras de México: 25, 74, 78, 109.
Lettre-Océan: 173n.
LEZAMA LIMA, José: 118-119, 165, 253, 340, 373, 380.
Libertad bajo palabra (Paz): 253-254.
Libro de las Mutaciones (véase tb. *I Ching*): 128, 134, 387.
libro del emigrante, El (Calvillo): 127.
libro vacío, El (Vicens): 369-370.
LICOFRÓN: 226.
Ligia: 213.
LINCOLN, Abraham: 16.
LIND, Jenny: 244.
Línea (Owen): 121.
Línea del alba (Huerta): 96, 288.
Li-Po y otros poemas (Tablada): 64, 159, 163-164.
LIZALDE, Eduardo: 136.
loco Dios, El (Echegaray): 220.
LOMBARDO TOLEDANO, Vicente: 71, 75.
LOPE DE VEGA Y CARPIO, Félix: 21, 37, 80, 141, 253, 270, 304, 320.
LÓPEZ, Luis Carlos: 168.
LÓPEZ MALO, Rafael: 69, 96.
LÓPEZ VELARDE, Ramón: 19, 21-22, 24, 46-49, 55, 57, 60, 64-65, 85, 90, 112, 117, 120, 157, 160-161, 164-225, 234, 254-255, 262-263, 266-267, 275, 286, 289, 293, 305, 341, 387.

LORCA (véase García Lorca).
Loreley: 320.
Lot: 160.
Love Song of J. Alfred Prufrock, The (véase tb. *Canto de amor de J. A. Prufrock*) (Eliot): 183.
LOWRY, Malcolm: 365-366.
Lucifer: 210.
Lugares (González de León): 331.
LUGONES, Leopoldo: 17, 43-45, 48, 69, 112-113, 165, 168-169, 174, 179, 181-182, 202, 251, 266, 305.
LUIS XIV: 79.
Luna de enfrente (Borges): 178.
Lunario sentimental (Lugones): 168, 182.
LUQUÍN, Eduardo: 77, 77n, 250.
Lustra (Pound): 183.
luto humano, El (Revueltas): 355, 357, 359.

LL

Llanto por Ignacio Sánchez Mejías (García Lorca): 92.
LLULL, Ramon: 101.

M

MACHADO, Antonio: 45-46, 84, 113, 175, 181, 183, 348.
MACHADO DE ASSÍS, Joaquín María: 306.
Mademoiselle Bistouri (Baudelaire): 180.
MADERO, Francisco Ignacio: 190n, 228.
Madrigal sombrío (Villaurrutia): 273.
Madrigal triste (Baudelaire): 213.
MAETERLINCK, Maurice: 179.
MAGAÑA ESQUIVEL, Antonio: 250.
Maidenform (Zaid): 320.
MALAQUAIS, Jean: 107, 110.
MALRAUX, André: 72, 104.
Mal tiempo (Sabines): 296.
MALLARMÉ, Stéphane: 46, 57, 118, 167, 230, 232, 335.

Índice alfabético

MANCERA, Leonor Carreto, marquesa de: 148, 150-151.
MANCISIDOR, José: 250.
manchas del sol, Las (García Terrés): 301-302, 303n.
«*manchas del sol*: Jaime García Terrés, *Las*» (Paz): 301-303n.
MANDELSTAM, Madezha: 339.
Mandrake: 341.
MANRIQUE, Jorge: 112.
Manual de espumas (Gerardo Diego): 390.
Manual del distraído (Rossi): 390, 392n.
«*Manual del distraído*: Alejandro Rossi» (Paz): 390-392n.
MAO Tse-tung: 333.
MAPLES ARCE, Manuel: 122-123.
MAQUIAVELO, Nicolás: 79.
MARAGALL I GORINA, Joan: 306.
«Marco Antonio Montes de Oca» (Paz): 322-325n.
mar viejo, El (García Terrés): 280.
MARCH, Ausias: 306.
María: 177.
MARÍN, Guadalupe: 250.
MARINO, Giambattista: 112.
MARQUINA, Eduardo: 175.
MARTÍ, José: 43, 305.
MARTÍNEZ, José Luis: 84, 173n, 175, 190n, 219, 221, 250-251, 273, 292.
MARTÍNEZ LAVALLE, Arnulfo: 69.
MARX, Karl: 88, 131, 185.
«máscara y la transparencia: Carlos Fuentes, La» (Paz): 371-375n.
MATISSE, Henri: 336.
matrimonio del cielo y del infierno, El (Blake): 260, 282.
MAYAKOVSKI, Vladimir: 123.
MELÉNDEZ VALDÉS, Juan: 41.
Melibea: 382.
MELO, Juan Vicente: 351n.
MÉNDEZ PLANCARTE, Alfonso: 38, 174, 219.
mendigo, El (López Velarde): 183.
MENDOZA, José María González Mendoza, llamado el abate: 74.

MENÉNDEZ Y PELAYO, Marcelino: 35.
Mercedes: 231.
México en la obra de Octavio Paz (Paz): 264n.
MICRÓS (pseudónimo de Ángel de Campo): 25.
MICHAUX, Henri: 297.
MICHELENA, Margarita: 126-127, 289.
Miércoles de ceniza (Eliot): 87, 101.
MILOSZ, Oscar V. de Lubicz: 297.
minutero, El (López Velarde): 166, 172, 180, 185, 196, 215.
MIRABEAU, Honoré Gabriel Riqueti, llamado conde de: 16.
mirada, La (Sucre): 334.
MIRA DE AMESCUA, Antonio: 80.
MOCTEZUMA: 259, 341.
MOLINARI, Ricardo: 178-179.
Molly: 224.
MONDRAGÓN, Sergio: 132-134.
MONET, Claude: 235.
MONPREZ, Álvaro de (pseudónimo de López Velarde): 220.
MONSIVÁIS, Carlos: 25, 125, 283.
MONTAIGNE, Michel Eyquem de: 391.
MONTELLANO (véase Ortiz de M.).
MONTES DE OCA, Marco Antonio: 115, 129-130, 132-134, 306, 322-325n.
MORAND, Paul: 262.
MORENO SÁNCHEZ, Manuel: 69.
MORENO VILLA, José: 96, 250-251.
MORO, César: 95, 110.
Mourir de ne pas mourir (Éluard): 270.
Muerta (López Velarde): 220.
muertes, Las (Ibargüengoitia): 367-368.
muerte de Artemio Cruz, La (Fuentes): 351n, 371n, 372, 378.
Muerte de cielo azul (Ortiz de Montellano): 85.
Muertes de Buenos Aires (Borges): 88.
Muerte sin fin (Gorostiza): 61, 63, 85, 91, 102n, 124, 185, 243-249.
«*Muerte sin fin*: José Gorostiza» (Paz): 243-249n.
Muerte y resurrección (Shelley): 84.
mujer legítima, La (Villaurrutia): 259.

Mundo Nuevo: 388n.
MURILLO, Bartolomé Esteban: 60.
muros de agua, Los (Revueltas): 355.
MUSIL, Robert: 97, 380.

N

Nación, La: 220.
NANDINO, Elías: 254.
NAPOLEÓN I: 16.
Narciso: 134, 246.
Narda: 341.
Natalia: 177.
Natividad: 356, 360.
Nadja: 224.
NAVA, Thelma: 134.
NAVARRETE, Manuel de: 41.
Neptuno: 397.
NERUDA, Pablo (pseudónimo de Ricardo Eliecer Neftalí Basoalto): 66, 88-89, 91, 99-100, 108, 110, 113, 118-119, 124, 179, 183, 239, 248, 253, 276, 286, 305.
NERVAL, Gérard Labrunie, llamado Gérard de: 65, 196, 212, 225, 256, 278, 281.
NERVO, Amado: 19, 24, 44, 64, 174-175, 241, 263, 266, 281.
Never Ever (Novo): 121.
NEWTON, sir Isaac: 206.
NIETZSCHE, Friedrich: 84, 104, 185, 282, 360.
niña del candil, La (Romero de Torres): 223.
Nocturno (Villaurrutia): 272.
Nocturno alterno (Tablada): 164.
Nocturno de la estatua (Villaurrutia): 271-272.
Nocturno de los ángeles (Villaurrutia): 272.
Nocturno en Bogotá (Gorostiza): 243.
Nocturno en el que habla la muerte (Villaurrutia): 272-273.
Nocturno en que nada se oye (Villaurrutia): 273.

Nocturno mar (Villaurrutia): 272.
Nocturno miedo (Villaurrutia): 267, 272-273.
Nocturno muerto (Villaurrutia): 270.
Nocturno rosa (Villaurrutia): 272.
Nocturnos (Villaurrutia): 61, 267-269.
Nocturnos (Darío): 272.
Nocturno sol (Villaurrutia): 273.
No me mueve mi Dios, para quererte... (Guevara): 38.
North Carolina Blues (Villaurrutia): 272.
Nostalgia de la muerte (Villaurrutia): 85, 92, 251, 267, 272.
Nostalgias (Villaurrutia): 267, 272.
NOVALIS, Friedrich Leopold von Hardenberg, llamado: 66, 213, 232, 268.
NOVARO, Octavio: 96.
Novedades: 289, 333.
«novela de Jorge Ibargüengoitia, Una» (Paz): 367-368n.
«Novela y provincia: Agustín Yáñez» (Paz): 350-353n.
NOVO, Salvador: 63, 69-71, 74-76, 78, 81, 88, 90, 115, 120-122, 127, 129, 193n, 254, 261, 265, 273, 281, 286, 316.
NOYOLA VÁZQUEZ, Luis: 168, 173, 176-177, 179, 206n, 220-221.
Nuestra Señora de la Fuente Santa: 223.
Nuevo amor (Novo): 193n.
«Nunca digas a nadie que tienes la verdad en un puño» (Huerta): 287.
NÚÑEZ DE ARCE, Gaspar: 190.

O

Obra maestra (López Velarde): 180, 215.
Obras (Juan José Arreola): 296.
Obras (Ramón López Velarde, a cargo de J. L. Martínez): 173n, 190n.
Obras (Gilberto Owen): 278n.
Obras (José Juan Tablada): 163.
Obras (Xavier Villaurrutia): 262, 274.
«obra sin joroba: Juan Ruiz de Alarcón, Una» (Paz): 141-143n.

OCAMPO, Silvina: 179.
Ocupación de la palabra (Bañuelos, Oliva, Shelley, Labastida, Zepeda): 131.
Oda marítima [Campos (Pessoa), trad. Cervantes F.]: 134.
Odette de Crécy: 368.
Odiseo: 334.
ojos verdes, Los (Chumacero): 292.
OLIVA, Óscar: 131-132.
Oliver: 241.
Ómnibus (Zaid): 283.
ONETTI, Juan Carlos: 305.
Orestes: 229-230.
OROZCO, José Clemente: 61, 103, 264, 351n.
OROZCO ROMERO, Carlos: 250.
ORTEGA Y GASSET, José: 94, 104, 262.
ORTIZ DE MONTELLANO, Bernardo: 64, 74, 76, 78, 84-85, 88, 91, 100-101, 123, 180, 250, 268, 270, 281-282.
OTHÓN, Manuel José: 16, 24, 42-44, 55-57, 64, 166, 193n, 237, 263.
otoño recorre las islas, El (Becerra): 339n, 343n.
«otra orilla, La» (Paz): 264n.
Otros nocturnos (Villaurrutia): 267.
OTERO, Blas de: 102.
OWEN, Gilberto: 62-63, 74, 79, 89, 121, 127, 278-283, 289.

P

PACHECO, José Emilio: 115-116, 129-130, 132, 136, 306, 326, 327n, 338, 338n.
PADRES DE LA IGLESIA: 152, 256.
PAGAZA, Joaquín Arcadio: 42.
Páginas escogidas (José Vasconcelos, selección de Castro Leal): 347-348, 349n.
«*Páginas escogidas* de José Vasconcelos» (Paz): 347-349n.
«Paisaje y novela en México: Juan Rulfo» (Paz): 365-366n.

Palabra (Villaurrutia): 254.
Palabras en reposo (Chumacero): 292, 292n.
PALACIOS MACEDO, Emmanuel: 75, 97.
PALMA, Ricardo: 16.
Palmeras salvajes (Faulkner): 358.
paloma azul, La (Durán): 309-310, 311n.
«*paloma azul*: Manuel Durán, *La*» (Paz): 309-311n.
PANERO, Leopoldo: 102.
Paradiso (Lezama Lima): 373.
Páramo de sueños (Chumacero): 292.
PARDO BAZÁN, Emilia: 16.
Parece mentira (Villaurrutia): 260.
PAREDES, María Luisa Manrique de Lara y Gonzaga, marquesa de la Laguna y condesa de: 40, 150.
PARMÉNIDES: 245, 248.
PARRA, Nicanor: 295.
Parte de vida (García Terrés): 302.
PASCAL, Blaise: 364.
Paseo de mentiras (Cabada): 355.
PASO, Fernando del: 25.
PAULHAN, Jean: 262.
Pausa (Reyes): 45.
PAZ, Amalia: 17.
PAZ, Ireneo: 16.
PAZ, Marie José: 338-339.
PAZ, Octavio: 7, 29, 136, 252, 338n, 370.
Pecera con lechuga (Gerardo Diego): 314.
PEDRO, San: 366.
PEDRO EL ERMITAÑO: 189.
Pedro Páramo: 366.
Pedro Páramo (Rulfo): 350, 366.
PÉGUY, Charles: 156.
Peluquería (Aridjis): 329.
PELLICER, Carlos: 17, 55, 58, 61-64, 69, 74-77, 81, 87, 89-90, 95, 99, 115, 120-123, 129, 162, 166, 193n, 234-242, 263, 267, 275, 281, 286, 289, 400.
Penumbra (Zaid): 315.
peras del olmo, Las (Paz): 29, 52n, 59n, 68n, 155n, 162n, 240n, 249n, 399n.
PÉRET, Benjamin: 107, 110, 122.

PÉREZ DE AYALA, Ramón: 178-179.
PÉREZ DE GUZMÁN, Fernán: 26, 31.
PÉREZ GALDÓS, Benito: 16.
perro de San Roque, El (López Velarde): 186.
Perseo vencido (Owen): 289.
PESADO, José Joaquín: 42.
PESSOA, Fernando: 89, 134, 278, 281, 306.
pez y la manzana, El (Molinari): 178.
PHILLIPS, Allen W.: 172-175, 179-180, 182, 185, 201, 205, 216, 221.
PICASSO, Pablo: 90, 118, 135.
PICO DELLA MIRANDOLA, Giovanni: 89.
Piedra de sacrificios (Pellicer): 234, 242.
Piedra y cielo (Jiménez): 267.
PÍLADES: 279.
PIRIZ SALGADO, Ana María: 221n.
PIRRÓN: 89.
Piscina (Gerardo Diego): 314.
PLATÓN: 363.
PLAUTO, Tito Maccio: 37.
plaza, La (García Ponce): 381.
PLOTINO: 332, 364.
Plural: 110, 252.
Poemas árticos (Huidobro): 266.
Poemas de T. S. Eliot (en *Taller*, abril-mayo de 1940): 100.
Poemas dispersos (Tablada): 163.
Poemas novelescos (Zaid): 315.
Poemas proletarios (Novo): 127.
Poemas rústicos (Othón): 16.
Poemas y ensayos (Jorge Cuesta): 77n.
Poesía: 95.
«poesía de Carlos Pellicer, La» (Paz): 234-240n.
«Poesía de soledad y poesía de comunión» (Paz): 108n.
«Poesía e historia: *Laurel* y nosotros» (Paz): 98n, 100n, 108n, 252n.
Poesía en movimiento, México, 1915-1966 (selección de Aridjis, Chumacero, Pacheco, Paz): 29, 112n, 135-136, 283, 338, 338n.
«Poesía en movimiento» (Paz): 112-137.

Poesía en voz alta in the Theater of Mexico (Unger): 100n.
«Poesía mexicana moderna» (Paz): 60-68n.
«Poesía para ver: Ulalume González de León» (Paz): 330-332n.
Poesías (José Juan Tablada): 119n.
Poesías completas (José Juan Tablada, recopilación de H. Valdés): 163.
Poesía y alquimia: los tres mundos de Gilberto Owen (García Terrés): 278.
Poesía y prosa (Owen): 280n.
Poética y Profética (T. Segovia): 136.
Pomona: 191.
Polifemo (Góngora): 63, 312.
Polifemo: 304.
POLO DE MEDINA, Jacinto: 147.
PONCE, Manuel: 116, 116n.
«Poner al Hijo en cruz, abierto el seno» (Guevara): 38.
PONIATOWSKA, Elena: 254.
Popol Vuh: 61.
PORTILLA, Jorge: 254.
POULENC, Francis: 401.
POUND, Ezra: 20, 22, 63, 81-82, 106, 106n, 108, 135, 183.
Práctica de vuelo (Pellicer): 234, 237, 237n.
Práctica mortal (Zaid): 312-313.
PRADOS, Emilio: 97, 252-253.
«pregunta de Carlos Fuentes, La» (Paz): 376-379n.
Preludio (Gorostiza): 243-244.
presidente, El (Hernández Campos): 127.
PRIETO, Guillermo: 41.
Primera elegía (Villaurrutia): 274.
Primero sueño (sor Juana Inés de la Cruz): 40-41, 61, 147-149, 151, 153, 155.
Primero sueño (Torres Bodet): 123.
privilegios de la vista, Los (Paz): 264n.
PROCLO: 363.
Profesor Brea: 336.
PROPERCIO, Sexto Aurelio: 286.
Prosodia (Arreola): 297.
PROUST, Marcel: 367.
Provincia, La: 220-221.
Prufrock: 124.

Puertas al campo (Paz): 29, 233n, 264n, 311n, 325n, 353n.
Pygmalion: 169.

Q

quebranto, El (Revueltas): 97, 355, 359.
QUENEAU, Raymond: 351n.
Quetzalcóatl: 38.
QUEVEDO Y VILLEGAS, Francisco: 39, 60, 80, 86, 91, 100, 208, 211, 213, 268, 304, 316, 353, 377.
QUIJANO, Margarita: 201n.
QUINTERO ÁLVAREZ, Alberto: 66, 95-97, 102n, 108-109, 284, 287.

R

RACINE, Jean: 383.
RAFAEL, San: 223.
Raíz del hombre (Paz): 74.
rama dorada, La (Frazer): 238n.
RAMÍREZ, Ignacio: 15, 41-42.
RAMÍREZ Y RAMÍREZ, Enrique: 69, 96, 287.
Ramón López Velarde, el poeta y el prosista (Paz): 172n.
RAMOS, Samuel: 71, 74, 77-78, 84, 250, 400.
Raskólnikov: 368.
RAVEL, Maurice: 402.
Rayuela (Cortázar): 118-119.
«Razón de ser» (Paz): 81, 101-103.
REBOLLEDO, Efrén: 64.
Recinto (Pellicer): 237, 237n.
recuerdos del porvenir, Los (Garro): 351n.
Reflejos (Villaurrutia): 236, 266-267.
región más transparente, La (Fuentes): 261, 371, 371n.
reinos combatientes, Los (García Terrés): 126.
REJANO, Juan: 98.
Relación de los hechos (Becerra): 340-341.

RENARD, Jules: 297.
Rescoldos del cantar (García Terrés): 280.
Responso del peregrino (Chumacero): 290, 292.
Respuesta a sor Filotea de la Cruz (sor Juana Inés de la Cruz): 39, 145, 148-149.
«Respuestas a *Cuestionario* –y algo más: Gabriel Zaid» (Paz): 312-321n.
«Restos de *Ulises*: Villaurrutia y Pellicer» (Paz): 241-242.
Retablo (Tablada): 161.
Retablo del amor (Romero de Torres): 222.
retorno maléfico, El (López Velarde): 164, 169, 187.
Retrato de mi madre (Henestrosa): 96, 284.
Revista Azul: 113.
Revista de Occidente: 84.
Revista Mexicana de Literatura: 64, 179.
Revista Moderna: 64.
REVUELTAS, José: 82, 96-97, 99, 284, 287, 351n, 354-364n, 381.
REVUELTAS, Silvestre: 191, 250, 397-399n.
REYES, Alfonso: 21, 24, 40, 45, 54, 57-58, 61, 63, 65, 75, 81, 99, 117, 120, 165, 226-233n, 251, 261-263, 275, 281, 284, 305, 307, 364, 402.
REYES, Bernardo: 228.
RIDRUEJO, Dionisio: 102.
RILKE, Rainer Maria: 84, 87, 273-274.
RIMBAUD, Arthur: 66, 97, 100-101, 121, 131, 167, 232, 281, 350.
RIOJA, Francisco de: 53.
RÍOS, Josefa de los: 220-221.
«Risa y penitencia» (Paz): 264n.
RIVERA, Diego: 61, 71, 79, 103, 110, 351n.
RIVERA SILVA, Manuel: 69.
RODENBACH, Georges: 22, 178-179, 266.
RODRÍGUEZ LOZANO, Manuel: 65.
RODRÍGUEZ, Abelardo: 355.
ROJAS GARCIDUEÑAS, José: 283.
ROMANO, Julio: 383.

ROMERO DE TORRES, Julio: 221-224.
RONSARD, Pierre: 278, 299.
ROSALES, Luis: 102, 253.
rosa primitiva, La (Huerta): 287.
Rosario: 203.
ROSSETTI, Dante Gabriel: 175.
ROSSI, Alejandro: 25, 390-392n.
RUDEL, Joufré: 212.
ROUGEMONT, Denis: 209-210n.
ROUSSEAU, Jean-Jacques: 131.
ROUSSEAU, Henri: 191.
RUELAS, Julio: 198.
RUIZ DE ALARCÓN, Juan: 21, 37, 80, 100, 100n, 141-143n.
RULFO, Juan: 305, 323, 350, 351n, 365-366n.
RUY-SÁNCHEZ, Alberto: 25.

S

SABINES, Jaime: 114, 125-126, 295-296, 298n, 323.
SADE, Donatien Alphonse François, llamado marqués de: 131, 198, 312, 385.
Sagrario Metropolitano: 61.
SAINT-JOHN PERSE, Alexis Saint Léger, llamado: 339-340.
Saisir (Supervielle): 271.
SALADINO I: 295-298n.
SALAZAR MALLÉN, Rubén: 71, 77, 250, 354-355.
SALINAS, Pedro: 91, 100, 286.
Salón de baile (Chumacero): 292.
SAMAIN, Albert: 266.
SÁNCHEZ-BARBUDO, Antonio: 98, 109, 251.
SÁNCHEZ, Guadalupe: 165.
SAND, Georges (pseudónimo de Armandine-Aurore-Lucie Dupin): 16.
SANDOVAL ZAPATA, Luis de: 39.
sangre del poeta, La (Cocteau): 75.
sangre devota, La (López Velarde): 172, 174-175, 193, 196, 215, 221.
SANTAYANA, George: 262.
SANTOS CHOCANO, José: 241.

Sara: 197.
SARDUY, Severo: 388-389.
SARMIENTO, Domingo Faustino: 16.
SARTRE, Jean-Paul: 290.
Satán: 167.
SATIE, Erik: 401.
Saturno: 17, 256.
SAUSSURE, Ferdinand de: 388.
SCHELER, Max: 84.
SCHNEIDER, Luis Mario: 29, 77, 357.
SCHÖNBERG, Arnold: 401-402.
Segismundo: 230.
SEGOVIA, Tomás: 114, 126, 136, 278-279, 282-283, 309.
Seguimiento (Zaid): 312, 315-316.
Segundo sueño (Torres Bodet): 123.
Seis, siete poemas (Pellicer): 234, 242.
SÉLAVY, Rrose (pseudónimo de Marcel Duchamp): 270.
Serafina: 368.
SERGE, Victor: 107, 110.
Serpiente Emplumada, La (Lawrence): 365.
SERRANO PLAJA, Arturo: 102.
SHAKESPEARE, William: 92.
SHELLEY, Jaime Augusto: 131-134.
Sibila: 212.
Siete de espadas (Bonifaz): 125.
«signos en rotación, Los» (Paz): 118n.
signo y el garabato, El (Paz): 29, 165n, 337n, 389n.
«signo y el garabato: Salvador Elizondo, El» (Paz): 384-389n.
«Silvestre Revueltas, (1889-1940)» (Paz): 397-399n.
Simbad el Varado (Owen): 278.
Simbad el Varado: 279.
Simbad (el Marino): 279.
Simbad el Exiliado: 279.
Sin pena ni gloria (Durán): 310.
SIQUEIROS, David Alfaro: 275.
Situations II (Sartre): 290.
SÓCRATES: 280.
SOLANA, Rafael: 65, 95-97, 99, 109, 284, 286-287, 354.
Soledades (Góngora): 40, 63, 153, 334.

Sombras de obras (Paz): 98n, 111n, 283n, 285n, 288n, 300n, 327n, 329n, 368n.
son del corazón, El (López Velarde): 166, 172, 193, 215, 218.
Soneto de la granada (Villaurrutia): 273.
Sonetos (Gorostiza): 244.
Sonetos (Anderson Imbert): 123.
Sonetos a Orfeo (Rilke): 273, 274n.
Sophie: 212.
SORIANO, Juan: 100, 250.
«Sor Juana Inés de la Cruz, Primera aproximación» (Paz): 144-155n.
SPENGLER, Oswald: 104.
SPENSER, Edmund: 278.
Spleen de Paris, Le (Baudelaire): 166, 180.
STAËL, Germaine Necker Staël-Holstein, baronesa de Staël-Holstein, llamada Madame de: 16.
STALIN, Iósif Vissariónovich Dzhugashvili, llamado: 83, 87, 104, 109-110.
STENDHAL, Henri Beyle, llamado: 382.
STRAVINSKY, Igor: 401-402.
suave patria, La (López Velarde): 170-171, 189, 191.
Subordinaciones (Pellicer): 237, 237n.
SUCRE, Guillermo: 334.
sueño de los guantes negros, El (López Velarde): 195, 208-210.
sueño de los héroes, El (Bioy Casares): 374n.
Suite brasilera (Pellicer): 242.
Suite del insomnio (Villaurrutia): 64, 267.
SUPERVIELLE, Jules: 84, 269, 271.
Sur: 118n, 251, 357, 357n.
SWEDENBORG, Emmanuel: 282.
SWIFT, Jonathan: 304.
SYMONDS, Guillermo Eduardo (¿pseudónimo de López Velarde?): 220-221, 224.

T

TABLADA, José Juan: 20, 46-47, 49, 64, 114, 116-117, 119-120, 123, 129, 156-159, 162-166, 173, 183, 193n, 206, 234, 237, 253, 263, 266-267, 275, 282, 307, 316, 402.
TÁCITO, Publio Cornelio: 354.
Taller: 65, 78, 81, 95-103, 105, 108, 109-111, 125n, 131, 143n, 251, 284, 287, 355n, 399n.
Taller Poético: 95, 96.
TAMAYO, Rufino: 20, 60-61, 65, 235, 253, 400.
TAMERLÁN: 265, 304.
Tajín, El (Huerta): 287.
Tarde (Villaurrutia): 266.
TARIO, Francisco: 354.
Tarumba (Sabines): 295-296.
Temporada de infierno (Rimbaud, trad. J. Ferrel): 98.
Tenochtitlan: 191.
TERENCIO FLACO, Publio: 37.
TERESA DE JESÚS, Santa: 148.
TERRAZAS, Francisco: 36.
Tezcatlipoca: 161.
THOMPSON, Francis: 297.
Tiempo: 333.
Tierra baldía (Eliot): 101.
Tierra mojada (López Velarde): 183.
Tierra Nueva: 78, 96, 110, 251, 273.
tigre en la casa, El (Lizalde): 136.
TIRSO DE MOLINA, Gabriel Téllez, llamado: 37.
TIZIANO, Veccellio: 387.
Todo (López Velarde): 183, 218.
TOLSTÓI, Lev Nikoláievich: 16.
TOMLINSON, Charles: 304.
Tom Sawyer: 382.
Tonantzin: 38, 191.
TORRE, Guillermo de: 254.
TORRES BODET, Jaime: 64, 74-76, 78-79, 123, 127, 242, 286.
TORRI, Julio: 62, 117, 120-121, 127.
TOSCANO, Carmen: 286.
TOSCANO, Rafael: 97.

TOSCANO, Salvador: 69-96.
Tres poemas de antes (Bonifaz): 299.
Tristán: 212.
TROTSKI, Lev Davídovich Bronstein, llamado: 104, 107, 109.
TZARA, Tristan: 86.

U

Ulises: 103, 241.
última odalisca, La (López Velarde): 183, 200, 206-207.
UNGER, Roni: 100n.
Universal, El: 77, 333.
URANGA, Emilio: 216.
URBINA, Luis G.: 44, 54-57, 64, 237.
USIGLI, Rodolfo: 24, 61, 63, 80, 101, 123-124, 250, 260.

V

VALDÉS, Héctor: 163, 165.
VALÉRY, Paul: 74, 84, 104, 245, 262, 269, 281.
VALVERDE CANDIL, Mercedes: 221n.
VALLADARES, Armando: 110.
VALLE-INCLÁN, Ramón del Valle y Peña, llamado Ramón María del: 221-223, 305, 353.
VALLEJO, César: 108, 124, 178, 248, 305.
VARELA, Lorenzo: 98.
VARÈSSE, Edgar: 401.
VASCONCELOS, José: 24, 61, 206, 283, 347-349n, 363-364, 402.
VEGA, Raúl: 69.
VEGA ALBELA, Rafael: 97-99, 108-109.
XX Poemas (Novo): 121.
VELÁZQUEZ, Diego Rodríguez de Silva y: 60.
VÉLEZ, Guadalupe: 157.

verdad sospechosa, La (Ruiz de Alarcón): 100.
«verde lumbre: Rubén Bonifaz Nuño, La» (Paz): 299-300n.
VERHAEREN, Émile: 179.
VICENS, Josefina: 369.
VICENTE, Gil: 306.
VIEYRA, Antonio de: 144.
VILLA, Pancho: 124.
VILLAESPESA, Francisco: 221, 223.
VILLASEÑOR, Eduardo: 97, 99.
VILLAURRUTIA, Xavier: 21, 54-55, 58-59, 64-65, 69-71, 74-85, 87-93, 96, 100, 115, 122-124, 165-167, 169, 173, 179-180, 185, 193n, 205, 212, 216, 236, 238-239, 241-242, 250-277, 280-282, 286, 289, 306, 341, 400.
VILLON, François: 86, 112.
Virgen, la: 39, 57; de Guadalupe: 38, 191, 358; de la Salud: 223; de las Angustias: 223 (véase tb. Nuestra Señora).
VIRGILIO MARÓN, Publio: 225.
VISHINSKI, Andréi: 363.
Visión de Anáhuac (Reyes): 46.
VOLTAIRE, François-Marie Arouet, llamado: 304.
Vuelta: 109-111, 252, 278, 383n, 403n.

W

WEINBERGER, Eliot: 328.
WEININGER, Otto: 297.
Werther: 382.
WHITMAN, Walt: 120-121, 250-251.
WITTGENSTEIN, Ludwig: 335.

X

«Xavier Villaurrutia en persona y en obra» (Paz): 250-277n.
Xavier Villaurrutia en persona y en obra (Paz): 29, 93n.
XIRAU, Anna: 254.
XIRAU, Ramon: 254, 304-309.

Y

YÁÑEZ, Agustín: 350-353n.
YEATS, William Butler: 89, 278, 281.
Yerbas del Tarahumara (Reyes): 63, 120.

Z

ZAID, Gabriel: 129-130, 133, 283, 312-321n.
ZAMBRANO, María: 97.
ZOLA, Émile: 16.
ZEPEDA, Eraclio: 131-133.
Zona sagrada (Fuentes): 371n.
Zoraida: 213.
ZORRILLA, José: 220.
ZORRILLA DE SAN MARTÍN, Juan: 16.
Zozobra (López Velarde): 166, 170, 172, 174, 193, 196, 205-206, 215, 218, 266.
ZUBIRI, Xavier: 83.

ÍNDICE

Nota del editor. 7

PRÓLOGO

Tránsito y permanencia. 15

Advertencia. 29

SEIS VISTAS DE LA POESÍA MEXICANA

Introducción a la historia de la poesía mexicana 35
Émula de la llama 53
Poesía mexicana moderna 60
Contemporáneos 69
   Primer encuentro 69
   Desengaño y rebelión, curiosidad y revelación 75
   Variaciones sobre la muerte. 83
Antevíspera: *Taller* (1938-1941) 94
Poesía en movimiento. 112
   Aviso 112
   Repaso. 117
   Juego 128
   Post-scriptum 136

PROTAGONISTAS Y AGONISTAS: POETAS

Una obra sin joroba: Juan Ruiz de Alarcón 141
Sor Juana Inés de la Cruz, Primera aproximación. 144
Estela de José Juan Tablada 156
Alcance: *Poesías* de José Juan Tablada 163
El lenguaje de López Velarde. 166
El camino de la pasión: Ramón López Velarde. 172

    La balanza con escrúpulos.   172
    La mancha de púrpura   193
    El son del corazón.   204
        Post-scriptum. Fuensanta: imán y escapulario   219
    El jinete del aire: Alfonso Reyes   226
    La poesía de Carlos Pellicer.   234
        Post-scriptum. Restos de *Ulises:* Villaurrutia y Pellicer   241
    Muerte sin fin: José Gorostiza   243
    Xavier Villaurrutia en persona y en obra   250
        «Xavier» se escribe con equis.   250
        Imprevisiones y visiones   257
        El dormido despierto   266
    Gilberto Owen y la alquimia   278
    Agua de la memoria: Andrés Henestrosa   284
    Efraín Huerta.   286
    Imágenes desterradas: Alí Chumacero   289
    Alí Chumacero, poeta.   292
    Corazón de León y Saladino: Jaime Sabines
        y Juan José Arreola   295
    La verde lumbre: Rubén Bonifaz Nuño   299
    Las manchas del sol: Jaime García Terrés   301
    Islas y puentes: Ramon Xirau.   304
    La paloma azul: Manuel Durán.   309
    Respuestas a *Cuestionario* –y algo más: Gabriel Zaid.   312
    Marco Antonio Montes de Oca.   322
    Cultura y natura: José Emilio Pacheco.   326
    La innumerable respuesta: Homero Aridjis.   328
    Poesía para ver: Ulalume González de León.   330
    Adrede de Gerardo Deniz: Composiciones y descomposiciones   333
    Los dedos en la llama: José Carlos Becerra.   338

PROTAGONISTAS Y AGONISTAS: NARRADORES

    Las *Páginas escogidas* de José Vasconcelos   347
    Novela y provincia: Agustín Yáñez.   350
    Cristianismo y revolución: José Revueltas.   354
        Dos notas: primera (1943)   354

Segunda (1979). 357
Paisaje y novela en México: Juan Rulfo 365
Una novela de Jorge Ibargüengoitia. 367
Josefina Vicens: *El libro vacío*. 369
La máscara y la transparencia: Carlos Fuentes 371
La pregunta de Carlos Fuentes. 376
Encuentros de Juan García Ponce 380
El signo y el garabato: Salvador Elizondo. 384
Manual del distraído: Alejandro Rossi. 390

DÍTONO

Silvestre Revueltas (1889-1940) 397
Carlos Chávez (1899-1978). 400

Índice alfabético. 405

Esta edición de
Generaciones y semblanzas
—cuarto volumen de las
Obras Completas de Octavio Paz,
dirigidas y prologadas por él mismo—
se terminó de imprimir
el 13 de enero de 1994.

La obra ha sido diseñada por Norbert Denkel,
asistido por Susanne Werthwein,
y ha estado al cuidado de Adolfo Castañón, Ana Clavel,
Miriam Grunstein y Xavier Solé.

La fotocomposición
es de punt groc & associats, s. a.,
y la impresión de
Mar-Co Impresores
Prol. Atrio de San Francisco núm. 67
San Francisco, 04320; Coyoacan, D. F.

La edición consta de 4 000 ejemplares numerados.

Ejemplar número

082